dtv

Bei der Mordserie, die Kurt Wallander gerade aufzuklären hat, kann es selbst erfahrenen Polizisten kalt den Rücken hinunterlaufen: Einen alten Mann findet man in einer Pfahlgrube aufgespießt, einen anderen halbverhungert, beinahe nackt an einen Baum gebunden und erwürgt. Ein dritter wurde in einem mit Steinen beschwerten Sack in einem See ertränkt. Die Opfer scheinen auf den ersten Blick achtbare Bürger gewesen zu sein, doch stellt sich bei genaueren Nachforschungen sehr bald heraus, daß auch sie Frauen grausam mißhandelt haben. Wenn nun aber der Mord die Rache eines Opfers an Mördern und Vergewaltigern ist, muß Wallander sich beeilen, bevor das nächste, noch grausamere Verbrechen geschieht ...

Henning Mankell, geboren 1948 in Härjedalen, ist einer der angesehensten und meistgelesenen schwedischen Schriftsteller. Er lebt als Regisseur und Autor in Maputo/Mosambik. Für seine Bücher wurde er mehrfach ausgezeichnet, unter anderem von der Schwedischen Akademie für Kriminalliteratur. Auf deutsch sind von Mankell außerdem erschienen: ›Mörder ohne Gesicht‹ (1991, dt. 1993), ›Hunde von Riga‹ (1992, dt. 1993), ›Die weiße Löwin‹ (1993, dt. 1995), ›Die falsche Fährte‹ (1995, dt. 1999), ›Der Chronist der Winde‹ (1995, dt. 2000) sowie ›Mittsommermord‹ (1997, dt. 2000).

Henning Mankell

Die fünfte Frau

Roman

Deutsch von
Wolfgang Butt

Deutscher Taschenbuch Verlag

Vorbemerkung des Übersetzers

Der mit den schwedischen Verhältnissen vertraute Leser wird in der vorliegenden Übersetzung das in Schweden durchgängig gebrauchte Du als Anredeform vermissen. Es wurde, soweit es sich nicht um ein kollegiales oder freundschaftliches Du handelt, durch das den deutschen Gepflogenheiten entsprechende Sie ersetzt, auch wenn damit ein Stück schwedischer Authentizität des Textes verlorengeht.

Die Übersetzung wurde gefördert durch die Europäische Gemeinschaft im Rahmen des Programms Ariane 1998.

Ungekürzte Ausgabe
Oktober 2000
3. Auflage Januar 2001
Deutscher Taschenbuch Verlag GmbH & Co. KG, München
www.dtv.de

Titel der schwedischen Originalausgabe:
›Den femte kvinnan‹ (Ordfront Verlag, Stockholm 1997)

Umschlagkonzept: Balk & Brumshagen
Umschlagbild: Detail des Gemäldes ›Woman with a Parrot‹ (1866)
von Gustave Courbet (The Metropolitan Museum of Art, H. O. Havemeyer
Collection, Bequest of Mrs. H. O. Havemeyer, 1929. (29.100.57)
Photograph © 1979 The Metropolitan Museum of Art)
Satz: KCS GmbH, Buchholz/Hamburg
Gesetzt aus der Aldus 9,5/11,25· (QuarkXPress)
Druck und Bindung: C. H. Beck'sche Buchdruckerei, Nördlingen
Gedruckt auf säurefreiem, chlorfrei gebleichtem Papier
Printed in Germany · ISBN 3-423-20366-8

Ich sah Gott im Traum, und er hatte zwei Gesichter.
Eins war mild und sanft wie das Gesicht einer
Mutter, das andere glich dem Gesicht Satans.

aus: ›Der Fall des Imam‹ von Nawal el Saadawi

Das Spinnennetz webt mit Liebe und Sorgfalt
seine Spinne.

afrikanisch, unbekannten Ursprungs

Algerien – Schweden

Mai–August 1993

Prolog

In der Nacht, als sie gekommen waren, um ihren heiligen Auftrag durchzuführen, war alles sehr still.

Farid, der jüngste der vier Männer, dachte später, daß nicht einmal die Hunde angeschlagen hatten. Sie waren von der lauen Nacht umschlossen, und der Wind, der in schwachen Stößen aus der Wüste heranwehte, war kaum spürbar. Sie hatten seit dem Einbruch der Dunkelheit gewartet. Der Wagen, der sie den weiten Weg von Algier und ihrem Treffpunkt bei Dar Aziza hergebracht hatte, war alt und schlecht gefedert. Zweimal hatten sie die Fahrt unterbrechen müssen. Das erstemal, um eine Reifenpanne am linken Hinterrad zu beheben. Da hatten sie noch nicht einmal die Hälfte der Strecke hinter sich. Farid, der noch nie aus der Hauptstadt herausgekommen war, hatte im Schatten eines Steinblocks am Straßenrand gesessen und mit Verwunderung den dramatischen Wechsel der Landschaft beobachtet. Der Reifen, dessen Gummibelag rissig und stark abgefahren war, ging ein Stück nördlich von Bou Saada kaputt. Es dauerte lange, bis die rostigen Muttern gelöst waren und das neue Rad montiert werden konnte. Farid hatte dem leise geführten Gespräch der anderen entnommen, daß sie sich verspäten würden und deshalb keine Zeit hatten, anzuhalten und zu essen. Dann war die Fahrt weitergegangen. Kurz vor El Qued war der Motor stehengeblieben. Erst nach über einer Stunde gelang es ihnen, den Fehler zu finden und notdürftig zu beheben. Ihr Anführer, ein bleicher Mann in den Dreißigern mit einem dunklen Bart und so brennenden Augen, wie sie nur jene haben konnten, die unter dem Ruf des Propheten lebten, trieb den Fahrer, der schwitzend über den heißen Motor gebeugt stand, mit wütendem Zischen an. Farid kannte seinen Namen nicht. Aus Sicherheitsgründen hatte man ihm nicht gesagt, wer er war und woher er kam.

Er wußte auch nicht, wie die beiden anderen Männer hießen. Er kannte nur seinen eigenen Namen.

Dann waren sie weitergefahren, die Dunkelheit war schon über ihnen, und sie hatten nur Wasser zu trinken, nichts zu essen. Als sie endlich in El Qued ankamen, war die Nacht also schon sehr still gewesen. Sie hatten irgendwo tief im Straßenlabyrinth in der Nähe eines Marktes angehalten. Als sie ausgestiegen waren, verschwand der Wagen sogleich. Irgendwo aus den Schatten hatte sich ein fünfter Mann gelöst und sie weitergelotst.

Erst da, als sie im Dunkeln durch unbekannte Straßen hasteten, hatte Farid ernsthaft an das zu denken begonnen, was bald geschehen würde. Mit der Hand fühlte er die leicht gekrümmte Schneide des Messers, das er in einer Scheide tief in einer Tasche des Kaftans trug.

Sein Bruder Rachid Ben Mehidi hatte zuerst mit ihm über die Ausländer gesprochen. An den lauen Abenden hatten sie auf dem Dach des väterlichen Hauses gesessen und über die funkelnden Lichter Algiers geblickt. Farid wußte schon, daß sein Bruder sich tief engagiert hatte in dem Kampf für die Verwandlung ihres Landes in einen islamischen Staat, der keinen anderen Gesetzen folgte als denen, die der Prophet vorgegeben hatte. Nun sprach er jeden Abend mit Farid darüber, wie wichtig es war, die Ausländer aus dem Land zu vertreiben. Zunächst fühlte Farid sich geschmeichelt, daß sein Bruder sich die Zeit nahm, mit ihm über Politik zu diskutieren, auch wenn er anfangs nicht alles verstand. Erst später erkannte er, daß Rachid ganz andere Gründe hatte, ihm so viel Zeit zu widmen. Er wollte, daß Farid selbst dazu beitrug, die Fremden aus dem Land zu vertreiben.

Das war vor mehr als einem Jahr. Und jetzt, als Farid den anderen schwarzgekleideten Männern durch die dunklen, engen Straßen folgte, in denen die warme Nachtluft stillzustehen schien, war er auf dem Weg, Rachids Wunsch zu erfüllen. Die Ausländer sollten vertrieben werden. Aber sie sollten nicht zu den Häfen oder Flugplätzen eskortiert, sondern getötet werden. Diejenigen, die noch nicht ins Land gekommen waren, würden es dann vorziehen, zu bleiben, wo sie waren.

Dein Auftrag ist heilig, hatte Rachid ständig wiederholt. *Der*

Prophet wird zufrieden sein. Deine Zukunft wird leuchten, wenn wir dieses Land so verwandelt haben, wie er es wünscht.

Farid befühlte das Messer in der Tasche. Er hatte es am Abend zuvor von Rachid bekommen, als sie auf dem Dach voneinander Abschied nahmen. Es hatte einen schönen Elfenbeinschaft.

Sie hielten ein, als sie an den Rand der Stadt kamen. Die Straßen liefen auf einen Marktplatz zu. Der Sternenhimmel war sehr klar. Sie standen im Schatten an einem länglichen Haus mit heruntergelassenen Jalousien vor geschlossenen Geschäften. Auf der anderen Straßenseite lag hinter einem hohen Eisengitter ein steinernes Haus. Der Mann, der sie hierhergeführt hatte, verschwand lautlos in den Schatten. Sie waren wieder nur vier. Alles war sehr still. Farid hatte so etwas noch nicht erlebt. In Algier war es nie so still. In den neunzehn Jahren seines bisherigen Lebens hatte er sich noch nie in einer solchen Stille befunden wie jetzt.

Nicht einmal die Hunde, dachte er. Nicht einmal die Hunde, die es hier im Dunkeln gibt, kann ich hören.

In einigen Fenstern des Hauses auf der anderen Straßenseite war Licht. Ein Bus mit flackernden defekten Scheinwerfern fuhr scheppernd vorüber. Dann war es wieder still.

Eins der Lichter in den Fenstern erlosch. Farid versuchte, die Zeit zu berechnen. Vielleicht hatten sie eine halbe Stunde gewartet. Er war sehr hungrig, denn er hatte seit dem frühen Morgen nichts gegessen. Das Wasser aus den beiden Flaschen war jetzt auch verbraucht. Aber er wollte nicht um mehr bitten. Der Mann, der sie anführte, würde empört sein. Sie waren im Begriff, einen heiligen Auftrag auszuführen, und er fragte nach Wasser.

Noch ein Licht erlosch. Kurz danach das letzte. Das Haus auf der anderen Straßenseite war jetzt dunkel. Sie warteten weiter. Dann gab der Anführer ein Zeichen, und sie hasteten über die Straße. Am Tor saß ein alter Wachmann und schlief. Er hatte einen Holzknüppel in der Hand. Der Anführer gab ihm einen Tritt. Als der Wachmann aufwachte, sah Farid, wie der Anführer ihm ein Messer dicht ans Gesicht hielt und ihm etwas ins Ohr flüsterte. Obwohl die Straßenbeleuchtung schlecht war, bemerkte Farid die Angst in den Augen des Alten. Dann stand der Mann auf und humpelte auf steifen Beinen davon. Das Tor knirschte leicht, als sie öffneten und in den Garten glitten. Es duftete schwer nach Jasmin und nach einem Gewürzkraut, das Farid kannte, dessen Name ihm aber nicht einfiel. Alles war noch immer sehr still. Auf einem Schild neben dem hohen Portal des Hauses stand ein Text: *Orden der Christlichen Schwestern.* Farid versuchte sich klarzumachen, was das bedeutete. Im gleichen Augenblick spürte er eine Hand auf seiner Schulter. Er fuhr zusammen. Der Anführer berührte ihn. Zum erstenmal sprach er so leise, daß nicht einmal der Nachtwind hören konnte, was gesagt wurde.

»Wir sind vier«, sagte er. »In diesem Haus sind auch vier Menschen. Sie schlafen in verschiedenen Zimmern auf beiden Seiten eines Korridors. Sie sind alt, und sie werden keinen Widerstand leisten.«

Farid sah die beiden anderen Männer an, die neben ihm standen. Sie waren ein paar Jahre älter als er. Plötzlich war Farid sich sicher, daß sie so etwas schon einmal gemacht hatten. Nur er selbst war neu. Trotzdem fühlte er keine Unruhe. Rachid hatte beteuert, daß das, was er tat, dem Propheten wohlgefällig war.

Der Anführer sah ihn an, als habe er seine Gedanken erraten.

»In diesem Haus wohnen vier Frauen«, sagte er dann. »Es sind Ausländerinnen, die es abgelehnt haben, freiwillig unser Land zu verlassen. Deshalb haben sie den Tod gewählt. Außerdem sind sie Christen.«

Ich soll eine Frau töten, fuhr es Farid durch den Kopf. Davon hatte Rachid nichts gesagt.

Dafür konnte es nur eine Erklärung geben.

Es bedeutete nichts. Es machte keinen Unterschied.

Dann gingen sie ins Haus. Das Türschloß ließ sich leicht mit einer Messerklinge öffnen. Drinnen im Dunkeln, wo es sehr heiß war, denn die Luft stand vollständig still, machten sie Taschenlampen an und suchten vorsichtig den Weg über eine breite Treppe nach oben. Im Korridor des Obergeschosses hing eine einsame Glühbirne an der Decke. Immer noch war alles sehr still. Vier geschlossene Türen lagen vor ihnen. Sie hatten die Messer herausgeholt. Der Anführer zeigte auf die Türen und nickte. Farid wußte, daß er jetzt nicht zögern durfte. Rachid hatte gesagt, daß alles sehr schnell gehen müsse. Er solle vermeiden, die Augen anzusehen. Er solle nur den Hals ansehen, und dann schneiden, fest und entschlossen.

Nachher konnte er sich auch nicht an viel erinnern. Die Frau, die mit einem weißen Laken bedeckt im Bett gelegen hatte, war vielleicht grauhaarig gewesen. Er hatte sie nur ungenau gesehen, weil das Licht, das von der Straße hereinfiel, sehr schwach war. Im gleichen Augenblick, als er das Laken fortzog, war sie erwacht, aber sie hatte keine Zeit gehabt zu schreien, keine Zeit gehabt zu begreifen, was vor sich ging, bevor er mit einem einzigen Schnitt ihre Kehle durchtrennte und hastig einen Schritt zurückwich, um nicht vom Blut bespritzt zu werden. Dann hatte er sich umgewandt und war in den Korridor zurückgegangen. Das Ganze hatte nicht einmal eine halbe Minute gedauert. Irgendwo in ihm hatten die Sekunden getickt. Die Männer wollten gerade den Korridor verlassen, als einer von ihnen mit leiser Stimme rief. Der Anführer erstarrte, als wisse er nicht, was er tun solle.

Es war noch eine Frau in einem der Zimmer. Eine fünfte Frau. Sie hätte nicht dasein sollen. Sie war eine Fremde. Vielleicht war sie nur auf Besuch.

Aber sie war auch Ausländerin. Das hatte der Mann, der sie entdeckt hatte, erkannt.

Der Anführer ging in das Zimmer. Farid stand hinter ihm und sah, daß die Frau im Bett zusammengekrochen war. Ihre Angst zu spüren bereitete ihm Übelkeit. In dem anderen Bett lag eine Frau – tot. Das Laken war von Blut durchtrankt.

Der Anführer zog sein Messer und schnitt auch der fünften Frau die Kehle durch.

Danach verließen sie das Haus so unbemerkt, wie sie gekommen waren. Irgendwo in der Dunkelheit wartete der Wagen auf sie. Als der Morgen zu dämmern begann, hatten sie El Qued und die fünf toten Frauen schon weit hinter sich gelassen.

Das war im Mai 1993.

Der Brief kam am 19. August in Ystad an.

Weil er in Algerien abgestempelt war und also von ihrer Mutter sein mußte, hatte sie damit gewartet, ihn zu öffnen. Sie wollte ihn in aller Ruhe lesen. Es war ein Brief mit vielen Seiten, denn das Kuvert war dick. Sie hatte seit drei Monaten nichts von ihrer Mutter gehört. Sicher hatte sie jetzt viel zu erzählen. Sie hatte den Brief auf dem Wohnzimmertisch liegenlassen und bis zum Abend gewartet. Sie spürte eine leichte Verwunderung. Warum hatte ihre Mutter die Anschrift diesmal mit Maschine geschrieben? Doch sie dachte, daß die Antwort darauf wohl im Brief zu finden wäre. Erst als es auf Mitternacht zuging, hatte sie die Balkontür geöffnet und sich in den Liegestuhl gesetzt, der kaum Platz hatte zwischen all ihren Blumentöpfen. Es war ein warmer, schöner Augustabend. Vielleicht einer der letzten in diesem Jahr. Dort draußen wartete schon der Herbst, wenn auch noch unsichtbar. Sie öffnete den Brief und fing an zu lesen.

Erst hinterher, als sie den Brief zu Ende gelesen und weggelegt hatte, begann sie zu weinen.

Nun wußte sie auch, daß eine Frau den Brief geschrieben haben mußte. Nicht nur die schöne Handschrift überzeugte sie davon. Es war auch die Wortwahl und die Art, wie sich die unbekannte Frau vorsichtig vortastete, um das Grauenvolle, das geschehen war, so schonend wie möglich zu erzählen.

Aber es gab nichts Schonendes. Es gab nur das, was geschehen war. Nichts anderes.

Die Frau, die den Brief geschrieben hatte, hieß Françoise Bertrand und war Polizistin. Es ging nicht vollkommen klar aus dem Brief hervor, aber anscheinend war sie Ermittlungsbeamtin bei der zentralen algerischen Mordkommission. In diesem Zusammenhang hatte sie mit den Ereignissen zu tun, die sich eines Nachts im Mai in der Stadt El Qued südlich von Algier abgespielt hatten.

Der äußere Zusammenhang war klar und überschaubar und absolut entsetzlich. Vier französische Nonnen waren von Unbekannten ermordet worden. Mit Sicherheit gehörten sie zu den Fundamentalisten, die beschlossen hatten, alle Ausländer aus dem Land zu vertreiben. Der Staat sollte geschwächt werden, um sich nach und nach selbst aufzulösen. In dem Vakuum, das dann entstehen würde, sollte der fundamentalistische Staat errichtet werden. Den vier Nonnen war die Kehle durchgeschnitten worden; von den Tätern keine Spur, nur Blut, überall dickes, geronnenes Blut.

Aber man hatte auch diese fünfte Frau gefunden, eine schwedische Touristin, die mehrmals ihre Aufenthaltserlaubnis verlängert hatte und zufällig in jener Nacht, als die Unbekannten mit ihren Messern gekommen waren, bei den Nonnen zu Besuch war. Ihrem Paß, der in einer Handtasche gefunden wurde, konnten sie entnehmen, daß sie Anna Ander hieß, sechsundsechzig Jahre alt war und sich legal mit einem Touristenvisum im Land aufgehalten hatte. Sie besaß ein Flugticket mit offenem Rückflugdatum. Weil die Sache mit den vier getöteten Nonnen schon schlimm genug war und Anna Ander allein unterwegs gewesen zu sein schien, beschlossen die Ermittlungsbeamten, auf politischen Druck von oben, diese fünfte Frau zu ignorieren. Sie hatte sich in dieser schicksalhaften Nacht einfach nicht dort befunden. Ihr Bett war leer gewesen. Statt dessen hatte man sie bei einem Verkehrsunfall ums Leben kommen und als namenlos und unbekannt in einem anonymen Grab beerdigen lassen. Ihre persönlichen Gegenstände waren beseitigt, ihre Spuren verwischt worden. Und hier kam Françoise Bertrand ins Spiel. *Man hatte sie eines frühen Morgens zu ihrem Chef gerufen,* schrieb sie in dem langen Brief, *und ihr den Befehl erteilt, sofort nach El Qued zu fahren.* Die Frau war zu diesem Zeitpunkt schon begraben. Françoise Bertrands Auftrag war, die letzten eventuell noch vorhandenen Spuren zu beseitigen und den Paß der Frau und ihre persönlichen Habseligkeiten zu vernichten.

Anna Ander würde nie in Algerien eingereist sein und hätte sich nie dort aufgehalten. Sie würde aufgehört haben, als eine Angelegenheit Algeriens zu existieren – aus allen Registern gestrichen. Da hatte Françoise Bertrand eine Tasche gefunden, die von den nachlässigen Ermittlern nicht entdeckt worden war. Sie hatte hinter einem Kleiderschrank gestanden. Oder vielleicht hatte sie auf dem hohen Schrank gestanden und war später heruntergefallen, das konnte die Polizistin nicht klären. Aber in der

Tasche waren Briefe, die Anna Ander geschrieben oder zumindest begonnen hatte, und die waren an ihre Tochter gerichtet, die in einer Stadt mit Namen Ystad im fernen Schweden lebte. Françoise entschuldigte sich, diese privaten Papiere gelesen zu haben. Sie hatte einen versoffenen schwedischen Künstler, den sie in Algier kannte, um Hilfe gebeten, und er hatte die Briefe für sie übersetzt, ohne zu ahnen, worum es sich eigentlich handelte. Sie hatte die Übersetzung niedergeschrieben und nach und nach ein Bild gewonnen. Schon damals hatte sie unter schweren Gewissensqualen gelitten angesichts dessen, was mit dieser fünften Frau geschehen war. Nicht nur, weil sie so brutal ermordet worden war in Algerien, dem Land, das Françoise so sehr liebte, das aber von inneren Gegensätzen so schrecklich zerrissen war. Sie versuchte zu erklären, was in ihrem Land geschah, und sie berichtete auch etwas von sich selbst. Daß ihr Vater in Frankreich geboren, aber als Kind mit seinen Eltern nach Algerien gekommen war. Dort war er aufgewachsen, dort hatte er eine Algerierin geheiratet, und Françoise, das älteste ihrer Kinder, hatte lange Zeit das Gefühl gehabt, mit einem Bein in Frankreich und mit dem anderen in Algerien zu stehen. Aber jetzt zweifelte sie nicht mehr. Algerien war ihre Heimat. Und deshalb quälten sie die Gegensätze so, die das Land in Stücke zu reißen drohten. Deshalb wollte sie auch nicht dazu beitragen, ihre eigene Schande und die ihres Landes noch weiter zu vermehren, indem man diese Frau beseitigte, die Wahrheit in einem erdichteten Verkehrsunfall ertränkte und dann nicht einmal dazu stand, daß Anna Ander tatsächlich in ihrem Land gewesen war. Françoise Bertrand hatte schlaflose Nächte, schrieb sie. Schließlich hatte sie beschlossen, an die unbekannte Tochter der toten Frau zu schreiben und die Wahrheit zu berichten. Sie zwang sich, ihre Loyalität gegenüber der Polizei hintanzusetzen, und bat darum, ihren Namen nicht preiszugeben. *Ich schreibe die Wahrheit,* endete der lange Brief. *Vielleicht mache ich einen Fehler, wenn ich erzähle, was geschehen ist. Aber konnte ich etwas anderes tun? Ich fand eine Tasche mit Briefen, die eine Frau an ihre Tochter geschrieben hat. Ich erzähle nun davon, wie sie in meinen Besitz gekommen sind, und sende sie nur weiter.*

Françoise Bertrand hatte die nicht zu Ende geschriebenen Briefe mitgeschickt.

Auch Anna Anders Paß lag bei.

Aber ihre Tochter las die Briefe nicht. Sie legte sie nur auf den Balkonboden und weinte. Erst im Morgengrauen erhob sie sich und ging in die Küche. Lange Zeit saß sie reglos am Küchentisch. Ihr Kopf war vollkommen leer. Aber dann begann sie zu denken. Alles kam ihr plötzlich ganz einfach vor. Sie sah ein, daß sie all diese Jahre nur gewartet hatte. Sie hatte es nur vorher nicht verstanden. Weder daß sie wartete, noch worauf. Jetzt wußte sie es. Sie hatte einen Auftrag, und sie mußte nicht mehr warten, um ihn auszuführen. Die Zeit war reif. Ihre Mutter war fort. Eine Tür war plötzlich weit aufgeschlagen.

Sie stand auf und holte die Schachtel mit den zerschnittenen Zetteln und dem großen Logbuch aus einer Kiste unter dem Bett im Schlafzimmer. Sie breitete die Zettel vor sich auf dem Tisch aus. Sie wußte, es waren genau dreiundvierzig Stück. Auf einem einzigen war ein schwarzes Kreuz. Dann begann sie, die Zettel auseinanderzufalten, einen nach dem anderen.

Das Kreuz war auf dem siebenundzwanzigsten Zettel. Sie schlug das Journal auf und folgte der Reihe von Namen, bis sie die siebenundzwanzigste Spalte erreichte. Sie betrachtete den Namen, den sie selbst geschrieben hatte, und sah langsam ein Gesicht hervortreten. Dann schlug sie das Buch zu und legte die Zettel in die Schachtel zurück.

Ihre Mutter war tot.

Es gab kein Zweifeln mehr für sie. Auch kein Zurück. Sie würde sich selbst ein Jahr geben. Um die Trauer zu bewältigen, um alle Vorbereitungen zu treffen. Aber länger nicht. Noch einmal ging sie hinaus auf den Balkon. Eine Regenfront zog vom Meer heran.

Kurz nach sieben Uhr ging sie ins Bett.

Es war der Morgen des 20. August 1993.

Schonen

21. September–11. Oktober 1994

1

Kurz nach zehn Uhr am Abend war er endlich fertig mit dem Gedicht.

Die letzten Strophen hatten ihn viel Mühe und Zeit gekostet. Er hatte nach einem schwermütigen Ausdruck gesucht, der zugleich schön sein sollte. Mehrere Blätter mit abgebrochenen Versuchen hatte er in den Papierkorb geworfen. Zweimal hätte er beinahe aufgegeben. Aber jetzt lag das Gedicht vor ihm auf dem Tisch. Sein Klagegesang über den Mittelspecht, der im Begriff war, aus Schweden zu verschwinden: seit den frühen achtziger Jahren war er nicht mehr gesichtet worden. Ein weiterer Vogel, der allmählich von den Menschen verdrängt wurde.

Er erhob sich vom Schreibtisch und streckte den Rücken. Von Jahr zu Jahr fiel es ihm schwerer, längere Zeit über seine Schreibereien gebeugt zu sitzen.

Ein alter Mann wie ich sollte keine Gedichte mehr schreiben, dachte er. *Die Gedanken eines Achtundsiebzigjährigen haben kaum noch Wert für andere, nur noch für ihn selbst.* Gleichzeitig wußte er, daß dies falsch war. Nur in der westlichen Welt blickte man herablassend oder verächtlich mitleidig auf alte Menschen herab. In anderen Kulturen wurde das Alter als die Lebensphase der abgeklärten Weisheit respektiert. Und Gedichte würde er schreiben, solange er lebte. Solange er einen Bleistift halten konnte und sein Kopf so klar war wie jetzt. Etwas anderes konnte er nicht, jetzt nicht mehr. Früher war er einmal ein tüchtiger Autoverkäufer gewesen, viel tüchtiger als andere Autoverkäufer. Er stand zu Recht im Ruf, bei Verhandlungen und Geschäften ein harter Knochen zu sein. Und ob er Autos verkauft hatte! In den guten Jahren hatte er Filialen in Tomelilla und Sjöbo gehabt. Er hatte sich ein Vermögen geschaffen, das es ihm erlaubte, sich das Leben zu leisten, das er führte.

Dennoch waren es die Gedichte, die ihm etwas bedeuteten. Alles übrige war flüchtige Notwendigkeit. Die Verse dort auf dem Tisch gaben ihm eine Zufriedenheit, wie er sie sonst kaum empfand.

Er zog die Gardinen vor, so daß sie die großen Fenster bedeckten, vor denen die Äcker in weichen Wellen zum Meer hin abfielen, das irgendwo jenseits des Horizonts lag. Dann ging er zum Bücherregal. Neun Gedichtsammlungen hatte er in seinem Leben veröffentlicht. Da standen sie, Seite an Seite. Alle hatten sich nur in geringer Stückzahl verkauft. Dreihundert Exemplare, vielleicht manchmal ein paar mehr. Die restlichen lagen in Kartons unten im Keller. Nicht daß er sie dorthin verbannt hätte. Sie waren immer noch sein Stolz. Er hatte jedoch vor langer Zeit beschlossen, sie eines Tages zu verbrennen. Die Kartons auf den Hof hinauszutragen und ein Streichholz daran zu halten. An dem Tag, an dem er sein Todesurteil erhielt, an dem ein Arzt oder die eigene Vorahnung ihm sagten, daß das Leben bald vorbei wäre, würde er die dünnen Hefte vernichten, die niemand hatte kaufen wollen. Niemand sollte sie auf den Müll werfen.

Er betrachtete die Bücher im Regal. Sein Leben lang hatte er Gedichte gelesen. Viele konnte er auswendig. Er hatte auch keine Illusionen. Seine Gedichte waren nicht die besten, die geschrieben wurden, aber auch nicht die schlechtesten. In jeder der Sammlungen, die im Abstand von ungefähr fünf Jahren seit dem Ende der vierziger Jahre erschienen waren, gab es einzelne Strophen, die mit nichts einen Vergleich zu scheuen brauchten. Aber er war Autohändler gewesen in seinem Leben, kein Dichter. Seine Gedichte waren nicht in den Feuilletons besprochen worden. Er hatte keine literarischen Auszeichnungen erhalten. Außerdem hatte er seine Gedichte auf eigene Kosten drucken lassen. Die erste Gedichtsammlung, die er zusammengestellt und an die großen Verlage in Stockholm geschickt hatte, war nach einiger Zeit mit kurzgefaßten Ablehnungen auf Formbriefen zurückgekommen. Ein Verlagslektor hatte sich jedoch die Mühe gemacht, einen persönlichen Kommentar abzugeben, und geschrieben, kein Mensch sei in der Lage, Gedichte zu lesen, die von nichts anderem handelten als von Vögeln. *Das Seelenleben der Bachstelze interessiert nicht,* hatte er geschrieben.

Danach gab er es auf, sich an Verlage zu wenden. Er hatte den Druck selbst bezahlt. Einfache Umschläge, schwarze Schrift auf weißem Grund. Nichts Aufwendiges. Es waren die Worte zwischen den Umschlagdeckeln, die etwas bedeuteten. Trotz allem hatten viele Menschen im Lauf der Jahre seine Gedichte gelesen. Viele hatten sich auch anerkennend geäußert.

Und jetzt hatte er ein neues Gedicht geschrieben. Über den Mittelspecht, den schönen Vogel, der in Schweden nicht mehr zu sehen war.

Der Vogeldichter, dachte er.

Fast alles, was ich geschrieben habe, handelt von Vögeln. Von Flügelschlägen, vom Rauschen in der Nacht, von einsamen Lockrufen irgendwo in der Ferne. In der Welt der Vögel habe ich die tiefsten Geheimnisse des Lebens erahnt.

Er trat wieder an den Schreibtisch und nahm das Blatt in die Hand. Die letzte Strophe war schließlich doch gelungen. Er ließ das Blatt wieder auf die Tischplatte fallen. Ein Schmerz fuhr ihm in den Rücken, als er durch den großen Raum ging. Wurde er krank? Jeden Tag suchte er nach Anzeichen dafür, daß sein Körper anfing, ihn im Stich zu lassen. Sein ganzes Leben war er gut trainiert gewesen. Er hatte nie geraucht, mäßig gegessen und getrunken. Das hatte ihm eine gute Gesundheit erhalten. Aber er war bald achtzig. Das Ende der ihm zugemessenen Zeit kam immer näher. Er ging in die Küche und schenkte sich eine Tasse Kaffee aus dem Glaskolben der Kaffeemaschine ein, die stets in Betrieb war. Das fertige Gedicht erfüllte ihn mit Wehmut und mit Freude.

Der Herbst des Alters, dachte er. *Ein passender Titel. Alles, was ich schreibe, kann das letzte sein. Und es ist September. Es ist Herbst. Im Kalender wie in meinem Leben.*

Er nahm die Kaffeetasse mit ins Wohnzimmer. Vorsichtig setzte er sich in einen der braunen Ledersessel, die ihn seit über vierzig Jahren begleiteten. Er hatte sie gekauft, um seinen Triumph zu feiern, als er die Agentur für Volkswagen in Südschweden bekam. Auf einem kleinen Tisch neben der Armlehne stand ein Foto von Werner, dem Schäferhund, den er am meisten von all den Hunden vermißte, die ihn durchs Leben begleitet hatten. Alt zu werden hieß, einsam zu werden. Menschen, die einem das Leben erfüllt hatten, starben. Am Schluß verschwanden auch die Hunde zwischen den Schatten. Bald gab es nur noch ihn selbst. An einem bestimmten Punkt im Leben waren alle Menschen einsam in der Welt. Über diesen Gedanken hatte er vor kurzem ein Gedicht schreiben wollen. Aber es war ihm nicht gelungen. Vielleicht sollte er es jetzt noch einmal versuchen, nachdem er mit dem Klagegesang über den Mittelspecht fertig war? Aber er konnte nur über Vögel schreiben. Nicht über Menschen. Vögel konnte man verstehen. Menschen waren oft unbegreiflich. Hatte er jemals sich selbst verstanden? Gedichte zu schreiben über etwas, das er nicht verstand, hieß, in verbotenes Gelände einzudringen.

Er schloß die Augen und erinnerte sich plötzlich an die Zehntausend-Kronen-Frage in den späten Fünfzigern, oder vielleicht war es in den frühen Sechzigern. Damals war das Fernsehen noch schwarzweiß. Ein junger Mann hatte sich für das Spezialgebiet Vögel gemeldet. Ein junger Mann, der schielte und naß gekämmtes Haar hatte. Er hatte alle Fragen beantwortet und seinen Scheck über die damals ungeheure Summe von zehntausend Kronen bekommen.

Er selbst hatte nicht im Fernsehstudio gesessen, in dem geräuschisolierten Käfig mit Kopfhörern auf den Ohren. Er hatte sich genau hier in diesem Ledersessel befunden. Aber auch er hatte alle Antworten gewußt. Er hätte wahrscheinlich nicht einmal um zusätzliche Bedenkzeit bitten müssen. Aber 10 000 Kronen hatte er nicht bekommen. Niemand wußte von seinen Kenntnissen über Vögel. Er hatte weiter seine Gedichte geschrieben.

Er fuhr aus seiner Träumerei hoch. Ein Geräusch hatte ihn aufgeschreckt. Er horchte ins dunkle Zimmer. Bewegte sich jemand draußen auf dem Hof?

Er verwarf den Gedanken. Er bildete sich nur etwas ein. Alt zu werden bedeutete neben vielem anderen, daß man ängstlich wurde. Die Türen hatten gute Schlösser. Im Schlafzimmer im oberen Stockwerk verwahrte er eine Schrotflinte, in einer Küchenschublade lag eine Pistole, leicht erreichbar. Wenn Eindringlinge zu seinem einsam gelegenen Hof etwas nördlich von Ystad kämen, könnte er sich verteidigen. Er würde auch nicht zögern, es zu tun.

Er stand auf. Wieder fuhr ihm ein Schmerz durch den Rücken.

Der Schmerz kam und ging in Wellen. Er stellte die Kaffeetasse auf der Spüle ab und blickte auf seine Armbanduhr. Gleich elf. Es war Zeit hinauszugehen. Er blinzelte zum Thermometer vor dem Küchenfenster, es zeigte sieben Grad plus an. Der Luftdruck war steigend. Ein schwacher Wind aus Südwesten zog über Schonen. Alle Bedingungen waren ideal, dachte er. Heute nacht würden die Vogelschwärme nach Süden ziehen. Auf ihrem langen Weg würden sie zu Tausenden und aber Tausenden auf unsichtbaren Flügeln über ihn dahinziehen. Er würde sie nicht sehen können. Aber er würde sie spüren dort draußen im Dunkeln, hoch über sich. Seit mehr als fünfzig Jahren hatte er zahllose Herbstnächte im Freien verbracht, nur um das Gefühl zu erleben, daß die Nachtflieger dort irgendwo über ihm waren.

Ein ganzer Himmel, der sich fortbewegt, hatte er oft gedacht. Ganze Sinfonieorchester von schweigenden Singvögeln, die vor dem herannahenden Winter aufbrachen und in wärmere Länder flogen. Tief in ihren Genen liegt der Trieb zum Aufbruch. Und ihre unübertroffene Fähigkeit, nach Sternen und Magnetfeldern zu navigieren, leitet sie immer richtig. Sie suchen die geeigneten Winde, sie haben ihr Fettlager aufgebaut, sie können sich Stunde um Stunde in der Luft halten.

Ein ganzer Himmel, vibrierend von Flügeln, begibt sich auf seine jährlich wiederkehrende Pilgerfahrt. Den Vogelzug nach Mekka.

Was ist ein Mensch gegen einen Zugvogel? Ein einsamer alter Mann, an die Erde gebunden? Und dort, hoch über ihm, ein ganzer Himmel, der sich auf den Weg macht?

Er hatte oft gedacht, daß es wie eine heilige Handlung war. Seine eigene herbstliche Hochmesse, dort im Dunkeln zu stehen und zu spüren, wie die Zugvögel aufbrachen. Und, wenn der Frühling kam, war er da, um sie wieder zu empfangen.

Die nächtlichen Vogelzüge waren seine Religion.

Er ging in den Flur und blieb am Kleiderständer stehen. Dann ging er zurück ins Wohnzimmer und zog den Pullover über, der auf einem Schemel neben dem Schreibtisch lag.

Alt zu werden bedeutete neben allen anderen Plagen, daß man auch schneller fror.

Noch einmal betrachtete er das Gedicht, das fertig auf dem Tisch lag. Das Klagelied über den Mittelspecht. Es war schließlich so geworden, wie er es sich vorgestellt hatte. Vielleicht würde er lange genug leben, um genügend Gedichte für eine zehnte und letzte Sammlung zusammenzubekommen? Einen Titel konnte er sich schon vorstellen:

Nächtliche Hochmesse.

Er ging wieder hinaus in den Flur, schlüpfte in die Jacke und zog sich eine Schirmmütze tief in die Stirn. Dann öffnete er die Haustür. Die Herbstluft war schwer vom Geruch nassen Lehms. Er schloß die Tür hinter sich und ließ seine Augen sich an die Dunkelheit gewöhnen. Der Garten lag öde. In einiger Entfernung ahnte er den Widerschein der Lichter von Ystad. Im übrigen wohnte er so weit vom nächsten Nachbarn entfernt, daß ihn nur Dunkelheit umgab. Der Sternenhimmel war fast vollkommen klar. Ein paar vereinzelte Wolken waren am Horizont zu erkennen. Es war eine Nacht, in der die Vogelzüge über ihm dahinstreichen würden.

Er begann zu gehen. Der Hof, auf dem er wohnte, war alt und bestand aus drei Flügeln. Der vierte war irgendwann am Anfang des Jahrhunderts abgebrannt. Er hatte viel Geld in die gründliche und noch ständig weitergehende Renovierung seines Hofes gesteckt. Wenn er starb, würde er alles dem Museum in Lund vermachen. Er war nie verheiratet gewesen, hatte keine Kinder. Er hatte Autos verkauft und war reich dabei geworden. Er hatte Hunde gehabt. Und dann hatte es die Vögel über seinem Kopf gegeben.

Ich bereue nichts, dachte er, während er dem Pfad zum Turm hinab folgte, den er selbst gebaut hatte und wo er zu stehen pflegte und nach den Vögeln Ausschau hielt. Ich bereue nichts, weil es keinen Sinn hat zu bereuen.

Es war eine schöne Septembernacht.

Dennoch war da etwas, das ihn beunruhigte.

Er blieb auf dem Pfad stehen und lauschte. Aber nichts war zu hören außer dem schwachen Rauschen des Windes. Er ging weiter. Vielleicht war es der Schmerz, der ihn beunruhigte? Die plötzlichen Stöße im Rücken? Die Unruhe hatte ihren Ursprung in ihm selbst.

Wieder blieb er stehen und sah sich um. Da war nichts. Er war allein. Der Pfad führte abwärts. Dann würde er an einen Hügel kommen. Unmittelbar vor dem Hügel war ein breiter Graben, über den er einen Steg ausgelegt hatte. Auf der Spitze des Hügels stand dann sein Turm. Von seiner Haustür waren es genau zweihundertsiebenundvierzig Meter. Er überlegte, wie viele Male er den Pfad schon entlanggegangen war. Er kannte jede Biegung, jede Vertiefung. Dennoch ging er langsam und vorsichtig. Er wollte nicht riskieren, zu fallen und sich ein Bein zu brechen. Die Knochen alter Menschen wurden spröde. Das wußte er. Wenn er wegen eines Schenkelbruchs im Krankenhaus landete, würde er sterben, weil er es nicht aushielte, untätig in einem Krankenhausbett zu liegen. Er würde anfangen, über sein Leben nachzugrübeln. Und dann wäre er verloren.

Er hielt plötzlich inne. Ein Käuzchen schrie. Irgendwo in der Nähe knackte ein Zweig. Das Geräusch kam aus dem Wäldchen jenseits des Hügels, auf dem sein Turm stand. Er verharrte reglos, alle Sinne bis zum äußersten angespannt. Das Käuzchen schrie noch einmal. Dann war es wieder still. Er murmelte mißmutig vor sich hin, als er weiterging.

Alt und ängstlich, dachte er. Angst vor Gespenstern und Angst im Dunkeln.

Jetzt konnte er den Turm sehen. Ein schwarzer Schatten, der sich gegen den Nachthimmel abzeichnete. Noch zwanzig Meter, dann wäre er bei dem Steg, der über den tiefen Graben führte. Er ging weiter. Das Käuzchen war nicht mehr zu hören. Ein Waldkauz, dachte er.

Ganz sicher ein Waldkauz.

Plötzlich erstarrte er. Er hatte den Steg erreicht, der über den Graben führte.

Es war etwas mit dem Turm. Irgend etwas war anders. Er kniff die Augen zusammen, um in der Dunkelheit Einzelheiten zu erkennen. Er konnte nicht sagen, was es war. Aber etwas hatte sich verändert.

Ich sehe Gespenster, dachte er. Alles ist wie immer. Der Turm, den ich vor zehn Jahren gebaut habe, hat sich nicht verändert. Meine Augen sind schlechter geworden. Sonst nichts. Er tat noch einen Schritt und kam auf den Steg und spürte die Holzplanken unter seinen Füßen. Er betrachtete noch immer den Turm.

Es kann nicht sein, dachte er. Wenn ich es nicht besser wüßte, würde ich glauben, daß der Turm seit gestern abend einen Meter höher geworden ist. Oder daß das Ganze ein Traum ist. Daß ich mich selbst dort auf dem Turm stehen sehe.

In demselben Augenblick, als er den Gedanken hatte, sah er, daß es so war. Jemand stand auf dem Turm. Ein unbeweglicher Schatten. Eine Angstwelle durchfuhr ihn wie ein Windhauch. Dann wurde er ärgerlich. Jemand drang auf seinen Grund und Boden ein, bestieg seinen Turm, ohne ihn um Erlaubnis zu bitten. Vermutlich ein Wilderer, der den Rehen auflauerte, die sich manchmal beim Wäldchen auf der anderen Seite des Hügels aufhielten. Daß es jemand war, der ebenfalls Vögel beobachten wollte, konnte er sich schwer vorstellen.

Er rief den Schatten auf dem Turm an. Keine Antwort. Keine Bewegung. Wieder wurde er unsicher. Spielten ihm seine schlechten Augen einen Streich?

Er rief noch einmal, ohne Antwort zu bekommen. Dann trat er auf den Steg hinaus.

Als die Planken unter ihm brachen, fiel er hilflos vornüber. Der Graben war mehr als zwei Meter tief. Er fiel, ohne die Arme ausstrecken zu können, um sich abzustützen.

Dann spürte er einen stechenden Schmerz. Er kam von nirgendwo und fuhr direkt durch ihn hindurch. Es war, als hielte jemand glühende Eisen an verschiedene Punkte seines Körpers. Der Schmerz war so stark, daß er nicht einmal zu schreien vermochte. Unmittelbar bevor er starb, sah er ein, daß er gar nicht bis auf den Boden des Grabens gefallen war. Er war in seinem eigenen Schmerz hängengeblieben.

Das letzte, woran er dachte, waren die Nachtvögel, die irgendwo hoch über ihm dahinzogen.

Der Himmel, der sich nach Süden bewegte.

Ein letztes Mal versuchte er, sich aus seinem Schmerz zu befreien.

Dann war alles vorbei.

Es war zwanzig Minuten nach elf, am Abend des 21. September 1994.

Gerade in dieser Nacht zogen große Schwärme von Singdrosseln und Rotdrosseln nach Süden.

Sie kamen von Norden und flogen in südwestlicher Richtung genau über Falsterbo, auf dem Weg in die Wärme, die sie in weiter Ferne erwartete.

Als alles still war, stieg sie vorsichtig die Treppe des Turms hinunter. Sie leuchtete mit ihrer Taschenlampe in den Graben.

Der Mann, der Holger Eriksson hieß, war tot.

Sie knipste die Lampe aus und stand still im Dunkeln.

Dann ging sie hastig davon.

2

Kurz nach fünf Uhr am Montagmorgen, dem 26. September, erwachte Kurt Wallander in seinem Bett in der Wohnung an der Mariagatan im Zentrum von Ystad.

Als er die Augen aufgeschlagen hatte, sah er als erstes seine Hände an. Sie waren braungebrannt. Er ließ den Kopf wieder aufs Kissen fallen und lauschte dem Herbstregen, der an sein Schlafzimmerfenster trommelte. Ein Gefühl des Wohlbehagens überkam ihn bei der Erinnerung an die Reise, die vor zwei Tagen auf dem Flughafen Kastrup zu Ende gegangen war. Eine ganze Woche hatte er mit seinem Vater in Rom verbracht. Es war sehr warm gewesen, und er war braun geworden. An den Nachmittagen, in der größten Hitze, hatten sie sich eine Bank im Park der Villa Borghese gesucht, wo sein Vater im Schatten sitzen konnte, während er selbst sein Hemd auszog und sich mit geschlossenen Augen in die Sonne setzte. Ihre einzige Meinungsverschiedenheit auf der ganzen Reise bestand darin, daß sein Vater überhaupt nicht verstand, wie er so eitel sein konnte, Zeit aufs Braunwerden zu verwenden. Aber es war eine unbedeutende Meinungsverschiedenheit, beinahe als sei sie nur entstanden, um ihnen die Reise im richtigen Licht erscheinen zu lassen.

Die glückliche Reise, dachte Wallander. Wir sind nach Rom gefahren, mein Vater und ich, und es ist gutgegangen. Es ging besser, als ich mir je hätte vorstellen oder erhoffen können.

Er sah zur Uhr auf dem Nachttisch. Er mußte an diesem Morgen wieder seinen Dienst antreten. Aber er hatte keine Eile. Er würde noch lange im Bett liegenbleiben. Er beugte sich über den Zeitungsstapel, in dem er am Abend zuvor geblättert hatte. Er las noch einmal das Ergebnis der Reichstagswahl nach. Da er am Wahltag in Rom war, hatte er seine Stimme per Briefwahl abgegeben. Jetzt konnte er feststellen, daß die Sozialdemokraten gut fünfundvierzig Prozent der Stimmen bekommen hatten. Aber was würde das bedeuten? Würde sich etwas ändern?

Er ließ die Zeitung auf den Boden fallen und kehrte in Gedanken noch einmal nach Rom zurück.

Sie hatten in einem einfachen Hotel in der Nähe des Campo dei Fiori gewohnt. Von einer Dachterrasse über ihren beiden Zimmern hatten sie eine schöne Aussicht über die ganze Stadt. Sie tranken dort ihren Frühstückskaffee und machten Pläne für den Tag. Es hatte keinerlei Diskussionen gegeben. Wallanders Vater wußte stets, was er sehen wollte. Wallander hatte sich zuweilen Sorgen gemacht, daß der Vater zuviel wollte und sich übernähme. Auch hatte er ständig nach Anzeichen dafür gesucht, daß sein Vater verwirrt oder abwesend war. Es war eine schleichende Krankheit, das wußten sie beide, diese Krankheit mit dem sonderbaren Namen Alzheimer. Aber die ganze Woche, die ganze Woche dieser glücklichen Reise, war der Vater in blendender Stimmung gewesen. Wallander spürte einen Klumpen im Hals bei dem Gedanken, daß die Reise bereits der Vergangenheit angehörte und nur noch Erinnerung war. Sie würden nie mehr nach Rom zurückkehren, sie hatten die Reise dieses eine Mal gemacht, er und sein bald achtzigjähriger Vater.

Es hatte Augenblicke großer Nähe zwischen ihnen gegeben. Zum erstenmal seit fast vierzig Jahren.

Wallander dachte daran, wie er entdeckt hatte, daß sie einander sehr ähnlich waren, viel ähnlicher, als er früher wahrhaben wollte. Nicht zuletzt waren sie beide ausgeprägte Morgenmenschen. Als Wallander seinem Vater eröffnete, daß das Hotel vor sieben Uhr kein Frühstück servierte, hatte dieser sofort protestiert. Er hatte Wallander mit hinunter an die Rezeption geschleift und in einer Mischung aus Schonisch, ein paar englischen Brocken, vielleicht auch ein paar deutschen, vor allem aber einer Reihe unzusammenhängender italienischer Phrasen klargemacht, daß er *breakfast presto* haben wolle. Nicht *tardi*. Auf gar keinen Fall *tardi*. Aus irgendeinem Grund hatte sein Vater auch mehrmals *passaggio a livello* gesagt, als er von der Notwendigkeit sprach, daß das Hotel das Frühstück eine Stunde früher servierte, nämlich um sechs Uhr, und sie würden entweder ihren Kaffee bekommen oder sich gezwungen sehen, ein anderes Hotel zu nehmen. *Passaggio a livello*, sagte sein Vater, und das Hotelpersonal hatte ihn mit Verwunderung, aber auch mit Respekt betrachtet. Sie hatten natürlich ihr Frühstück um sechs bekommen. Wallander hatte später in seinem italienischen Wörterbuch gesehen, daß *passaggio a livello* Eisenbahnübergang bedeutete. Er nahm an, daß sein Vater es mit etwas anderem verwechselt hatte, doch er ahnte nicht, womit, und war klug genug, nicht zu fragen.

Wallander lauschte dem Regen. Die Reise nach Rom, eine einzige kurze Woche, in der Erinnerung ein endloses und überwältigendes Erlebnis. Sein Vater hatte nicht nur bestimmt, wann er sein Frühstück haben wollte. Er hatte auch selbstbewußt und wie selbstverständlich seinen Sohn durch die Stadt gelotst und gewußt, was er sehen wollte. Nichts blieb dem Zufall überlassen, und Wallander hatte erkannt, daß sein Vater diese Reise sein Leben lang geplant hatte. Es war eine Wallfahrt, eine Pilgerreise, an der er teilnehmen durfte. Er war ein Bestandteil der Reise des Vaters, ein unsichtbarer, aber ständig gegenwärtiger Diener. Die Reise hatte eine geheime Bedeutung, die er nie ganz verstehen würde. Sein Vater war nach Rom gereist, um etwas zu sehen, was er schon vorher im Geist erlebt zu haben schien.

Am dritten Tag hatten sie die Sixtinische Kapelle besucht. Fast eine ganze Stunde lang stand sein Vater da und betrachtete das Deckenfresko von Michelangelo. Es war, als sähe man einen alten Menschen ein wortloses Gebet direkt zum Himmel senden. Wallander selbst hatte bald Nackenschmerzen bekommen und aufgegeben. Ihm war bewußt, daß er etwas außergewöhnlich Schönes betrachtete, daß aber sein Vater unendlich viel mehr sah. Einen Moment lang hatte er sich spöttisch gefragt, ob sein Vater auf dem gewaltigen Deckengemälde möglicherweise nach einem Auerhahn oder einem Sonnenuntergang suchte. Aber er schämte sich rasch dieses Gedankens. Es bestand kein Zweifel daran, daß sein Vater, so kitschig seine eigenen Bilder auch sein mochten, voller Andacht und Einfühlungsvermögen das Werk eines Meisters betrachtete.

Wallander schlug die Augen auf. Der Regen trommelte.

Am Abend des gleichen Tags, dem dritten ihrer gemeinsamen

römischen Zeitrechnung, hatte er das Gefühl, daß sein Vater etwas vorbereitete, was er als sein eigenes Geheimnis behalten wollte. Woher das Gefühl kam, wußte er nicht. Sie hatten in der Via Veneto zu Abend gegessen, viel zu teuer, fand Wallander, aber sein Vater bestand darauf, daß sie es sich leisten konnten. Sie waren auf ihrer ersten und letzten gemeinsamen Reise nach Rom. Es gehörte doch wohl dazu, anständig zu essen. Anschließend waren sie langsam durch die Stadt zum Hotel gewandert. Der Abend war lau, allenthalben waren sie von Menschen umgeben, und Wallanders Vater hatte von dem Deckengemälde in der Sixtinischen Kapelle gesprochen. Zweimal hatten sie sich verlaufen, bevor sie ins Hotel zurückkamen. Wallanders Vater wurde nach seinem Frühstücksaufruhr mit großem Respekt behandelt; sie hatten unter höflichen Verbeugungen ihre Schlüssel bekommen und waren die Treppe hinaufgestiegen. Im Flur sagten sie sich gute Nacht und schlossen die Türen. Wallander hatte sich aufs Bett gelegt und den Straßengeräuschen gelauscht. Vielleicht dachte er an Baiba, vielleicht schlief er nur allmählich ein.

Plötzlich war er hellwach. Etwas machte ihn unruhig. Nach einer Weile zog er seinen Morgenmantel an und ging hinunter an die Rezeption. Alles war sehr still. Der Nachtportier saß vor einem leisegestellten kleinen Fernseher im Zimmer hinter der Rezeption. Wallander kaufte eine Flasche Mineralwasser. Der junge Mann an der Rezeption arbeitete nachts, um sein Theologiestudium zu finanzieren. Das hatte er schon erzählt, als Wallander zum erstenmal unten war, um Wasser zu kaufen. Er hatte dunkles welliges Haar, war in Padua geboren, hieß Mario und sprach ein ausgezeichnetes Englisch. Wallander stand mit der Wasserflasche in der Hand da, als er sich plötzlich zu dem jungen Nachtportier sagen hörte, er bitte darum, geweckt zu werden, falls sein Vater sich nachts an der Rezeption zeige und vielleicht auch das Hotel verlasse. Der junge Mann betrachtete ihn, vielleicht war er verwundert, vielleicht hatte er schon so viel Erfahrung, daß ihn keine nächtlichen Wünsche von Hotelgästen mehr in Erstaunen versetzen konnten. Er nickte und sagte, selbstverständlich, wenn der alte Herr Wallander während der Nacht das Hotel verlasse, werde er sogleich an der Tür von Zimmer 32 klopfen.

Es geschah in der sechsten Nacht. Am Tage waren sie auf dem Forum Romanum umhergestreift und hatten die Galleria Doria Pamphili besucht. Am Abend waren sie durch die unterirdischen Gänge der Villa Borghese zur Spanischen Treppe gegangen und hatten ein Mahl zu sich genommen, dessen Preis Wallander den Atem stocken ließ. Es war ihr letzter Abend, und die Reise, die er jetzt durchaus schon als glücklich bezeichnen konnte, näherte sich ihrem Ende. Wallanders Vater legte die gleiche ungebrochene Energie und Neugier an den Tag wie die ganze Zeit zuvor. Sie waren durch die Stadt geschlendert, hatten bei einem Café haltgemacht, einen Kaffee getrunken und mit einer Grappa angestoßen. Im Hotel hatten sie ihre Schlüssel bekommen, der Abend war wie die anderen Abende, und Wallander war eingeschlafen, kaum daß er sich hingelegt hatte.

Um halb zwei klopfte es.

Zuerst wußte er nicht, wo er war. Aber als er schlaftrunken aufsprang und die Tür öffnete, stand der Portier da und erklärte in seinem ausgezeichneten Englisch, daß der alte Herr, *signor* Wallanders Vater, soeben das Hotel verlassen habe. Wallander zog sich hastig an. Als er auf die Straße kam, sah er seinen Vater mit zielbewußten Schritten auf dem gegenüberliegenden Bürgersteig davonwandern. Wallander folgte ihm in einigem Abstand und dachte, daß er jetzt zum erstenmal seinen eigenen Vater beschattete: seine Vorahnung war richtig gewesen. Zunächst war Wallander unsicher, in welche Richtung sie gingen. Dann, als die Straßen schmaler wurden, merkte er, daß sie auf dem Weg zur Spanischen Treppe waren. Er hielt den Abstand zu seinem Vater. Und dann sah er, wie sein Vater in der warmen römischen Nacht die vielen Stufen der Spanischen Treppe hinaufstieg, bis hinauf zur Kirche mit den beiden Türmen. Dort setzte er sich, er war wie ein schwarzer Punkt dort oben, und Wallander hielt sich im Schatten. Sein Vater blieb fast eine Stunde dort. Dann erhob er sich und stieg die Treppe wieder hinunter. Wallander beschattete ihn weiter, es war der geheimnisvollste Auftrag, den er je ausgeführt hatte, und bald befanden sie sich an der Fontana di Trevi, wo sein Vater allerdings keine Münze über die Schulter warf, sondern nur das Wasser betrachtete, das aus dem großen Springbrunnen sprudelte. Sein

Gesicht wurde von einer Straßenlaterne beleuchtet, und Wallander ahnte ein Glänzen in seinen Augen.

Danach kehrten sie ins Hotel zurück.

Am nächsten Tag saßen sie in der Alitalia-Maschine nach Kopenhagen, Wallanders Vater auf einem Fensterplatz, genau wie auf dem Hinflug, und Wallander hatte an seinen Händen gesehen, wie braungebrannt er war. Erst auf der Fähre zurück nach Limhamn fragte Wallander seinen Vater, ob er mit der Reise zufrieden sei. Dieser hatte genickt und etwas Unverständliches gemurmelt, und Wallander wußte, daß dies das Maximum an Begeisterung war, das er erwarten konnte. Gertrud hatte sie in Limhamn abgeholt und nach Hause gefahren. Sie hatten Wallander in Ystad abgesetzt, und später am Abend, als er anrief und fragte, ob alles in Ordnung sei, hatte Gertrud geantwortet, der Vater sitze schon wieder in seinem Atelier und male sein stets wiederkehrendes Motiv, den Sonnenuntergang über einer unbewegten, windstillen Landschaft.

Wallander stand auf und ging in die Küche. Es war halb sechs. Er machte Kaffee. *Warum ist er in die Nacht hinausgegangen? Warum hat er dort auf der Treppe gesessen? Was hat seine Augen am Springbrunnen zum Glänzen gebracht?*

Er wußte keine Antwort. Aber er hatte einen Blick in die heimliche innere Landschaft seines Vaters werfen dürfen. Er war auch einsichtig genug gewesen, außerhalb des unsichtbaren Zauns zu bleiben. Er würde den Vater auch nie nach seinem einsamen Spaziergang durch das nächtliche Rom fragen.

Während die Kaffeemaschine lief, ging Wallander ins Bad. Er stellte mit Genugtuung fest, daß er frisch und energisch aussah. Die Sonne hatte sein Haar gebleicht. Vielleicht hatte er wegen der vielen Spaghetti zugenommen. Aber er stieg nicht auf die Waage. Er fühlte sich erholt. Das war am wichtigsten. Er war froh, daß sie die Reise tatsächlich gemacht hatten.

Das Gefühl, daß er bald, in wenigen Stunden, wieder Polizist wäre, bereitete ihm kein Unbehagen. Häufig war es ihm schwergefallen, nach dem Urlaub wieder zur Arbeit zurückzukehren. Besonders in den letzten Jahren war seine Unlust groß gewesen.

Er hatte sich zeitweilig ernsthaft mit dem Gedanken getragen, seine Arbeit als Polizeibeamter aufzugeben und sich eine andere zu suchen, vielleicht als Sicherheitsbeauftragter eines Unternehmens. Aber er war Polizist. Diese Einsicht war langsam in ihm gereift, und sie war unwiderruflich. Etwas anderes würde er niemals sein.

Unter der Dusche dachte er an die Ereignisse von vor ein paar Monaten zurück, während des heißen Sommers und der für Schweden so erfolgreichen Fußballweltmeisterschaft. Immer noch bereitete ihm der Gedanke an die hoffnungslose Jagd auf einen Serienmörder Unbehagen, der sich zum Schluß als ein geistesgestörter Junge von gerade vierzehn Jahren herausstellte. Während der Woche in Rom waren alle Gedanken an die erschütternden Ereignisse des Sommers wie fortgeblasen. Jetzt drängten sie in sein Bewußtsein zurück. Eine Woche Rom veränderte nichts. Er kehrte in seine Welt zurück.

Bis nach sieben Uhr blieb er am Küchentisch sitzen. Der Regen trommelte ununterbrochen. Die italienische Hitze war bereits eine ferne Erinnerung. Der Herbst war nach Schonen gekommen.

Um halb acht verließ er die Wohnung und fuhr im Wagen zum Polizeipräsidium. Sein Kollege Martinsson kam gleichzeitig an und parkte neben ihm. Sie begrüßten sich flüchtig im Regen und hasteten zum Eingang des Polizeigebäudes.

»Wie war die Reise?« fragte Martinsson. »Schön übrigens, dich wieder hier zu haben.«

»Mein Vater war sehr zufrieden«, erwiderte Wallander.

»Und du selbst?«

»Es war eine prima Reise. Und heiß.«

Sie gingen hinein. Ebba, die seit über dreißig Jahren in der Anmeldung des Polizeipräsidiums von Ystad saß, begrüßte ihn mit einem breiten Lächeln.

»Kann man im September in Italien so braun werden?« fragte sie erstaunt.

»Ja«, antwortete Wallander, »wenn man sich in der Sonne aufhält.«

Sie gingen den Korridor entlang. Wallander dachte, daß er Ebba etwas hätte mitbringen sollen, und ärgerte sich über seine Gedankenlosigkeit.

»Hier ist alles ruhig«, sagte Martinsson. »Keine ernsteren Sachen. So gut wie gar nichts.«

»Vielleicht können wir auf einen ruhigen Herbst hoffen«, sagte Wallander zögernd.

Martinsson verschwand, um Kaffee zu holen. Wallander öffnete die Tür zu seinem Zimmer. Alles war, wie er es verlassen hatte. Der Tisch war leer. Er hängte die Jacke weg und öffnete das Fenster einen Spalt weit. In einem Korb für Posteingänge lagen einige Rundschreiben der Reichspolizeibehörde. Er griff nach dem obersten, ließ es aber ungelesen auf den Tisch fallen. Er dachte an das komplizierte Ermittlungsverfahren wegen des Autoschmuggels zwischen Schweden und den ehemaligen Oststaaten, mit dem er sich jetzt seit fast einem Jahr beschäftigte. Falls während seiner Abwesenheit nichts Besonderes vorgefallen war, mußte er mit dieser Ermittlung weitermachen.

Er fragte sich, ob er sich damit bis zu seiner Pensionierung in ungefähr fünfzehn Jahren abgeben müßte.

Um Viertel nach acht stand er auf und ging hinüber ins Sitzungszimmer. Um halb neun sammelten sich die Kriminalbeamten der Polizei in Ystad, um die für die Woche vorliegende Arbeit durchzugehen. Alle bewunderten seine Farbe. Er setzte sich an seinen gewohnten Platz und empfand die für einen Montag im Herbst übliche Stimmung: grau und müde, alle ein bißchen abwesend. Er fragte sich, wie viele Montagmorgen er in diesem Raum zugebracht hatte. Weil ihre neue Chefin Lisa Holgersson in Stockholm war, leitete Hansson die Sitzung. Martinsson hatte recht, es war nicht viel passiert in Wallanders Abwesenheit.

»Ich nehme an, ich mache mich wieder an meine geschmuggelten Autos«, sagte Wallander und versuchte nicht, seine Frustration zu verbergen.

»Es sei denn, du nimmst dir einen Einbruch vor«, sagte Hansson aufmunternd. »In einem Blumenladen.«

Wallander sah ihn verwundert an.

»Einbruch in einem Blumenladen? Was wurde denn gestohlen? Tulpen?«

»Nichts, soweit wir sehen können«, sagte Svedberg und kratzte sich die Glatze.

Im gleichen Augenblick ging die Tür auf, und Ann-Britt Höglund hastete herein. Weil ihr Mann sich meistens auf Montage in irgendeinem entlegenen Land befand, von dem noch niemand etwas gehört hatte, war sie mit ihren beiden Kindern allein. Ihre Morgen verliefen chaotisch, und sie kam häufig zu spät zu den Sitzungen. Ann-Britt Höglund war jetzt seit gut einem Jahr bei der Polizei in Ystad. Sie war die jüngste Kriminalbeamtin. Anfangs hatten einige der älteren Beamten, unter anderem Svedberg und Hansson, offen ihren Unmut darüber demonstriert, daß sie eine Frau als Kollegin bekamen. Aber Wallander, der schnell erkannte, daß sie das Zeug zu einer guten Polizeibeamtin mitbrachte, hatte sie in Schutz genommen. Niemand machte mehr Bemerkungen, weil sie häufig zu spät kam. Jedenfalls nicht, wenn er in der Nähe war. Sie setzte sich an eine Längsseite des Tisches und nickte Wallander erfreut zu, als sei sie überrascht, daß er tatsächlich zurückgekommen war.

»Wir reden über den Blumenladen«, sagte Hansson, »wir dachten, daß Kurt sich das einmal ansehen könnte.«

»Der Einbruch war Donnerstag nacht«, sagte sie. »Die Verkäuferin, die da arbeitet, entdeckte es, als sie am Freitag morgen kam. Die Diebe waren durch ein Fenster auf der Rückseite des Hauses eingestiegen.«

»Was wurde gestohlen?« fragte Wallander.

»Nichts.«

Wallander verzog das Gesicht. »Was heißt das? Nichts?«

Ann-Britt Höglund zuckte die Achseln. »Nichts heißt Nichts.«

»Auf dem Fußboden waren Blutflecken«, sagte Svedberg. »Und der Inhaber ist verreist.«

»Das Ganze klingt sehr eigenartig«, sagte Wallander. »Ist es wirklich sinnvoll, sich damit abzugeben?«

»Das Ganze *ist* seltsam«, sagte Ann-Britt Höglund. »Ob es sich lohnt, Zeit darauf zu verwenden, kann ich nicht beantworten.«

Wallander fuhr es durch den Kopf, daß er so darum herumkäme, sofort wieder in die trostlose Ermittlung um all die Autos einzusteigen, die in einem steten Strom aus dem Land geschmuggelt wurden. Er würde sich einen Tag geben, um sich daran zu gewöhnen, nicht mehr in Rom zu sein.

»Ich kann es mir ja mal ansehen«, sagte er.

»Ich habe mich drum gekümmert«, sagte Ann-Britt Höglund. »Der Blumenladen liegt unten in der Stadt.«

Die Sitzung war beendet. Es regnete weiter. Wallander holte seine Jacke. Sie fuhren in seinem Wagen ins Zentrum.

»Wie war die Reise?« fragte sie, als sie vor einer Ampel beim Krankenhaus anhielten.

»Ich habe die Sixtinische Kapelle gesehen«, antwortete Wallander, während er in den Regen hinausstarrte. »Und ich habe erlebt, daß mein Vater eine ganze Woche lang in guter Stimmung war.«

»Das hört sich nach einer guten Reise an«, sagte sie.

Die Ampel sprang um, und sie fuhren weiter. Sie lotste ihn, weil er nicht sicher war, wo der Blumenladen lag. »Und hier?« fragte Wallander.

»In einer Woche verändert sich nichts«, antwortete sie. »Es war ruhig.«

»Und unsere neue Chefin?«

»Sie ist in Stockholm und diskutiert alle neuen Kürzungsvorschläge. Sie wird bestimmt gut. Mindestens so gut wie Björk.«

Wallander warf ihr einen raschen Blick zu. »Ich dachte, du hättest ihn nie gemocht?«

»Er tat sein Bestes. Was konnte man mehr verlangen?«

»Nichts«, sagte Wallander. »Absolut nichts.«

Sie hielten in der Västra Vallgatan, Ecke Pottmakargränd. Der Blumenladen hieß Cymbia. Das Schild schaukelte im böigen Wind. Sie blieben im Wagen. Ann-Britt Höglund gab ihm ein paar Papiere in einer Plastikmappe. Wallander warf einen Blick darauf, während er zuhörte.

»Der Inhaber des Geschäfts heißt Gösta Runfelt. Er ist verreist. Die Verkäuferin kam am Freitagmorgen kurz vor neun in den Laden. Sie entdeckte, daß ein Fenster auf der Rückseite zerschlagen war. Glassplitter lagen draußen vor dem Fenster und drinnen. Auf dem Fußboden im Laden waren Blutspuren. Nichts schien gestohlen zu sein. Geld wurde über Nacht im Laden auch nicht aufbewahrt. Sie rief um drei nach neun die Polizei an. Kurz nach zehn war ich da. Es war, wie sie gesagt hatte. Ein zerschlagenes Fenster. Blutflecken auf dem Fußboden. Nichts gestohlen. Schon komisch, das Ganze.«

Wallander dachte nach. »Nicht einmal eine Blume?« fragte er.

»Die Verkäuferin behauptet, nein.«

»Kann man wirklich genau wissen, wie viele Blumen in jeder Vase sind?«

Er reichte ihr die Papiere wieder zurück.

»Wir können sie ja fragen«, sagte Ann-Britt Höglund, »der Laden ist offen.«

Als Wallander die Tür aufmachte, klingelte eine altmodische Glocke. Die Düfte im Laden erinnerten ihn an die Gärten in Rom. Es waren keine Kunden da. Aus einem Hinterraum kam eine etwa fünfzigjährige Frau. Sie nickte, als sie die beiden erblickte.

»Ich habe einen Kollegen mitgebracht«, sagte Ann-Britt Höglund.

Wallander grüßte.

»Ich habe von Ihnen in der Zeitung gelesen«, sagte die Frau.

»Hoffentlich nichts Schlechtes«, sagte Wallander,

»O nein«, sagte die Frau. »Es waren nur lobende Worte.«

Wallander hatte in den Papieren gesehen, daß die Frau, die in dem Laden arbeitete, Vanja Andersson hieß und dreiundfünfzig Jahre alt war.

Wallander ging langsam im Laden umher. Aus alter, eingefahrener Gewohnheit achtete er genau darauf, wohin er die Füße setzte. Der feuchte Blumenduft weckte weitere Erinnerungsbilder in ihm. Er trat hinter die Theke und blieb vor einer rückwärtigen Tür stehen, deren obere Hälfte aus Glas bestand. Der Kitt war neu. Hier waren der oder die Diebe eingestiegen. Wallander betrachtete den Fußboden aus verschweißten Kunststoffplatten. »Ich nehme an, das Blut war hier«, sagte er.

»Nein«, sagte Ann-Britt Höglund. »Die Blutflecken waren im Laden.«

Wallander zog erstaunt die Stirn in Falten. Dann folgte er ihr zurück zwischen die Blumen. Ann-Britt Höglund stellte sich mitten auf den Fußboden. »Hier«, sagte sie. »Genau hier.«

»Aber nichts drüben am Fenster?«

»Nichts. Verstehst du jetzt, warum ich das Ganze komisch finde? Warum ist hier Blut? Aber nicht am Fenster? Wenn wir nun davon ausgehen, daß derjenige, der das Fenster zerschlagen hat, sich geschnitten hat?«

»Wer sollte es denn sonst sein?«

»Genau. Wer sollte es sonst sein?«

Wallander ging noch einmal durch den Laden. Er versuchte sich den Hergang vorzustellen. Jemand hatte die Scheibe eingeschlagen und war hereingeklettert. Mitten auf dem Fußboden des Ladens war Blut gewesen. Nichts war gestohlen worden.

Jedes Verbrechen folgte einer Art von Planmäßigkeit oder Vernunft. Abgesehen von den reinen Wahnsinnstaten. Das wußte er aus langjähriger Erfahrung. Aber niemand beging die Wahnsinnstat, in ein Blumengeschäft einzubrechen, um nichts zu stehlen, dachte Wallander. Es paßte ganz einfach nichts zusammen.

»Ich nehme an, daß es Blutstropfen waren«, sagte er.

Zu seiner Verwunderung schüttelte Ann-Britt Höglund den Kopf. »Es war eine kleine Lache«, sagte sie. »Keine Tropfen.«

Wallander dachte nach. Aber er sagte nichts. Er hatte nichts zu sagen. Dann wandte er sich der Verkäuferin zu, die im Hintergrund wartete. »Es ist also nichts gestohlen worden?«

»Nichts.«

»Nicht einmal ein paar Blumen?«

»Nicht soweit ich sehen konnte.«

»Wissen Sie wirklich immer genau, wie viele Blumen Sie im Laden haben?«

»Ja.«

Die Antwort kam schnell und bestimmt. Wallander nickte. »Haben Sie eine Erklärung für diesen Einbruch?«

»Nein.«

»Der Laden gehört nicht Ihnen?«

»Der Inhaber ist Gösta Runfelt. Ich bin bei ihm angestellt.«

»Wenn ich recht verstanden habe, ist er verreist? Haben Sie Kontakt mit ihm aufgenommen?«

»Das geht nicht.«

Wallander betrachtete sie aufmerksam. »Warum geht das nicht?«

»Er ist auf Orchideensafari in Afrika.«

»Können Sie das näher erklären? Orchideensafari?«

»Gösta ist ein passionierter Orchideenfreund«, sagte Vanja Andersson. »Er weiß alles über Orchideen. Er reist in der ganzen Welt umher und sieht sich alle Arten an, die es gibt. Er schreibt ein Buch über die Geschichte der Orchideen. Zur Zeit ist er in Afrika. Wo, weiß ich nicht. Ich weiß nur, daß er nächste Woche Mittwoch zurückkommt.«

Wallander nickte. »Wir müssen wohl mit ihm sprechen, wenn er zurück ist«, sagte er. »Vielleicht bitten Sie ihn, sich bei uns zu melden?«

Vanja Andersson versprach es. Ein Kunde kam in den Laden. Ann-Britt Höglund und Wallander traten in den Regen hinaus. Sie setzten sich in den Wagen, aber Wallander ließ den Motor noch nicht an. »Man kann natürlich an einen Dieb denken, der sich geirrt hat«, sagte er. »Ein Dieb, der das falsche Fenster einschlägt. Gleich nebenan liegt ein Computerladen.«

»Aber die Blutlache?«

Wallander zuckte mit den Schultern. »Vielleicht hat er nicht gleich gemerkt, daß er sich geschnitten hat. Er steht da und läßt die Arme hängen und sieht sich um. Das Blut tropft. Und Blut, das auf eine Stelle tropft, bildet früher oder später eine Lache.«

Sie nickte. Wallander ließ den Wagen an. »Das ist ein Versicherungsschaden«, sagte er. »Weiter nichts.«

Sie fuhren durch den Regen zurück zum Polizeigebäude. Inzwischen war es elf Uhr geworden.

Montag, der 26. September 1994.

In Wallanders Kopf verflüchtigte sich die Romreise wie eine langsam verblassende Luftspiegelung.

3

Am Dienstag, dem 27. September, ließ der Regen über Schonen nicht nach. Die Meteorologen hatten vorhergesagt, daß dem heißen Sommer ein regnerischer Herbst folgen würde, und bisher hatte nichts ihren Prognosen widersprochen.

Am Abend zuvor, als Wallander von seinem ersten Arbeitstag nach der Italienreise nach Hause gekommen war und lustlos eine Mahlzeit zubereitet hatte, die er noch lustloser in sich hineinstopfte, hatte er mehrmals versucht, seine Tochter Linda in Stockholm zu erreichen. Er hatte die Balkontür geöffnet, weil der Regen für eine kurze Weile nachließ. Er merkte, daß er irritiert war, weil Linda nicht von sich aus versucht hatte, ihn anzurufen und zu fragen, wie die Reise gewesen sei. Er redete sich ein, doch ohne großen Erfolg, daß sie viel zu tun hatte. In diesem Herbst hatte sie neben ihrem Studium an einer privaten Schauspielschule eine Arbeit als Bedienung in einem Restaurant auf Kungsholmen.

Gegen elf rief er auch Baiba in Riga an. Da hatten Regen und Wind wieder eingesetzt. Es fiel ihm bereits schwer, sich an die warmen Tage in Rom zu erinnern.

Aber wenn er in Rom etwas anderes getan hatte, als die Sonne zu genießen und seinem Vater Gesellschaft zu leisten, dann war es das, an Baiba zu denken. Im Sommer, vor nur wenigen Monaten – Wallander war ausgelaugt und deprimiert nach der qualvollen Jagd auf den vierzehnjährigen Mörder –, waren sie gemeinsam nach Dänemark gereist. An einem der letzten Tage hatte er sie gefragt, ob sie ihn heiraten wolle. Sie hatte ausweichend geantwortet, ohne allerdings die Tür ganz zuzuschlagen. Sie versuchte auch nicht, die Ursache für ihr Zögern zu verbergen. Sie wanderten am endlosen Strand von Skagen entlang, wo die beiden Meere sich vereinigten und wo Wallander vor vielen Jahren auch mit seiner ersten Frau Mona gewandert war und noch einmal bei einer späteren Gelegenheit, als er deprimiert war und ernstlich erwog, den Polizistenberuf an den Nagel zu hängen. Die Abende waren fast tropisch warm gewesen. Sie ahnten, daß eine Fußball-WM die Menschen an die Fernsehapparate fesselte, denn die Strände waren ungewöhnlich leer. Sie streiften umher, sammelten Steine und Schneckenhäuser, und Baiba erklärte ihren Zweifel damit, daß sie sich kaum vorstellen könne, noch einmal mit einem Polizisten zusammenzuleben. Ihr früherer Mann, der lettische Polizeimajor Karlis, war 1992 ermordet worden. Damals, während einer wirren und unwirklichen Zeit in Riga, war Wallander ihr begegnet. In Rom hatte Wallander sich die Frage gestellt, ob er, wenn er ganz ehrlich war, wirklich noch einmal heiraten wollte. War es überhaupt notwendig zu heiraten? Eine Frau mit komplizierten und formalen Banden zu binden, die kaum noch Gültigkeit hatten in der Zeit, in der sie lebten? Er hatte eine lange Ehe mit Lindas Mutter hinter sich. Als sie ihn eines schönen Tages vor fünf Jahren mit der Tatsache konfrontiert hatte, daß sie sich scheiden lassen wolle, war er vollkommen verständnislos gewesen. Erst jetzt glaubte er die Gründe verstehen und zumindest teilweise auch akzeptieren zu können, warum sie ein neues Leben ohne ihn beginnen wollte. Er sah jetzt ein, warum es gekommen war, wie es kommen mußte. Er konnte seinen Teil an dem Ganzen überblicken und vielleicht sogar zugeben, daß er durch seine ständige Abwesenheit und sein wachsendes Desinteresse an den Dingen, die in ihrem Leben wichtig waren, die größere Schuld trug. Wenn man überhaupt von Schuld reden wollte. Man ging ein Stück des Weges gemeinsam. Dann mochten sich die Wege trennen, so langsam und unmerklich, daß erst, wenn es zu spät war, klar wurde, was geschehen war. Und dann hatte man sich schon aus dem Blick verloren.

Daran hatte er viel gedacht während der Tage in Rom. Und er war schließlich zu dem Ergebnis gekommen, daß er Baiba wirklich heiraten wollte. Er wünschte sich, daß sie nach Ystad zöge. Er hatte sich auch entschieden, noch einmal aufzubrechen und seine Wohnung in der Mariagatan gegen ein eigenes Haus zu tauschen. Irgendwo außerhalb der Stadt. Mit einem richtigen Garten. Ein einfaches Haus, aber doch in so gutem Zustand, daß er die notwendigen Reparaturen selbst ausführen konnte. Er hatte auch darüber nachgedacht, ob er sich endlich den Hund anschaffen sollte, von dem er schon so lange träumte.

Über all das sprach er mit Baiba an diesem Montag abend, als der Regen über Ystad wieder eingesetzt hatte. Es war sozusagen die Fortsetzung des Gesprächs, das er im Kopf in Rom geführt hatte. Auch da hatte er mit ihr gesprochen, obwohl sie nicht anwesend war. Manchmal hatte er angefangen, laut vor sich hin zu reden. Es war seinem Vater, der in der Hitze neben ihm her trottete, natürlich nicht entgangen. Er hatte spöttisch, aber nicht eigentlich unfreundlich, gefragt, wer von ihnen beiden eigentlich alt und seelisch verwirrt sei.

Baiba nahm sofort ab, als er anrief. Ihre Stimme klang froh. Er erzählte von der Reise, und danach wiederholte er seine Frage vom Sommer. Da sagte sie, daß sie auch nachgedacht habe. Ihre Zweifel waren nicht verschwunden, sie hatten sich nicht verringert, aber auch nicht vermehrt.

»Komm her«, sagte Wallander. »Darüber können wir nicht am Telefon sprechen.«

»Ja«, antwortete sie. »Ich komme.«

Sie hatten keinen Zeitpunkt festgelegt. Darüber würden sie später reden. Sie hatte ihre Arbeit an der Universität in Riga. Ihr Urlaub mußte immer lange im voraus geplant werden. Aber als Wallander den Hörer auflegte, glaubte er eine Gewißheit zu spüren, daß er jetzt in eine neue Phase seines Lebens eintrat. Sie würde kommen. Er würde wieder heiraten.

In dieser Nacht konnte er lange nicht einschlafen. Mehrere Male stand er auf, stellte sich ans Küchenfenster und sah in den Regen hinaus. Er würde die Straßenlaterne vermissen, die dort draußen schwankte, einsam im Wind.

Obwohl er zu wenig Schlaf bekommen hatte, war er am Dienstag morgen früh auf den Beinen. Schon kurz nach sieben parkte er seinen Wagen vor dem Polizeigebäude und eilte durch Regen und Wind ins Haus. Als er sein Zimmer betrat, war er entschlossen, sich sofort an die umfangreiche Akte mit den Autodiebstählen zu setzen. Je länger er es vor sich herschob, um so mehr würden seine Unlust und sein Mangel an Inspiration ihn belasten. Er hängte die

Jacke zum Trocknen über den Besucherstuhl. Dann holte er den fast halbmeterhohen Stapel mit Ermittlungsmaterial von einem Regal. Er hatte gerade die Mappen geordnet, als es an der Tür klopfte. Wallander konnte hören, daß es Martinsson war, und rief ihn herein.

»Während du weg warst, war ich morgens immer der erste hier«, sagte Martinsson. »Jetzt bin ich wieder ewiger Zweiter.«

»Ich habe solche Sehnsucht nach meinen Autos gehabt«, sagte Wallander und zeigte auf die Mappen, die seinen Schreibtisch bedeckten.

Martinsson hielt ein Blatt Papier in der Hand. »Ich habe gestern vergessen, dir dies zu geben«, sagte er. »Lisa Holgersson wollte, daß du es dir einmal ansiehst.«

»Was ist das?«

»Lies selbst. Du weißt ja, daß manche Leute meinen, wir Polizisten sollten zu allem möglichen unseren Senf abgeben.«

»Ist es eine Ausschußumfrage?«

»Ungefähr.«

Wallander blickte Martinsson, der sonst selten vage Antworten gab, fragend an. Vor einigen Jahren war Martinsson in der Folkparti aktiv gewesen und hatte wahrhaftig von einer politischen Karriere geträumt. Soweit Wallander wußte, war dieser Traum in dem gleichen Maß verblaßt, wie die Partei geschrumpft war. Er unterließ es, das Wahlergebnis der Partei bei den Wahlen der vergangenen Woche zu kommentieren.

Martinsson ging, und Wallander las das Papier durch. Als er es zweimal gelesen hatte, war er wütend. Er konnte sich nicht erinnern, wann er zuletzt so empört gewesen war. Er ging auf den Flur und in Svedbergs Zimmer, dessen Tür wie üblich angelehnt war.

»Hast du das hier gesehen?« fragte er und wedelte mit Martinssons Papier.

Svedberg schüttelte den Kopf »Was ist das?«

»Es kommt von einer neugegründeten Organisation, die hören will, ob die Polizei etwas gegen ihren Namen einzuwenden hat.«

»Und wie ist der?«

»Sie wollen sich ›Freunde der Axt‹ nennen.«

Svedberg sah Wallander verständnislos an. »Freunde der Axt?«

»Freunde der Axt. Und jetzt wollen sie wissen – wegen der Dinge, die hier im Sommer passiert sind –, ob der Name eventuell falsch ausgelegt werden kann. Diese Organisation verfolgt nämlich nicht den Zweck, Leute zu skalpieren.«

»Sondern?«

»Wenn ich recht verstehe, ist es eine Art Heimatverein, der versuchen will, ein Museum für altes Werkzeug einzurichten.«

»Klingt doch gut. Warum bist du so sauer?«

»Weil sie glauben, die Polizei hätte Zeit, zu so etwas Stellung zu nehmen. Persönlich kann ich zwar der Meinung sein, daß Freunde der Axt ein merkwürdiger Name für einen Heimatverein ist. Aber als Polizist werde ich sauer, wenn ich mit so etwas meine Zeit vergeuden soll.«

»Sag's der Chefin.«

»Das tue ich auch.«

»Obwohl sie nicht deiner Meinung sein wird. Wir sollen nämlich jetzt alle wieder bürgernahe Polizisten werden.«

Wallander sah ein, daß Svedberg mit großer Wahrscheinlichkeit recht hatte. Während all seiner Jahre in diesem Beruf hatte die Polizei zahllose und durchgreifende Veränderungen durchgemacht. Nicht zuletzt galt dies dem stets komplizierten Verhältnis zu dem undeutlichen und drohenden Schatten, den man »die Allgemeinheit« nannte. Diese Allgemeinheit, die wie ein Alptraum sowohl über der Reichspolizeibehörde wie über dem einzelnen Polizisten schwebte, zeichnete sich vor allem durch eins aus: Treulosigkeit. Der jüngste Versuch, die Allgemeinheit zufriedenzustellen, bestand nun darin, das gesamte schwedische Polizeikorps landesweit in eine bürgernahe Polizei umzuwandeln. Wie das eigentlich zu bewerkstelligen war, wußte niemand. Der Reichspolizeichef hatte an alle erreichbaren Tore seine Thesen angeschlagen und damit verkündet, wie wichtig es war, daß die Polizei *sichtbar* war. Aber weil noch niemand davon gehört hatte, daß die Polizei bisher unsichtbar gewesen war, konnte auch keiner begreifen, wie diese neue Liturgie befolgt werden sollte. Fußstreifen hatte man bereits. Inzwischen gab es auch schnelle Minikommandos, die mit Fahrrädern unterwegs waren. Der Reichspolizeichef meinte vermutlich eine geistige Sichtbarkeit. Deshalb hatte man also wieder einmal das Projekt der bürgernahen Polizei abgestaubt. Bürgernahe Polizei klang freundlich, wie ein weiches Kopfkissen. Doch wie dies mit der Tatsache kombiniert werden sollte, daß die Kriminalität in Schweden immer grober und gewaltsamer wurde, konnte keiner so recht erklären. Sicher war es Bestandteil der neuen Strategie, daß man Zeit aufwendete, um sich darüber auszulassen, wie passend oder unpassend der Name Freunde der Axt für einen neugegründeten Heimatverein war.

Wallander verließ Svedbergs Zimmer und holte sich eine Tasse Kaffee. Dann zog er sich in sein eigenes Zimmer zurück und fing wieder an, das umfangreiche Ermittlungsmaterial auf seinem Tisch zu sichten. Zunächst fiel es ihm schwer, sich zu konzentrieren. Die Gedanken an das Gespräch mit Baiba am Abend zuvor drängten sich immer wieder vor. Aber er zwang sich, wieder Polizeibeamter zu werden. Nach ein paar Stunden hatte er sich die Ermittlung so weit vergegenwärtigt, daß er wieder an dem Punkt angelangt war, an dem er vor seiner Abreise nach Italien gewesen war. Er rief einen Kollegen in Göteborg an, mit dem er zusammenarbeitete, und sprach einige Berührungspunkte mit ihm durch. Als er das Gespräch beendete, war es schon zwölf. Wallander war hungrig. Es regnete noch immer. Er ging zu seinem Wagen, fuhr ins Zentrum und aß in einem der Mittagsrestaurants. Um ein Uhr kam er zurück ins Präsidium. Er hatte sich gerade an seinen Schreibtisch gesetzt, als das Telefon klingelte. Es war Ebba von der Anmeldung.

»Du hast Besuch«, sagte sie.

»Wer denn?«

»Ein Mann, der Tyrén heißt. Er will mit dir sprechen.«

»Worum geht es?«

»Um jemand, der vielleicht verschwunden ist.«

»Kann das kein anderer übernehmen?«

»Er sagt, er will unbedingt mit dir sprechen.«

Wallander ließ seinen Blick über den Tisch mit den aufgeschlagenen Mappen gleiten. Nichts davon war so dringend, daß er nicht eine Vermißtenmeldung aufnehmen konnte. »Schick ihn hoch«, sagte er.

Er öffnete die Tür und begann, die Mappen vom Schreibtisch

zu räumen. Als er aufblickte, stand ein Mann in der Tür. Wallander hatte ihn noch nie gesehen. Er trug einen Overall, der erkennen ließ, daß er für OK arbeitete. Als er ins Zimmer trat, nahm Wallander einen Geruch von Öl und Benzin wahr.

Er gab dem Mann die Hand und bot ihm einen Stuhl an. Der Mann war um die Fünfzig, hatte graues schütteres Haar und war unrasiert. Er stellte sich als Sven Tyrén vor.

»Sie wollten mit mir sprechen«, sagte Wallander.

»Soweit ich weiß, sind Sie ein guter Polizist«, sagte Sven Tyrén. Sein Akzent ließ darauf schließen, daß er ursprünglich aus dem westlichen Schonen kam, wo auch Wallander herstammte.

»Die meisten Polizisten sind gut«, entgegnete Wallander.

Sven Tyréns Antwort überraschte ihn: »Sie wissen selbst, daß das nicht stimmt«, sagte er. »Ich habe zu meiner Zeit für dies und das gesessen, und ich habe viele Polizisten getroffen, die, ganz offen gesagt, saumäßig waren.«

Seine Worte kamen mit solchem Nachdruck, daß es Wallander die Sprache verschlug. Er beschloß, diese Diskussion fallenzulassen. »Ich nehme an, Sie sind nicht hergekommen, um mir das zu sagen«, sagte er statt dessen. »Es geht um eine Vermißtenmeldung?«

Sven Tyrén rollte sein OK-Käppi zwischen den Fingern. »Auf jeden Fall ist es komisch«, sagte er.

Wallander hatte einen Notizblock aus einer Schublade gekramt und blätterte bis zu einer leeren Seite. »Vielleicht fangen wir von vorn an«, sagte er. »Wer ist vielleicht verschwunden? Und was ist komisch?«

»Holger Eriksson.«

»Wer ist das?«

»Ein Kunde.«

»Ich vermute, Sie haben eine Tankstelle?«

Sven Tyrén schüttelte den Kopf. »Ich fahre Heizöl aus«, sagte er. »Ich habe den Bezirk nördlich von Ystad. Holger Eriksson wohnt zwischen Högestad und Lödinge. Er rief an und sagte, sein Tank wäre bald leer. Wir verabredeten, daß ich am Donnerstag vormittag liefern sollte. Als ich hinkam, war niemand zu Hause.«

Wallander notierte. »Sie sprechen von letztem Donnerstag?«

»Dem 22.«

»Und wann rief er an?«

»Am Montag.«

Wallander dachte nach. »Sie können sich nicht mißverstanden haben in bezug auf den Zeitpunkt?«

»Ich bringe Holger Eriksson seit über zehn Jahren Öl. Es hat noch nie ein Mißverständnis gegeben.«

»Was geschah dann? Als Sie feststellten, daß er nicht zu Hause war?«

»Sein Öleinfüllstutzen ist verschlossen. Also bin ich wieder weggefahren. Ich habe einen Zettel in seinen Briefkasten gelegt.«

»Und was geschah weiter?«

»Nichts.«

Wallander legte den Stift zur Seite.

»Wenn man wie ich Öl ausfährt, lernt man die Gewohnheiten der Leute kennen«, fuhr Sven Tyrén fort. »Das mit Holger Eriksson ging mir nicht aus dem Kopf. Es konnte nicht sein, daß er verreist war. Also bin ich gestern nachmittag wieder hingefahren. Nach der Arbeit. Mit meinem eigenen Wagen. Der Zettel lag noch im Briefkasten. Unter der ganzen anderen Post, die seit Donnerstag gekommen war. Ich ging auf den Hof und läutete an der Tür. Es war keiner zu Hause. Das Auto stand in der Garage.«

»Lebt er allein?«

»Holger Eriksson ist nicht verheiratet. Er hat mit Autos ein Vermögen verdient. Außerdem schreibt er Gedichte. Ich habe mal ein Buch von ihm bekommen.«

Plötzlich erinnerte sich Wallander, daß er bei einem Besuch in Ystads Bokhandel den Namen Holger Eriksson auf einem Buch im Regal mit Literatur von verschiedenen Heimatdichtern gesehen hatte. Er hatte nach etwas gesucht, das er Svedberg zum vierzigsten Geburtstag schenken könnte.

»Und noch etwas, das nicht in Ordnung war«, sagte Sven Tyrén. »Die Tür war nicht verschlossen. Ich dachte, er wäre vielleicht krank. Er ist beinahe achtzig. Ich bin ins Haus gegangen. Es war leer. Aber die Kaffeemaschine in der Küche war an. Es roch. Der Kaffee war festgebrannt. Da habe ich mich entschieden herzukommen. Irgend etwas stimmt da nicht.«

Wallander sah, daß Sven Tyréns Besorgnis ganz und gar echt war. Aus Erfahrung wußte er allerdings, daß die meisten Vermißtenfälle sich von selbst lösten. Sehr selten lag wirklich etwas Ernstes vor. »Hat er keine Nachbarn?« fragte er.

»Der Hof liegt ganz für sich.«

»Was könnte Ihrer Meinung nach passiert sein?«

Sven Tyréns Antwort kam schnell und bestimmt. »Ich glaube, er ist tot. Ich glaube, daß ihn jemand umgebracht hat.«

Wallander sagte nichts. Er wartete auf eine Fortsetzung. Aber es kam keine. »Warum glauben Sie das?«

»Es ist nicht normal«, sagte Sven Tyrén. »Er hatte Öl bestellt. Er war immer zu Hause, wenn ich kam. Er hätte die Kaffeemaschine nicht angelassen. Er wäre nicht weggegangen, ohne die Tür abzuschließen. Auch wenn er nur einen kurzen Spaziergang auf seinem Grundstück gemacht hätte.«

»Hatten Sie den Eindruck, daß im Haus eingebrochen worden ist?«

»Alles wirkte normal. Außer das mit der Kaffeemaschine.«

»Sie sind also schon früher bei ihm im Haus gewesen?«

»Jedesmal wenn ich Öl brachte. Er hat immer Kaffee angeboten. Und ein paar von seinen Gedichten gelesen. Weil er ein ziemlich einsamer Mensch war, glaube ich, daß er sich gefreut hat, wenn ich kam.«

Wallander dachte nach. »Sie haben gesagt, Sie glauben, daß er tot ist. Aber Sie haben auch gesagt, Sie glauben, daß jemand ihn umgebracht hat. Warum hätte jemand das tun sollen? Hatte er Feinde?«

»Nicht soweit ich weiß.«

»Aber er war wohlhabend?«

»Ja.«

»Wieso wissen Sie das?«

»Das wissen alle.«

Wallander ließ die Frage fallen. »Wir sehen uns das mal an«, sagte er. »Es gibt sicher eine natürliche Erklärung dafür, daß er weg ist. So ist es meistens.«

Wallander notierte die Adresse. Zu seiner Verwunderung hieß der Hof »Abgeschiedenheit«.

Wallander begleitete Sven Tyrén zum Ausgang.

»Ich bin sicher, daß da etwas passiert ist«, sagte Sven Tyrén zum Abschied. »Da stimmt was nicht, wenn ich mit Öl komme, und er ist nicht zu Hause.«

»Ich lasse von mir hören«, sagte Wallander.

Im gleichen Moment kam Hansson von draußen herein. »Wer, verdammt noch mal, versperrt die ganze Einfahrt mit einem Tanklaster?« fragte er wütend.

»Das bin ich«, sagte Tyrén ruhig. »Und ich fahr jetzt.«

»Wer war das denn?« fragte Hansson, als Sven Tyrén gegangen war.

»Er wollte eine Vermißtenmeldung machen«, antwortete Wallander. »Hast du schon mal von einem Schriftsteller mit Namen Holger Eriksson gehört?«

»Einem Schriftsteller?«

»Oder einem Autohändler.«

»Was denn nun?«

»Er soll beides gewesen sein. Und diesem Tanklasterfahrer zufolge ist er verschwunden.«

Sie holten sich Kaffee.

»Was Ernstes?« fragte Hansson.

»Der mit dem Tanklaster schien jedenfalls ziemlich besorgt zu sein.«

»Ich hatte so ein Gefühl, als kenne ich ihn«, sagte Hansson.

Wallander hatte großen Respekt vor Hanssons Gedächtnis. Wenn ihm selbst ein Name entfallen war, ging er meistens zu Hansson, um sich helfen zu lassen.

»Er heißt Sven Tyrén«, sagte Wallander. »Er sagte, daß er ein paarmal für dies und jenes gesessen habe.«

Hansson suchte in seinem Gedächtnis. »Ich glaube, er war in ein paar Geschichten mit Körperverletzung verwickelt«, sagte er nach einer Weile. »Vor vielen Jahren.«

Wallander hörte nachdenklich zu. »Ich glaube, ich fahr mal raus zu Erikssons Hof«, sagte er dann. »Ich nehm ihn auf Routine für vermißt gemeldete Personen.«

Wallander ging in sein Büro, nahm die Jacke und steckte die Adresse der »Abgeschiedenheit« in die Tasche. Eigentlich hätte er zuerst das bei einer Vermißtenmeldung vorgeschriebene Formular ausfüllen müssen. Aber er ließ es zunächst auf sich beruhen. Um halb drei verließ er das Polizeipräsidium. Der starke Regen war in Nieselregen übergegangen. Ihn fröstelte, als er zu seinem Wagen ging. Er fuhr nach Norden und hatte keine Schwierigkeiten, den Hof zu finden. Wie der Name sagte, lag er sehr abgeschieden, auf einer Anhöhe. Die braunen Äcker fielen zum Meer hin ab, das er allerdings nicht sehen konnte. Ein Schwarm Saatkrähen kreischte in einem Baum. Wallander hob den Deckel des Briefkastens an. Er war leer. Er nahm an, daß Sven Tyrén die Post mit ins Haus genommen hatte. Dann trat er in den kopfsteingepflasterten Innenhof. Alles war sehr gut gepflegt. Er blieb stehen und lauschte in die Stille. Der Hof hatte drei Flügel. Es mußten früher vier gewesen sein. Entweder war ein Flügel abgerissen worden oder abgebrannt. Wallander bewunderte das Reetdach. Sven Tyrén hatte recht. Wer sich ein solches Dach leisten konnte, war ein wohlhabender Mann. Wallander ging zur Tür und läutete. Dann klopfte er. Er öffnete die Tür und ging hinein. Lauschte. Die Post lag auf einem Schemel neben einem Schirmständer. An der Wand hingen mehrere Ferngläser. Eins der Futterale war offen und leer. Wallander ging langsam durch das Haus. Es roch immer noch nach der Kaffeemaschine, in der der Kaffee festgebrannt war. An einem Schreibtisch in dem großen doppelstöckigen Wohnzimmer mit offenliegenden Dachbalken blieb Wallander stehen und betrachtete ein Blatt Papier auf der braunen Tischplatte. Weil das Licht schlecht war, nahm er es in die Hand und ging damit zu einem der Fenster.

Es war ein Gedicht über einen Vogel. Einen Specht.

Ganz unten stand ein Datum. 21. September 1994.

An dem Abend hatte Wallander mit seinem Vater in einem Restaurant in der Nähe der Piazza del Popolo gegessen. Als er jetzt in dem stillen Haus stand, war dies ein entlegener und unwirklicher Traum.

Wallander legte das Blatt Papier zurück auf den Schreibtisch. *Um zehn Uhr am Mittwoch abend schrieb er ein Gedicht und gab sogar die Uhrzeit an. Am Tag danach soll Sven Tyrén Öl liefern. Und da ist er weg. Und die Tür unverschlossen.*

Einem plötzlichen Gedanken folgend, ging Wallander nach draußen und suchte den Öltank. Die Meßuhr zeigte an, daß der Tank fast leer war.

Wallander ging zurück ins Haus, setzte sich auf einen alten Küchenstuhl und sah sich um. Irgend etwas sagte ihm, daß Sven Tyrén recht hatte.

Holger Eriksson war wirklich verschwunden. Er war nicht einfach nur fortgegangen.

Nach einer Weile erhob sich Wallander und durchsuchte ein paar Wandschränke, bis er einen Reserveschlüssel fand. Er schloß ab und verließ das Haus. Der Regen war wieder stärker geworden. Kurz vor fünf war er zurück in Ystad. Er füllte ein Formular aus, auf dem Holger Eriksson als vermißt gemeldet wurde. Früh am nächsten Tag würden sie anfangen, ernsthaft nach ihm zu suchen.

Wallander fuhr nach Hause. Unterwegs hielt er an und kaufte eine Pizza. Dann setzte er sich vor den Fernseher und aß. Noch immer hatte Linda nicht angerufen. Kurz nach elf ging er ins Bett und schlief sofort ein.

Um vier Uhr am Mittwoch morgen wurde er aus dem Schlaf gerissen, weil er sich erbrechen mußte. Er kam nicht bis zur Toilette und hatte auch noch Durchfall. Ob es an der Pizza lag oder eine Magen-Darm-Grippe war, die er vielleicht aus Italien mitgebracht hatte, konnte er nicht beurteilen. Um sieben Uhr fühlte er sich so elend, daß er im Polizeipräsidium anrief, um Bescheid zu geben, daß er heute nicht käme. Er hatte Martinsson am Apparat.

»Du weißt natürlich, was passiert ist?« fragte Martinsson.

»Ich weiß nur, daß ich kotze und scheiße«, antwortete Wallander.

»Eine Fähre ist in der Nacht gesunken«, fuhr Martinsson fort. »Irgendwo vor Tallinn. Hunderte von Menschen sind umgekommen. Und die meisten sind Schweden. Es sollen eine ganze Menge Polizisten auf der Fähre gewesen sein.«

Wallander spürte, daß er wieder spucken mußte. Aber er blieb am Telefon. »Polizisten aus Ystad?« fragte er beunruhigt.

»Keine von uns. Aber es ist furchtbar.«

Es fiel Wallander schwer zu glauben, was Martinsson sagte.

Mehrere hundert Tote bei einer Schiffskatastrophe? So etwas passierte nicht. Auf keinen Fall in der Nähe von Schweden.

»Ich glaube, ich muß aufhören«, sagte er. »Ich muß wieder kotzen. Aber auf meinem Tisch liegt ein Papier über einen Mann namens Holger Eriksson. Er ist verschwunden. Einer von euch muß die Sache in die Hand nehmen.«

Er warf den Hörer auf und schaffte es gerade noch zur Toilette, bevor er wieder kotzen mußte. Als er danach auf dem Weg ins Bett war, klingelte das Telefon.

Es war Mona. Seine Exfrau. Er wurde sogleich unruhig. Sie rief ihn nie an, es sei denn, es war etwas mit Linda.

»Ich habe mit Linda telefoniert«, sagte sie. »Sie war nicht auf der Fähre.«

Es dauerte einen Augenblick, bis Wallander begriff, was sie meinte. »Du denkst an die Fähre, die gesunken ist?«

»Was denn sonst? Wenn Hunderte von Menschen bei einem Unglück sterben, rufe ich jedenfalls meine Tochter an und frage, ob es ihr gutgeht.«

»Du hast natürlich recht«, sagte Wallander. »Du mußt entschuldigen, wenn ich ein bißchen schwer von Begriff bin. Aber ich bin krank. Ich kotze. Ich habe Darmgrippe. Vielleicht können wir an einem anderen Tag miteinander reden?«

»Ich wollte nur, daß du dir keine Sorgen machst«, sagte sie.

Das Gespräch war beendet. Wallander ging zurück ins Bett.

Einen kurzen Augenblick dachte er an Holger Eriksson. Und an die Fahrkatastrophe, die sich anscheinend in der Nacht ereignet hatte.

Er fieberte. Kurz darauf schlief er.

Ungefähr zur gleichen Zeit hörte es auf zu regnen.

4

Schon nach einigen Stunden hatte er angefangen, an den Tauen zu nagen.

Das Gefühl, wahnsinnig zu werden, war auch die ganze Zeit dagewesen. Er konnte nicht sehen.

Irgend etwas bedeckte seine Augen und verdunkelte die Welt. Er konnte auch nicht hören. Etwas war in seine Ohren gestopft worden und drückte auf die Trommelfelle. Geräusche waren da. Aber sie kamen von innen. Ein inneres Rauschen, das hinausdrängte, nicht umgekehrt. Am meisten quälte ihn, daß er sich nicht rühren konnte. Das war es, was ihn wahnsinnig machte. Obwohl er lag, auf dem Rücken ausgestreckt, hatte er ständig das Gefühl zu fallen. Ein schwindelerregendes Fallen, ohne Ende. Vielleicht war es nur eine Halluzination, ein äußeres Bild für die Tatsache, daß er von innen heraus zerfiel. Der Wahnsinn war im Begriff, seinen Körper und sein Bewußtsein in Stücke zu zerteilen, die nicht mehr zusammenhingen.

Dennoch versuchte er, sich an der Wirklichkeit festzuhalten. Er zwang sich verzweifelt, zu denken. Vernunft und die Fähigkeit, bis zum Äußersten die Ruhe zu bewahren, würden ihm vielleicht die Erklärung dafür geben, was geschehen war. *Warum konnte er sich nicht bewegen? Wo befand er sich? Und warum?*

Möglichst lange hatte er auch versucht, die Panik und den schleichenden Wahnsinn zu bekämpfen, indem er sich bemühte, die Kontrolle über die Zeit zu behalten. Er zählte Minuten und Stunden, zwang sich, an einer unmöglichen Routine festzuhalten, die keinen Anfang und kein Ende hatte. Weil das Licht nicht wechselte – es war gleichbleibend dunkel, und er war aufgewacht, wo er lag, gefesselt und auf dem Rücken – und er keine Erinnerung hatte, wie er hierhergekommen war, gab es keinen Anfang. Er hätte da, wo er lag, geboren sein können.

In diesem Gefühl hatte der Wahnsinn seinen Ursprung. Während der kurzen Augenblicke, in denen es ihm gelang, die Panik von sich fernzuhalten und klar zu denken, versuchte er, sich an alles zu klammern, was mit der Wirklichkeit zu tun zu haben schien.

Es gab etwas, wovon er ausgehen konnte.

Das, worauf er lag. Das war keine Einbildung. Er wußte, daß er auf dem Rücken lag, und zwar auf etwas Hartem.

Das Hemd war über der linken Hüfte hochgerutscht, und seine Haut berührte direkt die harte rauhe Fläche. Er spürte, daß er sich die Haut aufgeschrammt hatte, als er versuchte, sich zu bewegen. Er lag auf einem Zementboden. Warum lag er da? Wie war er dorthin gekommen? Er ging in Gedanken zurück zu dem letzten normalen Ausgangspunkt, den er hatte, bevor das plötzliche Dunkel über ihn hereingebrochen war. Aber schon da wurde alles unklar. Er wußte, was geschehen war. Und doch wieder nicht. Als er angefangen hatte, unsicher zu werden, was Einbildung und was tatsächlich passiert war, überkam ihn die Panik. Dann fing er an zu weinen, kurz und heftig, aber er hörte genauso schnell wieder auf, weil ihn doch niemand hören konnte. Er hatte nie geweint, wenn ihn keiner hörte. Es gab Menschen, die nur weinten, wenn niemand in der Nähe war. Aber zu denen gehörte er nicht.

Eigentlich war er sich nur dessen sicher: daß niemand ihn hören konnte. Wo er sich auch befand, wo dieser gräßliche Zementboden auch gegossen sein mochte, ob er auch frei in einem ihm vollkommen unbekannten Universum schwebte – es war niemand in der Nähe. Niemand, der ihn hören konnte.

Jenseits des schleichenden Wahnsinns fanden sich die einzigen Anhaltspunkte, die ihm geblieben waren. Alles andere war ihm genommen, nicht nur seine Identität, sondern auch seine Hosen.

Es war der Abend gewesen, bevor er nach Nairobi fliegen wollte. Es war kurz vor Mitternacht, er hatte den Koffer zugemacht und sich an den Schreibtisch gesetzt, um noch einmal seine Reiseunterlagen zu überprüfen. Er sah alles noch ganz klar vor sich. Ohne es zu wissen, hatte er sich also in einem Warteraum des Todes befunden, den ein unbekannter Mensch für ihn vorbereitet hatte. Der Paß lag links auf der Schreibtischplatte, in der

Hand hatte er die Flugscheine. Auf seinem Schoß lag die Plastikmappe mit den Dollarnoten, den Kreditkarten und Reiseschecks, die er noch kontrollieren wollte. Dann klingelte das Telefon. Er hatte alles hingelegt, den Hörer abgenommen und sich gemeldet.

Weil es die letzte lebende Stimme war, die er gehört hatte, hielt er sich mit aller Kraft daran fest. Sie war das letzte Verbindungsglied zu der Wirklichkeit, die den Wahnsinn noch auf Distanz hielt.

Es war eine schöne Stimme gewesen, sehr weich und angenehm, und er wußte sofort, daß er mit einer Fremden sprach. Einer Frau, die er noch nie im Leben getroffen hatte.

Sie hatte darum gebeten, Rosen kaufen zu können. Zuerst hatte sie sich entschuldigt, daß sie so spät am Abend noch störe. Aber sie brauche diese Rosen unbedingt. Sie sagte nicht, warum. Aber er hatte ihr sogleich geglaubt. Kein Mensch konnte lügen, wenn es darum ging, daß er Rosen brauchte. Er konnte sich nicht erinnern, daß er sie oder sich selbst gefragt hatte, was los war, warum sie erst so spät am Abend darauf gekommen war, daß sie Rosen brauchte, obwohl kein Blumengeschäft mehr geöffnet war.

Aber er hatte nicht gezögert. Er wohnte in der Nähe seines Ladens, er war noch nicht im Bett. Es würde nur zehn Minuten dauern, ihr zu helfen.

Als er jetzt hier im Dunkeln lag und sich zu erinnern versuchte, sah er ein, daß hier ein Punkt war, den er nicht erklären konnte. *Er hatte die ganze Zeit gewußt, daß sie von irgendwo in der Nähe anrief. Es gab einen Grund, der ihm unbekannt war, daß sie gerade ihn angerufen hatte.*

Wer war sie? Was war danach geschehen?

Er hatte seinen Mantel angezogen und war auf die Straße gegangen. Die Schlüssel zum Geschäft hatte er in der Hand. Es war windstill, ein kühler Duft schlug ihm entgegen, als er die nasse Straße entlangging. Es hatte früher am Abend geregnet, ein heftiger Wolkenbruch, der ebensoschnell verschwand, wie er gekommen war. Er war vor der Ladentür stehengeblieben, die von der Straße aus ins Geschäft führte. Er erinnerte sich daran, daß er aufgeschlossen hatte und hineingegangen war. Dann war die Welt explodiert.

Wie oft er in Gedanken schon die Straße entlanggegangen war – wenn die Panik für einen Augenblick nachließ, ein Ruhepunkt in dem konstanten und in Wellen kommenden Schmerz –, wußte er nicht mehr. Es mußte jemand dagewesen sein. *Ich hatte erwartet, daß eine Frau vor dem Laden stünde. Aber da stand niemand, Ich hätte umkehren und nach Hause gehen können. Ich hätte wütend werden können, weil jemand sich einen schlechten Scherz mit mir erlaubt hatte. Aber ich schloß den Laden auf, weil ich wußte, daß sie kommen würde. Sie hatte gesagt, daß sie die Rosen wirklich brauchte.*

Keiner lügt, wenn es um Rosen geht.

Die Straße war verlassen. Das wußte er mit Sicherheit. Nur ein Detail in dem Bild beunruhigte ihn. Irgendwo hatte ein Auto gestanden, mit eingeschalteten Scheinwerfern. Als er sich zur Tür gewandt hatte, um das Schlüsselloch zu suchen, war das Auto hinter ihm gewesen. Und die Scheinwerfer an. Und dann war die Welt in einem scharfen, weißen Licht untergegangen.

Es gab nur eine Erklärung, und die machte ihn hysterisch vor Angst. Er mußte überfallen worden sein. Hinter ihm im Schatten war jemand gewesen, den er nicht gesehen hatte. Aber eine Frau, die eines Abends anruft und um Rosen bittet?

Weiter kam er nicht. Da hörte alles auf, was begreiflich und mit Vernunft nachvollziehbar war. Und da war es ihm mit einer gewaltigen Anstrengung gelungen, die gefesselten Hände zum Mund zu drehen, so daß er anfangen konnte, an den Tauen zu nagen. Anfangs hatte er an den Tauen gezerrt und gerissen, als wäre er ein hungriges Raubtier, das sich auf eine Beute warf. Fast unmittelbar hatte er sich einen Zahn im linken Unterkiefer ausgebissen. Der Schmerz war im ersten Moment heftig, verschwand dann aber rasch. Als er wieder anfing, an den Tauen zu nagen – und er hatte tatsächlich an sich selbst als an ein gefangenes Raubtier gedacht, das sein eigenes Bein abbeißt, um zu entkommen –, ging er langsam vor.

An den trockenen und harten Tauen zu nagen war wie eine tröstende Hand. Wenn er sich nicht befreien konnte, so hielt er durch das Nagen zumindest den Wahnsinn auf Abstand. Er konnte auf dem Tau kauen und gleichzeitig einigermaßen klar denken. Er war überfallen worden. Er wurde gefangengehalten und lag auf einem Boden. Zweimal pro Tag, oder vielleicht pro Nacht, hörte er ein scharrendes Geräusch neben sich. Eine behandschuhte Hand zwang seinen Mund auf und flößte ihm Wasser ein. Die Hand an seinem Kiefer war eher bestimmt als grob. Dann wurde ein Trinkhalm in seinen Mund gesteckt. Er saugte eine lauwarme Suppe in sich hinein und wurde danach wieder in der Finsternis und in dem Schweigen allein gelassen.

Er war überfallen worden, er war gefesselt. Unter ihm ein Zementfußboden. Jemand hielt ihn am Leben. Er nahm an, schon eine Woche hier zu liegen. Er versuchte zu verstehen, warum. Es mußte ein Irrtum vorliegen. Aber was für ein Irrtum? Warum sollte ein Mensch gefesselt auf einem Zementboden liegen? Irgendwo in seinem Kopf ahnte er, daß der Wahnsinn seinen Ausgangspunkt in einer Einsicht hatte, die er ganz einfach nicht an sich heranzulassen wagte. Es war kein Irrtum. Das Grauenvolle, das ihm geschah, war gerade ihm zugedacht, keinem anderen, und wie sollte das enden? Vielleicht ginge der Alptraum ewig weiter, und er wußte nicht, warum.

Zweimal am Tag oder in der Nacht bekam er Wasser und Essen. Zweimal wurde er auch an den Füßen über den Boden gezogen, bis er zu einem Loch im Fußboden kam. Er hatte keine Hose an. Sie war verschwunden. Er hatte nur das Hemd, und wenn er fertig war, wurde er zurückgezogen an die alte Stelle. Er hatte nichts, um sich abzuwischen. Außerdem waren die Hände gefesselt. Er merkte, daß es um ihn herum roch. Unflat. Aber auch Parfüm.

War das ein Mensch in seiner Nähe? Die Frau, die Rosen kaufen wollte? Oder nur ein Paar Hände mit Handschuhen? Hände, die ihn zu dem Loch im Boden zogen. Und ein schwacher, beinahe unmerklicher Duft von Parfüm, der nach den Mahlzeiten und nach den Toilettenbesuchen in der Luft hing. Irgendwoher mußten die Hände und das Parfüm kommen.

Natürlich hatte er versucht, zu den Händen zu sprechen. Irgendwo mußte ein Mund sein. Und Ohren. Wer immer ihm dies auch antat, mußte sich doch anhören können, was er zu sagen hatte. Jedesmal wenn er die Hände an seinem Gesicht oder an seinen Schultern fühlte, hatte er auf verschiedene Weise zu sprechen versucht. Er hatte gefleht, er hatte gebrüllt, er hatte versucht, sein eigener Anwalt zu sein und sich ruhig und überlegt zu äußern.

Es gab ein Recht, hatte er betont, manchmal schluchzend, dann wieder rasend. *Ein Recht, das auch der gefesselte Mensch besitzt. Das Recht, zu wissen, warum er vollständig rechtlos geworden ist. Wenn man einen Menschen dieses Rechts beraubt, hat das Universum keinen Sinn mehr.*

Er hatte nicht einmal verlangt, freigelassen zu werden. Er wollte zunächst nur wissen, warum er gefangen war. Nichts anderes. Aber zumindest das.

Er hatte keine Antwort bekommen. Die Hände hatten keinen Körper, keinen Mund, keine Ohren. Schließlich hatte er gebrüllt und außer sich vor Verzweiflung geschrien. Aber die Hände hatten keine Reaktion erkennen lassen. Da war nur der Trinkhalm im Mund. Und der schwache Duft eines herben Parfüms.

Er ahnte, daß er untergehen würde. Das einzige, was ihn noch hielt, war sein hartnäckiges Kauen an dem Tau. Auch jetzt, nach einer Zeitspanne, die mindestens eine Woche umfaßte, war es ihm noch kaum gelungen, sich durch das harte Äußere des Taus zu nagen. Aber dennoch stellte er sich hier die einzig denkbare Rettung vor. Er überlebte, indem er nagte. Nach einer weiteren Woche hätte er von der Reise zurückkehren sollen, die er jetzt halb hinter sich hätte, wäre er nicht zum Laden hinuntergegangen, um einen Armvoll Rosen zu holen. Er wäre tief in einem kenianischen Orchideenwald, das Bewußtsein von den schönsten Düften erfüllt. In einer Woche würde man ihn zurückerwarten. Und wenn er nicht käme, würde Vanja Andersson sich wundern. Wenn sie das nicht bereits tat. Es gab noch eine Möglichkeit, von der er nicht ablassen konnte. Das Reisebüro wußte über seine Kunden Bescheid. Er hatte seine Tickets bezahlt, sich aber in Kastrup nicht eingefunden. Vanja Andersson und das Reisebüro waren seine einzige Rettung. In der Zwischenzeit würde er an dem Tau nagen, um nicht vollkommen den Verstand zu verlieren. Soviel davon noch da war.

Er wußte, daß er sich in der Hölle befand. Aber nicht, warum.

Die Angst saß in seinen Zähnen, die auf dem harten Tau kauten. Die Angst und die einzige denkbare Rettung.

Er kaute weiter.

Zwischendurch weinte er. Hatte Krämpfe. Trotzdem nagte er weiter.

Sie hatte den Raum als Opferplatz arrangiert.

Niemand konnte das Geheimnis ahnen. Niemand, der es nicht wußte. Und sie war die einzige, die es wußte.

Einst hatte der Raum aus vielen kleinen Zimmern bestanden. Mit niedrigen Decken, düsteren Wänden, nur beleuchtet von dem zaghaften Licht, das durch die Fensterluken in den dicken Mauern sickerte. So hatte es ausgesehen, als sie zum erstenmal hier war. Auf jeden Fall in ihren frühesten Erinnerungen. Sie konnte sich jenen Sommer immer noch in Erinnerung rufen. Damals hatte sie ihre Großmutter zum letztenmal gesehen. Früh im Herbst war sie fort. Aber in jenem Sommer saß sie noch im Schatten der Apfelbäume und war selbst in einen Schatten verwandelt. Sie war fast neunzig Jahre alt und hatte Krebs. Den ganzen Sommer hindurch saß sie unbeweglich, unerreichbar für die Welt, und die Enkel waren angehalten, sie nicht zu stören. Nicht in ihrer Nähe schreien, nur zu ihr gehen, wenn sie nach ihnen rief.

Einmal hatte Großmutter die Hand gehoben und sie zu sich gewinkt. Sie hatte sich ihr mit Furcht genähert. Das Alter war gefährlich, es bedeutete Krankheiten und Tod, dunkle Gräber und Furcht. Aber ihre Großmutter hatte sie nur mit ihrem sanften Lächeln angesehen, das zu zerstören dem Krebs nie gelang.

Vielleicht hatte sie etwas gesagt, sie konnte sich nicht erinnern. Aber ihre Großmutter war dagewesen, und es war ein glücklicher Sommer. Es mußte 1952 oder 1953 gewesen sein. Eine unendlich entlegene Zeit. Die Katastrophen waren noch weit entfernt gewesen.

Damals waren die Zimmer klein. Erst als sie selbst Ende der sechziger Jahre das Haus übernahm, begann die große Verwandlung. Beim Einreißen der Innenwände, die ohne Risiko, daß das

Haus einstürzte, geopfert werden konnten, halfen einige ihrer Cousins, junge Männer, die ihre Kraft zeigen wollten. Doch sie hatte auch selbst den Vorschlaghammer geschwungen, daß das ganze Haus bebte und der Putz von den Wänden fiel. Aus dem Staub war am Ende dieser große Raum hervorgetreten, und das einzige, was sie stehenließ, war der große Backofen, der sich jetzt wie eine eigentümliche Klippe erhob. Alle, die damals nach der großen Veränderung ihr Haus betraten, blieben verwundert stehen und sahen, wie schön es geworden war. Es war das alte Haus, aber trotzdem etwas ganz anderes. Das Licht strömte durch die neu ausgehauenen Fenster herein. Wenn sie es dunkel haben wollte, schloß sie die Fensterläden aus massiver Eiche, die sie hatte anfertigen lassen. Sie hatte die alten Fußböden aufgearbeitet und die Decke bis zur obersten Balkenlage offengelassen.

Jemand hatte gesagt, der Raum gliche dem Inneren einer Kirche. Von da an hatte sie ihn als ihr privates Heiligtum betrachtet. Wenn sie dort allein war, fühlte sie sich wie im Zentrum der Welt. Dann spürte sie, daß sie ganz ruhig war, weit weg von allen Gefahren, die sonst drohten.

Es gab Zeiten, in denen sie ihre Kathedrale selten besuchte. Der Fahrplan ihres Lebens wechselte ständig. Mehrmals hatte sie sich gefragt, ob sie das Haus nicht verkaufen sollte. Allzu vielen Erinnerungen hatten die Vorschlaghämmer nichts anhaben können. Aber sie wollte den Raum mit dem massiven Backofen, dieser weißen Klippe, die sie behalten hatte, aber zumauern ließ, nicht aufgeben. Er war ein Teil von ihr geworden. Manchmal betrachtete sie ihn als die letzte Schanze, die ihr blieb, um ihr Leben zu verteidigen.

Dann war der Brief aus Algier gekommen.

Sie dachte nie mehr daran, ihr Haus zu verlassen.

Am Mittwoch, dem 28. September, erreichte sie Vollsjö kurz nach fünfzehn Uhr. Sie war von Hässleholm gekommen, und bevor sie zu ihrem Haus fuhr, das etwas außerhalb der Ortschaft lag, hielt sie beim Laden und kaufte ein. Sie wußte, was sie brauchte. Sie war sich nur nicht sicher, ob sie ihren Vorrat an Trinkhalmen auffüllen mußte. Sicherheitshalber nahm sie noch eine Packung mit. Die

Verkäuferin nickte ihr zu. Sie lächelte zurück und sagte etwas über das Wetter. Dann sprachen sie über das schreckliche Fährunglück. Sie zahlte und fuhr weiter. Ihre nächsten Nachbarn waren nicht da. Es waren Deutsche, die in Hamburg wohnten und immer nur im Juli nach Schonen kamen. In dieser Zeit begrüßten sie sich, hatten aber sonst keinen Kontakt. Sie schloß die Haustür auf. Im Flur blieb sie ganz still stehen und lauschte. Sie ging in den großen Raum und stand reglos neben dem Backofen. Alles war still. Genauso still wünschte sie sich die Welt.

Der Mann, der im Backofen lag, konnte sie nicht hören. Sie wußte, daß er lebte, aber sie brauchte sich nicht von seinen Atemzügen stören zu lassen. Auch nicht davon, daß er weinte.

Sie meinte, einer heimlichen Eingebung gefolgt zu sein, die sie an dieses Ziel geführt hatte. Zuerst, als sie sich entschloß, das Haus zu behalten. Es nicht zu verkaufen und das Geld zur Bank zu bringen. Danach, als sie den alten Backofen stehenließ. Erst später, als der Brief aus Algier kam und sie erkannte, was sie tun mußte, offenbarte der Backofen seinen tieferen Sinn.

Sie wurde in ihren Gedanken vom Wecksignal ihrer Armbanduhr unterbrochen. In einer Stunde kamen ihre Gäste. Vorher mußte sie dem Mann im Backofen noch sein Essen geben. Er lag jetzt seit fünf Tagen dort. Bald würde er so geschwächt sein, daß er keinen Widerstand mehr leisten könnte. Sie holte ihren Fahrplan aus der Handtasche und sah, daß sie vom kommenden Sonntag nachmittag bis Dienstag morgen frei hatte. Da mußte es sein. Dann würde sie ihn herausholen und ihm erzählen, was geschehen war.

Wie sie ihn danach töten würde, hatte sie noch nicht entschieden. Es gab verschiedene Möglichkeiten. Aber sie hatte noch Zeit. Sie würde noch einmal überdenken, was er getan hatte, und dann würde sie sich darüber klarwerden, wie er sterben mußte.

Sie ging in die Küche und wärmte die Suppe. Weil sie es mit der Hygiene genau nahm, hatte sie den verschließbaren Plastikbecher abgewaschen, den sie benutzte, wenn sie ihn fütterte. In einen anderen Becher füllte sie Wasser. Jeden Tag hatte sie die Menge, die sie ihm gab, verringert. Er sollte nicht mehr bekommen, als nötig war, um ihn am Leben zu erhalten. Nachdem sie die Nahrung vorbereitet hatte, zog sie ein Paar Plastikhandschuhe über, spritzte sich ein paar Tropfen Parfüm hinter die Ohren und ging in den Raum, in dem sich der Backofen befand. Auf der Rückseite war eine Luke, hinter ein paar losen Steinen verborgen. Es war eher eine fast meterlange Röhre, die sie vorsichtig herausziehen konnte. Bevor sie ihn in den Backofen legte, hatte sie einen starken Lautsprecher hineingestellt und die Röhre verschlossen. Sie hatte Musik in voller Lautstärke gespielt, aber nichts war herausgedrungen. Sie beugte sich vor, so daß sie ihn sehen konnte. Als sie eins seiner Beine berührte, bewegte er sich nicht. Einen Moment lang befürchtete sie, er könne gestorben sein. Dann hörte sie, wie er keuchte. *Er ist schwach,* dachte sie. *Bald ist die Wartezeit vorüber.*

Sie gab ihm sein Essen, ließ ihn das Loch benutzen, zerrte ihn wieder an seinen Platz und schob die Luke vor. Dann wusch sie ab, räumte die Küche auf und setzte sich an den Tisch und trank eine Tasse Kaffee. Sie holte ihre Personalzeitung aus der Tasche und blätterte sie langsam durch. Nach der neuen Lohntabelle würde sie rückwirkend vom 1. Juli an 174 Kronen im Monat mehr bekommen. Sie schaute wieder auf die Uhr. Es vergingen selten zehn Minuten, ohne daß sie einen Blick darauf warf. Die Uhr war ein Teil ihrer Identität. Ihr Leben und ihre Arbeit wurden von sorgfältig ausgearbeiteten Fahrplänen zusammengehalten. Nichts schmerzte sie mehr, als wenn die Fahrpläne nicht eingehalten werden konnten. Da halfen keine Erklärungen. Sie empfand es jedesmal als ihre persönliche Verantwortung. Sie wußte, daß mehrere ihrer Kollegen hinter ihrem Rücken über sie lachten. Das schmerzte sie. Aber sie sagte nie etwas. Das Schweigen war auch ein Teil von ihr. Teil ihres inneren Uhrwerks. Auch wenn es nicht immer so gewesen war.

Sie konnte sich an ihre eigene Stimme erinnern. Als sie Kind war. Die Stimme war kräftig. Aber nicht schneidend. Die Stummheit war danach gekommen. Als sie all das Blut gesehen hatte. Und ihre Mutter, die beinahe gestorben wäre. Damals hatte sie nicht geschrien. Sie hatte sich in ihrem Schweigen versteckt. Darin konnte sie sich unsichtbar machen.

Da war es passiert. Als ihre Mutter weinend und blutend auf einem Tisch lag und ihr die Schwester wegnahm, auf die sie so lange gewartet hatte.

Wieder blickte sie auf die Uhr. Bald würden sie kommen. Es war Mittwoch, der Abend, an dem sie sich trafen. Am liebsten hätte sie es immer mittwochs. Das gäbe eine größere Regelmäßigkeit. Aber ihre Arbeitszeiten ließen es nicht zu. Sie wußte auch, daß sie daran nie etwas ändern könnte.

Sie hatte fünf Stühle bereitgestellt. Sie wollte nicht, daß sich mehr als fünf gleichzeitig bei ihr versammelten. Dabei könnte die Nähe verlorengehen. Es war schon schwer genug, so große Vertraulichkeit zu schaffen, daß diese schweigenden Frauen redeten. Sie ging ins Schlafzimmer und zog ihre Uniform aus. Bei jedem Kleidungsstück, das sie ablegte, murmelte sie ein Gebet. Und sie erinnerte sich. Es war ihre Mutter, die ihr von Antonio erzählt hatte. Von dem Mann, den sie einmal in ihrer Jugend, lange vor dem Zweiten Weltkrieg, in einem Zug zwischen Köln und München getroffen hatte. Sie hatten keine Sitzplätze bekommen und waren draußen im verräucherten Gang durch Zufall zusammengedrängt worden. Die Lichter der Schiffe auf dem Rhein waren vor den schmutzigen Zugfenstern vorbeigeglitten, es war in der Nacht, und Antonio hatte erzählt, daß er Priester der katholischen Kirche werden wolle. Er hatte erzählt, daß die Messe begann, wenn der Priester die Kleider wechselte. Das heilige Ritual hatte eine Einleitung, die bedeutete, daß die Priester sich einer Reinigungsprozedur unterzogen. Für jedes Kleidungsstück, das sie ablegten oder anlegten, hatten sie ein Gebet. Mit jedem Kleidungsstück kamen sie ihrem heiligen Auftrag einen Schritt näher.

Sie hatte die Erinnerung ihrer Mutter an die Begegnung mit Antonio im Gang des Zuges nie vergessen können. Und jetzt hatte sie eingesehen, daß auch sie eine Priesterin war, ein Mensch, der sich selbst die große Aufgabe gestellt hatte, zu verkünden, daß die Gerechtigkeit heilig war. Jetzt war auch für sie das Wechseln der Kleidung zu einem Ritual geworden. Doch die Gebete, die sie sprach, waren kein Zwiegespräch mit Gott. In einer chaotischen und aberwitzigen Welt war Gott am aberwitzigsten von allem. Die

Welt trug das Zeichen eines abwesenden Gottes. Die Gebete richteten sich an sie selbst. An das Kind, das sie einmal gewesen war. Bevor alles für sie zusammenbrach. Bevor ihre Mutter sie dessen beraubte, was sie sich so sehnlich gewünscht hatte. Bevor sich die finsteren Männer mit den Blicken sich windender, bedrohlicher Schlangen vor ihr auftürmten.

Während sie sich umzog, versetzte sie sich betend in ihre Kindheit zurück. Die Uniform legte sie aufs Bett. Dann kleidete sie sich in weiche Stoffe mit milden Farben. Eine Veränderung ging in ihr vor. Es war, als verwandle sich ihre Haut, als kehre auch sie zurück und werde ein Teil des Kindes.

Zuletzt setzte sie die Perücke und die Brille auf. Das letzte Gebet verklang in ihr. *Hoppe, hoppe Reiter, wenn er fällt, dann schreit er, schreit er, schreit er ...*

Sie hörte den ersten Wagen auf den Hof einfahren und bremsen. Sie betrachtete ihr Gesicht in dem großen Spiegel. *Es war nicht Dornröschen, das aus seinem Alptraum erwacht war. Es war Aschenputtel.*

Sie war bereit. Jetzt war sie eine andere. Sie legte die Uniform in eine Plastiktüte, glättete den Bettüberwurf und verließ das Zimmer. Obwohl niemand außer ihr selbst dorthin kommen würde, schloß sie die Tür ab und betätigte zur Sicherheit noch einmal die Klinke.

Kurz vor sechs waren sie versammelt, aber eine der Frauen war nicht gekommen. Es hieß, sie sei am Abend zuvor ins Krankenhaus gegangen, da die Wehen eingesetzt hätten. Es war zwei Wochen vor der Zeit. Aber das Kind war vielleicht schon geboren.

Sie beschloß sogleich, sie am folgenden Tag im Krankenhaus zu besuchen. Sie wollte sie sehen. Sie wollte ihr Gesicht sehen nach allem, was sie durchgemacht hatte.

Dann lauschte sie ihren Geschichten. Ab und an machte sie eine Bewegung, als schriebe sie etwas auf den Notizblock, den sie in der Hand hielt. Doch sie schrieb nur Ziffern. Sie entwarf ständig Fahrpläne. Ziffern, Uhrzeiten, Entfernungen. Es war ein Spiel, das sie nicht losließ, ein Spiel, das immer mehr zu einer Beschwörung wurde. Sie brauchte nichts zu notieren, um sich erinnern zu können. Alle Worte, die die verschreckten Stimmen aussprachen, all das Leid, dem sie jetzt Ausdruck zu geben wagten, gruben sich in ihr Bewußtsein ein. Sie spürte, wie sich bei jeder von ihnen etwas löste. Vielleicht nur für den Augenblick. Aber was war das Leben anderes als eine Folge von Augenblicken? *Wieder der Fahrplan. Uhrzeiten, die sich begegneten, einander ablösten. Das Leben war wie ein Pendel. Es schlug aus zwischen Schmerz und Linderung. Ohne Unterbrechung, ohne Ende.*

Sie saß so, daß sie den großen Backofen hinter den Frauen sehen konnte. Das Licht war gedämpft. Der Raum ruhte in einem sanften Dunkel. Sie stellte sich das Licht als weiblich vor. Der Ofen war wie eine Klippe, unbeweglich, mitten in einem öden Meer.

Sie sprachen ein paar Stunden lang. Hinterher tranken sie in der Küche Tee. Alle wußten, wann sie sich das nächste Mal treffen würden. Keine brauchte an den Zeiten zu zweifeln, die sie ihnen gab.

Um halb neun begleitete sie die Frauen nach draußen. Sie gab ihnen die Hand, nahm ihre Dankbarkeit entgegen. Als der letzte Wagen verschwunden war, ging sie ins Haus zurück. Im Schlafzimmer wechselte sie die Kleidung, nahm die Perücke und die Brille ab. Sie ergriff die Plastiktüte mit der Uniform und verließ das Zimmer. In der Küche wusch sie die Teetassen ab. Dann löschte sie alle Lichter und nahm ihre Handtasche.

Einen kurzen Augenblick stand sie reglos im Dunkeln neben dem Backofen. Alles war sehr still.

Dann verließ sie das Haus. Es nieselte. Sie setzte sich ins Auto und fuhr nach Ystad.

Vor Mitternacht lag sie in ihrem Bett und schlief.

5

Als Wallander am Donnerstag morgen erwachte, fühlte er sich ausgeruht. Die Magenbeschwerden waren abgeklungen. Er stand kurz nach sechs auf; das Thermometer vor dem Küchenfenster zeigte plus fünf Grad an. Schwere Wolken bedeckten den Himmel. Die Straßen waren naß, aber es regnete nicht. Kurz nach sieben war er im Präsidium. Noch herrschte morgendliche Stille. Als er durch den Korridor zu seinem Zimmer ging, fragte er sich, ob man wohl Holger Eriksson gefunden hatte. Er hängte die Jacke fort und setzte sich. Auf seinem Tisch lagen ein paar Zettel mit Notizen über eingegangene Telefonate. Ebba erinnerte ihn an seinen Termin beim Optiker, den er vergessen hatte. Aber es war ein wichtiger Termin, denn er brauchte eine Lesebrille. Wenn er lange über seine Papiere gebeugt saß, bekam er Kopfschmerzen, und die Buchstaben verschwammen und begannen zu tanzen. Er war bald siebenundvierzig. Das Alter forderte seinen Tribut. Auf einem anderen Zettel stand, daß Per Åkesson ihn sprechen wolle. Da Åkesson ein Morgenmensch war, rief er ihn sogleich in der Staatsanwaltskanzlei an, die in einem anderen Teil des Polizeipräsidiums untergebracht war. Man teilte ihm mit, daß Åkesson den Tag über in Malmö sei. Wallander legte den Zettel zur Seite und holte sich eine Tasse Kaffee. Dann lehnte er sich in seinem Stuhl zurück und versuchte, sich eine Strategie zurechtzulegen, wie er in der Autoschmuggelgeschichte vorgehen könnte. Er mußte etwas unternehmen. Jede Form von organisiertem Verbrechen hatte in der Regel einen schwachen Punkt, ein Glied, das man knacken konnte, wenn man es schwer genug belastete. Wollte die Polizei auch nur die geringste Chance wahrnehmen, den Schmugglern auf die Schliche zu kommen, mußte sie sich darauf konzentrieren, genau diesen Punkt zu finden.

Das Klingeln des Telefons unterbrach ihn bei seinen Überlegungen. Es war Lisa Holgersson, die neue Chefin, die ihn nach seinem Urlaub am Arbeitsplatz willkommen hieß.

»Wie war die Reise?« fragte sie.

»Sehr gelungen«, antwortete Wallander

»Man entdeckt seine Eltern wieder neu«, sagte sie.

»Und die ihrerseits sehen vielleicht ihre Kinder neu«, sagte Wallander.

Sie entschuldigte sich kurz. Wallander hörte, wie jemand in ihr Zimmer kam und etwas sagte. Er dachte, daß Björk nie auf den Gedanken gekommen wäre, zu fragen, wie die Reise gewesen sei. Dann war sie wieder am Hörer.

»Ich war ein paar Tage in Stockholm«, sagte sie. »Und es war nicht sehr erfreulich.«

»Was haben sie denn jetzt ausgeheckt?«

»Ich meine die Estonia. All die Polizisten, die umgekommen sind.«

Wallander schwieg. Er hätte selbst daran denken müssen.

»Ich glaube, du kannst dir vorstellen, wie die Stimmung war«, fuhr sie fort. »Wie hätten wir da sitzen und über die Koordinationsprobleme zwischen der Reichskriminalpolizei und den Polizeidistrikten im Lande diskutieren können?«

»Wir sind wohl genauso hilflos angesichts des Todes wie alle anderen«, sagte Wallander. »Auch wenn es vielleicht anders sein sollte. Weil wir soviel gesehen haben. Wir glauben, daß wir daran gewöhnt sind. Aber so ist es nicht.«

»Eine Fähre geht unter in einer stürmischen Nacht, und plötzlich wird in Schweden der Tod wieder sichtbar«, sagte sie. »Nachdem er immer mehr verdrängt und geleugnet worden ist.«

»Du hast sicher recht. Auch wenn ich es bisher so nicht gesehen habe.«

Sie räusperte sich. Dann sagte sie: »Wir haben über Koordinationsprobleme diskutiert und über die ewige Frage, was wir vorrangig behandeln sollen.«

»Ich meine, wir sollten Verbrecher fassen«, sagte Wallander, »und sie vor Gericht bringen und zusehen, daß wir genügend Beweismaterial haben, damit sie verurteilt werden.«

»Wenn es so einfach wäre«, seufzte sie.

»Ich bin froh, daß ich nicht Chef bin«, sagte Wallander.

»Manchmal frage ich mich selbst«, sagte sie und ließ den Rest des Satzes in der Luft hängen. Wallander glaubte, daß sie das Gespräch beenden wolle, aber sie fuhr fort: »Ich habe zugesagt, daß du Anfang Dezember zur Polizeihochschule raufkommst. Sie wollen, daß du über die Ermittlung referierst, die wir im Sommer hier hatten. Wenn ich recht verstehe, haben die Schüler selbst darum gebeten.«

Wallander erschrak. »Ich kann nicht«, sagte er. »Ich bin nicht in der Lage, vor einer Gruppe von Menschen zu stehen und so zu tun, als ob ich unterrichte. Laß das Martinsson machen. Der kann gut reden. Er wollte mal Politiker werden.«

»Ich habe versprochen, daß du kommst«, sagte sie und lachte. »Das kriegst du schon hin.«

»Ich melde mich krank«, sagte Wallander.

»Es ist noch lange hin bis zum Dezember«, sagte sie. »Wir reden noch einmal darüber. Ich wollte eigentlich nur hören, wie deine Reise war. Jetzt weiß ich, daß sie gelungen war.«

»Und hier ist alles ruhig«, sagte Wallander. »Wir haben nur einen Vermißten. Aber das haben die anderen in die Hand genommen.«

»Einen Vermißten?«

Wallander gab einen kurzen Bericht über sein Gespräch mit Sven Tyrén und dessen Besorgnis, weil Holger Eriksson nicht zu Hause war, um sein Heizöl entgegenzunehmen.

»Wie häufig ist eigentlich etwas Ernstes passiert«, fragte sie anschließend, »wenn Menschen verschwinden? Was sagt die Statistik?«

»Was die sagt, weiß ich nicht«, antwortete Wallander. »Aber ich weiß, daß sehr selten ein Verbrechen oder auch nur ein Unglück vorliegt. Was alte und senile Menschen betrifft, so können sie sich verirrt haben. Was Jugendliche betrifft, so steckt meistens Aufruhr gegen die Eltern oder Abenteuerlust dahinter. Daß etwas Ernstes geschehen ist, kommt sehr selten vor.«

Wallander erinnerte sich an den letzten derartigen Fall. Er dachte mit einem unguten Gefühl an die Maklerin, die verschwunden war und dann ermordet in einem Brunnen aufgefunden wurde. Es war einige Jahre her und gehörte zu seinen unangenehmsten Erlebnissen als Polizist.

Sie legten auf. Wallander war entschlossen, nicht zur Polizeihochschule zu fahren und irgendwelche Vorlesungen zu halten. Es schmeichelte ihm natürlich, daß er gefragt wurde. Aber seine Unlust war stärker. Er glaubte auch, daß er Martinsson überreden könnte, für ihn einzuspringen.

Er wandte sich wieder den Autoschmugglern zu. Auf der Suche nach dem Punkt, an dem die Organisation zu knacken wäre. Kurz nach acht holte er sich eine neue Tasse Kaffee. Weil er hungrig war, nahm er auch ein paar Zwiebäcke mit. Sein Magen schien nicht mehr zu rebellieren. Er hatte sich gerade gesetzt, als es an der Tür klopfte und Martinsson eintrat.

»Geht's dir besser?« fragte er.

»Mir geht's gut«, sagte Wallander. »Wie läuft es mit Holger Eriksson?«

Martinsson schaute ihn verständnislos an. »Mit wem?«

»Holger Eriksson. Der Mann, über den ich einen Bericht geschrieben habe und der vielleicht verschwunden ist. Über den ich am Telefon mit dir gesprochen habe.«

Martinsson schüttelte den Kopf. »Wann hast du davon gesprochen?«

»Gestern morgen. Als ich krank war«, sagte Wallander.

»Das hab ich überhaupt nicht mitgekriegt. Ich war ja ziemlich aufgewühlt wegen des Fährunglücks.«

Wallander schob seinen Stuhl zurück. »Ist Hansson gekommen?« fragte er. »Wir müssen da sofort was machen.«

Sie gingen in Hanssons Zimmer. Er saß am Schreibtisch und betrachtete ein Rubbellos. Dann riß er es in Stücke und ließ die Schnipsel in den Papierkorb fallen.

»Holger Eriksson«, sagte Wallander. »Der Mann, der vielleicht verschwunden ist. Erinnerst du dich an den Tanklaster, der die Einfahrt hier blockiert hat? Am Dienstag?«

Hansson nickte.

»Das war Sven Tyrén«, fuhr Wallander fort. »Du hast dich daran erinnert, daß er in ein paar Körperverletzungen verwickelt war.«

»Ja, stimmt«, sagte Hansson.

Es fiel Wallander schwer, seine Ungeduld zu verbergen. »Er war also gekommen, um einen Mann als vermißt zu melden. Ich bin zum Hof gefahren, wo Holger Eriksson wohnt und von wo er vermutlich verschwunden ist. Ich habe einen Bericht geschrieben. Gestern morgen, als ich krank war, habe ich angerufen und Bescheid gegeben, daß ihr euch den Fall vornehmen sollt. Ich habe ihn als ernst beurteilt.«

»Das ist wohl liegengeblieben«, sagte Martinsson. »Ich muß das auf meine Kappe nehmen.«

Wallander sah ein, daß er nicht ärgerlich werden sollte. »So etwas darf eigentlich nicht passieren«, sagte er. »Wir können ja sagen, daß es unglückliche Umstände waren. Ich fahre noch einmal raus zum Hof. Wenn er nicht da ist, müssen wir nach ihm suchen. Ich hoffe, wir finden ihn nicht irgendwo tot auf. In Anbetracht dessen, daß ein ganzer Tag ungenutzt verstrichen ist.«

»Sollen wir eine Suchaktion einleiten?« fragte Martinsson.

»Noch nicht«, sagte Wallander. »Ich fahre erst mal hin. Ich melde mich.«

Wallander ging in sein Zimmer und suchte im Telefonbuch die Nummer von OK. Ein Mädchen hob beim ersten Klingeln ab. Wallander stellte sich vor und sagte, er müsse Sven Tyrén sprechen.

»Der ist unterwegs und liefert aus«, sagte das Mädchen. »Aber er hat Telefon im Auto.«

Wallander notierte die Nummer auf dem Rand eines Rundschreibens der Reichspolizeibehörde. Dann wählte er. Es schnarrte im Hörer, als Sven Tyrén sich meldete.

»Ich glaube, Sie haben recht«, sagte Wallander, »daß Holger Eriksson verschwunden ist.«

»Na klar hab ich recht, verdammt noch mal«, erwiderte Tyrén. »Hat es so lange gedauert, das rauszufinden?«

Wallander antwortete nicht darauf.

»Gibt es noch was, was Sie mir sagen sollten?« fragte er statt dessen.

»Was sollte das sein?«

»Das wissen Sie selbst am besten. Hat er keine Angehörigen, die er besucht? Geht er nie auf Reisen? Wer kennt ihn am besten?

Alles, was eine plausible Erklärung dafür sein kann, daß er weg ist.«

»Es gibt keine plausible Erklärung«, antwortete Tyrén. »Das hab ich schon gesagt. Deshalb bin ich zur Polizei gegangen.«

Wallander dachte nach. Es gab keinen Grund, warum Sven Tyrén die Unwahrheit sagen sollte. Seine Besorgnis war offensichtlich echt. »Wo sind Sie?« fragte Wallander.

»Ich bin auf dem Rückweg von Malmö. Ich war im Terminal und hab Öl getankt.«

»Ich fahre zu Erikssons Hof«, sagte Wallander. »Können Sie vorbeikommen?«

»Ich komme«, antwortete Tyrén. »In einer Stunde bin ich da. Ich muß nur vorher bei einem Pflegeheim noch Öl loswerden. Man will ja nicht, daß die Alten frieren. Oder?«

Wallander legte auf. Dann verließ er das Polizeipräsidium. Es hatte angefangen zu nieseln.

Ihm war nicht wohl zumute, als er Ystad verließ. Hätte er nicht die Magengeschichte gehabt, wäre es nicht zu diesem Mißverständnis gekommen.

Er war jetzt auch überzeugt, daß Tyréns Sorge berechtigt war. Im Grunde wußte er das bereits seit Dienstag. Und jetzt war Donnerstag, und nichts war unternommen worden.

Als er Holger Erikssons Hof erreichte, war der Regen stärker geworden. Er zog die Gummistiefel an, die er im Kofferraum hatte. Im Briefkasten lagen eine Zeitung und ein paar Briefe. Er ging auf den Hof und klingelte. Dann schloß er mit dem Reserveschlüssel auf. Er versuchte zu spüren, ob jemand dagewesen war. Aber alles war so, wie er es verlassen hatte. Das Fernglasfutteral im Flur war noch immer leer. Auf dem Schreibtisch lag das einsame Blatt Papier. Wallander ging wieder hinaus auf den Hof. Einen Moment stand er still da und betrachtete nachdenklich einen leeren Hundezwinger. Irgendwo draußen auf einem Acker lärmte ein Schwarm Krähen. Ein toter Hase, dachte er geistesabwesend. Dann ging er zu seinem Wagen und holte eine Taschenlampe. Methodisch begann er, das Haus zu durchsuchen. Holger Eriksson hatte überall Ordnung gehalten. Wallander bewunderte lange eine gutgepflegte, glänzende alte Harley-Davidson, die in einem als Garage und Werkstatt eingerichteten Teil eines Flügels stand. Da hörte er, wie sich ein Lastwagen näherte. Er ging Sven Tyrén entgegen. Wallander schüttelte den Kopf, als Tyrén aus dem Führerhaus kletterte und ihn ansah. »Er ist nicht da«, sagte er.

Sie gingen ins Haus. Wallander nahm Tyrén mit in die Küche. In einer Jackentasche fand er ein paar zusammengefaltete Blatt Papier, aber keinen Schreiber. Er holte den, der auf dem Schreibtisch neben dem Gedicht über den Mittelspecht lag.

»Ich hab nichts weiter zu sagen«, meinte Sven Tyrén abweisend. »Würden Sie nicht besser nach ihm suchen?«

»Man hat immer mehr zu sagen, als man glaubt«, erwiderte Wallander und ließ sich seine Irritation über Tyréns abweisende Haltung anmerken.

»Und was weiß ich, wovon ich nichts weiß?«

»Haben Sie selbst mit ihm gesprochen, als er das Öl bestellte?«

»Er rief im Büro an. Da sitzt ein Mädchen. Sie schreibt die Lieferscheine für mich. Sie weiß immer, wo ich bin. Ich rufe sie ein paarmal am Tag an.«

»Und er war wie immer, als er anrief?«

»Da müssen Sie sie selbst fragen.«

»Das werde ich auch. Wie heißt sie?«

»Rut. Rut Eriksson.«

Wallander schrieb.

»Ich hab mal einen Tag Anfang August hier angehalten«, sagte Tyrén. »Das war das letzte Mal, daß ich ihn gesehen habe. Und da war er wie immer. Er hat mir Kaffee angeboten und ein paar neue Gedichte vorgelesen. Außerdem war er ein guter Geschichtenerzähler. Aber es war grob.«

»Was meinen Sie damit? Grob?«

»Na ja, fast so, daß ich rot geworden bin.«

Wallander starrte ihn an. Dann merkte er plötzlich, daß er an seinen Vater dachte, der auch grobe Geschichten erzählen konnte.

»Hatten Sie je den Eindruck, daß er anfing senil zu werden?«

»Er war so klar im Kopf wie Sie und ich zusammen.«

Wallander betrachtete Tyrén und versuchte zu entscheiden, ob er beleidigt worden war oder nicht. Er ließ es auf sich beruhen. »Hatte Holger Eriksson keine Verwandten?«

»Er war nie verheiratet. Er hatte keine Kinder. Keine Freundin. Nicht soweit ich weiß.«

»Andere Verwandte?«

»Er erwähnte nie welche. Eine Organisation in Lund sollte sein Vermögen erben.«

»Was für eine Organisation?«

Tyrén zuckte die Achseln. »Irgendein Heimatverein. Ich weiß nicht.«

Wallander dachte mit Unbehagen an die Freunde der Axt. Er nahm an, daß Holger Eriksson den Museumsverein in Lund als Erben bestimmt hatte. Er machte Notizen. »Wissen Sie, ob er noch etwas anderes besessen hat?«

»Was hätte das sein sollen?«

»Vielleicht einen anderen Hof? Ein Haus in der Stadt? Vielleicht eine Wohnung?«

Tyrén dachte nach, bevor er antwortete. »Nein«, sagte er dann. »Es war dieser Hof. Der Rest ist auf der Bank. Der Handelsbank.«

»Woher wissen Sie das?«

»Seine Ölrechnungen wurden über die Handelsbank bezahlt.«

Wallander nickte und faltete seine Papiere zusammen. Er hatte keine Fragen mehr. Er war jetzt überzeugt, daß Holger Eriksson etwas zugestoßen war. »Ich lasse von mir hören«, sagte er und erhob sich.

»Und was geschieht jetzt?«

»Die Polizei hat ihre Routine«, erwiderte Wallander. Sie kamen auf den Hof hinaus.

»Ich bleibe gern hier und helfe beim Suchen«, sagte Tyrén.

»Lieber nicht«, sagte Wallander. »Wir ziehen es vor, so etwas auf unsere eigene Art und Weise zu machen.«

Sven Tyrén protestierte nicht. Er kletterte in seinen Tanklaster und wendete geschickt auf dem engen Hofplatz. Wallander blickte dem Wagen nach. Dann stellte er sich an den Rand des Ackers und sah zu einem Wäldchen hinüber, das in der Ferne erkennbar war.

Der Krähenschwarm lärmte immer noch. Wallander nahm das Telefon aus der Tasche und rief im Polizeigebäude an. Er verlangte Martinsson.

»Wie geht es?« fragte Martinsson.

»Wir müssen eine Suchaktion starten«, antwortete Wallander. »Hansson hat die Adresse. Ich will, daß wir so schnell wie möglich anfangen. Schick als erstes eine paar Hunde her.«

Wallander wollte gerade das Gespräch beenden, als Martinsson noch einmal ansetzte. »Noch etwas«, sagte er. »Ich habe mal im Computer nachgesehen, ob wir was über Holger Eriksson haben. Reine Routine. Und wir haben was.«

Wallander drückte das Telefon fester ans Ohr und ging zu einem Baum, um vor dem Regen geschützt zu sein. »Was denn?« fragte er.

»Vor ungefähr einem Jahr hat er einen Einbruch in seinem Haus gemeldet. Stimmt es übrigens, daß der Hof ›Abgeschiedenheit‹ heißt?«

»Das stimmt«, sagte Wallander. »Mach weiter!«

»Der Einbruch wurde am 19. Oktober 1993 gemeldet. Svedberg hat die Sache damals aufgenommen. Aber als ich ihn fragte, konnte er sich natürlich nicht erinnern.«

»Was war denn?« fragte Wallander.

»Holger Erikssons Einbruchsanzeige war ein bißchen sonderbar«, sagte Martinsson zögernd.

»Wieso sonderbar?« fragte Wallander ungeduldig.

»Es war nichts gestohlen worden. Aber er war trotzdem sicher, daß jemand bei ihm eingebrochen war.«

»Und was geschah weiter?«

»Nichts. Das Ganze wurde ad acta gelegt. Wir haben nicht einmal jemanden hingeschickt, weil nichts gestohlen war. Aber die Anzeige haben wir. Und die hat Holger Eriksson erstattet.«

»Das hört sich merkwürdig an«, sagte Wallander. »Wir sehen uns das später noch mal an. Sorg dafür, daß die Hunde so schnell wie möglich kommen.«

Martinsson lachte ins Telefon. »Fällt dir nichts auf bei Erikssons Anzeige?« fragte er.

»Was denn?«

»Daß wir zum zweitenmal in einer Woche von einem Einbruch reden, bei dem nichts gestohlen wurde.«

Wallander sah ein, daß Martinsson recht hatte. Auch aus dem Blumengeschäft in der Västra Vallgatan war nichts gestohlen worden. »Aber da hören die Ähnlichkeiten auf«, sagte er.

»Der Inhaber des Blumenladens ist auch verschwunden«, wandte Martinsson ein.

»Nein«, sagte Wallander. »Er ist unterwegs in Kenia. Er ist nicht verschwunden. Aber das scheint bei Holger Eriksson der Fall zu sein.«

Wallander beendete das Gespräch und steckte das Telefon ein. Er zog seine Jacke fester zusammen. Dann ging er zur Garage zurück und setzte die Suche fort. Wonach er suchte, wußte er nicht recht. Es würde erst ernsthaft losgehen, wenn die Hunde eingetroffen waren. Dann würden sie die Suchaktion organisieren und mit den Nachbarn reden. Nach einer Weile ging er ins Haus zurück. In der Küche trank er ein Glas Wasser. Es schepperte in der Leitung, als er den Hahn aufdrehte. Noch ein Zeichen dafür, daß seit ein paar Tagen niemand im Haus gewesen war. Während er trank, betrachtete er geistesabwesend die Krähen, die dort drüben kreischten. Er stellte das Glas ab und ging wieder nach draußen. Es regnete ununterbrochen. Plötzlich blieb Wallander stehen. Er dachte an das leere Fernglasfutteral, das im Flur hinter der Haustür hing. Er blickte auf den Krähenschwarm. Ein Stück dahinter, auf dem Hügel, stand ein Turm. Wallander versuchte, sich zu konzentrieren. Dann ging er langsam am Rand des Ackers entlang. Der Lehm klumpte unter seinen Stiefeln. Er entdeckte einen Pfad, der quer über den Acker bis zum Hügel mit dem Turm führte. Er schätzte die Entfernung auf zweihundert Meter und folgte dem Pfad. Der Lehm war hier fester und blieb nicht unter den Sohlen kleben. Die Krähen tauchten auf den Acker hinunter, verschwanden und flogen wieder auf. Wallander nahm an, daß dort eine Senke oder ein Graben war. Er ging weiter. Die Umrisse des Turms wurden schärfer. Er vermutete, daß er für die Jagd auf Hasen und Rotwild errichtet worden war. Am Fuße des Hügels auf der anderen Seite war ein Waldgelände. Vermutlich gehörte es zu Holger Erikssons Grundstück. Dann sah er den Graben vor sich. Einige schwere Planken schienen hineingerutscht zu sein. Die Krähen schrien immer lauter, je näher er kam. Dann flogen sie auf, alle auf einmal, und verschwanden. Wallander ging auf den Graben zu und sah hinunter.

Er fuhr zusammen und tat einen Schritt zurück. Ihm wurde sofort schlecht.

Hinterher sagte er, daß es das Schlimmste war, was er jemals gesehen hatte. Und er war in seinen Jahren als Polizist gezwungen, vieles zu sehen, was er sich lieber erspart hätte.

Als er da stand und der Regen ihm in die Jacke und unters Hemd lief, begriff er zunächst nicht, worauf er starrte. Es war etwas Fremdes und Unwirkliches. Etwas, dem er noch nie zuvor nahe gewesen war.

Nur eins war vollkommen klar – im Graben befand sich ein toter Mensch.

Vorsichtig ging er in die Hocke. Er mußte sich zwingen hinzusehen. Der Graben war tief, mindestens zwei Meter. Eine Reihe spitzer Stangen war in den Grund des Grabens eingelassen. Auf diesen Stangen hing ein Mann. Die blutigen Stangen mit ihren speerähnlichen Spitzen waren an einigen Stellen durch den Körper gedrungen. Der Mann lag vornüber. Er hing auf den Stangen. Die Krähen hatten seinen Nacken aufgehackt. Wallander kam wieder hoch. Er merkte, wie seine Beine zitterten. Irgendwo in der Ferne hörte er das Geräusch sich nähernder Autos. Er nahm an, daß es die Hundestaffel war.

Er tat einen Schritt zurück. Die Stangen schienen aus Bambus zu sein. Wie kräftige Angelruten mit nadelscharfen Spitzen. Dann betrachtete er die Planken, die in den Graben gefallen waren. Da der Pfad auf der anderen Seite weiterging, mußte es ein Steg gewesen sein. Warum waren sie gebrochen? Es waren kräftige Planken, die schwere Belastung aushielten. Außerdem war der Graben nicht breiter als zwei Meter.

Als er einen Hund bellen hörte, ging er zurück zum Hof. Ihm war jetzt speiübel, und er hatte Angst. Es war eine Sache, daß er einen Menschen entdeckt hatte, der ermordet worden war. Aber die Art und Weise! *Jemand hatte angespitzte Stangen in den Graben gesteckt. Der Mann war aufgespießt worden.*

Er blieb auf dem Pfad stehen und holte tief Luft.

Erinnerungsbilder vom Sommer schwirrten durch seinen Kopf. War es wieder soweit? Gab es keine Grenzen für das, was in diesem Land geschehen konnte? Wer spießte einen alten Mann auf Stangen in einem Graben auf?

Er ging weiter. Zwei Polizisten mit Hunden warteten vor dem Haus. Auch Ann-Britt Höglund und Hansson waren da. Beide trugen Regenjacken und hatten die Kapuzen über den Kopf gezogen.

Als er zum Ende des Pfads kam und auf den kopfsteingepflasterten Hof trat, sahen ihm alle an, daß etwas passiert war.

Wallander wischte sich den Regen aus dem Gesicht und sagte, was los war. Er spürte, daß seine Stimme unsicher war. Er wandte sich um und zeigte auf den Krähenschwarm, der sogleich zurückgekehrt war, nachdem er den Graben verlassen hatte.

»Da unten liegt er«, sagte er. »Er ist tot. Ermordet. Fordert die volle Besetzung an.«

Sie warteten darauf, daß er noch mehr sagen würde.

Aber das tat er nicht.

6

Bei Einbruch der Dunkelheit am Donnerstag abend, dem 29. September, hatten sie über der Stelle des Grabens, wo der tote Holger Eriksson hing, von neun kräftigen Bambusstangen aufgespießt, einen Regenschutz errichtet. Der mit Blut vermischte Schlamm vom Grund des Grabens war hochgeschaufelt worden. Die makabre Arbeit und der ununterbrochene Regen machten den Ort des Verbrechens zu einem der düstersten und widerwärtigsten, die Wallander und seine Kollegen je gesehen hatten. Der Lehm klebte und klumpte unter ihren Stiefeln, sie stolperten über Stromkabel, die sich im Schlamm ringelten, und das starke Licht der Scheinwerfer, die sie aufgestellt hatten, erhöhte nur noch den Eindruck von Unwirklichkeit und Beklommenheit. Inzwischen hatten sie auch Sven Tyrén herausgebracht, der den Mann auf den Stangen identifizieren sollte. Es war Holger Eriksson. Daran bestand kein Zweifel. Die Suche nach dem Verschwundenen war schon beendet. Tyrén war seltsam gefaßt, als sei er sich dessen, was er vor sich sah, eigentlich gar nicht bewußt. Danach war er mehrere Stunden lang ruhelos außerhalb der Absperrung umhergelaufen, bis Wallander plötzlich entdeckte, daß er verschwunden war.

Wallander kam sich in dem Graben wie eine gefangene und durchnäßte Ratte vor. Er sah seinen engsten Mitarbeitern an, daß sie nur unter Aufbietung äußerster Selbstüberwindung durchhielten. Sowohl Svedberg als auch Hansson hatten wegen akuter Übelkeit mehrfach den Graben verlassen müssen. Nur Ann-Britt Höglund, die er am liebsten schon am frühen Abend nach Hause geschickt hätte, schien von dem, was sie tat, merkwürdig unangefochten zu sein. Sie war als eine der ersten eingetroffen und hatte den Einsatz am unübersichtlichen Tatort organisiert, damit die Leute nicht unnötig ausglitten und übereinander fielen. Ein junger Polizeianwärter war im Schlamm ausgerutscht und in den

Graben gefallen. Er hatte sich an einer der Stangen die Hand verletzt und mußte sich vom Arzt verbinden lassen, der nach einer Möglichkeit suchte, die Leiche zu bergen. Wallander hatte gesehen, wie der Anwärter ausrutschte, und in einer blitzartigen Vision geahnt, wie es vor sich gegangen sein mußte, als Holger Eriksson fiel und aufgespießt wurde. Als erstes hatte er mit Nyberg, ihrem Techniker, die schweren Planken untersucht. Sven Tyrén hatte bestätigt, daß sie einen Steg über den Graben gebildet hatten. Holger Eriksson hatte sie selbst dorthin gelegt. Tyrén hatte ihn einmal zum Turm auf dem Hügel begleitet und erzählt, daß Holger Eriksson ein passionierter Vogelbeobachter gewesen sei. Es war also kein Hochstand, sondern ein Aussichtsturm. Das Fernglas aus dem leeren Futteral hing um Holger Erikssons Hals. Sven Nyberg brauchte nur ein paar Minuten, um festzustellen, daß die Planken so weit angesägt worden waren, daß ihre Tragfähigkeit nahezu aufgehoben war. Nach dieser Information war Wallander aus dem Graben gestiegen und zur Seite getreten, um nachzudenken. Er versuchte, sich den Verlauf des Geschehens vorzustellen. Aber es gelang ihm nicht. Erst als Nyberg konstatierte, daß das Fernglas ein Nachtsichtgerät war, meinte er zu ahnen, wie alles vor sich gegangen war. Gleichzeitig hatte er Schwierigkeiten, seiner eigenen Vorstellung zu trauen. Wenn er recht hatte, so war dieser Mord mit einer beinahe unvorstellbar grauenhaften und brutalen Perfektion vorbereitet worden.

Am späten Abend begannen sie damit, den Körper des Toten aus dem Graben zu bergen. Gemeinsam mit dem Arzt und Lisa Holgersson mußten sie entscheiden, ob sie die Stangen ausgraben oder absägen sollten oder ob sie die fast unerträgliche Alternative wählen sollten, den Körper von den Stangen zu ziehen.

Auf Wallanders Anraten wählten sie die letzte Möglichkeit. Seine Mitarbeiter und er mußten den Mordplatz exakt so sehen können, wie er war, bevor Holger Eriksson den Steg betreten hatte und in den Tod gestürzt war. Erst nach Mitternacht waren sie fertig; der Regen hatte nachgelassen, und man hörte nur noch das Surren eines Generators und die schmatzenden Geräusche von Stiefeln im matschigen Lehm.

Danach entstand ein Moment der Untätigkeit. Jemand hatte

Kaffee gebracht. Übermüdete Gesichter leuchteten gespensterhaft im weißen Licht. Wallander wußte, daß er sich zu einem Überblick aufraffen mußte. Was war eigentlich geschehen? Wie sollten sie weiterkommen? Alle waren erschöpft, und es war schon nach Mitternacht. Sie waren erschüttert, durchnäßt und hungrig. Martinsson stand da und preßte ein Handy ans Ohr. Wallander fragte sich zerstreut, ob er seine ständig besorgte Frau beruhigte. Aber als Martinsson das Gespräch beendet und das Handy in die Tasche gesteckt hatte, teilte er ihnen mit, daß er mit einem Meteorologen in der Nähe gesprochen habe – der Regen sollte im Lauf der Nacht aufhören. Im gleichen Augenblick beschloß Wallander, erst in der Morgendämmerung weiterzuarbeiten. Sie hatten noch nicht begonnen, einen Mörder zu jagen, sie suchten noch nach Anhaltspunkten, auf die sie sich konzentrieren konnten. Die Hunde, die hergebracht worden waren, um nach Holger Eriksson zu suchen, hatten keine Spur aufgenommen. Im Laufe des Abends waren Wallander und Nyberg auf dem Turm gewesen. Aber sie hatten nichts gefunden, was sie weiterbrachte. Wallander wandte sich an Lisa Holgersson.

»Wir kommen jetzt nicht weiter«, sagte er. »Ich schlage vor, daß wir uns morgen früh hier treffen. Am besten ruhen wir uns jetzt aus.« Niemand hatte etwas einzuwenden. Alle wollten nur weg. Alle, außer Sven Nyberg. Wallander wußte, daß er bleiben würde. Er würde die Nacht durcharbeiten und noch dasein, wenn sie zurückkämen. Als die anderen langsam zu den Autos auf dem Hof gingen, blieb Wallander noch da.

»Was glaubst du?« fragte er.

»Ich glaube gar nichts«, antwortete Sven Nyberg. »Außer daß ich noch nie in meinem Leben auch nur etwas Vergleichbares gesehen habe.«

Wallander nickte stumm. Ihm ging es nicht anders.

Sie standen da und sahen in den Graben hinunter. Die Regenplane war zurückgeschlagen.

»Was ist das eigentlich, was wir hier vor uns haben?« fragte Wallander.

»Die Kopie einer asiatischen Raubtierfalle«, erwiderte Nyberg, »wie sie auch im Krieg benutzt wurde.«

Wallander nickte.

»So kräftiger Bambus wächst nicht in Schweden«, fuhr Nyberg fort. »Wir importieren ihn für Angelruten oder als Einrichtungsmaterial.«

»Außerdem gibt es in Schweden keine Raubtiere«, sagte Wallander nachdenklich. »Und Krieg haben wir auch nicht. Was ist das also, was wir hier sehen?«

»Etwas, was nicht hierhergehört«, sagte Nyberg. »Etwas, was nicht in Ordnung ist. Etwas, was mir angst macht.«

Wallander betrachtete ihn aufmerksam. Es kam selten vor, daß Nyberg so viele Worte machte. Und daß er persönliche Gefühle von Unbehagen und Angst zum Ausdruck brachte, war ganz und gar ungewöhnlich.

»Arbeite nicht zu lange«, sagte Wallander zum Abschied.

Nyberg antwortete nicht.

Wallander stieg über die Absperrung, nickte den Polizisten zu, die den Tatort über Nacht bewachen sollten, und ging zum Hof hinauf. Etwa in der Mitte des Pfades war Lisa Holgersson stehengeblieben und wartete auf ihn. Sie hielt eine Taschenlampe. »Wir haben Journalisten da vorne«, sagte sie. »Was können wir eigentlich sagen?«

»Nicht viel«, meinte Wallander.

»Wir können ihnen nicht einmal Holger Erikssons Namen geben«, sagte sie.

Wallander dachte nach. »Ich glaube doch«, sagte er dann. »Ich übernehme die Verantwortung dafür, daß dieser Tankwagenfahrer wirklich weiß, was er sagt. Daß Holger Eriksson keine Angehörigen hatte. Wenn wir niemandem die Todesbotschaft überbringen müssen, können wir seinen Namen ebensogut angeben. Es kann uns helfen.«

Sie gingen weiter.

»Sonst noch etwas?« fragte sie.

»Daß es sich um einen Mord handelt«, sagte Wallander. »Das können wir mit Sicherheit sagen. Aber wir haben kein Motiv, keine Spuren und keine Tatverdächtigen.«

»Hast du dir schon eine Meinung gebildet?«

Wallander merkte, wie müde er war. Jeder Gedanke, jedes Wort, das er aussprechen mußte, bereitete ihm eine beinahe unüberwindliche Anstrengung. »Ich habe nichts anderes gesehen als du«, sagte er. »Aber das Ganze wurde sorgfältig geplant. Holger Eriksson ist direkt in eine Falle gelaufen, und die ist zugeschnappt. Daraus kann man ohne größere Mühe erst einmal drei Schlußfolgerungen ziehen.«

Sie blieben wieder stehen. Der Regen hatte nun aufgehört.

»Erstens können wir davon ausgehen, daß derjenige, der das hier getan hat, Holger Eriksson und zumindest einen Teil seiner Gewohnheiten kannte«, begann Wallander. »Zweitens, daß der Täter wirklich den Vorsatz hatte, ihn zu töten.«

»Du hast gesagt, wir wissen drei Sachen?«

Wallander betrachtete ihr bleiches Gesicht im Licht der Taschenlampe. Er fragte sich, wie er selbst wohl aussah. War die Farbe von seiner Italienreise während der Nacht vom Regen abgewaschen worden?

»Der Täter wollte Holger Eriksson nicht nur umbringen, er wollte ihn auch quälen. Holger Eriksson kann ziemlich lange auf diesen Stangen gehangen haben, bevor er starb. Niemand hat ihn gehört. Nur die Krähen. Wie lange er gelitten hat, können uns die Ärzte vielleicht irgendwann sagen.«

Lisa Holgersson machte eine Grimasse des Abscheus. »Wer tut so was?« fragte sie bedrückt.

»Ich weiß nicht«, sagte Wallander. »Ich weiß nur, daß mir schlecht wird.«

Am Rand des Ackers warteten zwei verfrorene Journalisten und ein Fotograf. Wallander nickte, er kannte sie von früher. Er sah Lisa Holgersson an, die den Kopf schüttelte. Wallander erzählte so kurz wie möglich, was passiert war. Als sie Fragen stellen wollten, hob er abwehrend die Hand. Die Journalisten entfernten sich.

»Du hast einen guten Ruf als Kriminalbeamter«, sagte Lisa Holgersson. »Im Sommer ist mir klargeworden, was für ein Leistungsvermögen du hast. Es gibt keinen Polizeidistrikt in Schweden, in dem man dich nicht gern sähe.«

Sie waren bei ihrem Wagen stehengeblieben. Wallander spürte, daß sie ernst meinte, was sie sagte. Aber er war zu erschöpft, um sich darüber zu freuen.

»Geh die Sache so an, wie du es für richtig hältst«, fuhr sie fort. »Sag, wie du es haben willst, und ich regle das.«

Wallander nickte. »In ein paar Stunden sehen wir weiter«, sagte er. »Jetzt müssen wir erst mal schlafen, du und ich.«

Als er in die Wohnung in der Mariagatan kam, war es fast zwei Uhr. Er machte sich ein paar Brote und aß sie am Küchentisch. Dann legte er sich aufs Bett und stellte den Wecker auf kurz nach fünf.

Um sieben, im grauen Morgenlicht, waren sie wieder versammelt. Der Meteorologe hatte recht gehabt; es regnete nicht mehr. Aber ein kräftiger Wind wehte, und es war kälter geworden. Die Polizisten, die mit Nyberg zusammen die Nacht am Tatort verbracht hatten, mußten die Kunststoffplane über dem Graben provisorisch verankern, damit sie nicht fortwehte. Als es dann plötzlich aufhörte zu regnen, hatte Nyberg einen Wutausbruch gegen die launischen Wettergötter bekommen. Weil kaum zu erwarten war, daß sogleich eine neue Regenfront käme, hatten sie die Plastikabdeckung entfernt und waren nun schutzlos dem beißenden Wind ausgesetzt.

Wallander hatte auf dem Weg zu Erikssons Hof versucht, einen Plan zu entwickeln, wie sie bei den Ermittlungen vorgehen sollten. Sie wußten fast nichts über den Toten. Die Tatsache, daß er vermögend war, konnte natürlich ein Motiv ergeben. Aber Wallander zweifelte von Anfang an daran. Die angespitzten Bambusstäbe im Graben sprachen eine andere Sprache. Er konnte sie nicht deuten, aber er fürchtete bereits, daß eine Aufgabe vor ihnen lag, die den normalen Rahmen ihrer Tätigkeit sprengte.

Wie immer, wenn er unsicher war, dachte er an Rydberg, den alten Kriminalbeamten, der einst sein Lehrer war und ohne dessen Kenntnisse er selbst vermutlich ein durchschnittlicher Ermittler geworden wäre. Rydberg war vor bald vier Jahren an Krebs gestorben. Wallander schauderte beim Gedanken daran, wie schnell die Zeit vergangen war. Dann stellte er sich die Frage, was Rydberg getan hätte. *Geduld,* dachte er. *Rydberg würde sofort den Kernsatz seines Credos loslassen. Er würde mir sagen, daß der Grundsatz, Geduld zu haben, jetzt wichtiger sei denn je.*

Sie richteten in Erikssons Haus ein provisorisches Fahndungsbüro ein. Wallander versuchte, die wichtigsten Aufgaben zu formulieren und dafür zu sorgen, daß sie so sinnvoll wie möglich verteilt wurden.

Eigentlich stand nur eins fest: Sie hatten nichts, wovon sie ausgehen konnten.

»Wir wissen sehr wenig«, begann er. »Sven Tyrén, der Fahrer eines Tanklasters, meldet uns, daß seiner Meinung nach ein Mensch verschwunden ist. Das war am Dienstag. Nach dem, was Tyrén gesagt hat, und aufgrund der Datierung des Gedichts ist der Mord wahrscheinlich irgendwann nach zehn Uhr abends am Mittwoch voriger Woche verübt worden. Es war auf jeden Fall nicht früher. Wir müssen die gerichtsmedizinische Untersuchung abwarten.«

Wallander machte eine Pause, keiner fragte etwas. Svedberg putzte sich die Nase. Er hatte glänzende Augen und Wallander dachte, daß er wahrscheinlich Fieber hatte und zu Hause im Bett liegen sollte. Gleichzeitig wußten beide, daß sie jetzt alle verfügbaren Kräfte brauchten.

»Über Holger Eriksson ist uns nicht viel bekannt«, fuhr Wallander fort. »Er war früher Autohändler. Vermögend, unverheiratet, keine Kinder. Er war eine Art Heimatdichter und außerdem offenbar an Vögeln interessiert.«

»Ein bißchen mehr wissen wir vielleicht doch«, unterbrach Hansson. »Holger Eriksson war ein bekannter Mann. Auf jeden Fall hier in der Gegend – und besonders vor zehn, zwanzig Jahren. Man kann sagen, daß er als Autoverkaufer den Ruf eines Halsabschneiders hatte. Harte Bandagen. Konnte Gewerkschaften nicht ausstehen. Verdiente massig Geld. War in Steueraffären verwickelt und wurde mehrfach illegaler Transaktionen verdächtigt. Aber soweit ich mich erinnern kann, wurde er nie verurteilt.«

»Du meinst mit anderen Worten, daß er Feinde hatte«, sagte Wallander.

»Da können wir ziemlich sicher sein. Was aber nicht heißt, daß sie auch bereit wären, einen Mord zu begehen. Schon gar nicht so einen.«

Wallander beschloß, die angespitzten Stäbe und den angesägten Steg erst einmal beiseite zu lassen. Er wollte die Dinge der Reihe nach behandeln. Und sei es nur, um in seinem eigenen müden Kopf die Einzelheiten nicht durcheinanderzubringen. Auch das war etwas, was Rydberg ihm immer wieder eingeschärft hatte. Eine Verbrechensermittlung ist eine Art Baustelle. Alles muß in der richtigen Reihenfolge getan werden, damit es funktioniert.

»Als erstes müssen wir uns ein Bild von Holger Eriksson und seinem Leben machen«, sagte Wallander. »Aber bevor wir die Arbeit aufteilen, will ich darzustellen versuchen, wie die Sache meines Erachtens abgelaufen ist.«

Sie saßen am großen runden Küchentisch. In einiger Entfernung konnten sie durch die Fenster die Absperrungen erkennen. Nyberg stand wie eine gelbe Vogelscheuche im Lehm und fuchtelte mit den Armen. Wallander stellte sich seine erschöpfte und irritierte Stimme vor. Aber er wußte, daß Nyberg tüchtig und genau war. Wenn er mit den Armen fuchtelte, hatte er Grund dazu.

Wallander spürte, wie sich die Aufmerksamkeit der Kollegen schärfte. Er hatte es schon häufig erlebt. Genau in diesem Moment fing die Ermittlungsgruppe an, Witterung aufzunehmen.

»Ich glaube, es ist folgendermaßen vor sich gegangen«, begann Wallander, und jetzt sprach er langsam und wählte seine Worte mit Bedacht. »Irgendwann nach zehn Uhr am Mittwoch abend, oder vielleicht erst früh am Donnerstag morgen, verläßt Holger Eriksson das Haus. Er schließt das Haus nicht ab, weil er die Absicht hat, bald zurückzukommen. Außerdem bleibt er auf seinem Grundstück. Er hat ein Fernglas bei sich. Nyberg hat festgestellt, daß es ein Nachtglas ist. Er geht den Pfad zum Graben hinunter, über den er einen Plankensteg gelegt hat. Vermutlich ist er auf dem Weg zum Turm auf dem Hügel auf der anderen Seite des Grabens gewesen. Eriksson interessierte sich für Vögel. Gerade jetzt, im September und Oktober, machen sich die Zugvögel auf nach Süden. Ich weiß nicht viel darüber, wie das vor sich geht und in welcher Reihenfolge sie fliegen. Aber ich habe gehört, daß die meisten und größten Schwärme nachts fliegen und navigieren. Das kann das Nachtglas und den Zeitpunkt erklären. Er hat den

Steg betreten, der glatt durchgebrochen ist, weil die Planken vorher fast ganz durchgesägt worden sind. Er fällt hinunter in den Graben, vornüber, und wird auf den Stäben aufgespießt. Wenn er noch um Hilfe gerufen hat, so hat niemand ihn gehört. Das Haus liegt, wie wir ja sehen, sehr einsam. Es hat den Namen ›Abgeschiedenheit‹ nicht ohne Grund.«

Er goß sich aus einer der Polizeikannen Kaffee ein, bevor er fortfuhr. »So, glaube ich, ist es vor sich gegangen, und es wirft entschieden mehr Fragen auf, als es Antworten gibt. Aber hier müssen wir anfangen. Wir haben es mit einem sorgfältig geplanten Mord zu tun. Brutal und grausam. Wir haben kein offensichtliches oder auch nur denkbares Motiv und auch keine entscheidenden Spuren.«

Es wurde still. Wallander ließ den Blick um den Tisch wandern. Schließlich brach Ann-Britt Höglund das Schweigen. »Eins ist wichtig. Wer das getan hat, hatte keinerlei Ehrgeiz, seine Tat zu verbergen.«

Wallander nickte. Er hatte auf genau diesen Punkt noch kommen wollen. »Ich glaube, es ist sogar noch schlimmer«, sagte er. »Diese bestialische Falle kann man als reine Demonstration von Grausamkeit interpretieren.«

»Suchen wir also wieder nach einem Wahnsinnigen?« fragte Svedberg.

Alle wußten, was er meinte. Der Sommer lag noch nicht lange zurück.

»Die Möglichkeit können wir nicht ausschließen«, sagte Wallander. »Wir können überhaupt nichts ausschließen.«

»Es ist wie eine Bärengrube, oder etwas, was man in einem alten Kriegsfilm aus Asien mal gesehen hat«, sagte Hansson. »Sonderbare Kombination, eine Bärenfalle und ein Vogelgucker.«

»Oder Autohändler«, warf Martinsson ein, der bisher geschwiegen hatte.

»Oder Dichter«, sagte Ann-Britt Höglund. »Ganz schöne Auswahl.«

Inzwischen war es halb acht. Die Besprechung war beendet. Bis auf weiteres würden sie sich in Holger Erikssons Küche treffen. Svedberg fuhr los, um noch einmal ein Gespräch mit Sven Tyrén und dem Mädchen bei der Heizölfirma zu führen, das die Bestellung von Holger Eriksson angenommen hatte. Ann-Britt Höglund sollte alle Nachbarn in der Umgebung aufsuchen und befragen. Wallander fiel die Post im Briefkasten ein, und er bat die Kollegin, auch mit dem Landbriefträger zu sprechen. Hansson sollte mit einem von Nybergs Technikern das Haus durchsuchen, und Lisa Holgersson und Martinsson würden gemeinsam alle übrigen Einsätze organisieren.

Das Rad der Ermittlung kam ins Rollen.

Wallander zog seine Jacke an und ging im heftigen Wind hinunter zum Graben. Zerfetzte Wolken jagten über den Himmel. Plötzlich hörte er das charakteristische Geräusch ziehender Wildgänse. Er blieb stehen und blickte zum Himmel. Es dauerte eine Weile, bis er die Vögel entdeckte. Es war ein kleiner Schwarm, der dort oben dahinzog, dicht unter den Wolken, in südwestlicher Richtung. Er vermutete, daß sie wie alle anderen Zugvögel über Schonen das Land bei Falsterbonäset verlassen würden.

Wallander dachte an das Gedicht, das auf dem Tisch gelegen hatte. Seine Unruhe wurde immer stärker.

Etwas an dem brutalen Geschehen erschütterte ihn. Es konnte blinder Haß oder Wahnsinn hinter der Tat liegen, aber ebensogut Berechnung und Kälte. Was schlimmer wäre, wußte er nicht.

Nyberg und seine Techniker hatten angefangen, die blutigen Bambusstäbe aus dem Lehm zu ziehen, als Wallander zum Graben kam. Jeder Stab wurde in Plastikfolie gewickelt und zu einem wartenden Auto getragen. Nybergs Gesicht war lehmverschmiert, und er bewegte sich ruckhaft und schwerfällig.

Wallander kam der Gedanke, daß er in ein Grab hinabsah. »Wie geht es?« fragte er und versuchte, einen aufmunternden Ton anzuschlagen.

Nybergs Antwort war ein unverständliches Murmeln. Wallander hielt es für richtig, alle Fragen bis auf weiteres aufzuschieben. Nyberg war leicht reizbar und launisch und schreckte nie davor zurück, Streit anzufangen, ganz gleich, wen er vor sich hatte. Die allgemeine Ansicht im Polizeipräsidium war, daß Nyberg keinen Augenblick zögern würde, den Reichspolizeichef anzuschnauzen, wenn es den geringsten Anlaß dafür gäbe.

Man hatte eine provisorische Brücke über den Graben gebaut. Wallander ging hinüber zum Hügel auf der anderen Seite. Der böige Wind zerrte an seiner Jacke. Er betrachtete den ungefähr drei Meter hohen Turm. Er war aus den gleichen Planken gebaut, die Holger Eriksson für seinen Steg verwendet hatte. Eine Stufenleiter war in einem schrägen Winkel am Turm angebracht. Wallander kletterte hinauf. Die Plattform war kaum größer als einen Quadratmeter. Der Wind peitschte ihm ins Gesicht. Obwohl er sich nur drei Meter über dem Hügel befand, veränderte sich das Landschaftsbild. Er erkannte Nyberg unten im Graben. Ein Stück entfernt lag Erikssons Hof. Er ging in die Hocke und begann, die Plattform zu untersuchen. Plötzlich bereute er, den Turm bestiegen zu haben, bevor Nyberg mit seinen Untersuchungen fertig war, und kletterte rasch wieder hinunter. Dann versuchte er, sich in den Windschatten des Turms zu stellen. Er war sehr müde, aber da war noch mehr als Müdigkeit. Niedergeschlagenheit? Die Freude war so kurz gewesen. Die Reise nach Italien. Sein Vorsatz, ein Haus zu kaufen, vielleicht auch einen Hund anzuschaffen. Und Baiba, die kommen würde.

Und dann dies – und der Boden begann ihm wieder zu entgleiten.

Er fragte sich, wie lange er das noch aushielte, und zwang sich, die düsteren Gedanken wegzuschieben. Der Täter, der sich diese makabre Todesfalle für Holger Eriksson ausgedacht hatte, mußte so schnell wie möglich gefunden werden. Wallander bewegte sich vorsichtig rutschend den Hügel hinunter. Drüben kam Martinsson den Pfad entlang. Wie üblich war er in Eile. Wallander ging ihm entgegen. Er fühlte sich noch immer unsicher und zweifelnd. Wie sollte er die Ermittlung angehen? Er suchte vergeblich nach einem Einstieg.

Er sah Martinsson an, daß etwas geschehen war.

»Was ist?« fragte er.

»Du sollst eine Frau anrufen, sie heißt Vanja Andersson.«

Wallander kramte in seinem Gedächtnis, bis er sich erinnerte. Der Blumenladen in der Västra Vallgatan. »Das muß warten«, sagte er verwundert. »Dafür haben wir jetzt keine Zeit, verdammt noch mal.«

»Da bin ich mir nicht so sicher«, sagte Martinsson, und es schien ihm unangenehm zu sein, ihm zu widersprechen.

»Warum nicht?«

»Es sieht so aus, als wäre dieser Gösta Runfelt, der Inhaber des Blumenladens, überhaupt nicht nach Nairobi geflogen.«

Wallander verstand noch immer nicht, wovon Martinsson redete.

»Sie hat das Reisebüro angerufen, um den genauen Zeitpunkt seiner Rückkehr zu erfahren. Und da hat sie es erfahren.«

»Was?«

»Daß Gösta Runfelt gar nicht in Kastrup angekommen ist. Er ist nicht nach Afrika geflogen. Obwohl er sein Ticket bezahlt hat.«

Wallander starrte Martinsson an.

»Das bedeutet also, daß wir noch eine Person haben, die verschwunden zu sein scheint«, sagte Martinsson unsicher.

Wallander antwortete nicht.

Es war neun Uhr am Freitag morgen, dem 30. September.

7

Wallander brauchte zwei Stunden, um zu erkennen, daß Martinsson recht hatte. Auf dem Weg nach Ystad, nachdem er beschlossen hatte, Vanja Andersson allein zu besuchen, fiel ihm noch etwas ein: Es hieß schon vorher, daß es eine weitere Ähnlichkeit zwischen den beiden Fällen gab. Holger Eriksson hatte ein Jahr zuvor der Polizei in Ystad einen Einbruch gemeldet, bei dem nichts gestohlen wurde. Bei Gösta Runfelt war eingebrochen worden, und auch dabei wurde nichts gestohlen. Wallander spürte eine wachsende innere Erregung. Der Mord an Holger Eriksson reichte vollkommen. Sie brauchten nicht noch einen Vermißten. Auf jeden Fall keinen, der mit dem Fall Holger Eriksson zusammenhing. Und einen weiteren Graben mit angespitzten Stäben brauchten sie auch nicht. Wallander fuhr viel zu schnell, als hoffe er, dem Gedanken an einen neuen Alptraum zu entkommen. Dann und wann bremste er hart, als gebe er dem Wagen und nicht sich selbst Order, die Ruhe zu bewahren und vernünftig zu denken. Was sprach eigentlich dafür, daß Gösta Runfelt wirklich verschwunden war? Es konnte eine natürliche Erklärung geben. Das, was mit Holger Eriksson geschehen war, war die Ausnahme. Und es konnte einfach nicht zweimal geschehen. Auf jeden Fall nicht in Schonen, und ganz bestimmt nicht in Ystad. Es mußte eine Erklärung geben, und die sollte Vanja Andersson ihm liefern.

Aber es gelang Wallander nicht, sich selbst zu überzeugen. Bevor er zum Blumenladen in der Västra Vallgatan fuhr, hielt er beim Polizeigebäude an. Er traf Ann-Britt Höglund im Flur und zog sie mit in die Kantine, wo ein paar müde Verkehrspolizisten saßen und fast über ihren Butterbroten einschliefen. Er holte Kaffee und erzählte Ann-Britt Höglund von dem Anruf, den Martinsson bekommen hatte, und ihre Reaktion war genau wie seine. Ungläubigkeit. Es mußte reiner Zufall sein. Doch Wallander bat die Kollegin, eine Kopie der Einbruchsanzeige zu besorgen, die Holger Eriksson im vorigen Jahr gemacht hatte. Sie sollte auch nachprüfen, ob es eine Verbindung zwischen Holger Eriksson und Gösta Runfelt gab. Sollte es so sein, würde man sie leicht in den Computern finden. Er wisse, daß sie viel anderes zu tun hatte, aber es sei wichtig, daß dies sofort erledigt würde. *Um aufzuräumen, bevor die Gäste kämen.* Er hörte selbst, wie mißlungen das Bild war, und konnte sich nicht erklären, woher es gekommen war. Sie sah ihn fragend an und wartete auf eine Fortsetzung. Aber es kam keine.

»Wir müssen uns beeilen«, sagte er nur. »Je weniger Energie wir aufwenden, um festzustellen, daß es keine Verbindung gibt, um so besser.«

Als er aufbrechen wollte, hielt sie ihn mit einer Frage zurück.

»Wer kann das getan haben?«

Wallander sank wieder auf den Stuhl. Er sah die blutigen Stangen vor sich. Ein unerträgliches Bild. »Ich weiß nicht«, sagte er, »es ist so sadistisch und makaber, daß ich mir keine normalen Motive vorstellen kann. Wenn es überhaupt normale Motive gibt, einen Menschen umzubringen.«

»Die gibt es«, antwortete sie entschieden. »Sowohl du als auch ich sind schon einmal so wütend gewesen, daß wir uns einen Menschen tot vorstellen konnten. Für manche gibt es die natürliche Hemmung nicht. Sie töten.«

»Was mir angst macht«, sagte Wallander, »ist, daß es so sorgfältig geplant war. Wer das getan hat, hat sich Zeit genommen. Er hat auch Holger Erikssons Gewohnheiten bis ins einzelne gekannt. Er hat vermutlich sein Leben kartiert.«

»Vielleicht finden wir gerade hier einen Einsteig«, sagte sie. »Holger Eriksson scheint keine näheren Freunde gehabt zu haben. Aber der, der ihn getötet hat, muß sich immerhin in seiner Nähe befunden haben. Irgendwie. Er muß auf jeden Fall da draußen am Graben gewesen sein. Er hat Planken angesägt. Er muß dorthin gekommen und wieder weggefahren sein. Jemand kann ihn gesehen haben. Oder ein Auto, das nicht richtig dahin gehört. Die Leute haben ein Auge auf Dinge, die vor sich gehen. Die Leute auf dem Land sind wie Tiere im Wald. Sie beobachten uns. Aber wir entdecken sie nicht.«

Wallander nickte abwesend. Er hörte nicht so konzentriert zu, wie es sonst seine Gewohnheit war. »Wir müssen später weiterreden«, sagte er. »Ich fahre jetzt zu dem Blumenladen.«

»Ich will sehen, was ich finden kann«, antwortete sie.

Sie trennten sich vor der Kantinentür.

Auf dem Weg nach draußen rief Ebba ihm zu, sein Vater habe angerufen.

»Später«, antwortete Wallander abwehrend, »nicht jetzt.«

»Das ist ja schrecklich, was da passiert ist«, sagte Ebba. Wallander hatte das Gefühl, als wolle sie ihm fast persönlich ihr Beileid aussprechen für einen Trauerfall, der ihn betraf.

»Ich habe mal ein Auto bei ihm gekauft«, sagte sie. »Einen PV 444.«

Wallander brauchte einen Augenblick, um zu begreifen, daß sie von Holger Eriksson sprach. »Kannst du fahren?« fragte er dann verwundert. »Ich wußte nicht einmal, daß du einen Führerschein hast.«

»Ich fahre seit neununddreißig Jahren unfallfrei«, erwiderte Ebba. »Und den PV habe ich immer noch.«

Wallander fiel ein, daß er in all den Jahren einen gutgepflegten schwarzen PV auf dem Parkplatz des Präsidiums gesehen hatte, ohne sich je darüber Gedanken zu machen, wem er gehörte.

»Ich hoffe, du hast ein gutes Geschäft gemacht«, sagte er.

»Holger Eriksson hat ein gutes Geschäft gemacht«, erwiderte sie. »Ich habe damals viel zuviel bezahlt für das Auto. Aber weil ich es die ganzen Jahre gut gepflegt habe, bin ich letzten Endes diejenige, die Gewinn gemacht hat. Die gelten ja heutzutage als Old timer.«

»Ich muß los«, sagte Wallander. »Aber irgendwann läßt du mich einmal mitfahren, ja?«

»Vergiß nicht, deinen Vater anzurufen«, sagte sie.

Wallander zögerte und dachte nach. »Ruf ihn an«, sagte er zu Ebba. »Tu mir den Gefallen. Ruf ihn an und erklär ihm, was hier los ist. Sag ihm, ich lasse von mir hören, sobald ich kann. Ich nehme an, daß es nichts Dringendes war?«

»Er wollte nur über Italien reden«, sagte sie.

Wallander nickte. »Wir reden über Italien, aber nicht jetzt. Richte ihm das aus.«

Er fuhr direkt in die Västra Vallgatan. Er parkte schlampig halb auf dem schmalen Bürgersteig und ging in den Laden. Es waren ein paar Kunden da. Er machte Vanja Andersson ein Zeichen, daß er warten könne. Nach ungefähr zehn Minuten war das Geschäft leer. Vanja Andersson schrieb etwas in Druckbuchstaben auf einen Zettel, befestigte ihn mit Tesafilm an der Tür und schloß ab. Sie gingen in den kleinen Büroraum auf der Rückseite. Der Blumenduft verursachte Wallander beinahe Schwindel. Weil er wie üblich nichts bei sich hatte, worauf er schreiben konnte, nahm er ein paar Blumenkarten und machte sich auf der Rückseite Notizen. Eine Uhr hing an der Wand. Fünf vor elf.

»Lassen Sie uns ganz vorn anfangen«, sagte Wallander. »Sie haben das Reisebüro angerufen. Warum?«

Er sah ihr an, daß sie verwirrt und unruhig war. Auf dem Tisch lag *Ystads Allehanda* mit einem großen Aufmacher über den Mord an Holger Eriksson. Jedenfalls weiß sie nicht, dachte Wallander, daß ich hier bin und hoffe, *keinen* Zusammenhang zwischen Holger Eriksson und Gösta Runfelt zu entdecken.

»Gösta hatte auf einen Zettel geschrieben, wann er zurückkommen wollte«, begann sie. »Ich muß ihn verlegt haben. Sosehr ich auch gesucht habe, ich konnte ihn nicht finden. Da habe ich das Reisebüro angerufen. Sie sagten, er hätte am 23. abreisen sollen, wäre aber überhaupt nicht in Kastrup erschienen.«

»Wie heißt das Reisebüro?«

»Specialresor. Es liegt in Malmö.«

»Mit wem haben Sie gesprochen?«

»Sie hieß Anita Lagergren.«

Wallander schrieb.

»Wann haben Sie angerufen?«

Sie nannte ihm die Uhrzeit.

»Und was hatte Anita Lagergren weiter zu berichten?«

»Gösta war gar nicht abgereist. Er erschien nicht zum Einchecken in Kastrup. Sie hatten die Telefonnummer angerufen, die er angegeben hatte. Aber da meldete sich niemand. Das Flugzeug mußte ohne ihn fliegen.«

»Und danach wurde nichts mehr unternommen?«

»Anita Lagergren sagte, sie hätten ihm einen Brief geschickt, in dem sie erklärten, daß er nicht damit rechnen könne, etwas erstattet zu bekommen.«

Wallander spürte, daß sie noch etwas sagen wollte, sich aber zurückhielt. »Sie haben an etwas gedacht«, sagte er freundlich.

»Die Reise war wahnsinnig teuer«, sagte sie. »Anita Lagergren hat den Preis genannt.«

»Was kostete sie denn?«

»Fast 30 000 Kronen. Für vierzehn Tage.«

Wallander war der gleichen Meinung. Die Reise war wirklich sehr teuer. Er selbst könnte in seinem ganzen Leben nicht an eine solche Reise denken. Sein Vater und er hatten in einer Woche in Rom ungefähr ein Drittel der Summe ausgegeben.

»Ich verstehe das nicht«, sagte sie plötzlich. »Gösta würde so etwas nie tun.«

Wallander folgte ihrem Gedanken. »Wie lange arbeiten Sie schon für ihn?«

»Fast elf Jahre.«

»Und es ging immer gut?«

»Gösta ist nett. Er liebt Blumen wirklich. Nicht nur Orchideen.«

»Darüber reden wir später noch. Wie würden Sie ihn beschreiben?«

Sie überlegte. »Nett und freundlich«, sagte sie. »Ein bißchen eigen. Ein Eigenbrötler.«

Wallander dachte mit Unbehagen daran, daß diese Beschreibung wahrscheinlich auch auf Holger Eriksson paßte. Abgesehen von den Andeutungen, daß Eriksson kaum ein netter Mensch gewesen war.

»Er war nicht verheiratet?«

»Er war Witwer.«

»Hatte er Kinder?«

»Zwei. Sie sind verheiratet und haben selbst Kinder. Keins von beiden wohnt hier in Schonen.«

»Wie alt ist Gösta Runfelt?«

»Neunundvierzig Jahre.«

Wallander betrachtete seine Notizen. »Witwer«, sagte er. »Da muß seine Frau ziemlich jung gestorben sein. War es ein Unglück?«

»Ich weiß nicht genau. Er hat nie darüber gesprochen. Aber ich glaube, sie ist ertrunken.«

Wallander ließ die Frage fallen. Sie würden die Einzelheiten noch früh genug untersuchen. Falls es notwendig sein sollte. Was er nicht hoffte.

Er legte den Bleistift auf den Tisch. »Sie haben sich gewiß Gedanken gemacht«, sagte er. »Über zwei Dinge: Erstens, warum er nicht nach Afrika geflogen ist, und zweitens, wo er sich befindet, wenn nicht in Nairobi.«

Sie nickte. Wallander entdeckte plötzlich Tränen in ihren Augen. »Es muß etwas passiert sein«, sagte sie. »Als ich mit dem Reisebüro gesprochen hatte, bin ich in seine Wohnung gegangen. Sie liegt gleich nebenan. Ich habe einen Schlüssel. Ich sollte seine Blumen gießen. Ich bin zweimal dagewesen, seit er, wie ich glaubte, abgereist ist. Habe die Post auf den Tisch gelegt. Jetzt bin ich wieder hingegangen. Aber er war nicht da. Ist auch nicht dagewesen.«

»Woher wissen Sie das?«

»Das hätte ich gemerkt.«

»Was ist Ihrer Ansicht nach geschehen?«

»Ich weiß es nicht. Er hat sich auf diese Reise gefreut. Im Winter wollte er sein Orchideenbuch beenden.«

Wallander spürte, wie seine Unruhe weiter zunahm. Eine innere Warnuhr begann zu ticken. Er erkannte die lautlosen Alarmsignale und sammelte die Blumenkarten ein, auf denen er seine Notizen gemacht hatte. »Ich muß mir seine Wohnung ansehen«, sagte er. »Und Sie wollen den Laden wieder aufmachen. Ich glaube bestimmt, daß alles eine natürliche Erklärung findet.«

Sie suchte eine Bekräftigung dieser Worte in seinem Gesicht. Doch Wallander sah ein, daß sie kaum eine finden würde.

Er bekam die Schlüssel zur Wohnung. Sie lag in der gleichen Straße, einen Häuserblock näher an der Stadt.

»Sie bekommen sie zurück, wenn ich fertig bin«, sagte er.

Auf der Straße drückte sich ein älteres Ehepaar mit Mühe an seinem nachlässig geparkten Wagen vorbei. Sie sahen ihn vorwurfsvoll an. Aber er tat unbeteiligt und ging davon.

Die Wohnung lag im ersten Stock eines Hauses, das um die Jahrhundertwende gebaut worden sein mußte. Es gab einen Aufzug, doch Wallander nahm die Treppe. Vor ein paar Jahren hatte er überlegt, ob er seine Wohnung gegen eine andere in einem Haus wie diesem eintauschen sollte. Jetzt konnte er diesen Gedanken nicht mehr nachvollziehen. Wenn er die Wohnung in der Mariagatan aufgab, dann nur zugunsten eines Hauses mit Garten. Wo Baiba mit ihm leben würde. Und vielleicht auch ein Hund. Er schloß auf und trat ein. Der Gedanke durchzuckte ihn, wie oft er schon derart fremden Boden betreten hatte – die Wohnungen unbekannter Menschen. Er blieb an der Tür stehen und rührte sich nicht. Jede Wohnung hatte ihren eigenen Charakter. Wallander hatte sich im Lauf der Jahre angewöhnt, dem Wesen der Menschen, die dort wohnten, nachzuspüren. Langsam ging er durch die Wohnung. Der erste Schritt war oft der wichtigste. Der erste Eindruck. Zu dem er dann zurückkehren würde. Hier wohnte ein Mann, der Gösta Runfelt hieß und sich eines frühen Morgens nicht dort befunden hatte, wo er erwartet wurde, auf dem Flughafen Kastrup. Wallander dachte an das, was Vanja Andersson gesagt hatte. Gösta Runfelts Vorfreude auf die Reise.

Nachdem er durch die vier Zimmer und die Küche gegangen war, blieb er in der Mitte des Wohnzimmers stehen. Es war eine große, helle Wohnung. Er hatte den unklaren Eindruck, daß man sie ohne großes Interesse möbliert hatte. Das einzige Zimmer mit einer gewissen Ausstrahlung war das Arbeitszimmer. Hier herrschte ein gepflegtes Chaos. Bücher, Papiere, Lithographien von Blumen, Landkarten. Ein überladener Arbeitstisch. Ein Computer. Auf einer Fensterbank ein paar Fotografien. Wahrscheinlich Kinder und Enkel. Ein Foto von Gösta Runfelt, von Riesenorchideen umgeben, irgendwo in einer asiatischen Landschaft. Auf der Rückseite stand mit Tinte, daß es 1972 in Birma aufgenommen worden war. Gösta Runfelt lächelte dem unbekannten Fotografen zu. Ein freundliches Lächeln eines braungebrannten

Mannes. Die Farben waren verblaßt. Aber nicht Gösta Runfelts Lächeln. Wallander stellte das Foto zurück und betrachtete eine Weltkarte an der Wand. Er hatte Mühe, Birma zu finden. Dann setzte er sich in den Schreibtischsessel. Gösta Runfelt wollte verreisen. Aber er trat die Reise nicht an, jedenfalls nicht die nach Nairobi mit dem Charterflug von Specialresor. Wallander ging ins Schlafzimmer. Das Bett war gemacht. Ein schmales Einzelbett. Auf dem Nachttisch ein Bücherstapel. Wallander betrachtete die Titel. Bücher über Blumen. Das einzige, das aus der Reihe fiel, war ein Buch über den internationalen Devisenhandel. Wallander legte es zurück. Er suchte nach etwas anderem. Er bückte sich und schaute unters Bett. Nichts. Er öffnete den Kleiderschrank. Auf einem Regal ganz oben lagen zwei Koffer. Er stellte sich auf die Zehenspitzen und hob sie herunter. Beide waren leer. Dann ging er in die Küche und holte einen Stuhl. Er prüfte das oberste Regal, und jetzt sah er, was ihn stutzig gemacht hatte. In der Wohnung eines allein lebenden Mannes ist es äußerst selten ganz staubfrei. Gösta Runfelts Wohnung war keine Ausnahme. Der Staubrand war ganz deutlich. Es hatte noch ein Koffer dagelegen. Weil die beiden anderen, die er schon heruntergeholt hatte, alt waren und der eine außerdem ein defektes Schloß hatte, nahm Wallander an, daß Gösta Runfelt den dritten Koffer benutzt hatte. Wenn er gefahren war. Wenn der Koffer nicht irgendwo in der Wohnung war. Er hängte seine Jacke über eine Stuhllehne und öffnete alle Schränke und Abseiten, wo ein Koffer sein konnte. Er fand nichts und ging ins Arbeitszimmer zurück. Wenn Gösta Runfelt abgereist war, mußte er seinen Paß bei sich haben. Er durchsuchte die unverschlossenen Schreibtischschubladen. In einer lag ein altes Herbarium. Wallander schlug es auf. *Gösta Runfelt 1955.* Schon in seiner Schulzeit hatte er Blumen gepreßt. Wallander betrachtete eine vierzig Jahre alte Kornblume. Die blaue Farbe war noch immer da, zumindest als verblaßte Erinnerung. Wallander hatte nie Pflanzen gepreßt. Er suchte weiter, fand aber keinen Paß. Er runzelte die Stirn. Ein Koffer war weg. Außerdem der Paß. Tickets hatte er auch nicht gefunden. Er verließ das Arbeitszimmer und setzte sich in einen Sessel im Wohnzimmer. Den Sitzplatz zu wechseln war ihm manchmal bei der Formulierung seiner Gedanken hilfreich. Vieles sprach dafür, daß Gösta Runfelt die Wohnung wirklich verlassen hatte. Mit seinem Paß, den Flugscheinen und einem gepackten Koffer.

Er ließ seine Gedanken sich entwickeln. Konnte ihm auf dem Weg nach Kopenhagen etwas zugestoßen sein? Konnte er bei der Schiffspassage über Bord gegangen sein? Er holte eine der Blumenkarten aus seiner Jackentasche. Auf einer hatte er die Telefonnummer des Ladens notiert. Er ging in die Küche und wählte die Nummer. Durchs Fenster konnte er das hohe Silo im Hafen sehen. Dahinter war eine der Polenfähren auf dem Weg hinaus bei einer der Steinmolen. Vanja Andersson meldete sich.

»Ich bin noch in der Wohnung«, sagte er. »Ich habe ein paar Fragen. Hat Runfelt erzählt, wie er nach Kopenhagen kommen wollte?«

Ihre Antwort kam schnell und bestimmt. »Er fuhr immer über Limhamn und Dragör.«

Nun war dieser Punkt geklärt.

»Ich habe noch eine Frage. Wissen Sie, wie viele Koffer er hatte?«

»Nein«, sagte sie. »Woher sollte ich das wissen?«

Wallander stellte die Frage anders: »Wie sah sein Koffer aus? Vielleicht haben Sie ihn einmal gesehen?«

»Er hatte selten viel Gepäck«, antwortete sie. »Er wußte, wie man reist. Er hatte eine Schultertasche und einen Koffer mit Rollen.«

»Was für eine Farbe hatte der?«

»Er war schwarz.«

»Sind Sie sicher?«

»Ja«, sagte sie. »Ich bin sicher. Ich habe ihn ein paarmal abgeholt, wenn er zurückkam. Auf dem Bahnhof oder in Sturup. Gösta warf nie etwas unnötigerweise weg. Hätte er sich einen neuen Koffer kaufen müssen, wüßte ich es. Dann hätte er darüber geklagt, wie teuer er war. Er konnte manchmal geizig sein.«

Aber die Reise nach Nairobi kostete 30 000 Kronen, dachte Wallander. Und das Geld war weggeworfen. Aber wohl kaum freiwillig.

Er fühlte sein Unbehagen wachsen und beendete das Gespräch. In einer halben Stunde, sagte er, werde er mit dem Schlüssel vorbeikommen.

Erst als er aufgelegt hatte, fiel ihm ein, daß sie wahrscheinlich über Mittag den Laden zumachte. Dann dachte er an das, was sie gesagt hatte. Ein schwarzer Koffer. Die beiden, die er im Kleiderschrank gefunden hatte, waren grau. Eine Schultertasche hatte er auch nicht gesehen. Außerdem wußte er jetzt, daß Gösta Runfelt über Limhamn ausreiste. Er stellte sich ans Fenster und blickte über die Dächer. Die Polenfähre war nicht mehr zu sehen.

Die Sache ist nicht in Ordnung, dachte er. Gösta Runfelt ist nicht freiwillig verschwunden. Es muß ein Unglück geschehen sein. Aber auch das ist nicht sicher.

Um eine der entscheidendsten Fragen zu klären, ließ er sich von der Auskunft die Telefonnummer der Fährlinie zwischen Limhamn und Dragör geben. Er hatte Glück und bekam sogleich die Person an den Apparat, die sich um Fundsachen kümmerte. Der Mann sprach dänisch. Wallander erklärte, wer er war, und fragte nach dem schwarzen Koffer. Er nannte das Datum und wartete einige Minuten, bis der Däne, der sich als Mogensen gemeldet hatte, zurückkam.

»Nichts«, sagte er.

Wallander konzentrierte sich. Dann fragte er: »Kommt es vor, daß Passagiere von euren Schiffen verschwinden? Daß jemand über Bord geht?«

»Sehr selten«, antwortete Mogensen.

Es klang überzeugend.

»Aber es kommt vor?«

»Es kommt bei jeder Art von Schiffsverkehr vor«, sagte Mogensen. »Leute nehmen sich das Leben. Leute sind betrunken. Manche sind verrückt und wollen auf der Reling balancieren. Aber das geschieht sehr selten.«

»Gibt es eine Statistik darüber, ob Menschen, die über Bord gefallen sind, wiedergefunden werden? Tot oder lebendig?«

»Eine Statistik habe ich nicht«, sagte Mogensen. »Aber man hört ja dies und das. Die meisten werden an Land getrieben. Tot.

Manche bleiben in Fischernetzen hängen. Andere bleiben verschwunden. Aber nicht viele.«

Wallander hatte keine Fragen mehr. Er bedankte sich für die Hilfe und beendete das Gespräch.

Nichts war sicher. Aber dennoch war er jetzt überzeugt, daß Gösta Runfelt nicht nach Kopenhagen gefahren war. Er hatte seine Tasche gepackt, seinen Paß und seine Tickets eingesteckt und die Wohnung verlassen.

Dann war er verschwunden.

Wallander dachte an die Blutlache im Blumenladen und versuchte zu verstehen. Es war bald Viertel nach zwölf. Das Telefon in der Küche klingelte. Beim ersten Signal zuckte er zusammen. Dann ging er hin und nahm ab. Es war Hansson, der vom Tatort draußen anrief.

»Ich habe von Martinsson gehört, daß Runfelt verschwunden ist«, sagte er. »Wie läuft die Sache?«

»Er ist auf jeden Fall nicht hier«, antwortete Wallander.

»Hast du dir schon eine Meinung gebildet?«

»Nein. Aber ich glaube, er hatte die Absicht, zu fahren. Etwas kam dazwischen.«

»Könnte es einen Zusammenhang geben? Mit Holger Eriksson?«

»Die Möglichkeit können wir nicht ausschließen«, sagte Wallander.

Dann wechselte er das Thema und fragte, ob draußen etwas geschehen sei. Aber Hansson hatte keine Neuigkeiten. Nach dem Gespräch ging Wallander langsam noch einmal durch die Wohnung. Er hatte ein Gefühl, als sei irgend etwas da, was ihm auffallen müsse. Schließlich gab er auf. Im Flur blätterte er die Post durch. Da war der Brief vom Reisebüro. Eine Stromrechnung. Außerdem war ein Paket von einem Postversand in Borås abzuholen. Es war ein Nachnahmepaket, das ausgelöst werden mußte. Wallander steckte die Benachrichtigungskarte ein.

Vanja Andersson wartete im Laden auf ihn, als er mit den Schlüsseln kam. Er bat sie, sich zu melden, wenn ihr irgend etwas einfiele, was ihr wichtig schien.

Danach fuhr er zum Präsidium. Er gab Ebba die Benachrichtigungskarte und bat sie, dafür zu sorgen, daß das Paket abgeholt wurde.

Um ein Uhr schloß er die Tür seines Büros.

Er war hungrig.

Aber seine Unruhe war größer. Er kannte das Gefühl und wußte, was es bedeutete.

Er bezweifelte, daß sie Gösta Runfelt lebend finden würden.

8

Gegen Mitternacht konnte Ylva Brink sich endlich hinsetzen, um eine Tasse Kaffee zu trinken. Sie war eine der beiden Hebammen, die in der Nacht vom 30. September zum 1. Oktober auf der Entbindungsstation des Krankenhauses in Ystad Dienst hatten. Ihre Kollegin Lena Söderström war in einem Zimmer bei einer Frau, deren Preßwehen eingesetzt hatten. Es war bisher eine arbeitsreiche Nacht gewesen, ohne Dramatik, aber mit einem ständigen Strom von Aufgaben, die erledigt werden mußten.

Sie waren unterbesetzt. Zwei Hebammen und zwei Schwestern sollten die ganze Nachtarbeit schaffen. Im Hintergrund war noch ein Arzt in Bereitschaft, den sie rufen konnten, wenn es zu ernsthaften Blutungen oder anderen Komplikationen kam. Aber es war schon schlimmer gewesen, dachte Ylva Brink. Vor einigen Jahren war sie in den langen Nächten die einzige Hebamme gewesen. Das hatte verschiedentlich zu schwierigen Situationen geführt, denn ständig hätte sie an zwei Stellen gleichzeitig sein müssen. Schließlich hatte sie durchgesetzt, daß nachts immer mindestens zwei Hebammen Dienst taten.

Das Schwesternzimmer, in dem sie sich befand, lag mitten in der großen Station. Durch die Glaswände konnte sie sehen, was außerhalb des Zimmers vor sich ging. Am Tag war in den Korridoren reger Betrieb, aber jetzt in der Nacht war alles anders. Sie arbeitete gern nachts. Viele ihrer Kolleginnen wollten sich am liebsten davor drücken. Sie hatten Familie und bekamen tagsüber nicht genügend Schlaf. Ylva Brink, deren Kinder erwachsen waren und deren Mann Erster Maschinist auf einem Öltanker war, der im Charterverkehr zwischen Häfen im Mittleren Osten und Asien fuhr, fand es im Gegenteil beruhigend zu arbeiten, wenn andere schliefen.

Sie trank genüßlich ihren Kaffee und nahm ein Stück Mürbekuchen von einem Teller auf dem Tisch. Eine der Schwestern trat herein und setzte sich, kurz danach kam auch die zweite. In einer Ecke spielte leise ein Radio. Sie fingen an, über den Herbst zu reden, den ewigen Regen. Eine der Schwestern hatte von ihrer Mutter, die das Wetter vorhersagen konnte, gehört, daß ein langer und kalter Winter bevorstand. Ylva Brink dachte daran, wie es war, wenn Schonen eingeschneit war. Das geschah nicht oft. Aber wenn es geschah, entstanden für Frauen, die entbinden sollten, aber nicht zum Krankenhaus gelangen konnten, dramatische Situationen. Einmal hatte sie frierend auf einem eiskalten Traktor gesessen, der sich durch Schneetreiben und Schneewehen zu einem abseits gelegenen Hof nördlich von Ystad durchgekämpft hatte. Die Frau hatte starke Blutungen. Das war das einzige Mal in all ihren Jahren als Hebamme, daß sie wirklich Angst hatte, eine Mutter könnte sterben. So etwas durfte nicht passieren. Schweden war ein Land, in dem Frauen, die Kinder bekamen, ganz einfach nicht starben.

Aber noch war Herbst. Die Zeit der Vogelbeeren. Ylva Brink, die aus dem Norden des Landes kam, vermißte manchmal die melancholischen norrländischen Wälder. Sie hatte sich nie daran gewöhnt, in der schonischen Landschaft zu leben, wo der Wind uneingeschränkt herrschte. Aber ihr Mann war der stärkere von ihnen gewesen. Er war in Trelleborg geboren und konnte sich nichts anderes vorstellen, als in Schonen zu leben. Wenn er ab und zu einmal zu Hause war.

Sie wurde in ihren Gedanken unterbrochen, als Lena Söderström ins Zimmer kam. Sie war gut dreißig Jahre alt. Sie könnte meine Tochter sein, hatte Ylva gedacht. Ich bin genau doppelt so alt, zweiundsechzig.

»Das Kind kommt wohl nicht vor morgen früh«, sagte Lena Söderström. »Bis dahin sind wir zu Hause.«

»Es wird eine ruhige Nacht«, sagte Ylva. »Schlaf ein bißchen, wenn du müde bist.«

Die Nächte konnten lang werden. Eine Viertelstunde, vielleicht eine halbe zu schlafen machte viel aus. Die akute Müdigkeit verschwand. Aber Ylva schlief nie während der Dienstzeit. Seit sie fünfundfünfzig war, hatte sich ihr Schlafbedürfnis nach und nach verringert. Sie hatte das als eine Mahnung aufgefaßt, daß das Leben sowohl kurz als auch endlich war. Man sollte es also nicht unnötig verschlafen.

Eine Schwester aus einer anderen Station huschte auf dem Korridor vorüber. Lena Söderström trank Tee. Die beiden Nachtschwestern saßen über ein Kreuzworträtsel gebeugt. Es war neunzehn Minuten nach zwölf. Schon Oktober, dachte Ylva. Der Herbst steht auf der Kippe. Bald kommt der Winter. Im Dezember hat Harry Urlaub. Einen Monat. Da bauen wir die Küche um. Nicht weil es nötig ist. Aber damit er etwas zu tun hat. Urlaub ist nichts für Harry. Da ist er rastlos. Es klingelte aus einem Zimmer. Eine der Schwestern stand auf und ging. Nach ein paar Minuten kam sie zurück.

»Maria auf drei hat Kopfschmerzen«, sagte sie und setzte sich wieder an ihr Kreuzworträtsel. Ylva trank ihren Kaffee. Sie merkte plötzlich, daß sie an etwas anderes dachte, ohne zu wissen, was es war. Dann kam sie darauf.

Die Schwester, die auf dem Korridor vorbeigerannt war.

Plötzlich war ihr, als stimmte etwas nicht. Waren sie nicht alle hier im Zimmer gewesen? Die Glocke der Notaufnahme hatte auch nicht geläutet.

Sie schüttelte den Kopf über sich selbst. Sie mußte geträumt haben.

Aber gleichzeitig wußte sie, daß es nicht so war. Sie hatte eine Schwester, die nicht hierhergehörte, draußen im Korridor gesehen.

»Wer ist da vorbeigegangen?« fragte sie langsam.

Die anderen sahen sie fragend an.

»Hier ist vor ein paar Minuten eine Schwester vorbeigegangen. Als wir alle hier saßen.«

Sie verstanden noch immer nicht, was sie meinte. Sie verstand es selbst nicht. Es läutete wieder. Ylva stellte hastig die Tasse ab.

»Ich geh schon«, sagte sie.

Es war die Frau in Nummer zwei. Ihr war übel. Sie sollte ihr drittes Kind bekommen. Ylva vermutete, daß das Kind nicht besonders gut geplant war. Nachdem sie der Frau etwas zu trinken gegeben hatte, ging sie wieder auf den Korridor. Sie blickte sich um. Die Türen waren geschlossen. Aber es war eine Schwester vorbeigegangen. Sie hatte sich das nicht eingebildet. Plötzlich hatte sie ein ungutes Gefühl. Irgend etwas stimmte da nicht. Sie stand still im Korridor und lauschte. Aus dem Schwesternzimmer war das gedämpfte Radio zu hören. Sie ging wieder zurück und nahm ihre Kaffeetasse.

»Es war nichts«, sagte sie.

Im gleichen Augenblick kam die fremde Krankenschwester wieder draußen im Korridor vorbei. Diesmal sah auch Lena Söderström sie. Alles ging sehr schnell. Sie hörten die Tür zum Hauptkorridor zuschlagen.

»Wer war das?« fragte Lena Söderström.

Ylva Brink schüttelte den Kopf. Die beiden Schwestern sahen von ihren Kreuzworträtseln auf.

»Von wem redet ihr?« fragte die eine.

»Von der Schwester, die eben vorbeigegangen ist.«

Die Schwester mit dem Bleistift in der Hand begann zu lachen. »Wir sind doch hier«, sagte sie. »Alle beide.«

Ylva stand hastig auf. Als sie die Tür zum äußeren Gang aufzog, der die Entbindungsstation mit den anderen Stationen des Krankenhauses verband, war er leer. Sie lauschte. Weit weg hörte sie eine Tür ins Schloß fallen. Sie kehrte zum Schwesternzimmer zurück. Schüttelte den Kopf. Sie hatte niemanden gesehen.

»Was tut eine Schwester aus einer anderen Abteilung hier?« sagte Lena Söderström. »Und ohne zu grüßen?«

Ylva Brink wußte es nicht. Aber sie wußte, daß es keine Einbildung war.

»Laßt uns in allen Zimmern nachsehen«, sagte sie. »Ob alles in Ordnung ist.«

Lena Söderström betrachtete sie forschend. »Was sollte denn nicht in Ordnung sein?«

»Sicherheitshalber«, sagte Ylva Brink. »Sonst nichts.«

Sie gingen in die Zimmer. Alles war, wie es sein sollte. Um ein Uhr bekam eine Frau Blutungen. Der Rest der Nacht war mit Arbeit ausgefüllt. Um sieben Uhr, nach der Übergabe, ging Ylva Brink heim. Sie wohnte in einem Einfamilienhaus dicht beim Krankenhaus. Als sie eintrat, begann sie wieder an die fremde

Krankenschwester zu denken. Auf einmal war sie sicher, daß es keine richtige Krankenschwester war. Auch wenn sie Schwesterntracht getragen hatte. Eine Krankenschwester wäre ganz einfach nicht in der Nacht in eine Entbindungsstation gekommen, schon gar nicht, ohne zu grüßen und zu sagen, worum es ging.

Ylva Brink dachte weiter. Die Frau mußte irgend etwas gewollt haben. Sie war ungefähr zehn Minuten dort gewesen. Dann war sie wieder verschwunden. Zehn Minuten. Sie war in einem der Zimmer gewesen und hatte jemanden besucht. Wen? Und weshalb? Sie ging zu Bett und versuchte zu schlafen, aber es gelang ihr nicht. Die fremde Frau ging ihr nicht aus dem Kopf. Um elf Uhr gab Ylva Brink auf. Sie stand auf, machte Kaffee und dachte, daß sie mit jemandem sprechen mußte. Ich habe einen Cousin bei der Polizei. Er kann mir vielleicht sagen, ob ich mir unnötig Sorgen mache. Sie griff zum Telefon und rief bei ihm zu Hause an. Seine Stimme auf dem Anrufbeantworter teilte mit, daß er im Dienst sei. Da es nicht weit war bis zum Polizeipräsidium, beschloß sie, einen Spaziergang zu machen. Wolkenfetzen trieben am Himmel. Sie dachte, daß die Polizei vielleicht samstags keine Besucher empfing. Außerdem hatte sie in der Zeitung von der schrecklichen Geschichte gelesen, die in der Nähe von Lödinge passiert war. Ein Autohändler war ermordet und in einen Graben geworfen worden. Vielleicht hatte die Polizei keine Zeit für sie. Vielleicht nicht einmal ihr Cousin. Sie ging zur Anmeldung und fragte, ob Inspektor Svedberg da sei. Das war er. Aber er war unabkömmlich.

»Sagen Sie ihm, Ylva läßt grüßen«, bat sie. »Ich bin seine Cousine.«

Nach einigen Minuten kam Svedberg heraus und begrüßte sie. Da er Familiensinn hatte und seine Cousine mochte, konnte er nicht umhin, ihr ein paar Minuten zu widmen. Sie setzten sich in sein Zimmer. Er hatte Kaffee geholt. Dann erzählte sie, was in der Nacht vorgefallen war. Svedberg meinte, daß es natürlich sonderbar sei. Aber kaum etwas, worüber man sich Sorgen machen müsse. Damit ließ sie es sein Bewenden haben. Sie hatte drei freie Tage vor sich, und rasch hatte sie die Schwester vergessen, die in der Nacht vom 30. September zum 1. Oktober durch die Entbindungsstation gegangen war.

Spät am Freitag abend hatte Wallander seine ermüdeten Mitarbeiter zu einer Besprechung im Präsidium zusammengerufen. Um zehn Uhr schlossen sie die Türen, und die Sitzung zog sich bis weit nach Mitternacht hin. Er begann damit, ausführlich die Tatsache zu erläutern, daß sie es nun mit einer zweiten vermißten Person zu tun hatten. Martinsson und Ann-Britt Höglund hatten anhand der zugänglichen Register eine flüchtige Kontrolle vorgenommen, doch bislang war das Ergebnis negativ. Bei der Polizei lag nichts vor, was auf eine Verbindung zwischen Holger Eriksson und Gösta Runfelt hindeutete. Vanja Andersson erinnerte sich auch nicht, daß Gösta Runfelt jemals Holger Eriksson erwähnt hatte. Wallander erklärte, daß sie nichts anderes tun konnten, als unvoreingenommen zu arbeiten. Gösta Runfelt mochte jeden Augenblick auftauchen und eine plausible Erklärung für sein Verschwinden geben. Aber sie durften nicht vergessen, daß es Zeichen gab, die nichts Gutes verhießen. Wallander bat Ann-Britt Höglund, die Verantwortung für den Fall Gösta Runfelt zu übernehmen. Doch das bedeutete nicht, daß sie vom Mordfall Holger Eriksson abgekoppelt wurde. Wallander, der in der Regel dagegen war, bei komplizierten Ermittlungen Verstärkung anzufordern, hatte diesmal das Gefühl, daß sie vielleicht von Anfang an darum bitten sollten. Das äußerte er auch Hansson gegenüber. Sie einigten sich darauf, bis zum Beginn der nächsten Woche abzuwarten. Es konnte trotz allem sein, daß sie bei den Ermittlungen früher als erwartet einen Durchbruch verzeichneten.

Sie saßen am Konferenztisch und gingen alles durch, was sie bisher erreicht hatten. Wie üblich begann Wallander mit der Frage, ob jemand etwas Entscheidendes berichten könne. Er ließ den Blick um den Tisch wandern. Alle schüttelten den Kopf. Nyberg schneuzte sich leise am Tischende, wo er wie immer allein saß. Wallander gab ihm zuerst das Wort.

»Nichts bisher«, sagte Nyberg. »Wir haben es alle gesehen. Die Planken waren bis zum absoluten Grenzpunkt angesägt. Er ist gefallen und aufgespießt worden. Im Graben haben wir nichts gefunden. Woher die Bambusstangen kommen, wissen wir noch nicht.«

»Und der Turm?« fragte Wallander.

»Wir haben nichts gefunden«, sagte Nyberg. »Aber wir sind noch lange nicht fertig. Es wäre natürlich hilfreich, wenn du uns sagen könntest, wonach wir suchen sollen.«

»Ich weiß es nicht«, sagte Wallander. »Aber derjenige, der das getan hat, muß ja von irgendwoher gekommen sein. Wir haben den Pfad von Holger Erikssons Haus. Drumherum sind Äcker. Und hinter dem Hügel liegt ein Wäldchen.«

»Es führt ein Traktorweg zum Wäldchen«, sagte Ann-Britt Hoglund. »Mit Wagenspuren. Aber keiner der Nachbarn scheint etwas Ungewöhnliches bemerkt zu haben.«

»Offenbar besaß Holger Eriksson ein großes Stück Land«, warf Svedberg ein. »Ich habe mit einem Bauern namens Lundberg gesprochen. Er hat vor über zehn Jahren mehr als fünfzig Hektar an Eriksson verkauft. Weil es sein Land war, gab es für andere keinen Grund, sich dort aufzuhalten. Und das bedeutet, daß nur wenige Einblick hatten.«

»Wir müssen noch mit vielen anderen reden«, sagte Martinsson und blätterte in seinen Papieren. »Ich habe übrigens mit den Gerichtsmedizinern in Lund gesprochen. Sie glauben, daß sie Montag morgen etwas sagen können.«

Wallander notierte. Dann wandte er sich wieder an Nyberg. »Wie steht es mit Erikssons Haus?«

»Du kannst nicht alles zur gleichen Zeit machen«, sagte Nyberg unwirsch. »Wir haben da draußen im Matsch gestanden, weil es bald wieder regnen kann. Ich glaube, mit dem Haus können wir morgen früh anfangen.«

»Das klingt ja gut«, sagte Wallander freundlich. Auf keinen Fall wollte er Nyberg verärgern. Das konnte eine Mißstimmung hervorrufen, die die ganze Sitzung beeinflußte. Gleichzeitig mußte er sich eingestehen, daß Nybergs ständige schlechte Laune ihn irritierte. Er sah auch, daß Lisa Holgersson, die in der Mitte der einen Längsseite des Tisches saß, Nybergs muffige Antwort bemerkt hatte.

Noch befanden sie sich in der Anfangsphase der Ermittlung. Wallander kam sie häufig wie eine Form von Aufräumungsarbeit vor. Aber sie gingen vorsichtig zu Werke. Solange sie keine Spuren hatten, die sie verfolgen konnten, war alles gleich wichtig. Erst wenn einzelne Dinge weniger bedeutungsvoll erschienen als andere, konnten sie eine oder mehrere Spuren ernsthaft verfolgen.

Als Mitternacht vorüber war, sah Wallander ein, daß sie noch immer weitgehend im dunkeln tasteten. Die Gespräche mit Rut Eriksson und Sven Tyrén hatten sie nicht weitergebracht. Holger Eriksson hatte vier Kubikmeter Heizöl bestellt. Nichts war sonderbar oder beunruhigend gewesen. Die rätselhafte Einbruchsanzeige vom Vorjahr blieb unerklärt. Noch hatten sie nur ein unvollständiges Bild von Holger Erikssons Leben und von seinem Charakter. Die Ermittlung war wie ein Schiff, das noch nicht genügend Fahrt aufgenommen hat, um Ruderwirkung zu haben, und das nur mit Schlepperhilfe vorankam; in ihrem Fall waren dies grundlegende Routinemaßnahmen. Die Ermittlung hatte noch keine Eigendynamik entwickelt.

Weil niemand mehr etwas zu sagen hatte, versuchte Wallander, eine Zusammenfassung zu geben. Während der gesamten Sitzung hatte er das Gefühl gehabt, draußen am Tatort etwas gesehen zu haben, was nach einer Deutung verlangte. Er hatte etwas gesehen, was er nicht verstand. *Die Art und Weise,* dachte er. *Es ist etwas mit diesen Stäben. Ein Mörder spricht eine Sprache, die er bewußt wählt. Warum spießt er einen Menschen auf? Warum macht er sich die Mühe?*

Vorerst behielt er seine Gedanken jedoch für sich. Sie waren noch zu unklar, um den anderen vorgelegt zu werden.

Er goß sich ein Glas Mineralwasser ein und schob die vor ihm liegenden Papiere zur Seite.

»Wir suchen immer noch nach einem Einstieg«, begann er. »Wir haben einen Mord, der nichts anderem gleicht. Das kann bedeuten, daß Motiv und Täter auch etwas sind, womit wir noch nie zu tun hatten. In gewisser Weise erinnert das an die Situation vom vergangenen Sommer. Daß wir den Fall gelöst haben, lag daran, daß wir uns nicht auf irgend etwas fixiert haben. Das dürfen wir auch jetzt nicht tun.«

Dann wandte er sich direkt an Lisa Holgersson. »Wir müssen hart arbeiten«, sagte er. »Es ist schon Sonnabend. Aber es hilft nichts. Alle arbeiten heute und morgen mit ihren Dingen weiter. Wir können nicht bis Montag warten.«

Lisa Holgersson nickte. Sie hatte keine Einwände.

Sie beendeten die Sitzung. Alle waren erschöpft. Lisa Holgersson blieb jedoch noch, Ann-Britt Höglund ebenso. Bald waren sie im Konferenzzimmer allein. Wallander dachte, daß ausnahmsweise einmal die Frauen in der Mehrzahl waren in seiner Welt.

»Per Åkesson würde gern Kontakt zu dir aufnehmen«, sagte Lisa Holgersson.

Wallander hatte vergessen, ihn anzurufen. Er schüttelte resigniert den Kopf über sich selbst. »Morgen früh rufe ich ihn an«, sagte er.

Lisa Holgersson hatte ihren Mantel angezogen. Doch Wallander merkte, daß sie noch etwas sagen wollte.

»Spricht eigentlich irgend etwas dagegen, daß dieser Mord von einem Wahnsinnigen ausgeführt worden ist?« fragte sie. »Einen Menschen auf Pfähle aufzuspießen. Das kommt mir vor wie das reinste Mittelalter.«

»Nicht notwendigerweise«, wandte Wallander ein. »Pfahlgruben sind im Zweiten Weltkrieg benutzt worden. Bestialität und Wahnsinn gehen außerdem nicht immer Hand in Hand.«

Lisa Holgersson wirkte nicht zufrieden mit seiner Antwort. Sie lehnte sich an den Türpfosten und betrachtete ihn. »Ich bin trotzdem nicht überzeugt. Vielleicht sollten wir den Kriminalpsychologen hinzuziehen, den wir im Sommer hier hatten? Wenn ich richtig sehe, hat er euch sehr geholfen.«

Wallander konnte nicht leugnen, daß Mats Ekholm an dem glücklichen Abschluß der Ermittlungen Anteil hatte. Er hatte ihnen geholfen, sich ein denkbares Persönlichkeitsbild des Täters zu erarbeiten. Doch Wallander fand, daß es noch zu früh war, ihn wieder hinzuzuziehen. Er hatte überhaupt Angst, Parallelen zu erstellen.

»Vielleicht«, sagte er zögernd. »Aber ich glaube, wir warten noch ein bißchen damit.«

Sie sah ihn forschend an. »Hast du keine Angst, daß es wieder passiert? Ein neuer Graben mit angespitzten Pfählen?«

»Nein.«

»Gösta Runfelt? Der andere Verschwundene?«

Wallander war sich auf einmal nicht sicher, ob er wider besseres Wissen sprach. Aber er schüttelte den Kopf. Er glaubte nicht, daß es eine Wiederholung gäbe. Oder hoffte er es nur? Er wußte es nicht.

»Der Mord an Holger Eriksson hat umfassende Vorbereitungen erfordert«, sagte er. »So etwas macht man nur einmal. Außerdem beruht es auf ganz speziellen Voraussetzungen. Zum Beispiel einem Graben, der tief genug ist. Und einem Steg. Und einem potentiellen Mordopfer, das abends oder in der Morgendämmerung rausgeht, um Vögel zu beobachten. Mir ist klar, daß ich selbst Gösta Runfelts Verschwinden mit dem, was in Lödinge passiert ist, verknüpft habe. Aber vor allem aus Gründen der Vorsicht. Wenn ich diese Ermittlung führen soll, muß ich zur Sicherheit sowohl Gürtel als auch Hosenträger benutzen.«

Sie reagierte mit Verwunderung auf seine Bildsprache. Ann-Britt Höglund kicherte im Hintergrund. Dann nickte Lisa Holgersson.

»Ich glaube, ich verstehe, was du meinst«, sagte sie. »Aber denk an das mit Ekholm.«

»Das mach ich«, sagte Wallander. »Ich will nicht ausschließen, daß du recht hast. Das Ergebnis eines Einsatzes hängt oft vom Zeitpunkt ab.«

Lisa Holgersson nickte und knüpfte ihren Mantel zu. »Ihr müßt auch schlafen«, sagte sie. »Bleibt nicht zu lange.«

»Hosenträger und Gürtel«, sagte Ann-Britt Höglund, als sie allein waren. »Hast du das von Rydberg gelernt?«

Wallander war nicht gekränkt. Er zuckte die Achseln und begann, seine Papiere einzusammeln. »Irgendwas muß einem schon selbst einfallen«, sagte er. »Weißt du noch, als du hergekommen bist? Da hast du gesagt, du könntest viel von mir lernen. Vielleicht siehst du jetzt ein, daß du dich geirrt hast?«

Sie hatte sich an den Tisch gesetzt und betrachtete ihre Nägel. Wallander fand, daß sie blaß und müde und wahrlich nicht schön war. Aber tüchtig. Etwas so Seltenes wie eine engagierte Polizistin. Darin glichen sie sich.

Er ließ den Papierstapel auf den Tisch fallen und sank auf seinen Stuhl. »Erzähl, was siehst du?« sagte er.

»Etwas, das mir angst macht«, sagte sie.

»Warum?«

»Die Brutalität. Die Berechnung. Außerdem haben wir kein Motiv.«

»Holger Eriksson war reich. Alle bezeugen, daß er ein Geschäftsmann ohne Skrupel war. Er kann Feinde gehabt haben.«

»Das erklärt nicht, warum er aufgespießt werden mußte.«

»Haß kann blind machen. Genauso wie Neid. Oder Eifersucht.«

Sie schüttelte den Kopf. »Als ich da rauskam, hatte ich das Gefühl, daß es mehr war als ein alter Mann, der ermordet wurde«, sagte sie. »Ich kann es nicht näher erklären. Aber das Gefühl war da. Und es war stark.«

Wallander erwachte aus seiner Müdigkeit. Er sah ein, daß sie etwas Wichtiges gesagt hatte. Etwas, das auf eine unklare Weise an Gedanken rührte, die auch ihm durch den Kopf gegangen waren.

»Mach weiter«, sagte er. »Denk weiter!«

»Es ist nicht viel mehr. Der Mann war tot. Niemand, der es gesehen hat, sollte vergessen, wie es zugegangen ist. Es war ein Mord. Aber es war auch etwas anderes.«

»Jeder Mörder spricht seine eigene Sprache«, sagte Wallander, »ist es das, was du meinst?«

»Ungefähr.«

»Du meinst, er wollte uns etwas sagen?«

»Vielleicht.«

Ein Kode, dachte Wallander. Den wir noch nicht knacken können. »Du kannst recht haben«, sagte er.

Sie saßen schweigend. Dann erhob sich Wallander schwer aus dem Stuhl und sammelte weiter seine Papiere zusammen. Er entdeckte etwas, das nicht ihm gehörte.

»Ist das hier deins?« fragte er.

»Das ist Svedbergs Handschrift.«

Wallander versuchte zu entziffern, was da mit Bleistift geschrieben war. Es war etwas mit einer Entbindungsstation. Über eine unbekannte Frau.

»Was ist das hier, zum Teufel?« sagte er. »Kriegt Svedberg ein Kind? Er ist ja nicht einmal verheiratet. Ist er überhaupt mit jemandem zusammen?«

Sie nahm ihm das Papier aus der Hand und las.

»Offenbar hat jemand gemeldet, daß eine unbekannte Frau, als Krankenschwester verkleidet, auf der Entbindungsstation umherwandert«, sagte sie und reichte ihm das Blatt zurück.

»Das klären wir auf, wenn wir Zeit haben«, erwiderte er ironisch. Er wollte es schon in den Papierkorb werfen, überlegte es sich aber anders. Er würde das Blatt Svedberg morgen zurückgeben.

Sie trennten sich im Flur.

»Wer versorgt denn deine Kinder?« fragte er. »Ist dein Mann zu Hause?«

»Der ist in Mali«, erwiderte sie.

Wallander wußte nicht, wo Mali lag, fragte aber nicht.

Sie verließ das leere Polizeigebäude. Wallander legte die Papiere auf seinen Tisch und nahm seine Jacke. Auf dem Weg zum Ausgang blieb er bei der Einsatzleitstelle stehen, wo ein einsamer Polizist saß und Zeitung las.

»Keiner, der angerufen hat wegen Lödinge?« fragte er.

»Nichts.«

Wallander ging zu seinem Wagen. Es war windig. Er dachte daran, daß er keine Antwort auf seine Frage bekommen hatte, wie Ann-Britt Höglund ihre Probleme mit der Beaufsichtigung der Kinder löste. Er suchte lange in seinen Taschen, bis er den Wagenschlüssel fand. Dann fuhr er nach Hause. Obwohl er sehr müde war, blieb er im Sofa sitzen und durchdachte noch einmal alles, was im Lauf des Tages geschehen war. Am meisten grübelte er darüber nach, was Ann-Britt Höglund gesagt hatte, kurz bevor sie sich trennten. Daß der Mord an Holger Eriksson mehr war. Etwas anderes.

Aber konnte ein Mord mehr sein als ein Mord?

Es war fast drei, als er zu Bett ging. Kurz vor dem Einschlafen dachte er noch, daß er am nächsten Tag seinen Vater und Linda anrufen mußte.

Er erwachte mit einem Ruck, als es sechs Uhr war. Er hatte etwas geträumt. Holger Eriksson hatte gelebt. Er stand auf dem Holzsteg, der über den Graben führte. Gerade als er brach, erwachte

Wallander. Er zwang sich aufzustehen. Draußen hatte es wieder angefangen zu regnen. In der Küche merkte er, daß kein Kaffee mehr da war. Statt dessen suchte er ein paar Kopfschmerztabletten und saß dann lange am Tisch, den Kopf in eine Hand gestützt.

Um Viertel nach sieben kam er ins Präsidium. Auf dem Weg zu seinem Zimmer holte er eine Tasse Kaffee.

Als er die Tür öffnete, entdeckte er etwas, das er am Abend vorher nicht gesehen hatte. Auf dem Stuhl am Fenster lag ein Paket. Erst als er näher hinsah, erinnerte er sich an die Benachrichtigungskarte aus Gösta Runfelts Wohnung. Ebba hatte das Paket also abholen lassen. Er hängte die Jacke weg und begann, das Paket zu öffnen. Dabei fragte er sich, ob er eigentlich das Recht dazu hatte. Er schlug das Packpapier zurück und betrachtete den Inhalt mit gerunzelter Stirn.

Seine Zimmertür stand offen. Martinsson ging vorbei.

Wallander rief ihn.

Martinsson blieb in der Tür stehen.

»Komm rein«, sagte Wallander. »Komm rein und sieh dir das an.«

9

Sie beugten sich über Gösta Runfelts Karton.

Wallander sah nur ein Durcheinander von Kabeln, Verbindungsrelais und schwarzen Miniaturdosen und ahnte nicht, wofür das Zeug zu gebrauchen war. Aber Martinsson wußte offenbar, was Gösta Runfelt da bestellt und was die Polizei vorerst bezahlt hatte.

»Das hier ist eine avancierte Abhöranlage«, sagte er und nahm eine der Dosen heraus.

Wallander betrachtete ihn skeptisch. »Kann man wirklich über einen Postversand in Borås komplizierte elektronische Ausrüstungen kaufen?« fragte er.

»Du kannst so gut wie alles per Postversand kaufen«, sagte Martinsson. »Die Zeiten sind vorbei, wo Postversandfirmen zweitrangige Waren verkauften. Das gibt es vielleicht noch immer. Aber das hier ist erstklassige Ware. Ob es legal ist, sollten wir allerdings mal untersuchen. Der Import solcher Sachen unterliegt strengen Vorschriften.«

Sie packten den Karton auf Wallanders Schreibtisch aus. Es zeigte sich, daß es nicht nur eine Ausrüstung für das Abhören von Gesprächen war. Zu ihrer größten Verblüffung fanden sie auch eine Packung, die einen Magnetpinsel und Eisenfeilspäne enthielt. Das ließ nur einen Schluß zu: Runfelt hatte die Absicht, Fingerabdrücke zu sichern.

»Hast du eine Erklärung dafür?« fragte Wallander.

Martinsson schüttelte den Kopf. »Das wirkt sehr merkwürdig«, sagte er.

»Wozu braucht ein Blumenhändler eine Abhöranlage? Um seinen Konkurrenten in der Tulpenbranche nachzuspionieren?«

»Die Fingerabdrücke sind noch seltsamer.«

Wallander runzelte die Stirn. Er verstand das nicht. Die Ausrüstung war teuer. Sie war mit Sicherheit technisch hochmodern.

Wallander vertraute Martinssons Urteil. Die Lieferfirma hieß Secur und hatte eine Adresse am Getängsvägen in Borås.

»Laß uns mal anrufen und nachfragen, ob Gösta Runfelt auch andere Sachen gekauft hat«, sagte Wallander.

»Ich vermute, sie werden nicht besonders mitteilsam sein, was Informationen über ihre Kunden angeht«, sagte Martinsson. »Außerdem ist es früh am Samstagmorgen.«

»Ihr Bestelltelefon ist rund um die Uhr besetzt«, sagte Wallander und zeigte auf den Lieferschein, der obenauf lag.

»Das ist bestimmt nur ein Anrufbeantworter«, sagte Martinsson. »Ich habe bei einem Postversand in Borås mal Gartengeräte gekauft. Ich weiß, wie das funktioniert. Da sitzen keine Telefonisten rund um die Uhr, wenn man das glaubt.«

Wallander betrachtete eins der kleinen Mikrophone. »Ist das hier wirklich gesetzlich? Du hast recht, das sollten wir mal rausfinden.«

»Ich glaube, das kann ich dir schon jetzt sagen«, meinte Martinsson. »Ich habe ein paar Zusammenfassungen in meinem Zimmer, die genau davon handeln.«

Er verließ den Raum und war kurz danach wieder da. In der Hand hielt er ein paar dünne Hefte. »Die Informationsabteilung der Reichspolizeibehörde«, sagte er. »Vieles von dem, was sie rausgeben, ist richtig gut.«

»Ich lese, sooft ich Zeit habe«, sagte Wallander. »Aber manchmal frage ich mich, ob sie nicht viel zuviel bringen.«

»Hier haben wir was: ›Wanzen als strafprozessuelles Zwangsmittel‹«, sagte Martinsson und legte ein Heft auf den Schreibtisch. »Das interessiert uns vielleicht nicht so dringend. Aber hier: ›Hinweise bezüglich Abhörausrüstung‹.«

Martinsson blätterte. Hielt inne und las.

»Nach schwedischem Gesetz ist es ungesetzlich, Abhörausrüstungen zu besitzen, zu verkaufen und einzuführen«, sagte er. »Was eigentlich bedeuten müßte, daß es auch verboten ist, sie herzustellen.«

»Also sollten wir unsere Kollegen in Borås einmal auf diesen Postversand ansetzen«, sagte Wallander. »Sie betreiben illegalen Verkauf. Und illegalen Import.«

»Postversandfirmen sind normalerweise sehr seriös«, sagte Martinsson. »Ich vermute, daß dies ein schwarzes Schaf ist, das die Branche vielleicht selbst gern los wäre.«

»Nimm Kontakt mit Borås auf«, sagte Wallander. »So schnell wie möglich.«

Er dachte zurück an seinen Besuch in Gösta Runfelts Wohnung. Als er die Schreibtischschubladen und die Schränke durchsucht hatte, war er auf keine technische Ausrüstung dieser Art gestoßen.

»Ich glaube, wir sollten Nyberg das hier mal zeigen«, sagte er. »Bis auf weiteres lassen wir es dabei bewenden. Aber es kommt mir seltsam vor.«

Martinsson stimmte ihm zu. Auch er konnte nicht verstehen, wozu ein Orchideenliebhaber eine Abhöreinrichtung brauchte.

Wallander packte die Sachen wieder in den Karton. »Ich fahre raus nach Lödinge«, sagte er.

»Ich habe einen Mann ausfindig gemacht, der über zwanzig Jahre lang für Holger Eriksson Autos verkauft hat«, sagte Martinsson. »Ich treffe ihn in einer halben Stunde draußen in Svarte. Wenn der uns kein Bild liefern kann, wer Holger Eriksson war, dann weiß ich auch nicht.«

Sie trennten sich bei der Anmeldung. Wallander hatte Runfelts elektronische Kiste unter dem Arm. Er blieb bei Ebba stehen.

»Was hat mein Vater gesagt?« fragte er.

»Er bat mich, dir zu bestellen, daß du natürlich nur anrufen solltest, wenn du Zeit hättest.«

Wallander wurde sofort mißtrauisch. »Klang das ironisch?«

Ebba sah ihn ernst an. »Dein Vater ist ein sehr freundlicher Mann. Er hat großen Respekt vor deiner Arbeit.«

Wallander wußte, daß die Wahrheit ganz anders aussah, und schüttelte nur den Kopf. Ebba zeigte auf den Karton. »Ich habe das aus meiner eigenen Tasche ausgelegt«, sagte sie. »Es gibt ja bei der Polizei heutzutage keine Portokasse mehr.«

»Gib mir die Rechnung«, sagte Wallander. »Reicht es, wenn du das Geld Montag bekommst?«

Ebba war es zufrieden. Wallander verließ das Gebäude. Es regnete nicht mehr, und die Wolkendecke war aufgerissen. Es würde ein klarer und schöner Herbsttag werden. Wallander stellte den Karton auf den Rücksitz und verließ Ystad. Jetzt, wo die Sonne schien, war die Landschaft weniger bedrückend. Für einen Augenblick fühlte er sich auch weniger beunruhigt. Der Mord an Holger Eriksson türmte sich auf wie ein Alptraum. Aber es gab vielleicht trotz allem eine logische Erklärung. Daß Gösta Runfelt ebenfalls verschwunden zu sein schien, mußte nicht bedeuten, daß etwas Ernstes passiert war. Auch wenn Wallander nicht begriff, warum der Mann eine Abhörausrüstung gekauft hatte, konnte dieser Umstand paradoxerweise auch dafür sprechen, daß Runfelt noch lebte. Wallander war der Gedanke durch den Kopf gegangen, daß Runfelt sich das Leben genommen haben könnte. Aber er hatte ihn wieder abgeschrieben. Die Vorfreude, von der Vanja Andersson gesprochen hatte, deutete kaum auf ein dramatisches Verschwinden und einen anschließenden Selbstmord hin. Wallander fuhr durch die leuchtende Herbstlandschaft und sagte sich, daß er manchmal dazu tendierte, seinen inneren Dämonen allzuleicht nachzugeben.

Er schwenkte auf Holger Erikssons Hof ein und stellte den Wagen ab. Ein Mann, den Wallander als Journalisten der Zeitung *Arbetet* erkannte, kam auf ihn zu. Wallander hatte Runfelts Karton unter dem Arm. Sie grüßten sich. Der Journalist nickte zu dem Karton hin. »Haben Sie da die Lösung drin?«

»Nichts dergleichen.«

»Mal ehrlich. Wie läuft es?«

»Am Montag gibt es eine Pressekonferenz. Bis dahin können wir nicht viel sagen.«

»Aber er wurde auf scharf geschliffenen Stahlrohren aufgespießt?«

Wallander sah ihn verblüfft an. »Wer hat das gesagt?«

»Einer Ihrer Kollegen.«

Wallander konnte nicht glauben, daß das stimmte. »Das muß ein Mißverständnis sein. Es waren keine Stahlrohre.«

»Aber aufgespießt worden ist er?«

»Das stimmt.«

»Das hört sich an wie eine Folterkammer in einem schonischen Acker.«

»Das haben Sie gesagt.«

»Und was sagen Sie?«

»Daß wir am Montag eine Pressekonferenz haben.«

Der Journalist schüttelte den Kopf. »Irgendwas müssen Sie mir doch sagen können.«

»Wir befinden uns erst am Beginn der Ermittlungen. Wir können konstatieren, daß ein Mord begangen worden ist. Aber wir haben noch keine klare Spur.«

»Nichts?«

»Mehr möchte ich fürs erste nicht sagen.«

Der Journalist begnügte sich damit, wenn auch widerwillig.

Wallander wußte, daß er schreiben würde, was er gesagt hatte.

Er war einer der wenigen Journalisten, die Wallanders Worte nicht verfälschten.

Wallander betrat das Kopfsteinpflaster des Hofs. Die Absperrung war noch nicht aufgehoben. Neben dem Turm war ein Polizist zu sehen. Wallander dachte, daß man die Wachen sicher einziehen könnte. Als er zum Haus kam, wurde die Tür von innen geöffnet. Es war Nyberg, der mit einem Plastikschutz über den Schuhen dastand. »Ich habe dich durchs Fenster gesehen«, sagte er.

Wallander merkte sofort, daß Nyberg guter Laune war. Das verhieß Gutes für die Arbeit des Tages. »Ich habe eine Kiste für dich mitgebracht« sagte Wallander und trat ein. »Ich möchte, daß du dir das mal ansiehst.«

»Hat es was mit Holger Eriksson zu tun?«

»Mit Runfelt. Dem Blumenhändler.«

Wallander stellte den Karton auf den Schreibtisch. Nyberg schob das einsame Gedicht zur Seite, um Platz zu schaffen, und packte den Karton aus. Seine Kommentare waren ähnlich wie die von Martinsson. Es war wirklich eine Abhörausrüstung. Und sie war hochmodern. Nyberg setzte die Brille auf und suchte den Stempel mit dem Herkunftsland. »Da steht Singapore«, sagte er. »Aber wahrscheinlich wurde es ganz woanders hergestellt.«

»Wo?«

»USA oder Israel.«

»Und warum steht dann Singapore da?«

»Ein Teil der Herstellerfirmen hält sich so bedeckt wie nur irgend möglich. Es sind Unternehmen, die in der einen oder anderen Weise zur internationalen Waffenindustrie gehören. Und die geben einander nicht unnötig Geheimnisse preis. Die technischen Bestandteile werden an verschiedenen Orten in der Welt hergestellt. Zusammengebaut werden sie woanders. Und wieder ein anderes Land liefert den Herkunftsstempel dazu.«

Wallander zeigte auf die Ausrüstung. »Und was kann man damit machen?«

»Du kannst eine Wohnung abhören. Oder ein Auto.«

Wallander schüttelte verständnislos den Kopf. »Gösta Runfelt ist Blumenhändler«, sagte er. »Was will der damit?«

»Frag ihn, wenn du ihn findest«, antwortete Nyberg.

Sie legten die Gegenstände wieder in den Karton. Nyberg schnaubte sich die Nase. Wallander merkte, daß er stark erkältet war. »Laß es mal ein bißchen ruhiger angehen«, sagte er. »Du mußt auch mal schlafen.«

»Das war der Scheißschlamm da unten«, sagte Nyberg. »Ich werde krank davon, im Regen zu stehen. Ich begreife nicht, daß es unmöglich sein soll, einen mobilen Regenschutz zu konstruieren, der auch unter schonischen Wetterverhältnissen funktioniert.«

»Schreib das mal in *Svensk Polis*«, schlug Wallander vor.

»Und woher soll ich die Zeit dazu nehmen?«

Die Frage blieb unbeantwortet. Sie gingen durchs Haus.

»Ich habe nichts Ungewöhnliches gefunden«, sagte Nyberg. »Auf jeden Fall noch nicht. Aber das Haus hat viele Winkel und Abseiten.«

»Ich bleibe eine Weile hier«, sagte Wallander. »Ich muß mich umsehen.«

Nyberg ging zurück zu seinen Technikern. Wallander setzte sich ans Fenster. Ein Sonnenstrahl wärmte seine Hand. Sie war noch gebräunt.

Er blickte sich in dem großen Raum um und dachte an das Gedicht. Wer schrieb eigentlich Gedichte über einen Specht? Er holte das Blatt und las das Gedicht von Holger Eriksson noch einmal. Er sah ein, daß es darin Formulierungen gab, die schön waren. Wallander selbst hatte höchstens in seiner Kindheit etwas in die Poesiealben seiner Klassenkameradinnen geschrieben. Aber Gedichte hatte er nie gelesen. Linda hatte einmal darüber geklagt, daß es in der Familie, in der sie aufgewachsen war, nie Bücher gegeben hatte. Wallander konnte nicht widersprechen. Er ließ den Blick über die Wände gleiten. *Ein vermögender Autohändler. Fast achtzig Jahre alt. Der Gedichte schreibt. Und sich für Vögel interessiert. Genug, um spätabends rauszugehen und zu unsichtbaren nächtlichen Zugvögeln hinaufzustarren. Oder frühmorgens.* Sein Blick wanderte. Der Sonnenstrahl wärmte noch immer seine Hand. Plötzlich fiel ihm etwas ein, das in der Einbruchsanzeige stand, die sie aus dem Archiv ausgegraben hatten. *Erikssons Angaben zufolge ist die Tür mittels eines Brecheisens oder etwas Ähnlichem aufgestemmt worden. Eriksson gibt jedoch an, daß nichts gestohlen wurde.* Es hatte noch etwas dagestanden. Wallander suchte in seinem Gedächtnis. Dann kam er darauf. *Der Safe war unberührt.* Er ging zu Nyberg, der in einem der Schlafzimmer beschäftigt war. »Hast du einen Safe gesehen?« fragte er.

»Nein.«

»Es soll einer dasein«, sagte Wallander. »Laß uns den mal suchen.«

Nyberg kniete neben dem Bett. Als er aufstand, sah Wallander, daß er Knieschützer trug.

»Bist du sicher?« fragte Nyberg. »Ich hätte ihn finden müssen.«

»Ja«, erwiderte Wallander. »Es gibt einen Safe.«

Sie durchsuchten methodisch das Haus. Es dauerte eine halbe Stunde, bis sie Erfolg hatten. Einer von Nybergs Leuten entdeckte ihn hinter einer Ofenklappe in einer Anrichte in der Küche. Die Klappe war schwenkbar. Der Safe war in die Wand eingemauert. Er hatte ein Kombinationsschloß.

»Ich glaube, ich weiß, wo die Kombination ist«, sagte Nyberg. »Eriksson hatte wohl doch Angst, daß sein Gedächtnis ihn auf seine alten Tage im Stich lassen könnte.«

Wallander folgte Nyberg zurück zum Schreibtisch. In einer der Schubladen hatte Nyberg zuvor eine kleine Schachtel mit einem Zettel gefunden, auf dem eine Ziffernreihe stand. Als sie sie ausprobierten, wurde die Sperre freigegeben. Nyberg trat zur Seite, damit Wallander öffnen konnte.

Wallander blickte in den Safe. Dann fuhr er zusammen. Er tat einen Schritt zurück und trat Nyberg auf die Zehen.

»Was ist?« fragte Nyberg.

Wallander machte ihm ein Zeichen, selbst nachzusehen. Nyberg streckte den Kopf vor. Auch er fuhr zurück. Doch nicht so heftig wie Wallander.

»Das sieht aus wie ein Menschenkopf«, sagte Nyberg.

Er wandte sich zu einem seiner Mitarbeiter um, der beim Zuhören blaß geworden war. Nyberg bat ihn, eine Taschenlampe zu holen. Während sie warteten, standen sie unbeweglich. Wallander spürte, daß ihm schwindlig war. Er holte ein paarmal tief Luft. Nyberg betrachtete ihn fragend. Dann wurde ihnen die Taschenlampe gereicht. Nyberg leuchtete in den Safe. Es stand wirklich ein Kopf darin, in der Mitte des Halses abgetrennt. Die Augen waren geöffnet. Aber es war kein gewöhnlicher Kopf. Er war geschrumpft und getrocknet. Ob es ein Affe oder ein Mensch war, konnten weder Wallander noch Nyberg entscheiden. Außer dem Kopf waren nur ein paar Kalender und Notizbücher im Safe. Im selben Augenblick betrat Ann-Britt Höglund den Raum. Die gespannte Aufmerksamkeit verriet ihr, daß etwas geschehen war. Sie fragte nicht, was es war, sondern blieb im Hintergrund.

»Sollen wir den Fotografen herholen?« fragte Nyberg.

»Es reicht, wenn du ein paar Bilder machst«, antwortete Wallander. »Am wichtigsten ist, daß wir es da rauskriegen.«

Dann wandte er sich zu Ann-Britt Höglund. »Es ist ein Kopf da drin«, sagte er. »Ein geschrumpfter Menschenkopf. Oder vielleicht von einem Affen.«

Sie beugte sich vor und sah in den Safe. Wallander bemerkte, daß sie nicht zusammenzuckte. Um Nyberg und seinen Leuten Platz zu machen, traten sie zurück. Wallander war der Schweiß ausgebrochen.

»Ein Safe mit einem Kopf«, sagte sie. »Geschrumpft oder nicht. Affe oder nicht. Was fangen wir damit an?«

»Holger Eriksson muß ein sehr viel komplizierterer Mensch gewesen sein, als wir uns bisher vorgestellt haben«, sagte Wallander.

Sie warteten darauf, daß Nyberg und seine Leute den Safe leerten. Es war neun Uhr. Wallander erzählte von der Sendung der Postversandfirma in Borås. Ann-Britt Höglund sah den Karton durch und fragte sich, was das bedeuten konnte. Sie beschlossen, daß jemand Gösta Runfelts Wohnung noch einmal methodischer durchsuchen sollte, als Wallander es getan hatte. Das beste wäre, wenn Nyberg einen seiner Männer entbehren könnte. Ann-Britt Höglund rief im Präsidium an und erfuhr, daß die dänische Polizei, bei der sie angefragt hatten, nicht von einer angetriebenen männlichen Leiche in den letzten Tagen berichten mußte. Auch die Polizei in Malmö und die Seenotrettung hatten keine Informationen über angeschwemmte Leichen. Um halb zehn brachte Nyberg den Kopf und die übrigen Gegenstände aus dem Safe. Wallander schob das Gedicht über den Specht beiseite. Nyberg stellte den Kopf ab. Im Safe hatte sich auch noch eine Schachtel mit einer Medaille befunden. Aber der vertrocknete und geschrumpfte Kopf zog ihre ganze Aufmerksamkeit auf sich. Bei Tageslicht bestand kein Zweifel mehr. Es war ein Menschenkopf. Ein schwarzer Kopf. Vielleicht der eines Kindes. Oder zumindest eines jungen Menschen. Als Nyberg ihn mit einem Vergrößerungsglas betrachtete, sah er, daß die Haut von Motten angefressen war. Wallander verzog das Gesicht, als Nyberg sich ganz nah an den Kopf beugte und daran roch.

»Wer könnte etwas über geschrumpfte Köpfe wissen?« fragte Wallander.

»Das Ethnographische Museum«, erwiderte Nyberg. »Obwohl es heutzutage wohl Völkerkundemuseum heißt. Die Reichspolizeibehörde hat eine wirklich ausgezeichnete kleine Broschüre herausgebracht. Da steht, wo man Informationen über die sonderbarsten Phänomene einholen kann.«

»Dann kontakten wir die«, sagte Wallander. »Am besten wäre es, wenn wir schon jetzt am Wochenende jemanden fänden, der uns Fragen beantworten kann.«

Nyberg verstaute den Kopf in einem Plastiksack. Wallander und Ann-Britt Höglund setzten sich an den Tisch und begannen, die übrigen Dinge in Augenschein zu nehmen. Die Medaille, die auf einem kleinen seidenen Polster lag, hatte eine französische

Inschrift. Keiner von ihnen verstand den Wortlaut. Wallander wußte, daß es sich kaum lohnen würde, Nyberg zu fragen. Sein Englisch war schlecht, sein Französisch sicher so gut wie null. Dann gingen sie die Bücher durch. Die Kalender waren aus den frühen sechziger Jahren. Auf dem Vorsatzblatt erkannten sie einen Namen: *Harald Berggren*. Wallander sah Ann-Britt Höglund fragend an. Sie schüttelte den Kopf. Der Name war bisher in den Ermittlungen nicht aufgetaucht. Es waren nur wenige Notizen in den Kalendern. Ein paar Uhrzeiten. Initialen. An einer Stelle die Buchstaben HE. Es war am 10. Februar 1960. Vor mehr als dreißig Jahren.

Danach blätterte Wallander in dem Notizbuch. Es war im Gegensatz zu den Kalendern vollgeschrieben. Eine Art Tagebuch. Die erste Eintragung war im November 1960 gemacht worden. Die letzte im Juli 1961. Die Schrift war sehr klein und schwer lesbar. Ihm fiel ein, daß er natürlich den Termin beim Optiker vergessen hatte. Er lieh sich von Nyberg ein Vergrößerungsglas. Blätterte. Las hier und da eine Zeile. »Das handelt von Belgisch-Kongo«, sagte er. »Jemand, der dort gewesen ist, während eines Krieges. Als Soldat.«

»Holger Eriksson oder Harald Berggren?«

»Harald Berggren. Wer immer das sein mag.«

Dann legte er das Heft beiseite. Ihm war klar, daß es wichtig sein konnte und daß er es gründlich lesen mußte. Sie sahen sich an. Wallander wußte, daß sie beide an das gleiche dachten. »Ein geschrumpfter Menschenkopf«, sagte er. »Und ein Tagebuch, das von einem Krieg in Afrika handelt.«

»Ein Pfahlgrab«, sagte Ann-Britt Höglund. »Eine Erinnerung an den Krieg. In meiner Vorstellung gehören geschrumpfte Menschenköpfe und aufgespießte Menschen zusammen.«

»In meiner auch«, sagte Wallander. »Fragt sich nur, ob wir endlich etwas gefunden haben, das uns weiterbringt.«

»Wer ist Harald Berggren?«

»Das ist das erste, was wir herausfinden müssen.«

Wallander fiel ein, daß Martinsson vermutlich gerade jetzt bei einer Person in Svarte zu Besuch war, die Holger Eriksson seit vielen Jahren kannte. Er bat Ann-Britt Höglund, ihn auf seinem

Mobiltelefon anzurufen. Von jetzt an mußte der Name Harald Berggren in allen denkbaren Zusammenhängen erwähnt werden. Sie wählte die Nummer. Wartete. Dann schüttelte sie den Kopf. »Er hat sein Telefon nicht eingeschaltet.«

Wallander reagierte gereizt. »Wie sollen wir eine Ermittlung durchführen, wenn wir uns unerreichbar machen?«

Er wußte, daß er selbst häufig gegen die Regel verstieß, erreichbar zu sein. Vermutlich war er derjenige, der am schwersten zu erreichen war. Auf jeden Fall zeitweilig. Aber sie sagte nichts.

»Ich versuche, ihn zu fassen zu kriegen«, sagte sie und stand auf.

»Harald Berggren«, sagte Wallander. »Der Name ist wichtig. Das gilt für alle.«

»Ich sehe zu, daß es rausgeht«, erwiderte sie.

Als er allein im Zimmer zurückgeblieben war, knipste er die Schreibtischlampe an. Er wollte gerade das Tagebuch öffnen, als er entdeckte, daß etwas in dem ledernen Einband steckte. Vorsichtig fingerte er ein Foto heraus. Es war schwarzweiß, fleckig und abgegriffen. Eine Ecke war abgerissen. Das Foto zeigte drei Männer, die vor einem Fotografen posierten. Die Männer waren jung, sie lachten in die Kamera, und sie trugen eine Art von Uniform. Wallander erinnerte sich an das Foto, das er bei Gösta Runfelt gesehen hatte, auf dem der Blumenhändler, von Riesenorchideen umgeben, in einer tropischen Landschaft stand. Auch dies war keine schwedische Landschaft. Er studierte das Bild durch das Vergrößerungsglas. Die Sonne mußte hoch am Himmel gestanden haben, als das Foto aufgenommen wurde. Es gab keine Schatten. Die Männer waren braungebrannt. Die Hemden waren aufgeknöpft, die Ärmel hochgekrempelt. An ihren Beinen standen Gewehre. Sie lehnten sich gegen einen eigentümlich geformten Stein. Hinter dem Stein war eine weite Landschaft ohne Konturen zu erkennen. Der Boden bestand aus Schotter oder Sand. Er betrachtete die Gesichter. Die Männer waren zwischen zwanzig und fünfundzwanzig Jahre alt. Er drehte das Foto um. Nichts. Er stellte sich vor, daß das Bild ungefähr zur gleichen Zeit aufgenommen worden war, zu der das Tagebuch geschrieben wurde. Frühe sechziger Jahre. Wenn sonst nichts, dann deuteten die Frisuren darauf hin.

Keiner war langhaarig. Aufgrund des Alters konnte er auch Holger Eriksson ausschließen. 1960 war er zwischen vierzig und fünfzig gewesen.

Wallander legte das Foto zur Seite und öffnete eine der Schreibtischschubladen. Er erinnerte sich, in einem Umschlag ein paar lose Paßbilder gesehen zu haben. Er legte eines der Bilder von Holger Eriksson auf den Tisch. Es war einige Jahre alt. Auf der Rückseite stand mit Bleistift 1989. Holger Eriksson war also 73. Er betrachtete das Gesicht. Die spitze Nase, die dünnen Lippen. Er versuchte, die Falten wegzudenken und sich das Gesicht jünger vorzustellen. Dann blickte er wieder auf das Foto mit den drei posierenden Männern. Er studierte ihre Gesichter, eins nach dem anderen. Der Mann ganz links hatte Züge, die an Holger Eriksson erinnerten. Wallander lehnte sich zurück und schloß die Augen. *Holger Eriksson liegt tot in einem Graben. In seinem Safe finden wir einen geschrumpften Menschenkopf, ein Tagebuch und ein Foto.* Plötzlich richtete sich Wallander im Stuhl auf, mit offenen Augen. Er dachte an den Einbruch, den Holger Eriksson im Jahr zuvor gemeldet hatte. *Der Safe war unberührt.* Angenommen, dachte Wallander, derjenige, der den Einbruch beging, hatte die gleichen Schwierigkeiten wie wir, den versteckten Safe zu finden. Weiter angenommen, der Inhalt des Safes war damals der gleiche wie jetzt. Und daß es der Dieb gerade darauf abgesehen hatte. Er findet nichts und macht offenbar keinen zweiten Versuch. Aber Eriksson stirbt ein Jahr später.

Er sah ein, daß die Gedanken zumindest teilweise zusammenhingen. Aber es gab einen Punkt, der seinem Versuch, einen Zusammenhang zwischen den verschiedenen Ereignissen zu finden, entscheidend zuwiderlief. Wenn Holger Eriksson tot war, würde sein Safe früher oder später gefunden werden. Das mußte sich auch der Dieb sagen. Spätestens von der oder den Personen, die kamen, um die Hinterlassenschaft zu übernehmen.

Und doch war da etwas. Eine Spur.

Er betrachtete das Foto noch einmal. Die Männer lachten. Er fragte sich, ob Holger Eriksson der Fotograf war. Aber Holger Eriksson hatte in Ystad, Tomelilla und Sjöbo erfolgreich Autos verkauft. Er hatte an keinem entlegenen afrikanischen Krieg teilgenommen. Oder doch? Sie kannten immer noch nur einen Bruchteil von Holger Erikssons Leben.

Wallander betrachtete nachdenklich das vor ihm liegende Tagebuch. Er steckte das Foto in die Jackentasche, nahm das Buch und ging zu Nyberg hinüber, der gerade das Badezimmer einer technischen Untersuchung unterzog.

»Ich nehme das Tagebuch mit«, sagte er. »Die Kalender lasse ich da.«

»Bringt das was?« fragte Nyberg.

»Ich glaube schon«, sagte Wallander. »Wenn jemand was von mir will, ich bin zu Hause.«

Als er auf den Hofplatz hinauskam, sah er, daß ein paar Polizisten dabei waren, die Absperrungen am Graben zu entfernen.

Eine Stunde später saß er am Küchentisch. Langsam begann er, das Tagebuch zu lesen.

Die erste Eintragung war vom 20. November 1960.

10

Es dauerte sechs Stunden, bis Wallander das Tagebuch von Anfang bis Ende durchgelesen hatte. Allerdings war er mehrmals unterbrochen worden. Ein paarmal klingelte das Telefon. Kurz nach vier am Nachmittag war auch Ann-Britt Höglund vorbeigekommen. Doch Wallander hatte versucht, die Unterbrechungen so kurz wie möglich zu halten. Das Tagebuch war das Faszinierendste, aber auch das Erschreckendste, was er je in der Hand gehalten hatte. Es berichtete von einigen Monaten im Leben eines Menschen, und für Wallander war es, als trete er in eine fremde Welt ein. Obwohl Harald Berggren, wer immer er auch sein mochte, nicht als ein Meister des Wortes bezeichnet werden konnte – im Gegenteil, er drückte sich oft sentimental oder mit einer Unsicherheit aus, die zuweilen in Hilflosigkeit überging –, so hatte doch der Inhalt, die Schilderung seiner Erlebnisse, eine Anziehungskraft, die stets stärker war als die sprachlich dürftigen Übergangspassagen.

Wallander ahnte, daß das Tagebuch wichtig war, damit sie einen Durchbruch erzielen und verstehen konnten, was Holger Eriksson passiert war. Gleichzeitig spürte er so etwas wie einen warnend erhobenen Finger. Es konnte auch ein Weg sein, der sie vollständig in die Irre führte, von der Lösung fort. Wallander wußte, daß die meisten Wahrheiten zugleich erwartet und unerwartet waren. Es kam nur darauf an, zu wissen, wie die Zusammenhänge zu deuten waren. Eine Verbrechensermittlung glich außerdem nie einer anderen, zumindest nicht in der Tiefe, wenn sie anfingen, die Schicht der äußeren Ähnlichkeit zu durchstoßen.

Harald Berggrens Tagebuch war ein Kriegstagebuch. Während des Lesens erfuhr er auch die Namen der beiden anderen Männer auf dem Foto, aber wer von ihnen wer war, blieb ihm unklar. Die Männer rechts und links von Harald Berggren auf dem Foto waren ein Ire, Terry O'Banion, und ein Franzose, Simon Marchand. Das Bild war von einem Mann namens Raul aufgenommen worden, dessen Nationalität nicht klar wurde. Zusammen hatten sie gut ein Jahr lang an einem afrikanischen Krieg teilgenommen, und alle waren Legionäre gewesen. Am Anfang des Tagebuchs beschrieb Harald Berggren, wie er irgendwo in Stockholm von einem Café in Brüssel gehört hatte, wo man Kontakte zu der dunklen Welt der Legionäre knüpfen konnte. Er notiert, daß er bereits zu Neujahr 1958 davon gehört habe. Er schreibt nichts darüber, warum es ihn einige Jahre später dorthin getrieben hat. Harald Berggren tritt sozusagen aus dem Nichts in sein eigenes Tagebuch ein. Er hat keine Vergangenheit, keine Eltern, keinen Hintergrund. Im Tagebuch tritt er auf einer leeren Bühne auf. Das einzige, was klar wird, ist, daß er dreiundzwanzig Jahre alt ist und verzweifelt darüber, daß Hitler den Krieg verloren hat, der fünfzehn Jahre zuvor zu Ende gegangen ist.

Wallander hielt an diesem Punkt inne. Harald Berggren benutzte genau dieses Wort, *verzweifelt*. Wallander las den Satz wieder und wieder. *Die verzweifelte Niederlage, die Hitler wegen seiner verräterischen Generale hinnehmen mußte.* Wallander versuchte zu verstehen. Daß Harald Berggren das Wort verzweifelt benutzte, sagte etwas Entscheidendes über ihn aus. Gab er einer politischen Überzeugung Ausdruck? Oder war er überspannt und verwirrt? Wallander konnte keine Anhaltspunkte finden, die ihm ermöglichten, dies zu entscheiden. Harald Berggren kommentierte es auch nicht weiter. 1960, im Juni, verläßt er Schweden mit dem Zug und bleibt einen Tag in Kopenhagen, um ins Tivoli zu gehen. Dort tanzt er an einem lauen Sommerabend mit einer Frau, die Irene heißt. Er schreibt, daß sie *süß, aber viel zu groß* ist. Am nächsten Tag ist er in Hamburg. Am folgenden Tag, dem 12. Juni, befindet er sich in Brüssel. Nach ungefähr einem Monat hat er sein Ziel erreicht, einen Kontrakt als Söldner. Stolz notiert er, daß er jetzt Sold bekommt und in den Krieg ziehen wird. Wallander hat den Eindruck, daß der junge Mann jetzt fast am Ziel seiner Träume ist. Dies alles hat er übrigens zu einem späteren Zeitpunkt ins Tagebuch geschrieben, unter dem Datum 20. November 1960. In dieser ersten und außerdem längsten Tagebucheintragung faßt er die Ereignisse zusammen, die ihn zu dem

Ort geführt haben, an dem er sich gerade befindet, und da ist er in Afrika. Als Wallander auf den Namen stieß, Omerutu, stand er auf und suchte seinen alten Schulatlas, der ganz zuunterst in einem Karton im Kleiderschrank lag. Aber natürlich war Omerutu nicht aufgeführt. Er ließ aber die alte Karte aufgeschlagen auf dem Küchentisch liegen, während er weiterlas. Zusammen mit Terry O'Banion und Simon Marchand gehört Harald Berggren zu einer ausschließlich aus Söldnern bestehenden Kampfeinheit. Ihr Führer, über den Harald Berggren im Tagebuch auffallend wenig berichtet, ist ein Kanadier, der nie anders als Sam genannt wird. Harald Berggren scheint sich auch nicht sonderlich dafür zu interessieren, worum es in dem Krieg geht. Wallander hatte selbst äußerst vage Vorstellungen vom Krieg in dem Teil Afrikas, der damals und auch auf Wallanders alter Karte Belgisch-Kongo genannt wurde. Harald Berggren scheint kein Bedürfnis zu haben, seine Anwesenheit als bezahlter Soldat zu rechtfertigen. Er schreibt lediglich, daß sie für die Freiheit kämpfen. Aber wessen Freiheit? Das wird nie klar. Er schreibt mehrfach, unter anderem am 11. Dezember 1960 und am 19. Januar, daß er nicht zögern wird, seine Waffe zu benutzen, wenn er in eine Kampfsituation geraten sollte, in der schwedische UN-Soldaten auf der anderen Seite kämpfen. Außerdem notiert er jedesmal genau, wenn er seinen Sold bekommt. Er führt am letzten Tag eines jeden Monats Miniaturabrechnungen durch. Wieviel er ausbezahlt bekommen hat, wieviel er ausgegeben und wieviel er zurückgelegt hat. Mit Genugtuung notiert er sich auch jede Kriegsbeute, die er mit Beschlag belegt hat. In einem außergewöhnlich abstoßenden Abschnitt des Tagebuchs beschreibt er, wie die Söldner zu einer verlassenen, niedergebrannten Plantage kommen – die halbverwesten Leichen, von schwarzen Fliegenschwärmen umgeben, liegen noch im Haus. Der Plantagenbesitzer und seine Frau, zwei Belgier, liegen tot in ihren Betten. Ihnen sind Arme und Beine abgehackt worden. Der Gestank war entsetzlich. Aber die Söldner durchsuchten dennoch das Haus und fanden Diamanten und Goldschmuck, deren Wert ein libanesischer Juwelier später auf über 20 000 Kronen schätzt. Harald Berggren schreibt bei dieser Gelegenheit, daß der gute Verdienst den Krieg rechtfertigt. In einer persönlichen Reflexion, wie sie sonst im Tagebuch nicht vorkommt, stellt Harald Berggren sich die Frage, ob er den gleichen Wohlstand erreicht hätte, wenn er in Schweden geblieben und als Automechaniker gearbeitet hätte. Er verneint dies. In einem solchen Leben hätte er es zu nichts gebracht. Er nimmt weiterhin mit großem Eifer an seinem Krieg teil.

Abgesehen von der Besessenheit, Geld zu verdienen und die Summen genau zu notieren, führt Harald Berggren auch in einem anderen Punkt sorgfältig Buch.

Harald Berggren tötet Menschen in seinem afrikanischen Krieg. Er notiert Zeitpunkt und Anzahl. Wo es ihm möglich ist, schreibt er auch auf, ob er nachher in die Nähe derer kommen konnte, die er getötet hat. Er notiert, ob es sich um einen Mann oder eine Frau oder ein Kind handelt. Kühl konstatiert er außerdem, wo die Schüsse, die er abgegeben hat, die Toten getroffen haben. Wallander las diese regelmäßig wiederkehrenden Passagen mit wachsendem Abscheu und Zorn. Harald Berggren hat nichts in diesem Krieg zu suchen. Er bekommt Sold, um zu töten. Wer ihn bezahlt, bleibt unklar. Und die Menschen, die er tötet, sind selten Soldaten, selten Männer in Uniform. Die Söldner überfallen verschiedene Dörfer, die als feindlich eingeschätzt werden gegenüber der Freiheit, für deren Bewahrung gekämpft wird. Sie morden und plündern und ziehen sich danach zurück. Sie sind eine Mordpatrouille, sie sind Europäer und betrachten die Menschen, die sie töten, kaum als gleichwertige Wesen. Harald Berggren verbirgt seine Verachtung für die Schwarzen nicht. Er notiert begeistert, daß sie *laufen wie verwirrte Ziegen, wenn wir uns nähern. Aber Kugeln fliegen schneller, als Menschen springen und hüpfen.* Bei diesen Zeilen hätte Wallander das Tagebuch am liebsten an die Wand geworfen, doch er zwang sich weiterzulesen, nachdem er eine Pause gemacht und sich seine gereizten Augen gespült hatte. Er wünschte, er wäre beim Optiker gewesen und hätte schon die Brille, die er brauchte. Wallander stellt fest, daß Harald Berggren, sofern er in seinem Tagebuch nicht lügt, im Durchschnitt zehn Personen im Monat tötet. Nach sieben Monaten Krieg wird er krank und wird mit einem Flugzeug nach Leopoldville gebracht. Er hat Amöbenruhr, und offenbar geht es ihm mehrere

Wochen lang sehr schlecht. In dieser Zeit macht er keine Eintragungen. Aber als er ins Krankenhaus eingeliefert wird, hat er bereits mehr als fünfzig Menschen getötet in diesem Krieg, in dem er kämpft, anstatt Automechaniker in Schweden zu sein. Nach seiner Genesung kehrt er zu seiner Kompanie zurück. Einen Monat später sind sie in Omerutu. Sie stellen sich vor einen Stein, der kein Stein ist, sondern ein Termitenhügel, und der unbekannte Raul macht das Foto von ihm, Terry O'Banion und Simon Marchand. Wallander trat mit dem Foto ans Küchenfenster. Er hatte noch nie einen Termitenhügel gesehen. Aber ihm war klar, daß dies das im Tagebuch erwähnte Foto war. Drei Wochen später geraten sie in einen Hinterhalt, und Terry O'Banion wird getötet. Sie müssen sich zurückziehen, ohne den Rückzug organisieren zu können. Es wird eine panische Flucht. Wallander sucht nach einer Spur von Furcht bei Harald Berggren. Er ist überzeugt, daß sie vorhanden ist. Aber Harald Berggren verbirgt sie. Er schreibt nur, daß sie die Toten im Busch begraben und ihre Gräber mit einfachen Holzkreuzen markieren. Der Krieg geht weiter. Bei einer Gelegenheit veranstalten sie ein Zielschießen auf eine Affenherde. Bei einer anderen Gelegenheit sammeln sie an einem Flußufer Krokodileier. Seine Ersparnisse belaufen sich inzwischen auf 30 000 Kronen.

Doch dann, im Sommer 1961, ist plötzlich alles vorbei. Das Ende des Tagebuchs kommt überraschend. Wallander dachte, daß es das auch für Harald Berggren gewesen sein mußte. Wahrscheinlich hatte er sich vorgestellt, daß dieser eigentümliche Dschungelkrieg ewig dauern würde. In den letzten Aufzeichnungen beschreibt er, wie sie in einem unbeleuchteten Transportflugzeug überstürzt das Land verlassen. Ein Motor der Maschine beginnt kurz nach dem Abheben von der Landebahn, die sie selbst im Busch angelegt haben, zu stottern. Das Tagebuch endet abrupt, so als sei Harald Berggren erschlafft oder als habe er nichts weiter zu sagen. Es endet da oben im Transportflugzeug, in der Nacht, und Wallander erfuhr nicht einmal, wohin das Flugzeug unterwegs war. Harald Berggren fliegt durch die afrikanische Nacht, das Motorgeräusch verklingt, und dann ist er nicht mehr da.

Es war fünf Uhr am Nachmittag geworden. Wallander streckte

den Rücken und trat auf den Balkon hinaus. Eine Wolkenwand zog vom Meer heran. Es würde wieder Regen geben. Er dachte an das, was er gelesen hatte. Warum hatte das Tagebuch zusammen mit einem geschrumpften Menschenkopf in Holger Erikssons Safe gelegen? Wenn Harald Berggren noch lebte, wäre er heute gut fünfzig Jahre alt. Wallander fror draußen auf dem Balkon. Er ging wieder hinein und schloß die Tür. Dann setzte er sich aufs Sofa. Seine Augen schmerzten. Für wen hatte Harald Berggren das Tagebuch geschrieben? Für sich selbst oder für jemand anders? Es fehlte auch etwas.

Wallander war noch nicht darauf gekommen, was es war. Ein junger Mann schreibt ein Tagebuch von einem entlegenen Krieg in Afrika. Seine Beschreibungen sind oft sehr detailliert, auch wenn sie insgesamt gesehen begrenzt sind. Aber es fehlt etwas. Etwas, was Wallander auch nicht zwischen den Zeilen lesen konnte.

Erst als Ann-Britt Höglund zum zweitenmal an seiner Tür klingelte, kam er darauf. Er sah sie in der Tür und wußte plötzlich, was in Harald Berggrens Tagebuch fehlte. Es spielte in einer durch und durch von Männern dominierten Welt. Die Frauen, von denen Harald Berggren schreibt, sind entweder tot oder laufen in wilder Flucht davon. Mit Ausnahme von Irene, die er im Tivoli in Kopenhagen getroffen hat. Die süß war, aber viel zu groß. Ansonsten erwähnt er keine Frauen. Er schreibt von Urlaub in verschiedenen Städten im Kongo, daß er sich betrunken hat und in Schlägereien verwickelt war. Aber keine Frauen. Nur Irene.

Wallander kam nicht von dem Gedanken los, daß dies eine Bedeutung hatte. Harald Berggren ist ein junger Mann, als er nach Afrika kommt. Der Krieg ist ein Abenteuer. In der Welt eines jungen Mannes sind Frauen ein wichtiger Bestandteil des Abenteuers.

Er begann sich zu fragen. Aber zunächst behielt er seine Gedanken für sich.

Ann-Britt Höglund kam, um zu berichten, daß sie, gemeinsam mit einem von Nybergs Technikern, Gösta Runfelts Wohnung noch einmal durchsucht hatte. Das Ergebnis war negativ. Sie hatten nichts gefunden, was erklären konnte, warum er eine Abhörausrüstung gekauft hatte.

»Gösta Runfelts Welt besteht aus Orchideen«, sagte sie. »Ich habe den Eindruck eines freundlichen Witwers und Orchideenliebhabers.«

»Seine Frau soll ertrunken sein«, sagte Wallander.

»Sie war sehr schön«, sagte Ann-Britt Höglund. »Ich habe ihr Hochzeitsfoto gesehen.«

»Vielleicht sollten wir herausfinden, was passiert ist«, sagte Wallander. »Irgendwann.«

»Martinsson und Svedberg haben Kontakt zu seinen Kindern aufgenommen«, sagte sie. »Aber die Frage ist, ob wir nicht anfangen sollten, diesen Fall ernsthaft in Angriff zu nehmen.«

Wallander hatte bereits mit Martinsson am Telefon gesprochen. Er hatte mit Gösta Runfelts Tochter telefoniert. Sie hatte die Vorstellung, daß ihr Vater freiwillig verschwunden sein konnte, entschieden von sich gewiesen und war sehr besorgt. Sie wußte, daß er nach Nairobi fliegen wollte, und war davon ausgegangen, daß er dort sei.

Wallander stimmte Ann-Britt Höglund zu. Von jetzt an war Gösta Runfelts Verschwinden für die Polizei ein dringlicher Fall. »Da stimmt zu vieles nicht«, sagte er. »Svedberg wollte anrufen, wenn er mit dem Sohn gesprochen hätte. Er war irgendwo in einem Sommerhaus in Hälsingland, wo es kein Telefon gab.«

Sie kamen überein, für den frühen Sonntag nachmittag eine Dienstbesprechung anzusetzen. Ann-Britt Höglund übernahm es, das Ganze zu organisieren. Dann erzählte Wallander ihr von dem Inhalt des Tagebuchs. Er nahm sich Zeit und versuchte, ausführlich zu sein. Indem er es ihr erzählte, machte er gleichzeitig eine Zusammenfassung für sich selbst.

»Harald Berggren«, sagte sie, als er geendet hatte. »Kann er es sein?«

»Er hat auf jeden Fall in seinem früheren Leben regelmäßig und gegen Bezahlung Grausamkeiten begangen«, sagte Wallander. »Das Tagebuch ist natürlich eine grausige Lektüre. Vielleicht lebt er heute in der Angst, daß der Inhalt ans Tageslicht kommt?«

»Wir müssen ihn ausfindig machen, mit anderen Worten«, sagte sie. »Das erste, was wir machen. Die Frage ist nur, wo wir anfangen sollen zu suchen.«

Wallander nickte. »Das Tagebuch lag in Erikssons Safe. Bis auf weiteres ist das die deutlichste Spur, die wir haben. Auch wenn wir nicht vergessen dürfen, weiterhin unvoreingenommen zu ermitteln.«

»Du weißt, daß das unmöglich ist«, sagte sie verwundert. »Wenn wir eine Spur finden, sind wir nicht mehr unvoreingenommen.«

»Es ist mehr als Warnung gedacht«, sagte er ausweichend. »Daß es trotz allem eine falsche Spur sein kann.«

Als sie gehen wollte, klingelte das Telefon. Es war Svedberg, der Gösta Runfelts Sohn erreicht hatte.

»Er war völlig außer sich«, sagte Svedberg. »Er wollte sofort ein Flugzeug nehmen und herkommen.«

»Wann hat er zuletzt Kontakt mit seinem Vater gehabt?«

»Ein paar Tage bevor er nach Nairobi geflogen ist. Oder geflogen sein sollte, muß man wohl sagen. Alles war wie gewöhnlich. Dem Sohn zufolge freute sich der Vater immer auf seine Reisen.«

Wallander nickte. »Nun wissen wir das«, sagte er.

Dann reichte er Ann-Britt Höglund den Hörer, und sie verabredete mit Svedberg den Zeitpunkt für die Besprechung am nächsten Tag. Erst als sie schon wieder aufgelegt hatte, fiel Wallander ein, daß er ein Blatt Papier hatte, das Svedberg gehörte. Mit Notizen über eine Frau, die sich auf Ystads Entbindungsstation sonderbar aufgeführt hatte.

Ann-Britt Höglund beeilte sich, um zu ihren Kindern nach Hause zu kommen. Als Wallander allein war, rief er seinen Vater an. Sie verabredeten, daß er früh am Sonntag morgen kommen sollte. Die Fotos, die der Vater mit seiner altertümlichen Kamera gemacht hatte, waren fertig.

Den Rest des Samstag abends verbrachte Wallander damit, eine Zusammenfassung über den Mord an Holger Eriksson zu machen. Parallel dazu ging er im Kopf das Verschwinden Gösta Runfelts durch. Er war unruhig und rastlos und konnte sich nur schwer konzentrieren.

Die dunkle Ahnung, daß sie sich erst am äußersten Rand von etwas sehr Großem befanden, wuchs immer mehr.

Seine Unruhe ließ ihm keinen Frieden.

Um neun Uhr war er so müde, daß er nicht mehr denken konnte. Er schob seinen Schreibblock zur Seite und rief Linda an. Das Telefon klingelte ins Leere. Sie war nicht zu Hause. Er zog eine dicke Jacke an und ging zu Fuß ins Zentrum. Dort aß er in einem chinesischen Restaurant am Markt. Es war ungewöhnlich gut besucht. Ihm fiel ein, daß Samstagabend war. Er gönnte sich eine Karaffe Wein und bekam sogleich Kopfschmerzen. Als er nach Hause ging, regnete es wieder.

In der Nacht träumte er von Harald Berggrens Tagebuch. Er befand sich in einem großen Dunkel, es war sehr heiß, und irgendwo aus dem kompakten Dunkel zeigte Harald Berggren mit einer Waffe auf ihn.

Er erwachte früh.

Der Regen hatte aufgehört. Es war wieder klar.

Um Viertel nach sieben setzte er sich in den Wagen und fuhr zu seinem Vater. Das Morgenlicht gab der Landschaft scharfe, klare Konturen. Wallander überlegte, ob er versuchen sollte, seinen Vater und Gertrud mit an den Strand zu locken. Bald würde es so kalt sein, daß es nicht mehr möglich wäre.

Er dachte mit einem unguten Gefühl an seinen Traum. Außerdem machte er sich klar, daß sie bei der Besprechung am Nachmittag einen Zeitplan erstellen sollten, in welcher Reihenfolge sie Antworten auf verschiedene Fragen bekommen mußten. Harald Berggren zu lokalisieren war wichtig. Nicht zuletzt, wenn sich herausstellen sollte, daß sie eine Spur verfolgten, die nirgendwohin führte.

Als er auf den Hofplatz vor dem Haus seines Vaters einbog, stand der alte Herr auf der Treppe, um ihn zu begrüßen. Sie hatten sich seit der Reise nach Rom nicht gesehen. In der Küche hatte Gertrud den Frühstückstisch gedeckt. Zusammen betrachteten sie die Bilder, die der Vater gemacht hatte. Viele waren unscharf. Bei einigen war das Motiv teilweise außerhalb des Bildrandes gelandet. Aber weil sein Vater stolz und zufrieden war, nickte Wallander nur anerkennend.

Ein Bild unterschied sich von den anderen. Es war an ihrem letzten Abend in Rom aufgenommen worden. Sie hatten gerade ihre Mahlzeit beendet. Wallander und sein Vater sind zusammengerückt. Auf dem weißen Tischtuch steht eine halb geleerte Flasche Rotwein. Beide lächeln in die Kamera. Einen Moment lang flimmerte die verblichene Fotografie aus Harald Berggrens Tagebuch in Wallanders Kopf vorüber. Aber er schob sie beiseite. Jetzt wollte er seinen Vater und sich selbst ansehen. Er spürte, daß das Bild festhielt, was sie während der Reise entdeckt hatten.

Sie waren sich im Aussehen ähnlich. Sie waren sich sogar sehr ähnlich.

»Von dem Bild hätte ich gern einen Abzug«, sagte Wallander.

»Das habe ich schon erledigt«, sagte sein Vater zufrieden und schob einen Umschlag mit dem Bild zu ihm hinüber.

Nach dem Frühstück gingen sie ins Atelier seines Vaters. Er arbeitete an einer Landschaft mit einem Auerhahn. Den Vogel malte er also als letztes.

»Wie viele Bilder hast du in deinem Leben gemalt?« fragte Wallander.

»Das fragst du jedesmal, wenn du hier bist«, erwiderte sein Vater. »Wie kann ich das wissen? Wozu wäre das gut? Die Hauptsache ist, daß sie einander gleichen. Eines dem anderen.«

Wallander war sich schon lange darüber im klaren, warum sein Vater ständig das gleiche Motiv malte. Es war seine Art und Weise, all das zu beschwören, was sich um ihn herum veränderte. In seinen Bildern beherrschte er sogar den Gang der Sonne. Sie war da, unbeweglich, wie festgenagelt, stets in der gleichen Höhe über den bewaldeten Höhenzügen.

»Es war eine schöne Reise«, sagte Wallander und beobachtete den Vater, der Farbe anmischte.

»Ich habe doch gesagt, daß sie schön würde«, erwiderte sein Vater. »Ohne sie wärst du ins Grab gegangen, ohne die Sixtinische Kapelle gesehen zu haben.«

Wallander überlegte einen Augenblick lang, ob er jetzt den Vater nach seiner einsamen Wanderung in einer ihrer letzten Nächte fragen sollte. Aber er ließ es bleiben. Es war ein Geheimnis, das nur ihn selbst etwas anging.

Wallander schlug vor, zum Meer hinunterzufahren. Zu seiner Verblüffung stimmte der Vater sofort zu. Doch Gertrud zog es vor, zu Hause zu bleiben. Kurz nach zehn setzten sie sich in Wallanders Wagen und fuhren hinunter nach Sandhammaren. Es war fast windstill. Sie gingen zum Strand. Sein Vater griff nach Wallanders Arm, als sie über die letzte Düne stiegen. Dann breitete sich das Meer vor ihnen aus. Der Strand war nahezu menschenleer. Nur in der Ferne sahen sie einige Spaziergänger mit einem Hund spielen. Das war alles.

»Das ist schön«, sagte sein Vater.

Wallander betrachtete ihn verstohlen. Es war, als habe die Reise nach Rom die Stimmung des Vaters grundlegend verändert. Vielleicht zeigte es sich ja, daß sie auch eine positive Einwirkung auf die schleichende Krankheit hatte, die die Ärzte bei seinem Vater konstatiert hatten. Aber er wußte auch, daß er selbst nie ganz verstehen würde, was die Reise dem Vater bedeutet hatte. Es war die Reise seines Lebens, und Wallander war die Gunst zuteil geworden, ihn dabei zu begleiten.

Rom war sein Mekka gewesen.

Sie gingen langsam am Strand entlang. Wallander dachte, daß es nun vielleicht möglich wäre, mit ihm über vergangene Zeiten zu reden. Aber das eilte nicht.

Plötzlich hielt sein Vater inne.

»Was ist?« fragte Wallander.

»Mir ist ein paar Tage nicht gut gewesen«, sagte der Vater. »Aber das geht rasch vorüber.«

»Möchtest du, daß wir umkehren?«

»Ich sage doch, daß es rasch vorübergeht.«

Wallander merkte, daß der Vater in seine alte unangenehme Gewohnheit zurückfiel, ihm auf seine Fragen mürrisch zu antworten. Deshalb sagte er nichts mehr.

Ein Schwarm Zugvögel strich über ihren Köpfen nach Westen. Erst nach zwei Stunden am Strand meinte sein Vater, daß es genug sei. Wallander hatte nicht auf die Zeit geachtet und sah, daß er sich jetzt beeilen mußte, um nicht zu spät zur Besprechung im Präsidium zu kommen.

Mit einem Gefühl der Erleichterung kehrte er nach Ystad zurück, nachdem er den Vater nach Löderup gebracht hatte. Auch wenn der Vater seiner schleichenden Krankheit nicht entrinnen konnte, hatte die Reise nach Rom ihm offenbar viel bedeutet. Vielleicht konnten sie jetzt wieder an das alte Verhältnis anknüpfen, das sie vor so vielen Jahren hatten – bis zu dem Tag, an dem Wallander sich entschloß, Polizeibeamter zu werden. Sein Vater hatte die Berufswahl des Sohnes nie akzeptiert, ohne jedoch erklären zu können, was er dagegen hatte. Auf dem Rückweg nach Ystad dachte Wallander, daß er jetzt vielleicht eine Antwort auf diese Frage bekäme, über die er so viele Jahre seines Lebens nachgegrübelt hatte.

Um halb drei schlossen sie die Türen des Konferenzraums hinter sich. Auch Lisa Holgersson hatte sich eingefunden. Als Wallander sie sah, fiel ihm ein, daß er Per Åkesson noch immer nicht angerufen hatte. Um es nicht noch einmal zu vergessen, machte er sich eine Notiz auf seinem Schreibblock.

Dann berichtete er von dem Fund des geschrumpften Menschenkopfes und von Harald Berggrens Tagebuch. Als er fertig war, herrschte Einigkeit darüber, daß dies wirklich etwas war, was einer Spur ähnelte. Nachdem sie verschiedene Aufgaben unter sich verteilt hatten, leitete Wallander zu Gösta Runfelt über.

»Von jetzt an müssen wir davon ausgehen, daß Gösta Runfelt etwas zugestoßen ist«, sagte er. »Wir können weder ein Unglück noch ein Verbrechen ausschließen. Natürlich bleibt immer noch die Möglichkeit, daß es sich um ein freiwilliges Verschwinden handelt. Dagegen glaube ich, daß wir von einer Verbindung zwischen Holger Eriksson und Gösta Runfelt absehen können. Es kann eine geben. Aber es ist wenig wahrscheinlich. Nichts spricht dafür.«

Wallander wollte so schnell wie möglich zum Ende kommen. Immerhin war Sonntag. Er wußte, daß seine Mitarbeiter das ihnen Mögliche taten, um ihre Aufgaben zu erledigen. Aber er wußte auch, daß die beste Arbeit zuweilen darin bestand, sich auszuruhen. Die Stunden mit seinem Vater am Strand hatten ihm neue Kräfte gegeben. Als er kurz nach vier das Präsidium verließ, fühlte er sich so ausgeruht wie schon seit Tagen nicht mehr. Auch die Unruhe hatte sich für eine Weile gelegt.

Wenn sie Harald Berggren fänden, sprach viel dafür, daß sie

auch die Lösung gefunden hatten. Der Mord war zu ausgeklügelt, um nicht von einem ganz speziellen Täter begangen worden zu sein.

Harald Berggren konnte genau dieser Täter sein.

Auf dem Weg in die Mariagatan hielt Wallander an und kaufte in einem Laden ein, der sonntags geöffnet war. Er konnte auch dem Impuls nicht widerstehen, einen Videofilm auszuleihen. Es war ein Klassiker, *Die Brücke im Nebel*. Er hatte ihn zusammen mit Mona in Malmö im Kino gesehen, als sie jung verheiratet waren. Aber er hatte nur noch eine vage Erinnerung daran, wovon er handelte.

Mitten im Film rief Linda an. Er sagte, er riefe zurück, hielt den Film an und setzte sich in die Küche. Sie sprachen fast eine halbe Stunde miteinander. Mit keinem Wort ließ sie ein Schuldbewußtsein erkennen, weil sie so lange nichts von sich hatte hören lassen. Er spielte auch nicht darauf an. Sie waren einander ähnlich und konnten beide zerstreut sein, aber auch konzentriert, wenn eine schwierige Aufgabe zu lösen war. Sie erzählte, daß es ihr gutging, daß sie in dem Restaurant auf Kungsholmen bediente und Schauspielunterricht nahm. Er fragte nicht danach, wie sie vorankäme. Er hatte ein bestimmtes Gefühl, daß sie auch ohnedies genügend Zweifel an ihren Fähigkeiten hatte.

Bevor sie auflegten, erzählte er ihr von seinem Vormittag am Strand.

»Hört sich an, als hättet ihr einen schönen Tag gehabt«, sagte sie.

»Ja«, bestätigte Wallander. »Es kommt mir vor, als hätte sich etwas verändert.«

Anschließend ging er hinaus auf den Balkon. Es war noch immer vollkommen windstill. Das war eine Seltenheit in Schonen.

Für einen Augenblick war jegliche Unruhe verschwunden. Jetzt wollte er schlafen. Morgen würde er wieder an die Arbeit gehen. Als er das Licht ausmachte, fiel sein Blick auf das Tagebuch.

Er fragte sich, wo Harald Berggren sich in diesem Augenblick wohl befand.

11

Als Wallander am Montag morgen, dem 3. Oktober, erwachte, hatte er das Gefühl, dringend noch einmal mit Sven Tyrén sprechen zu müssen. Ob er im Traum zu dieser Einsicht gelangt war? Er wartete nicht, bis er ins Präsidium kam. Während der Kaffee durchlief, rief er die Auskunft an und ließ sich Tyréns Privatnummer geben. Seine Frau meldete sich. Ihr Mann sei schon unterwegs. Wallander erhielt die Mobilnummer. Es knisterte und raschelte in der Leitung, als Tyrén sich meldete. Im Hintergrund hörte Wallander das dumpfe Motorgeräusch des Lasters. Sven Tyrén befand sich auf der Landstraße kurz vor Högestad. Er hatte noch zwei Lieferungen zu erledigen, bevor er ins Depot nach Malmö fuhr. Wallander bat ihn, so schnell wie möglich ins Präsidium zu kommen. Als Tyrén fragte, ob sie den Mörder Holger Erikssons gefaßt hätten, sagte Wallander, daß es lediglich um ein Routinegespräch gehe. Sie befänden sich immer noch in einem frühen Stadium der Ermittlungen. Sie würden den Mörder schon noch erwischen. Vielleicht bald. Aber es konnte auch eine langwierige Angelegenheit werden. Sven Tyrén versprach, gegen neun Uhr im Präsidium zu sein.

»Und parken Sie lieber nicht vor der Einfahrt«, sagte Wallander. »Das kann ein Kuddelmuddel geben.«

Sven Tyrén murmelte etwas Unverständliches.

Um Viertel nach sieben kam Wallander ins Präsidium. Kurz vor der Glastür besann er sich anders und wandte sich nach links zum Eingang der Staatsanwaltschaft. Er wußte, daß Per Åkesson ebenso ein Frühaufsteher war wie er selbst. Als er anklopfte, wurde er auch prompt hereingerufen.

Per Åkesson saß hinter seinem wie üblich überhäuften Schreibtisch. Der Raum war ein Chaos – überall Papiere und Aktenordner. Aber der Schein trog. Per Åkesson war ein außerordentlich effektiv arbeitender und gewissenhafter Staatsanwalt, und Wallander hatte gern mit ihm zu tun. Sie kannten sich schon lange und hatten über die Jahre ein Verhältnis zueinander entwickelt, das weit über das rein Berufliche hinausging. Es kam vor, daß sie einander private Dinge anvertrauten, den anderen um Hilfe oder Rat baten. Dennoch gab es eine unsichtbare Grenze, die sie nie überschritten. Richtig enge Freunde würden sie nie werden können. Dazu waren sie zu verschieden. Per Åkesson nickte erfreut, als Wallander eintrat. Er stand auf und machte einen Stuhl frei, auf dem ein Karton mit Akten für eine Verhandlung vor dem Amtsgericht am gleichen Tag lag. Wallander setzte sich. Per Åkesson bat die Vermittlung, keine Gespräche durchzustellen.

»Ich habe damit gerechnet, daß du dich meldest«, sagte er. »Vielen Dank für die Karte übrigens.«

Wallander hatte vergessen, daß er Per Åkesson aus Rom eine Karte geschrieben hatte. Soweit er sich jetzt erinnern konnte, war es ein Motiv vom Forum Romanum gewesen.

»Es war eine gelungene Reise«, sagte er. »Für meinen Vater und für mich auch.«

»Ich war noch nie in Rom«, sagte Per Åkesson. »Wie heißt die Redensart doch gleich? Rom sehen und sterben? Oder war es Neapel?«

Wallander schüttelte den Kopf. Er wußte es nicht. »Ich hatte gehofft, es würde ein ruhiger Herbst«, sagte er. »Und dann kommt man zurück und findet einen alten Mann, der in einem Graben aufgespießt worden ist.«

Per Åkesson schnitt eine Grimasse. »Ich habe ein paar von euren Fotos gesehen«, sagte er. »Und Lisa Holgersson hat erzählt. Habt ihr irgendwelche Anhaltspunkte?«

»Vielleicht«, antwortete Wallander und erzählte in aller Kürze von dem Fund in Erikssons Safe. Er wußte, daß Per Åkesson Respekt hatte vor seiner Fähigkeit, eine polizeiliche Ermittlung zu leiten. Selten war er nicht einverstanden mit Wallanders Schlußfolgerungen oder mit seiner Arbeitsweise.

»Es hört sich natürlich nach reinem Wahnsinn an, wenn ein alter Mann in einem Graben aufgespießt wird«, sagte Per Åkesson. »Aber andrerseits leben wir in einer Zeit, in der es immer schwieriger wird, den Unterschied zwischen Wahnsinn und Normalität zu bestimmen.«

»Wie läuft die Sache mit Uganda?« fragte Wallander.

»Ich nehme an, du meinst mit dem Sudan?« sagte Per Åkesson.

Wallander wußte, daß Per Åkesson sich um einen Dienst beim UN-Flüchtlingskommissariat beworben hatte. Er wollte für einige Zeit fort von Ystad. Etwas anderes sehen, bevor es zu spät war. Per Åkesson war ein paar Jahre älter als er selbst. Er war schon fünfzig.

»Sudan«, sagte Wallander. »Hast du mit deiner Frau gesprochen?« Per Åkesson nickte.

»Ich habe mir vor ein paar Wochen ein Herz gefaßt. Sie war entschieden verständnisvoller, als ich hätte hoffen können. Ich hatte das Gefühl, daß sie mich ganz gern einmal eine Zeitlang nicht zu Hause hätte. Ich warte noch auf Nachricht. Aber es sollte mich sehr wundern, wenn ich die Stelle nicht bekäme. Ich habe ja, wie du weißt, meine Beziehungen.«

Wallander hatte im Lauf der Jahre mitbekommen, daß Per Åkesson eine phänomenale Fähigkeit besaß, sich Unterderhand-Informationen zu beschaffen. Wie er das bewerkstelligte, ahnte Wallander nicht. Aber Åkesson war stets gut informiert, beispielsweise darüber, was in den verschiedenen Reichstagsausschüssen oder in den internsten und geschlossensten Kreisen der Reichspolizeibehörde diskutiert wurde.

»Wenn alles klappt, verschwinde ich zu Neujahr«, sagte er. »Ich bleibe mindestens zwei Jahre weg.«

»Hoffentlich haben wir bis dahin die Sache mit Holger Eriksson aufgeklärt. Hast du irgendwelche Direktiven, die du mir geben willst?«

»Eher solltest du Wünsche äußern, wenn du welche hast.«

Wallander dachte nach. »Noch nicht«, sagte er. »Lisa Holgersson meinte, wir sollten vielleicht Mats Ekholm wieder hinzuziehen. Kannst du dich an ihn erinnern, vom Sommer? Der mit den psychologischen Profilen? Der Verrückte jagt, indem er versucht, sie zu katalogisieren? Ich halte ihn übrigens für sehr fähig.«

Per Åkesson erinnerte sich sehr gut an ihn.

»Ich glaube trotzdem, wir sollten noch warten«, fuhr Wallander fort. »Ich bin nämlich keineswegs sicher, daß wir es mit einem Geistesgestörten zu tun haben.«

»Wenn du meinst, wir sollten noch warten, dann tun wir das«, sagte Per Åkesson und stand auf. Er zeigte entschuldigend auf den Karton. »Ich habe eine reichlich wirre Verhandlung heute, ich muß mich vorbereiten.«

Wallander wandte sich zum Gehen. »Was sollst du im Sudan eigentlich machen?« fragte er. »Brauchen die Flüchtlinge wirklich schwedischen Rechtsbeistand?«

»Flüchtlinge brauchen jeden Beistand, den sie bekommen können«, erwiderte Per Åkesson und begleitete Wallander zum Ausgang.

»Das gilt nicht nur für Schweden.«

»Ich war kurz in Stockholm, als du in Rom warst«, sagte Åkesson plötzlich. »Ich habe zufällig Anette Brolin getroffen. Sie hat mich gebeten, alle hier unten zu grüßen. Aber dich besonders.«

Wallander sah ihn zweifelnd an. Aber er sagte nichts. Vor ein paar Jahren hatte Anette Brolin Per Åkesson eine Zeitlang vertreten. Obwohl sie verheiratet war, hatte Wallander einen Annäherungsversuch unternommen, der nicht besonders gut geendet hatte. Es war eine Geschichte, die er am liebsten vergessen wollte.

Er verließ die Staatsanwaltskanzlei. Draußen wehte ein böiger Wind. Der Himmel war grau. Wallander vermutete, daß es höchstens acht Grad plus waren. In der Tür des Polizeigebäudes stieß er mit Svedberg zusammen, der auf dem Weg nach draußen war. Er erinnerte sich, daß er ein Papier hatte, das Svedberg gehörte. »Ich habe aus Versehen nach einer Sitzung neulich ein paar Aufzeichnungen von dir eingesteckt«, sagte er.

Svedberg verstand nicht. »Ich vermisse nichts.«

»Es waren Aufzeichnungen über eine Frau, die sich auf der Entbindungsstation sonderbar aufgeführt hat.«

»Das kannst du wegwerfen«, sagte Svedberg. »Da hat jemand Gespenster gesehen.«

»Wegwerfen kannst du es selbst«, sagte Wallander. »Ich lege es auf deinen Tisch.«

»Wir machen weiter mit den Leuten in Erikssons Nachbarschaft«, sagte Svedberg. »Ich setze mich auch mit dem Landbriefträger zusammen.«

Wallander nickte. Dann ging jeder in seine Richtung.

Als Wallander in sein Zimmer kam, hatte er Svedbergs Papier schon wieder vergessen. Er nahm Harald Berggrens Tagebuch aus der Innentasche seiner Jacke und legte es in eine Schreibtischschublade. Das Foto mit den drei Männern, die vor dem Termitenhügel posierten, ließ er auf dem Tisch liegen. Während er auf Sven Tyrén wartete, sah er schnell ein paar Papiere durch, die ihm die anderen aus seiner Fahndungsgruppe hingelegt hatten. Um Viertel vor neun holte er Kaffee. Ann-Britt Höglund kam vorbei und berichtete, daß Gösta Runfelt jetzt registriert war und formell als dringender Fall behandelt wurde.

»Ich habe mit einem von Runfelts Nachbarn gesprochen«, sagte sie. »Einem Gymnasiallehrer, der sehr vertrauenerweckend wirkte. Er behauptete, Runfelt am Dienstag abend in seiner Wohnung gehört zu haben. Aber danach nicht mehr.«

»Was darauf schließen läßt, daß er sich da also trotz allem auf den Weg gemacht hat«, sagte Wallander. »Aber nicht nach Nairobi.«

»Ich habe diesen Nachbarn gefragt, ob ihm an Runfelt irgend etwas aufgefallen sei«, sagte sie. »Aber er schien ein zurückgezogener Mann mit regelmäßigen Gewohnheiten gewesen zu sein. Höflich, aber nicht mehr. Außerdem bekam er selten Besuch. Das einzig Bemerkenswerte war, daß Runfelt manchmal sehr spät nachts nach Hause kam. Dieser Lehrer wohnt in der Wohnung unter Runfelts. Und das Haus ist sehr hellhörig. Ich glaube, man kann sich auf das, was er sagt, verlassen.«

Wallander blieb mit dem Kaffeebecher in der Hand stehen und dachte nach über das, was sie gesagt hatte. »Wir müssen uns mit dem Inhalt des Kartons befassen«, sagte er. »Es wäre gut, wenn schon heute jemand bei der Versandfirma anriefe. Außerdem hoffe ich, daß die Kollegen in Borås benachrichtigt sind. Wie hieß die Firma? Secur? Nyberg weiß es. Wir müssen rausfinden, ob Runfelt früher schon andere Sachen da gekauft hat. Er muß die Dinge ja bestellt haben, um sie irgendwo irgendwie zu benutzen.«

»Abhörausrüstung«, sagte sie. »Fingerabdrücke? Wer ist daran interessiert? Wer benutzt so was?«

»Wir tun es.«

»Aber wer noch?«

Wallander sah, daß sie an etwas Bestimmtes dachte. »Eine Abhöranlage kann natürlich von Leuten benutzt werden, die unerlaubte Dinge treiben.«

»Ich dachte mehr an die Fingerabdrücke.«

Wallander nickte. Jetzt begriff er. »Ein Privatdetektiv«, sagte er. »Der Gedanke ist mir auch schon gekommen. Aber Gösta Runfelt ist Blumenhändler, der sich mit Orchideen beschäftigt.«

»Es war auch nur ein Einfall«, sagte sie. »Ich rufe die Versandfirma selbst an.«

Wallander ging in sein Zimmer. Das Telefon klingelte. Es war Ebba. Sven Tyrén war in der Anmeldung.

»Er hat hoffentlich seinen Tanklaster nicht vor die Einfahrt gestellt?« fragte Wallander. »Dann dreht Hansson durch.«

»Hier steht kein Laster«, sagte Ebba. »Kommst du und holst ihn ab? Außerdem wollte Martinsson mit dir sprechen.«

»Wo ist er?«

»In seinem Zimmer, nehm ich an.«

»Bitte Sven Tyrén, ein paar Minuten zu warten, während ich mit Martinsson rede.«

Martinsson telefonierte, als Wallander in sein Zimmer kam. Er beendete das Gespräch in aller Eile. Wallander nahm an, daß seine Frau angerufen hatte. Sie sprach täglich unzählige Male mit ihrem Mann. Keiner wußte, worüber.

»Ich habe die Gerichtsmediziner in Lund erreicht«, sagte er. »Es gibt eine Reihe vorläufiger Ergebnisse. Das Problem ist, daß sie Schwierigkeiten haben, uns zu sagen, was wir am dringendsten wissen möchten.«

»Wann er starb?«

Martinsson nickte. »Keiner von diesen Bambusstäben ist direkt durchs Herz gegangen. Auch eine Pulsader ist nicht getroffen worden. Das bedeutet, daß er ziemlich lange da gehangen haben kann, bevor er starb. Die Todesursache kann als Ertrinken beschrieben werden.«

»Was heißt das?« fragte Wallander verwundert. »Er hing doch in einem Graben. Da konnte er doch nicht ertrinken.«

»Der Arzt, mit dem ich gesprochen habe, hatte eine Menge unschöner Details auf Lager«, sagte Martinsson. »Er meinte, die Lungen wären so voll gewesen mit Blut, daß Holger Eriksson zu einem bestimmten Zeitpunkt nicht mehr atmen konnte. Ungefähr so, als wäre er ertrunken.«

»Wir müssen wissen, wann er starb«, sagte Wallander. »Ruf sie noch einmal an. Irgendwas werden sie doch wohl sagen können.«

»Ich sehe zu, daß du die Papiere kriegst, sobald sie kommen.«

»Das glaube ich erst, wenn ich sie habe. So viel, wie hier verlegt wird.«

Es war nicht seine Absicht gewesen, Martinsson zu kritisieren. Erst draußen auf dem Flur sah Wallander ein, daß seine Worte mißverstanden werden konnten. Aber jetzt war es zu spät, noch etwas daran zu ändern. Er ging zur Anmeldung und holte Sven Tyrén, der auf einem Plastiksofa saß und auf den Fußboden starrte. Er war unrasiert und hatte blutunterlaufene Augen. Der Geruch von Öl und Benzin war sehr stark. Sie gingen in Wallanders Zimmer.

»Warum haben Sie den Mörder von Holger noch nicht gefaßt?« fragte Sven Tyrén.

Tyréns Art irritierte Wallander sofort. »Wenn Sie mir hier und jetzt erzählen, wer es ist, dann fahre ich persönlich raus und hole ihn«, sagte er.

»Ich bin ja kein Polizist.«

»Das brauchen Sie mir nicht zu erzählen. Wenn Sie Polizist wären, hätten Sie keine so dumme Frage gestellt.«

Wallander hob abwehrend die Hand, als Tyrén den Mund öffnete, um zu protestieren.

»Jetzt stelle ich hier die Fragen«, sagte er.

»Stehe ich unter irgendeinem Verdacht?«

»Nein. Aber ich stelle die Fragen. Und Sie sollen antworten auf das, was ich frage. Sonst nichts.«

Sven Tyrén zuckte die Achseln. Wallander hatte plötzlich das Gefühl, daß Tyrén mißtrauisch und auf der Hut war. Alle polizeilichen Instinkte Wallanders waren auf einmal hellwach. Seine erste Frage war die einzige, die er vorbereitet hatte.

»Harald Berggren, sagt Ihnen der Name was?«

Sven Tyrén betrachtete ihn. »Ich kenne niemand, der Harald Berggren heißt. Sollte ich das?«

»Sind Sie sicher?«

»Ja.«

»Denken Sie nach!«

»Ich brauch nicht nachzudenken. Wenn ich sicher bin, bin ich sicher.«

Wallander schob ihm das Foto hin und zeigte darauf. Sven Tyrén beugte sich vor.

»Kennen Sie einen von den Männern auf diesem Bild? Sehen Sie genau hin. Lassen Sie sich Zeit.«

Sven Tyrén nahm das Foto in seine ölverschmierten Finger. Er betrachtete es lange. Wallander hatte vage zu hoffen begonnen, als Tyrén es wieder hinlegte.

»Ich hab noch nie einen von ihnen gesehen.«

»Sie haben lange geguckt. Dachten Sie, doch einen von ihnen zu kennen?«

»Ich dachte, Sie hätten gesagt, ich soll mir Zeit lassen. Wer sind die Männer? Wo ist das aufgenommen?«

»Sind Sie sicher?«

»Ich hab noch nie einen von ihnen gesehen.«

Wallander spürte, daß Tyrén die Wahrheit sagte.

»Das sind drei Söldner«, sagte er. »Es ist vor gut dreißig Jahren in Afrika aufgenommen worden.«

»Fremdenlegion?«

»Nicht direkt. Aber so ähnlich. Soldaten, die für die Seite kämpfen, die am besten bezahlt.«

»Man muß ja leben.«

Wallander sah ihn fragend an. Aber er unterließ es, sich zu erkundigen, was Tyrén damit eigentlich meinte.

»Haben Sie davon reden hören, daß Holger Eriksson eventuell Kontakt zu Söldnern hatte?«

»Holger Eriksson hat Autos verkauft. Ich dachte, das hätten Sie kapiert.«

»Holger Eriksson hat außerdem Gedichte geschrieben und Vögel beobachtet«, sagte Wallander und verbarg nicht seine Irritation. »Haben Sie Holger Eriksson von Söldnern sprechen hören oder nicht? Oder von Kriegen in Afrika?«

Sven Tyrén starrte ihn an. »Warum müssen Polizisten so unangenehm sein?« fragte er.

»Weil wir nicht immer mit angenehmen Dingen zu tun haben«, erwiderte Wallander. »Ich bitte noch einmal darum, daß Sie nur auf meine Fragen antworten. Nichts anderes. Keine persönlichen Kommentare, die nicht zur Sache gehören.«

»Und was, wenn ich das nicht tue?«

Wallander wurde klar, daß er im Begriff war, sich eines Dienstvergehens schuldig zu machen. Aber es war ihm egal. Der Mann auf der anderen Seite seines Schreibtischs hatte etwas an sich, was ihm ausgesprochen zuwider war.

»Dann lade ich Sie in der nächsten Zeit jeden Tag vor. Und ich werde beim Staatsanwalt einen Durchsuchungsbefehl für Ihr Haus beantragen.«

»Und was wollen Sie da finden?«

»Das gehört nicht hierher. Aber ist Ihnen klar, was Sache ist?« Wallander sah ein, daß er ein riskantes Spiel spielte. Sven Tyrén konnte ihn durchschauen. Aber offenbar zog er es vor, zu tun, was Wallander verlangte.

»Holger war ein friedlicher Mensch. Auch wenn er hart sein konnte, wenn es um Geschäfte ging. Aber über Söldner hat er nie gesprochen. Auch wenn er das sicher hätte tun können.«

»Was meinen Sie damit? Daß er es sicher hätte tun können?«

»Söldner kämpfen doch gegen Revolutionäre und Kommunisten? Und Holger war konservativ, kann man sagen. Gelinde gesagt.«

»Inwiefern konservativ?«

»Er fand, daß die ganze Entwicklung der Gesellschaft beschissen war. Er fand, daß man die Prügelstrafe wieder einführen und Mörder aufhängen sollte. Wenn es nach ihm gegangen wäre, dann kriegte der, der ihn umgebracht hat, einen Strick um den Hals.«

»Und darüber hat er mit Ihnen gesprochen?«

»Darüber hat er mit allen gesprochen. Er stand zu seinen Ansichten.«

»Hatte er Kontakt mit irgendeiner konservativen Organisation?«

»Wie soll ich das wissen?«

»Wenn Sie das eine wissen, wissen Sie vielleicht auch das andere. Antworten Sie auf meine Frage.«

»Ich weiß es nicht.«

»Keine Neonazis?«

»Weiß nicht.«

»War er selbst Nazi?«

»Ich weiß nichts über die. Er fand, daß die Gesellschaft dabei war, vor die Hunde zu gehen. Für ihn gab es keinen Unterschied zwischen Sozis und Kommunisten. Die Folkparti war so ungefähr das Radikalste, was er akzeptieren konnte.«

Wallander dachte einen Augenblick nach über das, was Tyrén gesagt hatte. Es vertiefte und veränderte das Bild, das er sich bisher von Holger Eriksson gemacht hatte. Er war offensichtlich ein ungewöhnlich komplexer und widersprüchlicher Mensch. Dichter und ultrakonservativ, Vogelbeobachter und Befürworter der Todesstrafe. Wallander erinnerte sich an das Gedicht auf dem Schreibtisch, in dem Holger Eriksson um einen Vogel trauerte, der im Begriff war, aus dem Land zu verschwinden. Aber Schwerverbrecher sollte man hängen.

»Hat er je mit Ihnen darüber gesprochen, daß er Feinde hatte?«

»Das haben Sie schon mal gefragt.«

»Ich weiß. Aber ich frage noch einmal.«

»Er hat das nie offen gesagt. Aber nachts hat er seine Türen ordentlich verrammelt.«

»Warum das?«

»Weil er Feinde hatte.«

»Aber Sie wissen nicht, welche?«

»Nein.«

»Sagte er, warum er Feinde hatte?«

»Er hat nie gesagt, daß er Feinde hatte. Das sage ich. Wie oft soll ich das noch wiederholen?«

Wallander hob warnend die Hand. »Wenn es mir paßt, kann ich die nächsten fünf Jahre jeden Tag die gleiche Frage stellen. Keine Feinde? Aber nachts schloß er sich ein?«

»Ja.«

»Woher wissen Sie das?«

»Er hat es gesagt. Wieso sollte ich es sonst wissen, verflucht? Ich bin nicht hingefahren und habe nachts an seinen Türen gerüttelt! In Schweden kann man heutzutage niemandem trauen. So hat er gesagt.«

Wallander beschloß, das Gespräch mit Sven Tyrén fürs erste zu beenden. Es würde sich schon noch eine weitere Gelegenheit ergeben. Er hatte auch das bestimmte Gefühl, daß Tyrén mehr wußte, als er aussprach. Doch Wallander mußte behutsam vorgehen. Wenn er Tyrén in eine Ecke drängte, würde es schwer sein, ihn wieder hervorzulocken.

»Ich glaube, wir lassen es bis auf weiteres dabei bewenden«, sagte Wallander.

»Bis auf weiteres? Soll das heißen, daß ich noch mal kommen muß? Und wann soll ich meine Arbeit machen?«

»Wir melden uns. Danke, daß Sie gekommen sind«, sagte Wallander und stand auf. Er streckte ihm die Hand hin.

Die Freundlichkeit verblüffte Tyrén. Er hatte einen kräftigen Händedruck.

»Ich glaube, Sie finden allein raus«, sagte Wallander.

Als Tyrén gegangen war, rief er Hansson an. Er hatte Glück und bekam ihn sofort zu fassen. »Sven Tyrén«, sagte er. »Der den Tanklaster fährt. Von dem du angenommen hast, er wäre in irgendwelche Körperverletzungsgeschichten verwickelt. Erinnerst du dich?«

»Ja.«

»Sieh mal nach, was du über ihn finden kannst.«

»Ist es eilig?«

»Nicht mehr als anderes. Aber auch nicht weniger.«

Hansson versprach, sich der Sache anzunehmen.

Es war zehn geworden. Wallander holte Kaffee. Dann schrieb er ein Erinnerungsprotokoll über sein Gespräch mit Sven Tyrén.

Wenn sich die Gruppe wieder traf, würden sie über das, was bei dem Gespräch herausgekommen war, gründlich diskutieren. Wallander war überzeugt, daß es wichtig war.

Als er fertig war mit seiner Zusammenfassung und den Schreibblock zuklappte, entdeckte er das Papier mit den Bleistiftnotizen; er hatte nun schon mehrmals vergessen, Svedberg das Blatt zurückzugeben. Jetzt wollte er es tun, bevor er etwas anderes anfing. Er nahm das Papier und verließ das Zimmer. Draußen auf dem Flur hörte er, wie sein Telefon klingelte. Er zögerte einen Moment. Dann ging er zurück und nahm den Hörer ab.

Es war Gertrud. Sie weinte. »Du mußt kommen«, schluchzte sie.

Wallander wurde ganz kalt. »Was ist passiert?« fragte er.

»Dein Vater ist tot. Er liegt draußen zwischen seinen Bildern.«

Es war Viertel nach zehn, Montag, der 3. Oktober 1994.

12

Kurt Wallanders Vater wurde am 11. Oktober auf dem Nya Kyrkogården in Ystad begraben. Es war ein Tag mit stürmischem Wind und kräftigen Regenschauern, die dann und wann von sonnigen Abschnitten unterbrochen wurden. Auch jetzt, eine Woche nachdem Wallander am Telefon die Nachricht vom Tod seines Vaters erhalten hatte, fiel es ihm noch schwer zu verstehen, was geschehen war. Schon von dem Augenblick an, als er den Hörer auflegte, war die Weigerung, das Gehörte zu akzeptieren, dagewesen. Er konnte einfach nicht glauben, daß sein Vater sterben könnte. Nicht jetzt, so kurz nach der Reise nach Rom. Nicht jetzt, wo sie die Gemeinsamkeit wiedergefunden hatten, die ihnen vor so vielen Jahren verlorengegangen war. Wallander hatte das Polizeigebäude verlassen, ohne mit jemandem zu sprechen. Er war überzeugt, daß Gertrud sich irrte. Aber als er nach Löderup kam und ins Atelier rannte, wo es wie immer nach Terpentin roch, sah er sofort, daß Gertrud recht hatte. Sein Vater war nach vorn über ein Bild gefallen, an dem er gerade gemalt hatte. Im Todesaugenblick hatte er die Augen geschlossen und krampfhaft den Pinsel umklammert, mit dem er kleine weiße Tupfer in den Auerhahn malte. Wallander sah, daß er dabeigewesen war, das Bild abzuschließen, mit dem er am Tag zuvor, als sie den langen Spaziergang am Strand von Sandhammaren gemacht hatten, beschäftigt war. Der Tod war plötzlich gekommen. Gertrud konnte später, als sie sich so weit beruhigt hatte, daß sie wieder zusammenhängend sprach, erklären, daß er wie gewöhnlich gefrühstückt hatte. Alles war wie immer gewesen. Gegen halb sieben war er in sein Atelier gegangen. Als er um zehn nicht in die Küche kam, um wie jeden Tag Kaffee zu trinken, wollte sie ihn daran erinnern. Da war er bereits tot. Wallander hatte gedacht, daß der Tod immer stört, wenn er kommt. Der Tod kommt ungelegen, sei es, daß eine Tasse

Kaffee nicht getrunken wird, sei es, daß etwas anderes unterbrochen wird.

Sie hatten auf den Krankenwagen gewartet. Sie hatte seinen Arm umklammert. Wallander war innerlich vollkommen leer. Er empfand keine Trauer. Er empfand überhaupt nichts, außer einer unklaren Vorstellung, daß es ungerecht war. Seinen toten Vater konnte er kaum bedauern. Aber er konnte um seiner selbst willen trauern, die einzige Trauer, die möglich ist. Dann kam der Krankenwagen. Wallander kannte den Fahrer. Er hieß Prytz und hatte sofort verstanden, daß sie Wallanders Vater holen sollten.

»Er war nicht krank«, sagte Wallander. »Gestern sind wir noch am Strand spazierengegangen. Da klagte er über Unwohlsein. Sonst nichts.«

»Es war bestimmt ein Schlaganfall«, antwortete Prytz verständnisvoll. »Es sieht danach aus.«

Das war es auch, was die Ärzte Wallander später sagten. Alles war sehr schnell gegangen. Seinem Vater war wohl kaum bewußt geworden, daß er starb. Ein Blutgefäß in seinem Gehirn war geplatzt, und er war tot, bevor sein Kopf auf das noch nicht fertiggemalte Bild aufschlug. Gertruds Trauer und der Schock waren gemischt mit Erleichterung darüber, daß es so schnell gegangen war. Daß es ihm jetzt erspart blieb, in einem verwirrten Niemandsland dahinzudämmern.

Wallander hatte ganz andere Gedanken. Sein Vater war allein gewesen, als er starb. Niemand sollte allein sein müssen, wenn die letzte Stunde schlug. Er verspürte ein schlechtes Gewissen, weil er nicht darauf reagiert hatte, daß dem Vater unwohl war. So etwas konnte einen Herzinfarkt oder einen Schlaganfall ankündigen. Aber das schlimmste war trotzdem, daß es zum falschen Zeitpunkt geschehen war. Obwohl er achtzig Jahre alt war, war es zu früh. Es hätte später kommen sollen. Nicht jetzt. Nicht so. Als Wallander da im Atelier stand, hatte er versucht, seinen Vater zu schütteln. Aber es war umsonst. Der Auerhahn würde unvollendet bleiben.

Doch inmitten des Chaos, des inneren wie des äußeren, hatte Wallander seine Fähigkeit, ruhig und rational zu handeln, beibehalten. Gertrud war im Krankenwagen mitgefahren. Wallander war ins Atelier zurückgegangen, hatte dort in dem Schweigen und im Terpentingeruch gestanden und geweint beim Gedanken daran, daß der Vater den Auerhahn nicht unvollendet hätte lassen wollen. Als eine Geste des Einverständnisses über die unsichtbare Grenze von Leben und Tod nahm Wallander den Pinsel und füllte die beiden weißen Punkte aus, die im Federkleid des Auerhahns noch fehlten. Es war das erstemal in seinem Leben, daß er mit einem Pinsel ein Bild seines Vaters anrührte. Dann reinigte er den Pinsel und stellte ihn zu den anderen in ein altes Einmachglas. Er verstand nicht, was geschehen war, er wußte nicht, was es für ihn bedeuten würde. Er wußte nicht einmal, wie er trauern sollte.

Er ging ins Haus und rief Ebba an. Sie war betroffen und unglücklich, und Wallander hatte Schwierigkeiten, etwas zu sagen. Schließlich bat er sie nur, den anderen mitzuteilen, was geschehen war. Sie sollten ganz normal ohne ihn weitermachen. Es reichte, wenn er informiert wurde, falls sich etwas Entscheidendes in der Ermittlung ergäbe. Er würde heute nicht mehr zur Arbeit zurückkommen. Wie es morgen würde, konnte er nicht sagen. Dann rief er seine Schwester Kristina an und teilte ihr die Todesnachricht mit. Sie sprachen lange miteinander. Es kam Wallander so vor, als habe sie sich auf eine ganz andere Weise als er darauf vorbereitet, daß der Vater plötzlich sterben könnte. Sie würde ihm helfen, Linda ausfindig zu machen, da er die Telefonnummer des Restaurants, in dem sie arbeitete, nicht kannte. Danach rief er Mona an. Sie arbeitete in einem Damenfrisiersalon in Malmö, dessen Namen er nicht genau wußte. Aber eine freundliche Frau bei der Auskunft konnte ihm weiterhelfen, als er sagte, worum es sich handelte. Er hörte, daß Mona erstaunt war, weil er anrief. Sofort hatte sie befürchtet, daß Linda etwas passiert sei. Als Wallander ihr vom Tod seines Vaters berichtete, spürte er, daß sie zumindest teilweise erleichtert war. Es empörte ihn. Aber er sagte nichts. Er wußte, daß Mona und sein Vater sich immer gut verstanden hatten. Es war nur natürlich, daß sie um Linda besorgt war. Er erinnerte sich an den Morgen, als die Estonia gesunken war.

»Ich kann mir vorstellen, wie es dir geht«, sagte sie. »Diesen Augenblick hast du dein ganzes Leben lang gefürchtet.«

»Wir hatten noch viel zu reden«, antwortete er. »Jetzt, wo wir endlich zueinander zurückgefunden hatten. Und jetzt ist es zu spät.«

»Es ist immer zu spät«, sagte sie.

Sie versprach, zur Beerdigung zu kommen und ihm zu helfen, wenn er Hilfe brauchte. Als das Gespräch beendet war, fühlte er eine entsetzliche Leere in sich. Er wählte Baibas Nummer in Riga. Aber sie nahm nicht ab. Er rief immer wieder an. Aber sie war nicht da.

Schließlich ging er zurück ins Atelier. Er setzte sich auf den alten Tretschlitten, auf dem er zu sitzen pflegte, immer mit einer Tasse Kaffee in der Hand. Es trommelte leicht aufs Dach. Es hatte wieder zu regnen angefangen. Wallander spürte, daß seine eigene Todesfurcht zum Greifen nahe war. Das Atelier war schon in ein Grabgewölbe verwandelt. Hastig stand er auf und ging hinaus. Zurück in die Küche. Das Telefon läutete. Es war Linda. Sie weinte. Wallander begann auch zu weinen. Sie wollte so schnell wie möglich kommen. Wallander fragte, ob er bei ihrem Arbeitgeber anrufen und mit ihm sprechen solle. Aber Linda hatte bereits alles geregelt. Sie würde nach Arlanda hinausfahren und versuchen, noch am Nachmittag eine Maschine zu bekommen. Er versprach, sie abzuholen, aber sie sagte ihm, er solle bei Gertrud bleiben. Sie würde selbst nach Ystad und Löderup kommen.

Am Abend waren sie im Haus in Löderup versammelt, Gertrud war sehr ruhig. Gemeinsam sprachen sie über die Beerdigung. Wallander zweifelte, ob sein Vater eigentlich einen Pastor am Grab haben wollte. Aber Gertrud bestimmte. Sie war seine Witwe.

»Er hat nie vom Tod gesprochen«, sagte sie. »Ob er ihn gefürchtet hat oder nicht, kann ich nicht sagen. Er hat auch nichts darüber gesagt, wo er begraben werden wollte. Aber einen Pastor will ich haben.«

Sie kamen überein, daß es der Nya Kyrkogården in Ystad sein sollte. Ein einfaches Begräbnis. Der Vater hatte nicht viele Freunde gehabt. Linda sagte, sie wolle ein Gedicht lesen, Wallander versprach, keine Rede zu halten, und sie einigten sich auf das gemeinsame Lied ›Herrlich ist die Erde‹.

Am Tag danach kam Kristina. Sie wohnte draußen bei Gertrud,

während Linda bei Wallander in Ystad war. In dieser Woche führte der Tod sie zusammen. Kristina sagte, daß jetzt, wo der Vater fortgegangen sei, sie als nächste an der Reihe wären. Wallander spürte, wie seine Furcht vor dem Tod zunahm. Aber er sprach nicht darüber, mit keinem; nicht mit Linda, nicht mit seiner Schwester. Vielleicht könnte er es einmal mit Baiba tun. Sie hatte starke Gefühle gezeigt, als er sie schließlich erreichte und ihr erzählte, was geschehen war. Sie hatten fast eine Stunde lang miteinander geredet. Sie sprach von ihren Gefühlen, als ihr Vater vor zehn Jahren gestorben war, und auch davon, was sie gefühlt hatte, als ihr Mann Karlis ermordet wurde. Hinterher war Wallander erleichtert. Sie war da, und sie würde nicht verschwinden.

Am Tag, als die Todesanzeige in *Ystads Allehanda* stand, rief Sten Widén von seiner Pferdefarm bei Skurup an. Es war ein paar Jahre her, seit Wallander mit ihm gesprochen hatte. Früher waren sie enge Freunde gewesen. Sie hatten ein Interesse für die Oper geteilt und großartige gemeinsame Zukunftsträume genährt. Sten Widén hatte eine schöne Stimme, und Wallander sollte sein Impresario werden. Aber alles wurde an dem Tag anders, als Sten Widéns Vater plötzlich starb und Sten gezwungen war, den Hof zu übernehmen, auf dem sie Rennpferde trainierten. Wallander war Polizeibeamter geworden, und ihr Umgang schlief nach und nach ein. Aber Sten Widén rief an und kondolierte. Nach dem Gespräch fragte sich Wallander, ob Sten seinen Vater jemals getroffen hatte. Aber er fühlte Dankbarkeit, daß er angerufen hatte. Es gab also doch noch jemanden außerhalb des engsten Familienkreises, der ihn nicht vergessen hatte.

Bei all dem zwang sich Wallander, seinen Beruf nicht zu vernachlässigen. Schon am Tag nach dem Todesfall, am Dienstag, dem 4. Oktober, kehrte er an seinen Arbeitsplatz zurück. Er hatte eine schlaflose Nacht in der Wohnung verbracht. Linda hatte in ihrem alten Zimmer geschlafen. Außerdem war Mona zu Besuch gekommen und hatte ein Abendessen mitgebracht, damit sie, wie sie sagte, für eine Weile an etwas anderes dachten. Wallander stellte dabei zum erstenmal nach ihrer aufreibenden Ehescheidung vor fünf Jahren fest, daß ihre Ehe jetzt auch für seinen Teil endgültig vorbei war. Allzu lange hatte er an Mona appelliert, zurückzukommen, und unrealistische Träume geträumt, daß alles wieder so werden könnte wie früher. Aber es gab keinen Weg zurück. Und jetzt stand ihm Baiba nahe. Ein Gutes hatte der Tod des Vaters mit sich gebracht: Wallander zweifelte nicht mehr daran, daß das Leben, das er mit Mona geführt hatte, vorbei war.

Daß er in dieser Woche bis zur Beerdigung so schlecht schlief, war vielleicht nicht so verwunderlich. Aber seine Kollegen hatten den Eindruck, daß er genauso war wie immer. Sie hatten ihm ihr Beileid ausgesprochen, und er hatte gedankt. Danach war er sofort zur laufenden Ermittlung übergegangen. Lisa Holgersson hatte ihn im Flur auf die Seite genommen und ihm vorgeschlagen, ein paar Tage frei zu nehmen. Aber er hatte ihr Angebot abgelehnt. In den Stunden des Tages, in denen er arbeitete, fühlte er, daß die Trauer um den Vater erträglicher wurde.

Die Ermittlung schleppte sich in der Woche bis zur Beerdigung sehr langsam dahin. Möglicherweise lag es daran, daß Wallander die Arbeit nicht wie gewohnt vorantrieb. Der zweite Fall, auf den sie sich konzentrierten und der immer wieder den Mord an Holger Eriksson überschattete, war der verschwundene Gösta Runfelt. Keiner verstand, was geschehen war. Er schien sich in Luft aufgelöst zu haben. Keiner der Beamten glaubte noch daran, daß es für sein Verschwinden eine natürliche Erklärung gab. Es war ihnen andererseits nicht gelungen, etwas zu finden, was auf einen Zusammenhang zwischen Holger Eriksson und Gösta Runfelt hinwies. Das einzige, was in bezug auf Gösta Runfelt vollkommen klar zu sein schien, war, daß das Interesse für Orchideen seinen Lebensinhalt darstellte.

»Wir sollten einmal untersuchen, was eigentlich passiert ist, als seine Frau ertrunken ist«, sagte Wallander auf einer der Besprechungen, an denen er in der Woche, in der die Beerdigung stattfand, teilnahm. Ann-Britt Höglund versprach, sich der Sache anzunehmen.

»Der Postversand in Borås?« fragte Wallander anschließend. »Was ist damit? Was sagen die Kollegen?«

»Sie sind der Sache nachgegangen«, antwortete Svedberg. »Es war offenbar nicht das erstemal, daß diese Firma durch illegale

Einfuhr von Abhörausrüstungen aufgefallen ist. Der Polizei in Borås zufolge ist die Firma aufgetaucht und wieder verschwunden, um dann unter neuem Namen und neuer Adresse wieder auf der Bildfläche zu erscheinen. Manchmal auch mit einem neuen Besitzer. Wenn ich die Sache richtig verstanden habe, haben die Kollegen dort schon zugeschlagen. Aber wir warten auf einen schriftlichen Bericht.«

»Für uns ist die wichtigste Frage, ob Gösta Runfelt schon früher bei ihnen eingekauft hat. Um alles andere brauchen wir uns im Augenblick nicht zu kümmern.«

»Ihre Kundenkartei scheint sehr unvollständig gewesen zu sein. Aber die Kollegen in Borås haben in den Geschäftsräumen der Firma offenbar verbotene und hochmoderne Ausrüstungen gefunden. Ihrer Meinung nach hätte Runfelt durchaus Spion sein können.«

Wallander dachte einen Augenblick nach. »Warum nicht?« sagte er dann. »Wir können nichts ausschließen. Er muß ja einen Grund gehabt haben, die Ausrüstung zu kaufen.«

Sie nahmen also Gösta Runfelts Verschwinden überaus ernst.

Davon abgesehen konzentrierten sie sich auf die Jagd nach dem oder denen, die Holger Eriksson ermordet hatten. Sie suchten nach Harald Berggren, ohne die geringste Spur von ihm zu finden. Das Museum in Stockholm hatte ihnen mitgeteilt, daß der geschrumpfte Kopf, den sie mit dem Tagebuch in Holger Erikssons Safe gefunden hatten, mit großer Wahrscheinlichkeit aus dem Kongo oder aus Zaire stammte und daß es ein Menschenkopf war. Soweit stimmte es. Aber wer war dieser Harald Berggren? Sie hatten schon mit vielen Menschen gesprochen, die Holger Eriksson während verschiedener Perioden seines Lebens gekannt hatten, aber keiner von ihnen hatte jemals etwas von Harald Berggren gehört. Es hatte auch niemand davon reden hören, daß Holger Eriksson Kontakt zu jener Unterwelt hatte, in der sich Söldner wie scheue Ratten bewegten und ihre Verträge mit den verschiedenen Boten des Teufels unterschrieben. Schließlich war es Wallander, der die Ermittlung mit einem neuen Gedanken wieder in Bewegung brachte.

»Vieles ist merkwürdig im Umkreis von Holger Eriksson«,

hatte er gesagt. »Nicht zuletzt die Tatsache, daß in seiner Nähe keine einzige Frau in Erscheinung tritt. Nirgendwo und nirgendwann. Deshalb fange ich an, mich zu fragen, ob zwischen Holger Eriksson und diesem Harald Berggren eine homosexuelle Beziehung im Spiel war. In Berggrens Tagebuch kommen auch keine Frauen vor.«

Es wurde still im Raum. Keiner schien an die Möglichkeit, die Wallander ansprach, gedacht zu haben.

»Es kommt mir ein bißchen sonderbar vor, daß homosexuelle Männer eine so männliche Betätigung wie das Soldatsein wählen«, sagte Ann-Britt Höglund.

»Ganz und gar nicht«, erwiderte Wallander. »Es ist nichts Ungewöhnliches, daß homosexuelle Männer Soldaten werden. Um ihre Veranlagung zu verbergen, oder aus anderen Gründen.«

Martinsson studierte das Foto der drei Männer vor dem Termitenhügel. »Man könnte das Gefühl haben, daß du recht hast«, sagte er. »Diese Männer haben irgendwie etwas Feminines an sich.«

»Was denn?« fragte Ann-Britt Höglund neugierig.

»Ich weiß nicht«, sagte Martinsson. »Vielleicht die Art, wie sie sich an den Termitenhügel lehnen. Das Haar.«

»Es bringt nichts, wenn wir hier sitzen und raten«, sagte Wallander. »Ich versuche nur, eine weitere Möglichkeit anzudeuten. Wir sollten sie im Hinterkopf haben, wie alles andere.«

»Wir suchen mit anderen Worten nach einem homosexuellen Söldner«, sagte Martinsson. »Wo findet man so einen?«

»Genau das tun wir nicht«, sagte Wallander. »Aber wir müssen die Möglichkeit neben dem übrigen Material im Auge behalten.«

»Keiner, mit dem ich gesprochen habe, hat auch nur angedeutet, daß Holger Eriksson homosexuell gewesen sein könnte«, sagte Hansson, der bisher geschwiegen hatte.

»Darüber spricht man doch nicht offen«, sagte Wallander. »Auf jeden Fall nicht Männer einer älteren Generation. Wenn Holger Eriksson homosexuell war, dann war er das in Zeiten, in denen man hierzulande Menschen mit dieser Veranlagung erpreßte.«

»Du meinst also, daß wir die Leute fragen sollen, ob Holger Eriksson homosexuell gewesen sein kann?« fragte Svedberg, der ebenfalls bisher geschwiegen hatte.

»Wie ihr vorgehen wollt, müßt ihr selbst entscheiden«, sagte Wallander. »Ich weiß ja nicht einmal, ob es stimmt. Aber wir können die Möglichkeit nicht außer acht lassen.«

Später sollte Wallander sich sehr deutlich daran erinnern, daß dies der Augenblick war, in dem die Ermittlung in ein neues Stadium eintrat. Als wäre allen plötzlich klargeworden, daß bei dem Mord an Holger Eriksson nichts einfach und leicht zugänglich war. Sie hatten es mit einem oder mehreren verschlagenen Tätern zu tun, und sie konnten jetzt davon ausgehen, daß das Motiv für den Mord irgendwo in der Vergangenheit verborgen lag. Einer Vergangenheit, die gegen Einsicht gut geschützt war. Sie betrieben weiter ihre mühsame Grundlagenarbeit. Sie erfaßten alles, was ihnen über Holger Erikssons Leben zugänglich war. Svedberg blieb sogar mehrere Tage bis spät in die Nacht auf und las genau und langsam die neun Gedichtsammlungen durch, die Eriksson herausgegeben hatte. Am Schluß glaubte Svedberg fast den Verstand zu verlieren über all den seelischen Konflikten, die offenbar in der Welt der Vögel existierten. Aber mehr über Holger Eriksson gelernt zu haben, meinte er nicht. Martinsson nahm seine Tochter Terese an einem windigen Nachmittag mit nach Falsterbonäset und sprach mit verschiedenen Vogelbeobachtern, die mit den Köpfen im Nacken dastanden und zu den grauen Wolken hinaufstarrten. Das einzige Ergebnis des Besuches, abgesehen vom Zusammensein mit seiner Tochter, die Interesse gezeigt hatte, Mitglied bei den Feldbiologen zu werden, war, daß er nun wußte, daß in der Nacht, in der Holger Eriksson ermordet wurde, große Schwärme von Rotdrosseln Schweden verlassen hatten.

Martinsson konferierte später mit Svedberg, der behauptete, in keinem der neun Bände gebe es ein Gedicht über Rotdrosseln.

»Dagegen habe ich drei lange Gedichte über Doppelschnepfen gelesen«, sagte Svedberg zögernd. »Gibt es eigentlich Dreifachschnepfen?«

Martinsson wußte es nicht. Und die Ermittlung ging weiter.

Endlich kam der Tag der Beerdigung. Sie wollten sich am Krematorium treffen. Vor ein paar Tagen hatte Wallander zu seiner Verwunderung erfahren, daß eine Pastorin den Trauergottesdienst halten sollte. Außerdem war es nicht irgendeine Pastorin.

Er war ihr bei mindestens einer denkwürdigen Gelegenheit während des vergangenen Sommers begegnet. Nachher freute er sich, daß sie es war. Ihre Ansprache war einfach, und sie verfiel keinen Augenblick in Pathos. Sie hatte ihn am Vortag angerufen und gefragt, ob sein Vater religiös gewesen sei. Wallander hatte das verneint. Aber er hatte ihr von seiner Malerei erzählt. Und von ihrer Reise nach Rom. Das Begräbnis wurde weniger quälend, als Wallander befürchtet hatte. Der Sarg war aus braunem Holz und hatte eine schlichte Rosen-Dekoration. Linda zeigte ihre Gefühle am offensten. Niemand bezweifelte, daß ihre Trauer echt war. Vielleicht würde sie den Toten am meisten vermissen.

Nach der Trauerfeier fuhren sie nach Löderup hinaus. Jetzt, nach dem Begräbnis, fühlte Wallander Erleichterung. Wie er später reagieren würde, wußte er nicht. Es war immer noch, als verstehe er nicht, was geschehen war. Er dachte, daß er zu einer Generation gehörte, die außerordentlich schlecht darauf vorbereitet war, daß der Tod stets in der Nähe war. Was ihn betraf, so verstärkte sich dieses Gefühl durch das Eigentümliche der Tatsache, daß er sich in seiner Tätigkeit als Polizeibeamter so häufig mit toten Menschen befaßte. Aber nun hatte sich gezeigt, daß er selbst ebenso schutzlos war wie jeder andere. Er dachte an das Gespräch mit Lisa Holgersson vor einer Woche.

Am Abend saßen Linda und er noch lange auf und sprachen miteinander. Sie wollte früh am nächsten Morgen wieder nach Stockholm fahren. Wallander erkundigte sich vorsichtig, ob sie ihn nun seltener besuchen werde, da ihr Großvater nicht mehr da war. Aber sie versprach, im Gegenteil öfter zu kommen. Und Wallander versprach seinerseits, Gertrud nicht zu vergessen.

Als er an diesem Abend ins Bett ging, spürte er das Bedürfnis, sich jetzt unmittelbar wieder seiner Arbeit zuzuwenden. Mit aller Kraft. Erst wenn er Abstand gewonnen hätte zum plötzlichen Tod des Vaters, würde er vielleicht verstehen, was dies für ihn bedeutete. Um diesen Abstand zu gewinnen, mußte er arbeiten. Eine andere Möglichkeit sah er nicht.

Ich habe nie erfahren, warum er nicht wollte, daß ich Polizeibeamter werde, dachte er, bevor er einschlief. Und jetzt ist es zu spät. Jetzt werde ich es nie mehr erfahren.

Wenn es eine Welt der Geister gibt, was ich an und für sich bezweifle, könnten mein Vater und Rydberg dort miteinander umgehen. Auch wenn sie sich zu Lebzeiten sehr selten getroffen haben, hätten sie jetzt sicher viel gemeinsamen Gesprächsstoff.

Sie hatte für Gösta Runfelts letzte Stunden einen detaillierten Zeitplan ausgearbeitet. Sie wußte, daß er jetzt, geschwächt wie er war, keinen Widerstand mehr leisten konnte. Sie hatte diesen Widerstand gebrochen, während sie gleichzeitig innerlich sich selbst zerbrochen hatte. *Der Wurm in der Blume kündet von der Blume Tod*, dachte sie, während sie die Tür zum Haus in Vollsjö aufschloß. Sie hatte in ihrem Zeitplan notiert, daß sie um vier Uhr am Nachmittag ankommen würde. Jetzt war sie drei Minuten vor ihrem Zeitplan. Sie würde warten, bis es dunkel geworden wäre. Dann würde sie ihn aus dem Backofen ziehen. Sicherheitshalber wollte sie ihm Handschellen anlegen. Und ihn knebeln. Aber nicht seine Augen verbinden. Auch wenn er Schwierigkeiten haben würde, nach so vielen Tagen in vollkommener Dunkelheit seine Augen wieder ans Licht zu gewöhnen, würde er nach einigen Stunden wieder sehen können. Denn sie wollte, daß er sie wirklich sah. Und die Fotos, die sie ihm zeigen würde. Die Bilder, die ihn verstehen lassen würden, was mit ihm geschah. Und warum.

Es gab ein paar Einzelheiten, die sie nicht ganz überblickte und die ihre Planung beeinflussen konnten. Unter anderem bestand das Risiko, daß er zu schwach war, um auf den Beinen zu stehen. Deshalb hatte sie vom Hauptbahnhof in Malmö eine kleine, handliche Gepäckkarre mitgenommen. Niemand hatte gesehen, wie sie die Karre in ihren Wagen gelegt hatte. Sie hatte sich noch nicht entschieden, ob sie sie zurückbringen würde. Aber in der Karre konnte sie ihn zum Wagen rollen, wenn es notwendig sein sollte.

Der übrige Zeitplan war sehr einfach. Kurz vor neun würde sie ihn in den Wald hinausfahren. Sie würde ihn an den Baum binden, den sie schon ausgesucht hatte. Und ihm die Fotografien zeigen.

Dann würde sie ihn erwürgen. Ihn dort zurücklassen. Spätestens um Mitternacht würde sie zu Hause in ihrem Bett liegen. Ihr Wecker würde um Viertel nach fünf klingeln. Um Viertel nach sieben begann ihre Arbeit.

Sie liebte ihren Zeitplan. Er war vollkommen. Nichts konnte schiefgehen. Sie setzte sich in einen Stuhl und betrachtete den stummen Ofen, der wie ein Opferfelsen in der Mitte des Raumes thronte. Meine Mutter würde mich verstehen, dachte sie. Was niemand tut, wird nie getan. Böses muß mit Bösem vergolten werden. Wo keine Gerechtigkeit ist, muß sie geschaffen werden.

Sie nahm ihren Zeitplan aus der Tasche. Sah auf die Uhr. In drei Stunden und fünfzehn Minuten würde Gösta Runfelt sterben.

Lars Olsson fühlte sich am Abend des 11. Oktober nicht richtig in Form. Bis zuletzt war er unschlüssig, ob er auf seine Trainingsrunde gehen oder es lieber lassen sollte. Es war nicht nur, weil er sich schlapp fühlte. Auf TV 2 lief gerade an diesem Abend ein Film, den er sehen wollte. Endlich beschloß er, sein Training auf die Zeit nach dem Film zu verschieben, auch wenn es spät wurde. Lars Olsson wohnte in einem Haus in der Nähe von Svarte. Er war auf dem Hof geboren und lebte immer noch bei seinen Eltern, obwohl er schon dreißig war. Er war Mitbesitzer eines Baggers und konnte am besten damit umgehen. In dieser Woche hob er einen Graben für eine Drainage auf einem Hof in Skårby aus.

Doch Lars Olsson war auch ein leidenschaftlicher Orientierungsläufer. Er lebte förmlich dafür, mit Karte und Kompaß durch die schwedischen Wälder zu laufen. Er lief für eine Mannschaft in Malmö, die sich jetzt auf einen großen internationalen Nachtorientierungslauf vorbereitete. Er hatte sich oft gefragt, warum er eigentlich dem Laufen so viel Zeit widmete. Was hatte es für einen Sinn, mit Karte und Kompaß durch die Wälder zu rennen und nach versteckten Schirmen zu suchen? Oft war es kalt und naß, der Körper schmerzte, und er fand seine Leistung nie wirklich zufriedenstellend. War das etwas, um damit sein Leben zu verbringen? Andererseits wußte er, daß er ein guter

Orientierungsläufer war. Er hatte ein Gefühl für das Gelände und war schnell und ausdauernd. Bei verschiedenen Gelegenheiten hatte er seiner Mannschaft durch eine starke Leistung auf der letzten Strecke zum Sieg verholfen. Es fehlte nicht viel zu einer Nominierung für die Nationalmannschaft, und er hatte die Hoffnung noch nicht aufgegeben, eines Tages den Sprung nach oben zu schaffen und das Land bei internationalen Wettkämpfen zu repräsentieren.

Er sah den Film im Fernsehen, aber der war schlechter, als er erwartet hatte. Kurz nach elf machte er sich auf seine Runde. Er lief in einem Waldstück etwas nördlich vom Hof, an der Grenze der großen Ländereien von Marsvinsholm. Er konnte zwischen zwei Runden wählen, einer über acht und einer über fünf Kilometer. Da er müde war und früh am nächsten Morgen mit seinem Bagger los mußte, entschied er sich für die kürzere. Er setzte die Stirnlampe auf und lief los. Es hatte während des Tages geregnet, heftige Schauer, und hin und wieder hatte es sonnige Abschnitte gegeben. Jetzt am Abend waren sechs Grad plus. Der feuchte Boden duftete. Er lief auf dem Pfad im Waldesinnern. Die Baumstämme glitzerten im Schein der Stirnlampe. Tief drinnen im dichtesten Teil des Waldes war eine kleine Anhöhe. Wenn er direkt darüber hinweglief, bedeutete das eine Abkürzung. Er entschloß sich, die Abkürzung zu nehmen. Er wich vom Pfad ab und lief die Anhöhe hinauf.

Plötzlich blieb er stehen. Im Schein seiner Stirnlampe hatte er einen Menschen entdeckt. Zuerst begriff er nicht, was er sah. Dann erkannte er, daß zehn Meter vor ihm ein halbnackter Mann an einen Baum gebunden war. Lars Olsson stand wie angewurzelt. Er atmete schwer und fühlte, wie die Angst ihn überkam. Er blickte hastig um sich. Die Stirnlampe warf ihr Licht über Bäume und Büsche. Aber er war allein. Vorsichtig trat er ein paar Schritte vor. Der Mann hing in dem Seil. Der Oberkörper war nackt.

Lars Olsson brauchte nicht näher heranzugehen. Er sah, daß der Mann tot war. Ohne richtig zu wissen, warum, warf er einen Blick auf seine Uhr. Sie zeigte neunzehn Minuten nach elf.

Dann wandte er sich um und lief nach Hause. So schnell war er noch nie gelaufen. Ohne sich auch nur die Zeit zu nehmen, die Stirnlampe abzulegen, rief er vom Telefon, das in der Küche an der Wand hing, die Polizei in Ystad an.

Der Polizist, der den Anruf entgegennahm, hörte genau zu. Danach zögerte er nicht. Er suchte Kurt Wallanders Namen auf seinem Bildschirm und rief ihn zu Hause an.

Es war inzwischen zehn Minuten vor Mitternacht.

Schonen

12.–17. Oktober 1994

13

Wallander lag schlaflos im Bett und dachte darüber nach, daß sein Vater und Rydberg jetzt auf dem gleichen Friedhof lagen, als das Telefon klingelte. Er griff hastig nach dem Hörer neben seinem Bett, damit Linda nicht vom Klingeln geweckt würde. Mit einem Gefühl wachsender Ohnmacht hörte er dem Bericht des wachhabenden Beamten zu. Die Informationen waren noch spärlich. Die erste Polizeistreife war noch nicht an dem Platz im Wald südlich von Marsvinsholm angelangt. Es bestand natürlich die Möglichkeit, daß der nächtliche Orientierungsläufer sich geirrt hatte. Aber das war wenig wahrscheinlich. Der Beamte hatte ihn als ausgesprochen klar empfunden, obwohl er natürlich erregt war. Wallander versprach, sofort zu kommen. Er zog sich so leise wie möglich an. Aber als er am Küchentisch saß und eine Nachricht an Linda schrieb, erschien sie im Nachthemd.

»Was ist denn passiert?« fragte sie.

»Man hat draußen im Wald einen toten Mann gefunden«, antwortete er. »Und da mußten sie mich anrufen.«

Sie schüttelte den Kopf. »Hast du nie Angst?«

Er blickte sie fragend an. »Warum sollte ich Angst haben?«

»Wegen all denen, die sterben.«

Er ahnte mehr, was sie zu sagen versuchte, als daß er es verstand. »Ich kann nicht«, erwiderte er. »Das ist meine Arbeit. Jemand muß das hier tun.«

Er versprach, rechtzeitig zurück zu sein, um sie am Morgen zum Flugplatz zu fahren. Es war noch nicht eins, als er sich in den Wagen setzte. Und erst auf dem Weg nach Marsvinsholm kam ihm der Gedanke, daß der Tote dort draußen im Wald Gösta Runfelt sein könnte. Er hatte gerade die Stadt hinter sich gelassen, als sein Autotelefon schrillte. Der Anruf kam vom Polizeipräsidium. Die Vor-Ort-Streife hatte den Bericht bekräftigt. Es war wirklich ein toter Mann im Wald.

»Ist er identifiziert?« fragte Wallander.

»Er scheint keine Papiere bei sich zu haben. Er war nicht einmal richtig bekleidet. Es sieht offenbar schlimm aus.«

Wallander spürte, wie sich sein Magen verkrampfte. Aber er sagte nichts mehr.

»Sie warten auf dich an der Kreuzung. Die erste Abfahrt Richtung Marsvinsholm.«

Wallander beendete das Gespräch und gab Gas. Ihm graute vor dem Anblick, der ihn erwartete.

Er sah schon von weitem das Polizeiauto und bremste. Vor dem Wagen stand ein Polizist. Wallander erkannte Peters, kurbelte die Scheibe herunter und sah ihn fragend an.

»Kein schöner Anblick«, sagte Peters.

Wallander ahnte, was das bedeutete. Peters war ein erfahrener Polizist. Er würde solche Worte nicht ohne Grund wählen.

»Ist er identifiziert?«

»Er hat kaum Kleider an. Du wirst es ja sehen.«

»Und der ihn gefunden hat?«

»Der ist da.«

Peters ging zu dem anderen Wagen zurück. Wallander fuhr hinterher. Sie kamen in eine Waldpartie südlich vom Schloß. Der Weg endete vor einer bereits überwachsenen Abholzung.

»Das letzte Stück müssen wir gehen«, sagte Peters.

Wallander holte seine Gummistiefel aus dem Kofferraum. Peters und der junge Polizist, von dem Wallander nur wußte, daß er Bergman hieß, hatten starke Taschenlampen. Sie folgten einem Pfad, der aufwärts zu einer kleinen Anhöhe führte. Es roch stark nach Herbst. Wallander dachte, daß er einen dickeren Pullover hätte anziehen sollen. Wenn er die ganze Nacht im Wald bleiben müßte, würde es kalt werden.

»Wir sind gleich da«, sagte Peters.

Wallander spürte, daß er das sagte, um ihn vorzubereiten auf das, was ihn erwartete.

Trotzdem kam der Anblick plötzlich. Die beiden Taschenlampen leuchteten mit makabrer Präzision einen Mann an, der halbnackt an einen Baum gebunden hing. Die Lichtkegel zitterten. In der Nähe schrie ein Nachtvogel. Wallander stand vollkommen reglos. Dann trat er vorsichtig näher. Peters leuchtete ihm, damit er sah, wohin er trat. Der Kopf des Mannes hing auf den Brustkorb herab. Wallander ging in die Knie, um sein Gesicht zu sehen. Er meinte, es bereits zu wissen. Als er das Gesicht sah, bekam er die Bestätigung. Auch wenn die Fotos, die er in Gösta Runfelts Wohnung gesehen hatte, ein paar Jahre alt waren, bestand kein Zweifel. Gösta Runfelt war nicht nach Nairobi gereist. Jetzt wußten sie wenigstens, was statt dessen geschehen war. Er war gestorben. An einen Baum gebunden.

Wallander erhob sich und trat einen Schritt zurück. In seinem Kopf bestand nicht mehr der geringste Zweifel, daß ein Zusammenhang existierte zwischen Holger Eriksson und Gösta Runfelt. Die Sprache des Mörders war die gleiche. Auch wenn die Wortwahl diesmal ein wenig anders war. Ein Pfahlgrab und ein Baum. Das konnte ganz einfach kein Zufall sein.

Er wandte sich zu Peters um. »Große Besetzung«, sagte er.

Peters nickte. Wallander merkte, daß er sein eigenes Telefon im Auto vergessen hatte. Er bat Bergman, es zu holen und die Taschenlampe aus dem Handschuhfach mitzubringen.

»Wo ist der Mann, der ihn gefunden hat?« fragte er dann.

Peters ließ den Lichtkegel seiner Taschenlampe zur Seite wandern. Auf einem Stein saß ein Mann im Trainingsanzug und stützte das Gesicht in die Hände.

»Er heißt Lars Olsson«, sagte Peters. »Er lebt auf einem Hof in der Nähe.«

»Was tat er hier draußen im Wald, mitten in der Nacht?«

»Er ist offenbar Orientierungsläufer.«

Wallander nickte. Peters gab ihm seine Taschenlampe. Wallander ging zu dem Mann, der sofort zu ihm aufblickte, als der Lichtkegel sein Gesicht traf. Er war sehr bleich. Wallander stellte sich vor und setzte sich auf einen Stein neben ihm. Er spürte die Kälte. Unwillkürlich schauerte er zusammen. »Also Sie haben ihn gefunden«, sagte er.

Lars Olsson erzählte. Von dem schlechten Film im Fernsehen. Von seiner nächtlichen Trainingsrunde. Wie er sich entschieden hatte, eine Abkürzung zu nehmen. Und wie seine Stirnlampe auf einmal den Mann angeleuchtet hatte.

»Sie haben eine sehr genaue Zeitangabe gemacht«, sagte Wallander, der sich an das Telefongespräch mit dem wachhabenden Polizisten erinnerte.

»Ich habe auf die Uhr gesehen«, sagte Lars Olsson. »Das ist so eine Angewohnheit von mir. Vielleicht eine schlechte Angewohnheit. Wenn etwas Wichtiges passiert. Ich guck auf die Uhr. Wenn ich gekonnt hätte, hätte ich wahrscheinlich bei meiner Geburt auf die Uhr gesehen.«

Wallander nickte. »Habe ich richtig verstanden, daß Sie hier fast jeden Abend laufen?« fuhr er fort. »Wenn Sie im Dunkeln trainieren.«

»Ich bin gestern hier gelaufen. Aber früher. Ich bin zwei Runden gelaufen. Zuerst die lange. Dann die kurze. Da hab ich die Abkürzung genommen.«

»Um wieviel Uhr war das?«

»Zwischen halb zehn und zehn.«

»Und da haben Sie nichts entdeckt?«

»Nein.«

»Kann er sich an dem Baum befunden haben, ohne daß Sie ihn gesehen hätten?«

Lars Olsson dachte nach. Dann schüttelte er den Kopf. »Ich komme jedesmal an dem Baum vorbei. Ich hätte ihn gesehen.«

Dann wissen wir das auf jeden Fall, dachte Wallander. Fast drei Wochen lang war Gösta Runfelt irgendwo anders. Und er hat gelebt. Der Mord ist irgendwann in den letzten vierundzwanzig Stunden geschehen.

»Lassen Sie Adresse und Telefonnummer da«, sagte er. »Wir melden uns noch einmal.«

»Wer tut so etwas?« sagte Lars Olsson.

»Das frage ich mich auch«, gab Wallander zurück.

Dann verließ er Lars Olsson. Er reichte Peters die Taschenlampe, als er seine eigene und das Telefon bekam. Während Bergman Lars Olssons Adresse notierte, rief Peters im Polizeipräsidium an. Wallander holte tief Luft und näherte sich dem Mann, der in den Seilen hing. Es erstaunte ihn einen Augenblick, daß er überhaupt nicht an seinen Vater dachte, als er sich nun wieder in der Nähe des Todes befand. Aber im Innersten wußte er, warum er es nicht tat. Er hatte es schon so oft erlebt. Tote Menschen waren nicht nur tot. Sie hatten nichts Menschliches mehr an sich. Es war, als nähere man sich einem leblosen Gegenstand, wenn man das erste Unbehagen überwunden hatte. Wallander befühlte vorsichtig Gösta Runfelts Nacken. Alle Körperwärme war verschwunden. Etwas anderes hatte er auch nicht erwartet. Den Todeszeitpunkt zu bestimmen, im Freien und bei ständig wechselnden Temperaturen, war ein komplizierter Prozeß. Wallander betrachtete den Brustkorb des Mannes. Auch die Hautfarbe sagte ihm nichts darüber, wie lange er hier schon hing. Er wies auch keine Verletzungen auf. Erst als Wallander seinen Hals anleuchtete, sah er blaue Verfärbungen. Das konnte darauf hindeuten, daß Gösta Runfelt erhängt worden war. Danach betrachtete Wallander das Seil. Es war um seinen Körper geschlungen, von den Schenkeln aufwärts bis zu den obersten Rippen. Der Knoten war einfach. Das Seil war nicht besonders stramm angezogen. Das verwunderte ihn. Er trat einen Schritt zurück und beleuchtete den ganzen Körper. Dann ging er um den Baum herum. Die ganze Zeit achtete er darauf, wohin er die Füße setzte. Er ging nur eine Runde. Er setzte voraus, daß Peters Bergman gesagt hatte, er solle nicht unnötig herumtrampeln. Lars Olsson war fort. Peters sprach immer noch am Telefon. Wallander hätte einen Pullover gebraucht. Er müßte immer einen im Wagen haben. Wie er auch Stiefel im Kofferraum hatte. Es würde eine lange Nacht werden.

Er versuchte sich vorzustellen, was geschehen war. Das locker gebundene Seil beunruhigte ihn. Er dachte an Holger Eriksson. Es konnte sein, daß der Mord an Gösta Runfelt ihnen die Lösung lieferte. Die weiteren Ermittlungen würden sie dazu zwingen, sich einen Doppelblick zuzulegen. Er mußte ständig nach zwei Seiten gerichtet sein. Aber Wallander war sich auch bewußt, daß es genau umgekehrt sein konnte. Die Verwirrung konnte zunehmen. Das Zentrum konnte immer schwerer zu bestimmen, die Landschaft der Ermittlungen immer komplizierter zu deuten und zu kontrollieren sein.

Für einen Augenblick knipste Wallander die Taschenlampe aus und dachte im Dunkeln weiter nach. Peters war noch immer am Telefon. Bergman stand wie ein regloser Schatten irgendwo in der Nähe. Gösta Runfelt hing tot in seinem locker gebundenen Seil.

War dies ein Anfang, eine Mitte oder ein Ende? dachte Wallander. Oder haben wir es mit einem neuen Serienmörder zu tun? Ein noch schwieriger zu entwirrendes Ursachenknäuel, als wir es im Sommer hatten?

Er hatte keine Antwort. Er wußte es ganz einfach nicht. Es war zu früh. Alles war zu früh.

In einiger Entfernung hörte man Autogeräusche. Peters war zur Straße gegangen, um die anderen Einsatzwagen, die auf dem Weg waren, zu dirigieren. Wallander dachte flüchtig an Linda und hoffte, daß sie schliefe. Was auch geschah, er würde sie am Morgen zum Flugplatz fahren. Plötzlich überfiel ihn heftige Trauer über seinen toten Vater. Außerdem hatte er Sehnsucht nach Baiba. Und er war müde. Er fühlte sich ausgelaugt. Verflogen war all die Energie, die er nach der Rückkehr aus Rom gespürt hatte. Nichts war mehr davon da.

Er mußte seine ganze Kraft aufwenden, um die düsteren Gedanken zu vertreiben. Martinsson und Hansson kamen durch den Wald getrabt, kurz darauf Ann-Britt Höglund und Nyberg. Hinter ihnen die Männer aus dem Krankenwagen und Nybergs Techniker. Danach Svedberg. Zum Schluß ein Arzt. Sie machten den Eindruck einer schlecht geordneten Karawane, die sich verirrt hat. Er sammelte seine engsten Mitarbeiter in einem Kreis um sich. Ein Scheinwerfer, der an einen tragbaren Generator angeschlossen war, richtete sein gespenstisches Licht bereits auf den Mann, der am Baum hing. Wallander dachte an das makabre Erlebnis am Graben auf Holger Erikssons Grundstück. Jetzt wiederholte es sich. Nur der Rahmen war ein anderer. Und doch vergleichbar. Die Szenarien hingen zusammen.

»Das ist Gösta Runfelt«, sagte Wallander. »Es gibt keinen Zweifel. Trotzdem müssen wir Vanja Andersson herholen. Es läßt sich nicht ändern. Wir müssen die Identität so schnell wie möglich formell bestätigt bekommen. Aber es hat Zeit, bis wir ihn da abgenommen haben. Das muß sie nicht sehen.«

Dann referierte er in knappen Worten, wie Lars Olsson Gösta Runfelt gefunden hatte.

»Er ist seit fast drei Wochen verschwunden«, fuhr er fort. »Aber wenn ich mich nicht irre, und wenn Lars Olsson recht hat, dann ist er noch keine vierundzwanzig Stunden tot. Zumindest hat er nicht länger hier am Baum gehangen. Die Frage ist also: Wo war er in der Zwischenzeit?«

Dann beantwortete er die Frage, die noch keiner von ihnen gestellt hatte, die aber die einzig logische war. »Ich kann nicht an einen Zufall glauben«, sagte er. »Es muß derselbe Täter sein, nach dem wir auch im Fall Holger Erikssons suchen. Jetzt müssen wir herausfinden, was diese beiden Männer gemeinsam haben. Eigentlich sind es drei Ermittlungen in einer: Holger Eriksson, Gösta Runfelt, und beide zusammen.«

»Und was, wenn wir keinen Zusammenhang finden?« fragte Svedberg.

»Wir finden einen«, sagte Wallander bestimmt. »Früher oder später. Beide Morde machen den Eindruck, auf eine Weise geplant zu sein, die die zufällige Wahl eines Opfers ausschließt. Das war kein ganz allgemein Verrückter. Diese beiden Männer sind zu einem bestimmten Zweck getötet worden, aus bestimmten Gründen.«

»Gösta Runfelt war wohl kaum homosexuell«, sagte Martinsson. »Er ist Witwer mit zwei Kindern.«

»Er kann bisexuell gewesen sein«, erwiderte Wallander. »Für diese Art von Fragen ist es noch zu früh. Wir haben jetzt erst einmal dringendere Aufgaben.«

Der Kreis löste sich auf. Es bedurfte nicht vieler Worte, um die Arbeit zu organisieren. Wallander stellte sich neben Nyberg, der darauf wartete, daß der Arzt fertig wurde.

»Nun ist es also wieder passiert«, sagte Nyberg mit müder Stimme.

»Ja«, sagte Wallander, »und wir müssen wieder einmal herhalten.«

»Gerade gestern habe ich mich entschlossen, ein paar Wochen Urlaub zu nehmen«, sagte Nyberg. »Wenn wir rausgefunden hätten, wer Holger Eriksson umgebracht hat. Ich habe gedacht, ich fahre auf die Kanarischen Inseln. Vielleicht nicht besonders einfallsreich. Aber wärmer.«

Nyberg ließ sich selten auf persönliche Gespräche ein. Wallander spürte, daß er seiner Enttäuschung darüber Ausdruck gab, daß aus dieser Reise auf absehbare Zeit nichts werden würde. Er sah, daß Nyberg müde und fertig war. Die Arbeitsbelastung war oft erdrückend. Wallander nahm sich vor, bei der nächsten sich bietenden Gelegenheit mit Lisa Holgersson darüber zu sprechen. Sie hatten kein Recht, in dieser Weise mit Nybergs Gesundheit Raubbau zu treiben.

Noch während er darüber nachdachte, sah er, daß Lisa Holgersson zum Mordplatz herausgekommen war. Sie stand bei Hansson und Ann-Britt Höglund.

Lisa Holgersson hat es wahrhaftig von Anfang an knüppeldick bekommen, dachte Wallander. Bei diesem Mord werden die Massenmedien Amok laufen. Björk hat diesen Druck nicht ausgehalten. Jetzt werden wir sehen, ob sie es schafft.

Wallander wußte, daß Lisa Holgersson mit einem Mann verheiratet war, der für ein internationales Computerunternehmen tätig war. Sie hatten zwei erwachsene Kinder. Als sie nach Ystad kam, hatten sie sich in Hedeskoga, nördlich der Stadt, ein Haus gekauft. Aber er war noch nicht bei ihr gewesen und hatte auch ihren Mann noch nicht getroffen. Er hoffte, daß es ein Mann war, der ihr gerade jetzt eine Stütze sein konnte. Das würde sie brauchen.

Der Arzt erhob sich von den Knien. Wallander hatte ihn schon einmal getroffen, kam aber in der Eile nicht auf seinen Namen.

»Es sieht aus, als sei er erwürgt worden«, sagte er.

»Nicht erhängt?«

Der Arzt hielt die Hände hin. »Mit zwei Händen erwürgt«, sagte er. »Das gibt ganz andere Druckstellen als ein Tau. Die Daumen sind deutlich sichtbar.«

Ein starker Mann, dachte Wallander sofort. Eine gut trainierte Person. Die auch nicht zögert, mit den Händen zu töten. »Wie lange her?« fragte er.

»Unmöglich zu sagen. Im Laufe der letzten vierundzwanzig Stunden. Kaum vorher. Sie müssen den Bericht des Gerichtsmediziners abwarten.«

»Können wir ihn abnehmen?« fragte Wallander.

»Ich bin fertig«, sagte der Arzt.

»Und ich kann anfangen«, murmelte Nyberg.

Ann-Britt Höglund war neben sie getreten. »Vanja Andersson ist da«, sagte sie. »Sie wartet da unten in einem Wagen.«

»Wie hat sie es aufgenommen?« fragte Wallander.

»Es ist natürlich eine schreckliche Art, geweckt zu werden. Aber ich hatte das Gefühl, daß sie nicht überrascht war. Sie hat wohl die ganze Zeit befürchtet, daß er tot wäre.«

»Das habe ich auch«, sagte Wallander. »Ich nehme an, du auch?«

Sie nickte, sagte aber nichts.

Nyberg hatte das Seil abgewickelt. Gösta Runfelts Körper lag auf einer Bahre.

»Holt sie«, sagte Wallander. »Und dann kann sie wieder nach Hause.«

Vanja Andersson war sehr blaß. Wallander bemerkte, daß sie schwarz gekleidet war. Hatte sie die Sachen schon bereitgelegt? Sie sah das Gesicht des Toten, rang heftig nach Atem und nickte.

»Sie können ihn als Gösta Runfelt identifizieren?« fragte Wallander. Innerlich stöhnte er über seine einfältige Art, sich auszudrücken.

»Er ist so mager geworden«, murmelte sie.

Wallander horchte sofort auf. »Wie meinen Sie das?« fragte er. »Mager?«

»Sein Gesicht ist ja vollständig eingefallen. So sah er vor drei Wochen nicht aus.«

Wallander wußte, daß der Tod das Gesicht eines Menschen stark verändern konnte. Aber er hatte das Gefühl, daß Vanja Andersson von etwas anderem redete. »Sie meinen, er hat abgenommen, seit Sie ihn zuletzt gesehen haben?«

»Ja. Er ist furchtbar mager geworden.«

Wallander hielt das, was sie sagte, für wichtig. Er konnte aber noch nicht entscheiden, wie er es deuten sollte. »Sie brauchen nicht länger zu bleiben«, sagte er. »Wir fahren Sie nach Hause.«

Sie sah ihn mit einem hilflosen und verlorenen Gesichtsausdruck an. »Was soll ich mit dem Laden machen?« fragte sie. »Mit den ganzen Blumen?«

»Morgen brauchen Sie nicht zu öffnen. Fangen Sie damit an. Denken Sie nicht weiter als bis dahin.«

Sie nickte stumm. Ann-Britt Höglund begleitete sie zu dem Polizeiwagen, der sie wieder nach Hause fahren sollte.

Wallander dachte nach. Fast drei Wochen ist Gösta Runfelt spurlos verschwunden. Als er wieder auftaucht und vielleicht erwürgt an einem Baum festgezurrt hängt, ist er stark abgemagert. Wallander wußte, was das bedeutete: Gefangenschaft.

Er stand ganz still und folgte seinem Gedankengang. Auch Gefangenschaft konnte von einer Kriegssituation hergeleitet werden. Soldaten machten Gefangene.

Er wurde unterbrochen, als Lisa Holgersson auf dem Weg zu ihm über einen Stein stolperte und beinah hinfiel.

Er dachte, daß er sie genausogut sofort vorbereiten konnte auf das, was bevorstand.

»Du siehst aus, als ob dir kalt wäre«, sagte sie.

»Ich habe vergessen, einen dickeren Pullover anzuziehen«, sagte Wallander. »Es gibt Dinge, die lernt man nie.«

Sie nickte zu der Bahre hin, auf der Gösta Runfelt eben zum Leichenwagen hinuntergetragen wurde, der irgendwo auf dem abgeholzten Platz wartete. »Was glaubst du?«

»Derselbe Täter, der Holger Eriksson umgebracht hat. Es wäre unsinnig, etwas anderes anzunehmen.«

»Er scheint also erwürgt worden zu sein.«

»Ich will nicht gern voreilige Schlüsse ziehen«, sagte Wallander. »Aber natürlich kann ich mir vorstellen, wie das Ganze vor sich gegangen ist. Er hat noch gelebt, als er an den Baum gebunden wurde. Vielleicht war er bewußtlos. Aber er ist hier erwürgt und zurückgelassen worden. Außerdem kann er keinen Widerstand geleistet haben.«

»Wie kommst du darauf?«

»Das Seil war locker gewickelt. Mit einiger Anstrengung hätte er sich befreien können.«

»Kann das lockere Seil nicht gerade darauf hindeuten, daß er gezerrt hat und versucht hat, Widerstand zu leisten?«

Gute Frage, dachte Wallander, Lisa Holgersson ist ohne Zweifel Polizistin.

»Es kann so sein«, sagte er. »Aber ich glaube es nicht. Wegen etwas, was Vanja Andersson gesagt hat. Daß er furchtbar abgemagert sei.«

»Ich verstehe den Zusammenhang nicht.«

»Ich denke nur, daß eine schnelle Abmagerung auch eine zunehmende Kraftlosigkeit mit sich gebracht haben muß.«

Sie nickte.

»Er bleibt in dem Seil hängen«, fuhr Wallander fort. »Der Täter hat keinerlei Bedürfnis, seine Tat zu verbergen. Oder die Leiche. Das ist wie im Fall Holger Eriksson.«

»Warum hier?« fragte sie. »Warum einen Menschen an einem Baum festzurren? Warum diese Brutalität?«

»Wenn wir das wissen, begreifen wir vielleicht, warum es überhaupt geschehen ist«, antwortete Wallander.

»Und was denkst du?«

»Ich denke so vieles«, gab Wallander zurück. »Es ist wohl am besten, wenn wir Nyberg und seine Leute jetzt in Ruhe arbeiten lassen. Es ist wichtiger, daß wir uns in Ystad sammeln und die Lage besprechen, als daß wir hier im Wald herumlaufen und uns verausgaben. Im Moment ist hier sowieso nichts mehr zu sehen.«

Sie hatte keine Einwände. Um zwei Uhr ließen sie Nyberg und seine Techniker allein im Wald zurück. Es nieselte leicht, und der Wind hatte aufgefrischt. Wallander ging als letzter.

Was tun wir jetzt? Wie machen wir weiter? grübelte er. Wir haben kein Motiv und keinen Verdächtigen. Alles, was wir haben, ist ein Tagebuch, das einem Mann namens Harald Berggren gehört hat. Ein Vogelbeobachter und ein passionierter Blumenliebhaber sind ermordet worden. Mit ausgeklügelter Grausamkeit. Beinah demonstrativ.

Er versuchte, sich zu erinnern, was Ann-Britt Höglund gesagt hatte. Es war wichtig gewesen. Etwas über das ausgeprägt Männliche. Das hatte dann dazu geführt, daß er selbst immer mehr an einen Täter mit militärischem Hintergrund gedacht hatte. Harald Berggren war allerdings Söldner gewesen – man konnte ihn kaum einen Militär nennen –, ein Mensch, der nicht sein Land oder eine Sache verteidigte. Er war ein Mann gewesen, der Menschen für einen Monatslohn in bar getötet hatte.

Auf jeden Fall ist das ein Ausgangspunkt, dachte er. Daran müssen wir uns halten, solange er hält.

Er verabschiedete sich von Nyberg.

»Hast du etwas Besonderes, wonach wir suchen sollen?« fragte Nyberg.

»Nein. Nur achtet auf alles, was eventuell an das erinnert, was mit Holger Eriksson passiert ist.«

»Ich finde, alles erinnert daran«, sagte Nyberg. »Außer möglicherweise die Bambusstäbe.«

»Morgen früh müssen Hunde hier draußen sein«, sagte Wallander.

»Dann bin ich bestimmt noch hier«, sagte Nyberg düster.

»Ich werde mit Lisa über deine Arbeitssituation sprechen«, sagte Wallander und hoffte, daß das als zumindest symbolische Aufmunterung dienen konnte.

»Das lohnt sich kaum«, sagte Nyberg.

»Es lohnt sich auf jeden Fall noch weniger, es bleiben zu lassen«, gab Wallander zurück.

Um Viertel vor drei in der Frühe waren sie im Polizeigebäude versammelt. Wallander kam als letzter ins Sitzungszimmer. Er erblickte müde und verquollene Gesichter und sah ein, daß er der Fahndungsgruppe jetzt vor allem neue Energie vermitteln mußte. Aus Erfahrung wußte er, daß in jeder Ermittlung ein Augenblick kam, wo alles Selbstvertrauen verbraucht zu sein schien. Aber diesmal war dieser Augenblick ungewöhnlich früh gekommen.

Wir hätten einen ruhigen Herbst gebraucht, dachte Wallander. Alle hier sind noch ausgelaugt nach dem letzten Sommer.

Er setzte sich und bekam von Hansson eine Tasse Kaffee serviert.

»Dies hier wird nicht leicht«, begann er. »Was wir alle insgeheim befürchtet haben, ist eingetroffen. Gösta Runfelt ist ermordet worden. Vermutlich vom selben Täter, der Holger Eriksson umgebracht hat. Wir wissen nicht, was das bedeutet. Wir wissen zum Beispiel nicht, ob wir noch mehr unangenehme Überraschungen erleben. Wir wissen nicht, ob es angefangen hat, dem zu gleichen, was wir im Sommer erlebt haben. Ich möchte aber davor warnen, andere Parallelen zu ziehen, als daß wir es offenbar mit einem Täter zu tun haben, der mehr als einmal zugeschlagen hat. Ansonsten gibt es viel, worin sich diese Verbrechen unterscheiden. Mehr, als was sie vereint.«

Er machte eine Pause, um eventuelle Kommentare zu ermöglichen. Aber keiner hatte etwas zu sagen.

»Wir müssen auf breiter Front vorgehen«, fuhr er fort. »Ohne vorgefaßte Meinungen, aber konsequent. Wir müssen Harald Berggren ausfindig machen. Wir müssen ergründen, warum Gösta Runfelt nicht nach Nairobi gereist ist. Wir müssen herausfinden, warum er, bevor er verschwand und dann starb, eine hochmoderne Abhöranlage bestellte. Wir müssen eine Verbindung finden zwischen diesen beiden Männern, die ihr Leben vollständig getrennt voneinander gelebt zu haben scheinen. Weil die Opfer nicht zufällig ausgewählt sind, muß ganz einfach ein Zusammenhang existieren.

Noch immer hatte keiner einen Kommentar abzugeben. Wallander meinte, daß es am besten war, die Sitzung zu beenden. Vor allem brauchten sie jetzt alle ein paar Stunden Schlaf. Am Morgen würden sie sich wieder treffen.

Sie gingen schnell auseinander, als Wallander nichts mehr zu sagen hatte.

Draußen hatten Regen und Wind zugenommen. Als Wallander über den nassen Parkplatz zu seinem Auto hastete, dachte er an Nyberg und seine Techniker. Aber er dachte auch an das, was Vanja Andersson gesagt hatte. Daß Gösta Runfelt abgemagert war in den drei Wochen, seit er verschwunden war.

Wallander konnte sich nur schwer einen anderen Grund dafür vorstellen als eine Gefangenschaft. Die Frage war nur, wo er gefangengehalten worden war.

Warum? Und von wem?

14

Wallander schlief unter einer Wolldecke auf der Couch in seinem Arbeitszimmer, weil er schon nach wenigen Stunden wieder aufstehen mußte. In Lindas Zimmer war alles still gewesen, als er nach der Sitzung im Präsidium nach Hause kam. Er war aus dem Schlaf hochgeschreckt, schweißgebadet, nach einem Alptraum, den er sich nur mit Mühe in Erinnerung rufen konnte. Er hatte von seinem Vater geträumt, sie waren wieder in Rom gewesen, und es war etwas passiert, was ihn erschreckt hatte. Was es war, blieb im dunkeln. Vielleicht war der Tod im Traum schon mit ihnen nach Rom gereist, als Vorwarnung? Er setzte sich auf und zog die Decke um sich. Es war fünf Uhr. Gleich würde der Wecker klingeln. Schwer und unbeweglich saß er da. Die Müdigkeit war wie ein mahlender Schmerz in seinem Körper. Er mußte seine ganze Kraft mobilisieren, um sich zum Aufstehen zu zwingen und ins Badezimmer zu gehen. Nach dem Duschen fühlte er sich ein bißchen besser. Er machte Frühstück und weckte Linda um Viertel vor sechs. Vor halb sieben waren sie auf dem Weg zum Flugplatz. Linda war kein Morgenmensch und sagte nicht viel unterwegs. Erst als sie von der E6 abgebogen und auf den letzten Kilometern vor Sturup waren, schien sie aufzuwachen.

»Was war denn los in der Nacht?« fragte sie.

»Jemand hat im Wald eine Leiche gefunden.«

»Kannst du nicht ein bißchen mehr sagen?«

»Ein Orientierungsläufer war auf einer Trainingsrunde. Da ist er fast über den Toten gestolpert.«

»Und wer war das?«

»Der Orientierungsläufer oder der Tote?«

»Der Tote.«

»Ein Blumenhändler.«

»Hat er sich das Leben genommen?«

»Leider nicht.«

»Was meinst du damit? Leider?«

»Daß er ermordet wurde. Also eine Menge Arbeit für uns.«

Sie saß eine Weile schweigend da. Jetzt sahen sie schon das gelbe Flugplatzgebäude.

»Ich verstehe nicht, wie du das aushältst«, sagte sie.

»Ich auch nicht«, gab er zurück. »Aber ich muß. Irgend jemand muß.«

Die Frage, die darauf folgte, verblüffte ihn.

»Glaubst du, ich könnte eine gute Polizistin werden?«

»Ich dachte, du hättest ganz andere Pläne?«

»Das habe ich auch. Antworte auf meine Frage!«

»Ich weiß nicht«, sagte er. »Aber du könntest es sicher.«

Mehr sagten sie nicht. Wallander hielt auf dem Parkplatz. Sie hatte nur einen Rucksack, den er aus dem Kofferraum hob. Als er mit ihr hineingehen wollte, wehrte sie ab.

»Fahr wieder nach Hause«, sagte sie. »Du bist ja so müde, daß du kaum auf den Beinen stehen kannst.«

»Ich muß arbeiten«, antwortete er. »Aber du hast recht: Ich bin müde.«

Dann kam ein Moment der Wehmut. Sie sprachen von seinem Vater, Lindas Großvater. Den es nicht mehr gab.

»Es ist so komisch«, sagte sie. »Ich habe im Auto daran gedacht. Daß man so lange tot ist.«

Er murmelte eine Antwort. Dann verabschiedeten sie sich. Sie versprach, sich einen Anrufbeantworter anzuschaffen. Er sah sie durch die Glastüren, die vor ihr auseinanderglitten, verschwinden. Dann war sie fort.

Er blieb im Auto sitzen und dachte darüber nach, was sie gesagt hatte. War es das, was den Tod so erschreckend machte?

Daß man so lange tot sein sollte?

Er ließ den Wagen an und fuhr los. Die Landschaft war grau und kam ihm so düster vor wie die Ermittlung, mit der sie beschäftigt waren. Wallander dachte an die Ereignisse der beiden letzten Wochen. Ein Mann liegt aufgespießt in einem Graben. Ein anderer Mann ist an einen Baum gebunden. Konnte der Tod abstoßender sein? Natürlich war es auch kein schöner Anblick, den

Vater zwischen seinen Bildern liegen zu sehen. Er dachte, daß er Baiba sehr bald wiedertreffen mußte. Schon am Abend würde er sie anrufen. Er ertrug die Einsamkeit nicht mehr und fühlte sich gejagt. Er war seit fünf Jahren geschieden und auf dem besten Wege, ein zottiger und menschenscheuer Hund zu werden. Das wollte er nicht.

Kurz nach acht kam er ins Präsidium. Als erstes holte er sich Kaffee und rief Gertrud an. Sie klang erstaunlich gelöst. Seine Schwester Kristina war noch da. Weil Wallander so eingespannt war wegen der laufenden Ermittlungen, hatten sie sich geeinigt, zusammen die kleine Hinterlassenschaft des Vaters zu ordnen. Die Aktiva bestanden fast ausschließlich aus dem Haus in Löderup. Aber es gab so gut wie keine Schulden. Gertrud hatte gefragt, ob Wallander einen bestimmten Wunsch hätte. Zunächst verneinte er, überlegte es sich dann aber anders und suchte ein Bild mit Auerhahn aus den Stapeln mit fertigen Bildern heraus, die an den Wänden lehnten. Aus irgendeinem Grund, den er sich jedoch nicht klarmachen konnte, wollte er nicht das Bild haben, an dem der Vater malte, als er starb. Das Bild, das Wallander ausgesucht hatte, lag noch in seinem Zimmer im Polizeigebäude. Er hatte sich immer noch nicht entscheiden können, wo er es aufhängen wollte. Oder ob er das überhaupt wollte.

Dann wurde er wieder Polizist.

Als erstes überflog er eine Zusammenfassung eines Gesprächs, das Ann-Britt Höglund mit der Landbriefträgerin geführt hatte, die bei Holger Eriksson die Post ausfuhr. Ihm fiel auf, daß sie gut schrieb, ohne unbeholfene Sätze und nebensächliche Details. Offenbar lernte die neue Generation von Polizisten, bessere Berichte abzufassen als seine Generation.

Aber ihr Bericht schien nichts von Bedeutung für ihre Ermittlungen zu enthalten. Holger Eriksson hatte das kleine gelbe Schild zum Zeichen, daß er mit der Briefträgerin sprechen mußte, zum letzten Male vor mehreren Monaten herausgehängt. Soweit sie sich erinnern konnte, ging es um einige einfache Einzahlungen. Aufgefallen war ihr in der letzten Zeit nichts. Alles auf dem Hof hatte einen völlig normalen Eindruck gemacht. Sie hatte auch weder fremde Autos noch fremde Menschen in der Gegend beobachtet. Wallander legte den Bericht zur Seite. Dann nahm er seinen Block und machte ein paar Notizen über die Dinge, die jetzt als erstes zu erledigen waren. Jemand mußte einmal gründlich mit Anita Lagergren in dem Reisebüro in Malmö sprechen. Wann hatte Gösta Runfelt seine Reise gebucht? Was beinhaltete eigentlich eine solche Orchideenreise? Für ihn galt das gleiche wie für Holger Eriksson. Sie mußten sich ein Bild von seinem Leben machen. Nicht zuletzt wären sie gezwungen, ausführlich mit seinen Kindern zu reden. Außerdem wollte Wallander mehr über die technische Ausrüstung wissen, die Gösta Runfelt bei Secur in Borås gekauft hatte. Wozu sollte sie verwendet werden? Was wollte ein Blumenhändler mit diesen Dingen? Er war überzeugt, daß dieser Punkt entscheidend war, um zu verstehen, was passiert war. Wallander schob den Block zur Seite und blieb mit der Hand auf dem Telefonhörer sitzen. Er zögerte. Es war Viertel nach acht. Es konnte sein, daß Nyberg schlief. Aber es war nicht zu ändern. Er wählte die Nummer von Nybergs Mobiltelefon. Nyberg meldete sich sofort. Er war noch immer draußen im Wald, weit weg von seinem Bett.

Wallander fragte, wie er mit der Untersuchung des Tatorts vorankäme.

»Wir haben gerade die Hunde hier«, sagte Nyberg. »Sie haben die Witterung des Seils aufgenommen und bis zum Abholzungsplatz verfolgt. Aber das ist ja nicht erstaunlich, weil es der einzige Weg ist, der hierherführt. Ich denke, wir können annehmen, daß Gösta Runfelt nicht zu Fuß gegangen ist. Es muß ein Auto im Spiel gewesen sein.«

»Irgendwelche Wagenspuren?«

»Eine ganze Menge. Aber was wozu gehört, kann ich natürlich noch nicht sagen.«

»Und sonst?«

»Eigentlich nichts. Das Seil ist von einer Seilerei in Dänemark.«

»In Dänemark?«

»Ich tippe, es wird ungefähr überall da verkauft, wo es Seile gibt. Es wirkt auf jeden Fall neu. Für den Zweck gekauft.«

Wallander spürte Unbehagen. Dann stellte er die Frage, derentwegen er angerufen hatte. »Hast du die geringsten Spuren entdeckt, die andeuten könnten, daß er Widerstand zu leisten versucht hat, als er an den Baum gebunden wurde? Oder hat er versucht, sich zu befreien?«

Nybergs Antwort kam ohne Zögern. »Nein«, sagte er. »Danach sieht es nicht aus. Erstens habe ich keine Spuren eines Kampfes in der Nähe gefunden. Der Boden müßte aufgewühlt sein. Irgend etwas hätte man sehen müssen. Zweitens gibt es weder am Baum noch am Seil Schabspuren. Er ist da angebunden worden. Und er hat stillgehalten.«

»Wie erklärst du das?«

»Es gibt eigentlich nur zwei Möglichkeiten«, antwortete Nyberg. »Entweder war er bereits tot oder zumindest bewußtlos, als er festgezurrt wurde. Oder er hat es vorgezogen, keinen Widerstand zu leisten. Aber das kommt mir wenig wahrscheinlich vor.«

Wallander dachte nach. »Es gibt noch eine dritte Möglichkeit«, sagte er dann. »Daß Gösta Runfelt einfach keine Kraft hatte, sich zu wehren.«

Nyberg stimmte zu. Das war auch eine Möglichkeit, vielleicht die wahrscheinlichste.

»Laß mich noch etwas fragen«, fuhr Wallander fort. »Ich weiß, daß du nicht antworten kannst. Aber man stellt sich ja immer vor, wie es zugegangen sein könnte. Niemand rät so viel und so oft wie Polizisten. Obwohl wir es immer hartnäckig abstreiten. War mehr als eine Person anwesend?«

»Ich habe daran gedacht«, sagte Nyberg. »Vieles spricht dafür, daß es mehr als eine Person gewesen sein muß. Einen Menschen in den Wald zu schleppen und an einen Baum zu binden kann nicht ganz einfach sein. Aber ich bezweifle es.«

»Warum?«

»Ehrlich gesagt, ich weiß es nicht.«

»Wenn wir noch einmal zu dem Graben in Lödinge zurückkehren, was für ein Gefühl hattest du da?«

»Das gleiche. Es müßte mehr als einer gewesen sein. Aber ich bin nicht sicher.«

»Ich teile dein Gefühl«, sagte Wallander. »Aber es stört mich.«

»Ich glaube auf jeden Fall, daß wir es mit einer Person zu tun haben, die über gehörige Körperkräfte verfügt. Vieles spricht dafür.«

Mehr der Form halber fragte Wallander abschließend: »Sonst nichts?«

»Ein paar alte Bierdosen und ein falscher Fingernagel. Das ist alles.«

»Ein falscher Fingernagel?«

»Frauen benutzen so was. Aber der kann schon lange dagelegen haben.«

»Versuch jetzt, ein paar Stunden zu schlafen«, sagte Wallander.

»Wann sollte ich denn dafür Zeit haben?« fragte Nyberg.

Wallander spürte, daß er plötzlich gereizt klang. Er beeilte sich, das Gespräch zu beenden. Unmittelbar danach klingelte sein Telefon. Es war Martinsson.

»Kann ich rüberkommen?« fragte er. »Wann ist unsere Besprechung?«

»Um neun. Wir haben Zeit.«

Wallander legte auf. Er hatte den Eindruck, daß Martinsson auf etwas gekommen war. Er fühlte die Spannung. Was sie jetzt vor allem brauchten, war ein echter Durchbruch in der Ermittlung. Martinsson kam herein, setzte sich auf Wallanders Besucherstuhl und kam sofort zur Sache.

»Ich habe noch mal über diese Geschichte mit den Söldnern nachgedacht«, sagte er. »Und über Harald Berggrens Tagebuch aus dem Kongo. Heute morgen, als ich wach wurde, ist mir eingefallen, daß ich einmal jemanden getroffen habe, der zur gleichen Zeit im Kongo war wie Harald Berggren.«

»Als Söldner?« fragte Wallander erstaunt.

»Nicht als Söldner. Sondern als Mitglied der schwedischen UN-Truppe. Sie sollten die belgischen Truppen in der Provinz Katanga entwaffnen.«

Wallander schüttelte den Kopf. »Ich war zwölf, dreizehn, als das passierte«, sagte er. »Ich erinnere mich an so wenig von damals. Im großen und ganzen weiß ich nicht mehr, als daß Dag Hammarskjöld mit einem Flugzeug abgestürzt ist.«

»Ich war damals kaum geboren«, sagte Martinsson. »Aber ein bißchen weiß ich noch aus der Schule.«

»Du hast gesagt, du hättest jemanden getroffen?«

»Vor ein paar Jahren habe ich an verschiedenen Treffen der Folkparti teilgenommen«, sagte Martinsson. »Hinterher war immer so ein gemütliches Beisammensein mit Kaffee. Ich habe mir damals den Magen verkorkst von dem ganzen Kaffee.«

Wallander trommelte ungeduldig mit den Fingern auf den Schreibtisch.

»Bei einem dieser Treffen saß ich neben einem Mann von ungefähr sechzig. Wie wir darauf kamen, weiß ich nicht mehr. Aber er erzählte, er wäre Hauptmann und der Adjutant von General von Horn gewesen, der die schwedische UN-Truppe im Kongo befehligte. Und ich erinnere mich auch, daß er Söldner erwähnte, die dort unten gewesen seien.«

Wallander lauschte mit steigendem Interesse.

»Ich habe ein bißchen herumtelefoniert, als ich heute morgen wach wurde. Und ich habe schließlich Glück gehabt. Einer meiner früheren Parteifreunde wußte, wer dieser Hauptmann war. Er heißt Olof Hanzell und ist Pensionär. Er wohnt in Nybrostrand.«

»Gut«, sagte Wallander. »Den werden wir so schnell wie möglich besuchen.«

»Ich habe ihn schon angerufen«, sagte Martinsson. »Er sagte, er würde gern mit der Polizei sprechen, wenn wir glaubten, daß uns das weiterbrächte. Er hörte sich klar und noch ganz rüstig an und behauptete, er hätte ein ausgezeichnetes Gedächtnis.«

Martinsson legte einen Zettel mit einer Telefonnummer auf Wallanders Tisch.

»Wir müssen alles versuchen«, sagte Wallander. »Und unsere Besprechung jetzt gleich wird ziemlich kurz.«

Martinsson stand auf, um zu gehen. In der Tür hielt er inne. »Hast du die Zeitungen gesehen?« fragte er.

»Wann hätte ich dafür Zeit haben sollen?« fragte Wallander zurück.

»Björk wäre an die Decke gegangen. Einwohner von Lödinge und aus anderen Orten haben sich geäußert. Nach dem, was Holger Eriksson passiert ist, haben sie angefangen, über die Notwendigkeit von Bürgerwehren zu reden.«

»Das haben sie schon immer getan«, sagte Wallander abweisend. »Darum braucht man sich nicht zu kümmern.«

»Da bin ich mir nicht so sicher«, sagte Martinsson. »Das, was heute in den Zeitungen steht, weist auf einen deutlichen Unterschied hin.«

»Wieso?«

»Sie bleiben nicht mehr anonym. Sie treten mit Namen und Bild in Erscheinung. Das hat es früher nicht gegeben. An Bürgerwehren zu denken ist salonfähig geworden.«

Wallander sah ein, daß Martinsson recht hatte. Aber es fiel ihm dennoch schwer zu glauben, daß es sich um etwas anderes handelte als um den üblichen Ausdruck von Unruhe, wenn ein Gewaltverbrechen geschehen war. Ein Ausdruck, für den Wallander im übrigen Verständnis hatte. »Morgen wird noch mehr kommen«, sagte er nur. »Wenn sich herumgesprochen hat, was mit Gösta Runfelt passiert ist. Vielleicht sollten wir Lisa Holgersson vorbereiten auf das, was uns bevorsteht.«

»Was hast du für einen Eindruck?« fragte Martinsson.

»Von Lisa Holgersson? Ich finde, sie macht einen ganz ausgezeichneten Eindruck.«

Martinsson war wieder ins Zimmer getreten. Wallander sah, wie müde er war. Er dachte, daß Martinsson in den Jahren, in denen er Polizist war, rasch gealtert war.

»Ich habe geglaubt, das, was hier im Sommer passiert ist, wäre eine Ausnahme. Aber jetzt sehe ich, daß es nicht so war.«

»Die Ähnlichkeiten sind so gering«, sagte Wallander. »Wir dürfen keine Parallelen ziehen, die es nicht gibt.«

»Daran denke ich nicht. Es ist diese Brutalität. Als ob es heutzutage nötig wäre, die Leute möglichst grausam zu quälen, die man umbringen will.«

»Ich weiß«, sagte Wallander. »Aber frag nicht mich, wie wir diese Entwicklung umkehren können.«

Martinsson verließ das Zimmer. Wallander überlegte. Dann entschloß er sich, noch heute selbst zu dem pensionierten Hauptmann Olof Hanzell zu fahren.

Es wurde, wie Wallander angedeutet hatte, eine kurze Besprechung. Obwohl keiner von ihnen eine ausreichende Nachtruhe gehabt hatte, wirkten alle entschlossen und energiegeladen. Sie wußten, daß ihnen eine komplizierte Ermittlung bevorstand. Auch Per Åkesson hatte sich eingefunden und hörte sich Wallanders Zusammenfassung an. Nachher hatte er nur wenige Fragen.

Sie verteilten die Aufgaben und diskutierten, was zuerst getan werden mußte. Die Frage, ob sie zusätzliches Personal anfordern sollten, wurde zunächst nicht aktuell. Lisa Holgersson hatte noch eine Anzahl von Polizeibeamten von anderen Aufgaben abgezogen, damit sie die Mordkommission unterstützten. Als die Besprechung nach ungefähr einer Stunde zu Ende ging, waren alle überhäuft mit Aufgaben.

»Jetzt nur noch eine Sache«, sagte Wallander. »Wir müssen damit rechnen, daß diese Morde in den Massenmedien enormes Aufsehen erregen. Was wir bisher gesehen haben, ist nur der Anfang. Ich habe gehört, daß die Leute draußen auf dem Land wieder davon reden, Nachtpatrouillen und Bürgerwehren zu organisieren. Wir müssen abwarten, ob es so kommt. Bis auf weiteres ist es am einfachsten, daß Lisa und ich den Kontakt zur Presse übernehmen. Wenn außerdem Ann-Britt bei unseren Pressekonferenzen anwesend sein könnte, wäre ich dankbar.«

Um zehn nach zehn war die Sitzung beendet. Wallander sprach noch eine Weile mit Lisa Holgersson. Sie kamen überein, um halb sieben eine Pressekonferenz abzuhalten. Dann sah sich Wallander im Korridor nach Per Åkesson um, aber der war bereits gegangen. In seinem Zimmer rief Wallander die Nummer an, die auf Martinssons Zettel stand. Gleichzeitig fiel ihm ein, daß er Svedbergs Papier mit den Gesprächsnotizen noch immer nicht auf dessen Schreibtisch gelegt hatte. Am anderen Ende nahm Olof Hanzell den Hörer ab. Er hatte eine freundliche Stimme. Wallander stellte sich vor und fragte, ob er bereits jetzt am Vormittag zu ihm kommen könne. Hauptmann Hanzell sagte, er sei willkommen, und erklärte ihm den Weg. Als Wallander das Präsidium verließ, hatte es wieder aufgeklart. Es war windig, aber durch die aufgerissene Wolkendecke schien die Sonne. Er wollte aber dennoch daran denken, für kommende kühle Tage einen Pullover in den Wagen zu legen. Obwohl er es eilig hatte, hielt er bei einem Makler im Zentrum und betrachtete das Schaufenster. Er studierte die verschiedenen Angebote für Häuser, die zum Verkauf standen. Mindestens eins konnte interessant sein. Hätte er mehr Zeit gehabt, wäre er hineingegangen und hätte sich eine Kopie der Unterlagen geholt. Er merkte sich die Verkaufsnummer und ging zurück zum Wagen. Er fragte sich, ob Linda einen Flug nach Stockholm bekommen hatte oder ob sie noch auf dem Flughafen Sturup saß und wartete.

Er fuhr in östlicher Richtung nach Nybrostrand, passierte die linke Abzweigung zum Golfplatz, bog nach einer Weile rechts ein und begann nach dem Skrakvägen zu suchen, wo Olof Hanzell wohnte. Sämtliche Wege in dieser Gegend waren nach Vögeln benannt. Er fragte sich, ob es ein Zufall war, dem er Bedeutung beimessen mußte. Er suchte nach einer Person, die einen Hobby-Ornithologen getötet hatte. Im Skrakvägen wohnte hoffentlich jemand, der ihn auf eine heiße Spur bringen konnte.

Nachdem er sich ein paarmal verfahren hatte, kam er schließlich an die richtige Adresse. Er parkte und ging durch das Gartentor auf ein Haus zu, das kaum älter war als zehn Jahre. Dennoch wirkte es irgendwie verfallen. Wallander dachte, daß es ein Typ Haus war, in dem er sich selbst nie wohl fühlen würde. Ein Mann in einem Trainingsoverall öffnete die Tür. Er hatte kurzgeschnittenes graues Haar und einen schmalen Schnurrbart und schien in guter körperlicher Verfassung zu sein. Er lächelte und reichte Wallander die Hand. Wallander stellte sich vor.

»Meine Frau ist vor ein paar Jahren gestorben«, sagte Olof Hanzell. »Seitdem lebe ich allein. Es ist vielleicht nicht besonders ordentlich. Aber kommen Sie herein!«

Wallander bemerkte im Flur als erstes eine große afrikanische Trommel. Olof Hanzell folgte seinem Blick.

»Das Jahr, als ich im Kongo war – das war die Reise meines Lebens«, sagte er. »Ich bin nie wieder hingekommen. Die Kinder waren klein, meine Frau wollte nicht. Und dann war es eines Tages zu spät.«

Er führte Wallander in ein Wohnzimmer, wo Kaffeetassen auf einem Tisch bereitstanden. Auch hier hingen afrikanische Souvenirs an den Wänden. Wallander setzte sich auf ein Sofa und nahm gern den angebotenen Kaffee. Eigentlich war er hungrig und hätte etwas zu essen gebraucht. Hanzell hatte einen Teller mit Zwieback hingestellt.

»Ich backe sie selbst«, sagte er und zeigte auf die Zwiebäcke. »Für einen alten Militär eine passende Beschäftigung.«

Wallander dachte, daß er keine Zeit hatte, über etwas anderes zu reden als über das, was ihn hergeführt hatte. Er zog das Foto mit den drei Männern aus der Tasche und reichte es über den Tisch.

»Ich möchte als erstes fragen, ob Sie einen dieser drei Männer kennen. Als Hinweis kann ich sagen, daß das Foto im Kongo zu der Zeit aufgenommen wurde, als die schwedische UN-Truppe dort war.«

Olof Hanzell nahm das Foto. Ohne es anzusehen, erhob er sich und holte seine Brille. Wallander fiel der Besuch beim Optiker ein, den er endlich machen mußte. Hanzell trat mit dem Foto zum Fenster und betrachtete es lange. Wallander lauschte in die Stille, die das Haus erfüllte. Dann kam Hanzell vom Fenster zurück. Ohne ein Wort legte er das Foto auf den Tisch und verließ das Zimmer. Wallander nahm noch einen Zwieback. Er wollte gerade nachsehen, wo Hanzell blieb, als der Mann mit einem Fotoalbum in der Hand zurückkam. Er ging wieder ans Fenster und begann zu blättern. Wallander wartete. Schließlich fand Hanzell, was er suchte und reichte Wallander das aufgeschlagene Album.

»Sehen Sie sich das Bild links unten an«, sagte er. »Es ist leider nicht schön. Aber ich glaube, es wird Sie interessieren.«

Wallander erschrak. Das Bild zeigte tote Soldaten, Farbige. Sie lagen aufgereiht, mit blutigen Gesichtern, abgeschossenen Armen und zerrissenen Brustkörben. Hinter ihnen standen zwei Männer mit Gewehren in den Händen. Weiße. Sie posierten wie auf einem Jagdbild. Die farbigen Soldaten waren die Beute.

Wallander erkannte sofort einen der beiden Weißen. Es war der, der auf dem Foto aus Harald Berggrens Tagebuch ganz links stand. Kein Zweifel. Es war derselbe Mann.

»Er kam mir bekannt vor«, sagte Hanzell. »Aber ich war nicht ganz sicher. Es hat eine Weile gedauert, bis ich das richtige Album fand.«

»Wer ist das?« fragte Wallander. »Terry O'Banion oder Simon Marchand?«

Er merkte, daß Olof Hanzell mit Verbluffung reagierte.

»Simon Marchand«, antwortete Hanzell. »Ich muß zugeben, daß ich neugierig bin, woher Sie das wissen.«

»Das erkläre ich später. Bitte sagen Sie mir, woher Sie das Bild haben.«

Olof Hanzell setzte sich. »Was wissen Sie über das, was damals im Kongo geschah?« fragte er.

»Nicht viel. Praktisch so gut wie gar nichts.«

»Dann lassen Sie mich den Hintergrund erklären«, sagte Hanzell. »Ich glaube, das ist nötig, damit man versteht.«

»Nehmen Sie sich so viel Zeit, wie Sie brauchen«, sagte Wallander.

»Ich fange 1953 an«, begann Hanzell. »Damals waren vier souveräne afrikanische Staaten Mitglied in den Vereinten Nationen Sieben Jahre später war diese Zahl auf sechsundzwanzig gestiegen. Der ganze afrikanische Kontinent kochte damals. Die Entkolonialisierung war in ihre dramatischste Phase getreten. Immer neue Staaten erklärten ihre Selbständigkeit. Oft waren die Geburtswehen erheblich. Aber nicht immer so gewaltsam wie im Fall von Belgisch-Kongo. 1959 arbeitete die belgische Regierung einen Plan für den Übergang zur Souveränität aus. Als Datum für die Machtübergabe wurde der 30. Juni 1960 festgesetzt. Je näher der Tag kam, um so heftiger wurden die Unruhen im Lande. Die Stämme verfolgten unterschiedliche politische Ziele, Gewalttaten ereigneten sich jeden Tag. Aber die Selbständigkeit kam, und ein erfahrener Politiker mit Namen Kasavubu wurde Präsident, während Lumumba Premierminister wurde. Den Namen Lumumba haben Sie vermutlich einmal gehört.«

Wallander nickte zögernd.

»Während einiger Tage konnte man glauben, daß es trotz allem einen friedlichen Übergang von einer Kolonie zum selbständigen Staat geben würde. Doch schon nach wenigen Wochen meuterte die Force Publique, die reguläre Armee des Landes, gegen ihre belgischen Offiziere. Belgische Fallschirmtruppen wurden eingesetzt, um ihre eigenen Offiziere zu retten. Das Land versank bald im Chaos. Die Situation wurde für Kasavubu und Lumumba unkontrollierbar. Gleichzeitig proklamierte Katanga – die südlichste Provinz des Landes und aufgrund der Bodenschätze auch die reichste – ihre Loslösung und Unabhängigkeit. Der Führer hieß Moise Tschombe. In dieser Lage baten Kasavubu und Lumumba die Vereinten Nationen um Hilfe. Dag Hammarskjöld, damals Generalsekretär, erreichte es innerhalb kurzer Zeit, daß die Vereinten Nationen intervenierten, unter anderem mit Beteiligung eines Truppenkontingents aus Schweden. Wir sollten lediglich polizeiliche Funktionen wahrnehmen. Die im Kongo verbliebenen Belgier unterstützten Moise Tschombe in Katanga. Mit Geld der großen Bergwerksunternehmen warben sie auch Söldnertruppen an. Und hier kommt das Foto ins Spiel.«

Hanzell machte eine Pause und nahm einen Schluck Kaffee. »Sie haben jetzt einen Eindruck davon, wie gespannt und kompliziert die Situation damals war«, sagte er dann.

»Ich kann mir vorstellen, daß die Situation äußerst verworren war«, antwortete Wallander und wartete ungeduldig auf die Fortsetzung.

»In die Kämpfe in Katanga waren mehrere hundert Söldner verwickelt«, sagte Hanzell. »Sie kamen aus verschiedenen Ländern. Frankreich, Belgien, Algerien. Fünfzehn Jahre nach dem Ende des Zweiten Weltkrieges gab es auch immer noch viele Deutsche, die nicht hinnehmen konnten, daß der Krieg geendet hatte, wie es geschehen war. Sie rächten sich an unschuldigen Afrikanern. Aber es gab auch eine Anzahl Skandinavier. Einige von ihnen starben und wurden in Gräbern verscharrt, und niemand weiß, wo sie liegen. Eines Tages kam ein Afrikaner zur schwedischen UN-Einheit. Er hatte Papiere und Fotos von Söldnern bei sich, die gefallen waren. Aber Schweden waren nicht darunter.«

»Und warum kam er dann zur schwedischen Einheit?«

»Wir Schweden galten als nett und großzügig. Er kam mit dem Karton und wollte den Inhalt verkaufen. Gott weiß, wie er da rangekommen ist.«

»Und Sie haben ihn gekauft?«

Hanzell nickte. »Sagen wir lieber, daß wir einen Tauschhandel machten. Ich glaube, ich habe ungefähr den Gegenwert von zehn

Kronen für den Karton bezahlt. Das meiste habe ich weggeworfen. Aber ich behielt ein paar von den Fotos. Unter anderem dieses.«

Wallander ging einen Schritt weiter. »Harald Berggren«, sagte er. »Einer der Männer auf meinem Foto ist Schwede und heißt so. Nach dem Ausschlußverfahren muß es entweder der in der Mitte oder der auf der rechten Seite sein. Sagt Ihnen der Name etwas?«

Hanzell dachte nach. Dann schüttelte er den Kopf. »Nein«, sagte er. »Aber das muß nicht viel besagen.«

»Wieso nicht?«

»Viele der Söldner haben ihre Namen geändert. Das galt nicht nur für Schweden. Für die Dauer des Kontrakts, den man hatte, nahm man einen neuen Namen an. Wenn alles vorbei war und man überlebt hatte, konnte man seinen alten Namen wieder annehmen.«

»Das bedeutet, daß Harald Berggren unter einem ganz anderen Namen im Kongo gewesen sein kann?«

»Ja.«

»Es bedeutet auch, daß er sein Tagebuch unter seinem eigenen Namen geschrieben haben kann, der dann als Pseudonym fungierte?«

»Ja.«

»Und das kann weiter bedeuten, daß Harald Berggren unter einem anderen Namen getötet worden ist?«

»Ja.«

Wallander sah Hanzell forschend an. »Mit anderen Worten: Es ist fast unmöglich zu sagen, ob er lebt oder tot ist? Kann er unter einem Namen tot und unter einem anderen noch am Leben sein?«

»Söldner sind scheue Menschen. Was man verstehen kann.«

»Also ist es nahezu unmöglich, ihn zu finden, wenn er es nicht selbst will?«

Olof Hanzell nickte. Wallander betrachtete den Teller mit Zwiebäcken.

»Ich weiß, daß viele meiner früheren Kollegen eine andere Ansicht hatten«, sagte Hanzell. »Aber für mich waren Söldner immer verachtenswert. Sie töteten für Geld. Auch wenn sie behaupteten, daß sie für eine Ideologie kämpften. Für die Freiheit.

Gegen den Kommunismus. Aber die Wirklichkeit sah anders aus. Sie töteten unterschiedslos. Sie befolgten Befehle derer, die gerade am besten zahlten.«

»Ein Söldner muß bedeutende Schwierigkeiten gehabt haben, zu einem normalen Leben zurückzukehren«, sagte Wallander.

»Vielen gelang es nie. Sie wurden zu Schattengestalten am äußersten Rand der Gesellschaft. Oder sie soffen sich zu Tode. Ein Teil von ihnen war sicher auch schon vorher gestört.«

»Wie meinen Sie das?«

Hanzells Antwort kam ohne Zögern und mit Nachdruck. »Sadisten und Psychopathen.«

Wallander nickte. Er verstand.

Harald Berggren war ein Mann, den es gab und auch wieder nicht gab. Wie er in das Bild hineinpaßte, war mehr als unbestimmt.

Das Gefühl war deutlich und klar. Wallander hatte sich festgefahren. Er wußte nicht, wie er weiter vorgehen sollte.

15

Wallander blieb bis spät am Nachmittag in Nybrostrand. Doch er verbrachte nicht die gesamte Zeit bei Olof Hanzell. Er verließ das Haus um ein Uhr. Als er nach dem langen Gespräch in die Herbstluft hinaustrat, überkam ihn Ratlosigkeit. Was sollte sein nächster Schritt sein? Anstatt nach Ystad zurückzukehren, fuhr er ans Meer und stellte den Wagen ab. Nach einem gewissen Zögern entschloß er sich, einen Spaziergang zu machen.

Vielleicht würde es ihm helfen, die Zusammenfassung zu machen, die er so nötig brauchte? Aber als er zum Strand kam und den beißenden Herbstwind fühlte, kehrte er zum Wagen zurück. Er setzte sich auf den Beifahrersitz und drehte die Rückenlehne herunter. Dann schloß er die Augen und rief sich die Ereignisse seit jenem Vormittag vor zwei Wochen in Erinnerung, als Sven Tyrén bei ihm erschienen war und erzählte, daß Holger Eriksson verschwunden sei. Heute, am 12. Oktober, hatten sie einen weiteren Mord, der nach Aufklärung verlangte.

Wallander versuchte, streng chronologisch vorzugehen. Eine der wichtigsten Einsichten, die ihm Rydberg vermittelt hatte, war die, daß Dinge, die als erstes geschahen, nicht notwendigerweise auch die ersten in einer Ursachenkette sein mußten. Holger Eriksson und Gösta Runfelt waren beide getötet worden. Aber warum? Waren es Racheakte? Oder waren es Verbrechen aus Gewinnsucht, auch wenn er nicht verstand, worin der Gewinn liegen konnte?

Er öffnete die Augen und sah eine losgerissene Flaggenleine, die im böigen Wind schlug. Holger Eriksson war in einem sorgfältig vorbereiteten Pfahlgrab aufgespießt worden. Gösta Runfelt war gefangengehalten und dann erwürgt worden.

Es gab zu viele Details, die Wallander beunruhigten. Die demonstrative Grausamkeit. Und warum war Gösta Runfelt gefangengehalten worden, bevor er getötet wurde? Wallander versuchte, sich die grundlegenden Voraussetzungen klarzumachen, von denen sie ausgehen mußten. Der Täter, nach dem sie suchten und den sie zu identifizieren versuchten, mußte sowohl Holger Eriksson als auch Gösta Runfelt gekannt haben. Daran bestand kein Zweifel.

Er war mit Holger Erikssons Gewohnheiten vertraut gewesen. Außerdem mußte er gewußt haben, daß Gösta Runfelt nach Nairobi fliegen wollte. Von diesen Voraussetzungen konnten sie ausgehen. Hinzu kam, daß der Mörder nichts getan hatte, um zu verhindern, daß die Toten gefunden wurden. Es gab sogar Anzeichen für das Gegenteil.

Wallander hielt inne. Warum demonstriert man etwas? Damit jemand bemerkt, was man getan hat. Wollte der Mörder tatsächlich andere Menschen auf sein Verbrechen hinweisen? Und was wollte er zeigen, wenn es sich so verhielt? Daß gerade diese beiden Männer tot waren? Oder wollte er auch, daß klar ersichtlich wurde, wie er vorgegangen war? Daß er auf grausame und ausgeklügelte Weise getötet hatte?

Das war eine Möglichkeit, dachte Wallander mit wachsendem Unbehagen. Dann mußten die Morde an Holger Eriksson und Gösta Runfelt in einen sehr viel größeren Zusammenhang gestellt werden. Dessen Umfang er noch nicht einmal ahnte. Das mußte nicht bedeuten, daß mehr Menschen sterben würden. Aber es bedeutete mit Sicherheit, daß Holger Eriksson, Gösta Runfelt und derjenige, der sie getötet hatte, in einer größeren Gruppe von Menschen zu suchen waren. Einer Art von Gemeinschaft – etwa einer Gruppe Söldner in einem entlegenen afrikanischen Krieg.

Wallander hatte plötzlich Lust zu rauchen. Obwohl es ihm ausgesprochen leicht gefallen war, als er vor einigen Jahren das Zigarettenrauchen aufgegeben hatte, kam es immer wieder vor, daß es ihn danach verlangte. Jetzt war ein solcher Augenblick. Er stieg aus und setzte sich auf die Rückbank. Gewissermaßen um die Perspektive zu wechseln. Er vergaß schnell die Zigaretten und dachte weiter. Was sie vor allem suchen und so schnell wie möglich finden mußten, das war ein Zusammenhang zwischen Holger Eriksson und Gösta Runfelt. Es war möglich, daß dieser Zusammenhang überhaupt nicht ins Auge fiel. Aber irgendwo gab es ihn, davon war er überzeugt. Um dieses verbindende Moment zu finden, mußten sie mehr über die beiden Männer wissen. Äußerlich betrachtet waren sie verschieden. Sehr verschieden. Allein schon das Alter. Sie gehörten nicht derselben Generation an. Der Altersunterschied betrug dreißig Jahre. Holger Eriksson hätte Gösta Runfelts Vater sein können. Aber an irgendeinem Punkt kreuzten sich ihre Spuren. Die Suche nach diesem Punkt mußte von nun an im Zentrum der Ermittlungen stehen. Einen anderen Weg sah Wallander nicht.

Sein Telefon piepte. Es war Ann-Britt Höglund.

»Ist etwas passiert?« fragte er.

»Ich muß zugeben, daß ich aus reiner Neugier anrufe«, antwortete sie.

»Das Gespräch mit Hauptmann Hanzell war ergiebig«, sagte Wallander. »Neben vielem anderen, was er zu berichten wußte und was vielleicht von Bedeutung sein kann, wies er darauf hin, daß Harald Berggren heute sehr gut unter einem anderen Namen leben kann. Söldner haben häufig falsche Namen gewählt, wenn sie Verträge abschlossen oder mündliche Absprachen trafen.«

»Das wird die Suche nach ihm erschweren.«

»Das war auch mein erster Gedanke. Die Nadel im Heuhaufen. Aber es muß nicht so sein. Wie viele Menschen wechseln eigentlich im Laufe ihres Lebens den Namen? Auch wenn es mühsam wird, müßte die Aufgabe lösbar sein.«

»Wo bist du?«

»Am Meer. In Nybrostrand.«

»Was tust du da?«

»Ich sitze hier im Auto und denke nach.«

Er merkte, daß er den Ton verschärfte, als habe er das Bedürfnis, sich zu verteidigen.

»Dann will ich dich nicht länger stören«, sagte sie.

»Du störst nicht«, sagte er. »Ich fahre jetzt zurück nach Ystad. Aber ich will auf dem Weg in Lödinge haltmachen.«

»Ist es etwas Besonderes?«

»Ich muß mein Gedächtnis auffrischen. Dann gehe ich in Runfelts Wohnung. Ich denke, ich bin um drei Uhr da. Es wäre gut, wenn Vanja Andersson hinkommen könnte.«

»Ich kümmere mich darum.«

Sie beendeten das Gespräch. Wallander ließ den Motor an und fuhr nach Lödinge. Er sah noch lange nicht klar. Aber ein Stück weit war er gekommen. Er hatte eine Skizze für den weiteren Gang der Ermittlung im Kopf. Dabei war sein Lot in Tiefen eingedrungen, die größer waren, als er geahnt hatte.

Er war nicht ganz ehrlich gewesen, als er Ann-Britt Höglund sagte, der Zweck seines Besuchs in Holger Erikssons Haus sei das Bedürfnis, sein Gedächtnis aufzufrischen. Wallander wollte das Haus sehen, bevor er in Gösta Runfelts Wohnung ging. Er wollte sehen, ob es Ähnlichkeiten gab. Wo die Unterschiede lagen.

Als er auf Holger Erikssons Grundstück einbog, standen dort schon zwei Autos. Er fragte sich verwundert, wer die Besucher sein könnten. Journalisten, die einen Herbsttag damit verbrachten, düstere Fotos vom Ort eines Verbrechens zu machen? Wallander erhielt die Antwort, als er den Hof betrat. Dort standen ein Rechtsanwalt aus Ystad, den Wallander schon früher getroffen hatte, und zwei Frauen, eine ältere und eine in Wallanders Alter. Bjurman, der Anwalt, begrüßte ihn und gab ihm die Hand.

»Ich bin Holger Erikssons Testamentsvollstrecker«, sagte er erklärend. »Wir glaubten, die Polizei sei fertig mit den Untersuchungen hier. Ich habe im Präsidium angerufen.«

»Wir sind erst fertig, wenn wir den Täter gefaßt haben«, antwortete Wallander. »Aber wir haben nichts dagegen, daß Sie durchs Haus gehen.«

Er erinnerte sich, in den Ermittlungsunterlagen gelesen zu haben, daß Bjurman Holger Erikssons Testamentsvollstrecker war. Er glaubte auch, sich erinnern zu können, daß Martinsson Kontakt zu ihm aufgenommen hatte.

Bjurman stellte Wallander den beiden Frauen vor. Die ältere nahm auffallend gemessen seine Hand, als sei es unter ihrer Würde, sich mit Polizeibeamten zu befassen. Wallander, der auf dünkelhafte Menschen äußerst empfindlich reagierte, war sofort verärgert. Aber er beherrschte sich. Die andere Frau war freundlich.

»Frau Mårtensson und Frau von Fessler sind vom Museum in Lund«, sagte Bjurman. »Holger Eriksson hat dem Museumsverein den größten Teil seiner Hinterlassenschaft überschrieben. Er hat sehr genaue Aufstellungen des Inventars gemacht. Wir wollten gerade alles durchgehen.«

»Sagen Sie Bescheid, wenn etwas fehlt«, meinte Wallander. »Ansonsten will ich nicht stören. Ich bleibe nicht lange.«

»Hat die Polizei den Mörder wirklich nicht ermittelt?« fragte die ältere der beiden, Frau von Fessler. Wallander empfand ihre Worte als eine Feststellung und als eine kaum verhohlene Kritik.

»Nein«, sagte er. »Die Polizei hat nicht.«

Wallander sah ein, daß er das Gespräch beenden mußte, bevor er wütend wurde. Er wandte sich um und ging aufs Haus zu, dessen Außentür offenstand. Um sich aus dem Gespräch herauszuhalten, das draußen auf dem Hof geführt wurde, machte er die Tür hinter sich zu. Eine Maus huschte an seinen Füßen vorbei und verschwand hinter einer alten Kleidertruhe an der Wand. Es ist Herbst, dachte Wallander. Die Feldmäuse beziehen ihr Winterquartier.

Er ging durchs Haus, langsam und konzentriert. Er suchte nichts Spezielles, wollte sich nur alles im Haus einprägen. Es dauerte gut zwanzig Minuten. Bjurman und die beiden Frauen befanden sich in einem der anderen Flügel, als er das Haus verließ. Wallander beschloß zu gehen, ohne sich zu verabschieden. Erst als er bei seinem Auto war, hielt er inne. Es war etwas, das Bjurman gesagt hatte. Es dauerte einen Moment, bis es ihm einfiel. Er ging zurück zum Haus. Bjurman und die beiden Frauen waren noch in den Seitenflügeln. Er schob die Tür auf und winkte Bjurman zu sich.

»Was haben Sie vorhin von dem Testament gesagt?«

»Holger Eriksson hat das meiste dem Museumsverein in Lund vermacht.«

»Das meiste? Das heißt, daß nicht alles dahin geht?«

»Es gibt noch eine Verfügung über 100 000 Kronen, die anderswohin gehen. Das ist alles.«

»Wohin?«

»An eine Kirche im Kirchspiel Berg. Svenstaviks kyrka. Als Schenkung. Zur freien Verfügung des Vorstands.«

Wallander hatte noch nie von dem Ort gehört.

»Liegt Svenstavik in Schonen?« fragte er.

»Es liegt im südlichen Jämtland«, antwortete Bjurman. »Zwanzig, dreißig Kilometer von der Grenze zu Härjedalen.«

»Was hatte Holger Eriksson denn mit Svenstavik zu tun?« fragte Wallander erstaunt. »Ich dachte, er sei aus Ystad?«

»Leider weiß ich darüber nichts«, gab Bjurman zurück. »Holger Eriksson war ein sehr verschwiegener Mann.«

»Hat er keine Erklärung für die Schenkung gegeben?«

»Holger Erikssons Testament ist ein vorbildliches Dokument, kurzgefaßt und exakt«, sagte Bjurman. »Es enthält keine Begründungen gefühlsmäßiger Art. Die Kirche von Svenstavik soll seinem letzten Willen entsprechend 100 000 Kronen bekommen. Und die bekommt sie auch.«

Wallander hatte keine Fragen mehr. Vom Auto aus rief er Ebba im Präsidium an. »Bitte besorge mir die Nummer des Pfarramtes in Svenstavik«, sagte er. »Oder vielleicht liegt es in Östersund. Ich nehme an, das ist die nächste Stadt.«

»Wo liegt denn Svenstavik?« fragte sie.

»Weißt du das nicht? Im südlichen Jämtland.«

»Was du alles weißt«, gab sie zurück.

Wallander spürte, daß sie ihn sofort durchschaut hatte, und erzählte, daß auch er sich erst von Bjurman hatte belehren lassen müssen.

»Wenn du die Nummer hast, gib sie mir bitte«, sagte er. »Ich bin jetzt auf dem Weg zu Gösta Runfelts Wohnung.«

»Lisa Holgersson will dich unbedingt sprechen«, sagte Ebba. »Hier rufen ständig Journalisten an. Aber die Pressekonferenz ist auf halb sieben heute abend verschoben.«

»Das paßt mir ausgezeichnet«, sagte Wallander.

»Deine Schwester hat auch angerufen. Sie wollte gern noch mal mit dir sprechen, bevor sie nach Stockholm zurückfährt.«

Die Erinnerung an den Tod seines Vaters kam unvermittelt und mit Macht. Aber er konnte den Gefühlen nicht nachgeben. Auf jeden Fall nicht jetzt.

»Ich rufe sie an«, sagte Wallander. »Aber das Pfarramt in Svenstavik ist jetzt am wichtigsten.«

Dann fuhr er zurück nach Ystad. Er hielt bei einer Imbißbude und aß einen Hamburger, der nach nichts schmeckte. Vor lauter Enttäuschung bestellte er noch eine Wurst. Er aß schnell, als tue er etwas Ungesetzliches und befürchte, von jemandem ertappt zu werden. Danach fuhr er in die Västra Vallgatan. Ann-Britt Höglunds altes Auto stand vor Gösta Runfelts Haustür.

Der Wind war noch immer böig. Wallander fror und zog den Mantel zu, als er die Straße überquerte.

Als er klingelte, öffnete nicht Ann-Britt Höglund, sondern Svedberg.

»Sie mußte nach Hause fahren«, sagte Svedberg erklärend, als Wallander nach ihr fragte. »Eins ihrer Kinder ist krank. Und ihr Wagen sprang nicht an, da hat sie meinen genommen. Aber sie wollte bald zurück sein.«

Wallander ging ins Wohnzimmer und sah sich um. »Ist Nyberg schon fertig?« fragte er erstaunt.

Svedberg sah ihn verständnislos an. »Hast du nichts gehört?« fragte er.

»Was gehört?«

»Was mit Nyberg passiert ist? Er hat sich den Fuß verletzt.«

»Ich habe nichts gehört«, sagte Wallander. »Was war denn?«

»Nyberg ist vor dem Präsidium auf einem Ölfleck ausgerutscht. Er ist so unglücklich gefallen, daß er sich im linken Fuß einen Muskel- oder Sehnenriß geholt hat. Er ist jetzt im Krankenhaus. Er rief an und sagte, daß er weiterarbeiten kann. Aber er muß Krücken haben. Und er war natürlich stocksauer.«

Wallander dachte an Sven Tyrén, der vor dem Eingang des Polizeigebäudes geparkt hatte. Aber er beschloß, nichts zu sagen.

Sie wurden durch ein Klingeln an der Tür unterbrochen. Es war Vanja Andersson. Sie war sehr blaß. Wallander gab Svedberg ein Zeichen, und der Kollege zog sich in Gösta Runfelts Arbeitszimmer zurück. Wallander ging mit Vanja Andersson ins Wohnzimmer. Sie schien unangenehm berührt zu sein, sich hier aufzuhalten. Sie zögerte, als er sie bat, sich zu setzen.

»Ich verstehe, daß es Ihnen unangenehm ist«, sagte er. »Aber ich hätte Sie nicht gebeten herzukommen, wenn es nicht unbedingt nötig wäre.«

Sie nickte. Aber Wallander bezweifelte, ob sie ihn wirklich verstand. Alles mußte ihr unbegreiflich sein, seit Gösta Runfelt nicht nach Nairobi geflogen, sondern tot in einem Wald bei Marsvinsholm aufgefunden worden war.

»Sie sind früher schon hier in seiner Wohnung gewesen«, sagte Wallander. »Und Sie haben ein gutes Gedächtnis. Das weiß ich, weil Sie sich an die Farbe seines Koffers erinnert haben.«

»Haben Sie ihn gefunden?«

Wallander dachte daran, daß sie noch nicht einmal angefangen hatten, ihn zu suchen. In seinem eigenen Kopf war er vollständig verschwunden. Er entschuldigte sich und ging zu Svedberg hinein, der den Inhalt eines Bücherregals untersuchte. »Hast du etwas von Gösta Runfelts Koffer gehört?«

»Hatte er einen Koffer?«

Wallander schüttelte den Kopf. »Vergiß es. Ich rede mit Nyberg.«

Er ging zurück ins Wohnzimmer. Vanja Andersson saß unbeweglich auf dem Sofa. Wallander sah ein, daß sie so schnell wie möglich wieder von hier fort wollte. Es hatte den Anschein, als müsse sie sich mit größter Überwindung dazu zwingen, die Luft in der Wohnung einzuatmen. »Wir kommen auf den Koffer später zurück«, sagte er. »Jetzt möchte ich Sie bitten, durch die Wohnung zu gehen und nachzusehen, ob irgend etwas fehlt.«

Sie blickte ihn erschrocken an. »Wie soll ich das sehen können? So oft war ich nicht hier.«

»Ich weiß«, sagte Wallander. »Aber es kann sein, daß Sie trotzdem merken, daß etwas fehlt. Es kann wichtig sein. Im Moment ist alles wichtig. Wenn wir den finden wollen, der das getan hat. Und das wollen Sie sicher genauso wie wir.«

Wallander hatte damit gerechnet. Dennoch kam es überraschend. Sie brach in Weinen aus. Svedberg erschien an der Tür des Arbeitszimmers. Wallander fühlte sich, wie stets in derartigen Situationen, vollkommen hilflos. Er fragte sich, ob die jetzigen Polizeianwärter im Laufe ihrer Ausbildung lernten, weinende Menschen zu trösten. Er würde Ann-Britt Höglund bei passender Gelegenheit danach fragen.

Svedberg kam mit einem Papiertaschentuch aus dem Badezimmer und gab es ihr. Sie hörte ebenso abrupt auf zu weinen, wie sie angefangen hatte.

»Es tut mir leid«, sagte sie. »Aber es ist so schwer.«

»Ich weiß«, sagte Wallander. »Es braucht Ihnen nicht leid zu tun. Ich glaube, daß die Menschen im allgemeinen viel zu wenig weinen.«

Sie sah ihn an.

»Das gilt auch für mich«, sagte er.

Nach einem kurzen Augenblick erhob sie sich vom Sofa. Sie war bereit anzufangen.

»Lassen Sie sich Zeit«, sagte Wallander. »Versuchen Sie sich zu erinnern, wie es war, als Sie zuletzt hier waren. Um seine Blumen zu gießen. Lassen Sie sich Zeit.«

Er folgte ihr, hielt sich aber im Hintergrund. Als er Svedberg im Arbeitszimmer fluchen hörte, ging er zu ihm hinein und legte den Finger auf den Mund. Svedberg nickte, er verstand. Wallander hatte oft gedacht, daß wichtige Augenblicke in komplizierten Ermittlungen entweder während eines Gesprächs oder in absoluter Stille eintraten. Beides hatte er mehrfach erlebt. Jetzt ging es um Stille. Er konnte sehen, daß Vanja Andersson sich wirklich anstrengte.

Aber ohne Ergebnis. Sie kehrten zu ihrem Ausgangspunkt zurück, zum Sofa im Wohnzimmer. Sie schüttelte den Kopf.

»Ich finde, daß alles ganz normal wirkt«, sagte sie. »Ich kann nicht sehen, ob irgend etwas fehlt oder verändert ist.«

Wallander war nicht verwundert. Er hätte bemerkt, wenn sie während ihres Rundgangs gestutzt hätte. »Sonst ist Ihnen nichts mehr eingefallen?« fragte er.

»Ich habe angenommen, daß er in Nairobi wäre«, sagte sie. »Ich habe seine Blumen gegossen und den Laden betreut.«

»Und beides haben Sie ausgezeichnet gemacht«, sagte Wallander. »Danke, daß Sie gekommen sind. Wir lassen sicher noch einmal von uns hören.«

Er begleitete sie zur Tür. Als sie gegangen war, kam Svedberg aus der Toilette.

»Es scheint nichts weg zu sein«, sagte Wallander.

»Er muß ein sonderbarer Mensch gewesen sein«, sagte Svedberg nachdenklich. »Sein Arbeitszimmer ist eine eigenartige Mischung aus Chaos und pedantischer Ordnung. Was die Blumen angeht, scheint die Ordnung perfekt zu sein. Ich hätte nie gedacht, daß es so viel Literatur über Orchideen gibt. Aber was sein privates Leben angeht, ist alles ein einziges Durcheinander. In der Buchführung des Blumengeschäfts von 1994 habe ich eine Steuererklärung von 1969 gefunden. Damals hat er übrigens das schwindelerregende Einkommen von 30 000 Kronen versteuert.«

»Ich frage mich, was wir damals verdient haben«, sagte Wallander. »Kaum viel mehr. Vermutlich bedeutend weniger. Vielleicht hatten wir 2000 Kronen im Monat.«

Sie dachten kurz über ihr früheres Einkommen nach.

»Such weiter«, sagte Wallander dann.

Svedberg ging an seine Arbeit. Wallander stellte sich ans Fenster und blickte über den Hafen, als er ein Geräusch an der Wohnungstür hörte. Das mußte Ann-Britt Höglund sein, sie hatte Schlüssel. Er ging zu ihr in den Flur.

»Nichts Ernstes, hoffe ich?«

»Herbsterkältung«, sagte sie. »Mein Mann ist irgendwo in dem Land, das man früher Hinterindien nannte. Aber meine Nachbarin ist meine Rettung.«

»Ich habe schon oft darüber nachgedacht«, sagte Wallander. »Ich nahm an, hilfreiche Nachbarinnen wären mit den fünfziger Jahren verschwunden.«

»Das sind sie wohl auch. Aber ich habe Glück. Meine ist an die fünfzig und hat keine eigenen Kinder. Aber sie tut es natürlich nicht umsonst. Und es kommt vor, daß sie ablehnt.«

»Und was machst du dann?«

»Ich improvisiere. Wenn es am Abend ist, kann ich vielleicht einen Babysitter kriegen. Manchmal frage ich mich selbst, wie ich es schaffe. Wie du weißt, schaffe ich es ja auch nicht immer. Dann komme ich zu spät. Aber ich glaube, Männer verstehen im Grunde nicht, welche komplizierten Operationen notwendig sind, um sein Verhältnis zur Arbeit zu lösen, wenn zum Beispiel ein Kind krank ist.«

»Vermutlich nicht«, sagte Wallander. »Wir sollten vielleicht dafür sorgen, daß deine Nachbarin irgendeine Auszeichnung bekommt.«

»Sie hat davon gesprochen, daß sie umziehen will«, sagte Ann-Britt Höglund stirnrunzelnd. »Was dann ist, daran wage ich gar nicht zu denken.«

Das Gespräch verebbte.

»Ist sie hiergewesen?« fragte Ann-Britt Höglund.

»Vanja Andersson ist gekommen und schon wieder gegangen. Aus der Wohnung scheint nichts verschwunden zu sein. Aber sie hat mich auf etwas anderes gebracht. Gösta Runfelts Koffer. Ich muß zugeben, daß ich den vollständig vergessen hatte.«

»Ich auch«, sagte sie. »Aber soweit ich weiß, hat man ihn draußen im Wald nicht gefunden. Ich habe mit Nyberg gesprochen, gerade bevor er sich den Fuß gebrochen hat.«

»Ist es so schlimm?«

»Auf jeden Fall ist er ordentlich verletzt.«

»Dann wird er in der nächsten Zeit sehr schlechte Laune haben. Was alles andere als gut ist.«

»Ich lade ihn zum Abendessen ein«, sagte Ann-Britt Höglund erfreut. »Er mag gekochten Fisch.«

»Woher weißt du das?« fragte Wallander verwundert.

»Weil ich ihn schon früher mal eingeladen habe. Er ist ein sehr angenehmer Gast. Er redet über alles, nur nicht über seine Arbeit.«

Wallander fragte sich insgeheim, ob er selbst als ein angenehmer Gast gelten würde. Er wußte, daß er zumindest versuchte, nicht über seine Arbeit zu reden. Aber wann war er eigentlich zum letzten Mal zum Essen eingeladen gewesen? Es war so lange her, daß er sich nicht einmal daran erinnern konnte.

»Runfelts Kinder sind gekommen«, sagte Ann-Britt Höglund. »Hansson hat sie übernommen. Eine Tochter und ein Sohn.«

Sie waren ins Wohnzimmer gegangen. Wallander betrachtete die Fotografie von Gösta Runfelts Frau.

»Wir müssen rausfinden, was passiert ist«, sagte er.

»Sie ist ertrunken.«

»Aber genauer.«

»Hansson denkt daran. Er führt seine Gespräche gewissenhaft. Er wird die Kinder nach der Mutter fragen.«

Wallander wußte, daß sie recht hatte. Hansson hatte viele schlechte Seiten. Aber eine seiner besten war, mit Zeugen zu sprechen. Informationen zu sammeln. Mit Eltern über ihre Kinder reden. Oder, wie jetzt, umgekehrt.

Wallander erzählte von seinem Gespräch mit Olof Hanzell. Sie hörte aufmerksam zu. Er übersprang zahlreiche Details. Am wichtigsten war die Schlußfolgerung, daß Harald Berggren heute sehr gut unter einem anderen Namen leben konnte. Er hatte das schon erwähnt, als sie am Telefon miteinander gesprochen hatten. Er merkte, daß sie weitergedacht hatte.

»Wenn er einen offiziellen Namenswechsel vorgenommen hat, können wir beim Patent- und Melderegisteramt nachfragen«, sagte sie.

»Ich zweifle daran, daß ein Söldner so formell zu Wege geht«, wandte Wallander ein. »Aber wir können es natürlich untersuchen. Das wie auch alles andere. Und das wird mühsam.«

Anschließend erzählte er von seiner Begegnung mit den Frauen aus Lund und Rechtsanwalt Bjurman draußen auf Holger Erikssons Hof.

»Ich bin einmal mit meinem Mann im Auto durch das innere Norrland gefahren«, sagte sie. »Ich habe eine vage Erinnerung, daß wir durch Svenstavik gekommen sind.«

»Ebba hätte längst anrufen und mir die Nummer vom Pfarramt geben sollen«, schimpfte Wallander und nahm sein Telefon aus der Tasche. Es war ausgeschaltet. Er fluchte über seine Schlampigkeit. Sie versuchte, ein Lächeln zu verbergen, was ihr aber nicht gelang. Wallander sah ein, daß er sich unmöglich und kindisch benahm. Um sich aus der Situation zu retten, rief er selbst im Präsidium an. Er ließ sich von Ann-Britt Höglund einen Bleistift geben und notierte die Nummer auf dem Zipfel einer Zeitung. Ebba hatte tatsächlich mehrmals versucht, ihn zu erreichen.

Im gleichen Augenblick kam Svedberg ins Wohnzimmer. Er hatte ein Bündel Papiere in der Hand. Wallander sah, daß es Einzahlungsquittungen waren.

»Das hier könnte vielleicht was sein«, sagte Svedberg. »Wahrscheinlich hatte Gösta Runfelt noch ein Zimmer in der Harpegatan. Er bezahlt monatlich Miete. Soweit ich sehen kann, hält er die

Sache getrennt von allen Zahlungen, die mit dem Blumenladen zu tun haben.«

»Harpegatan?« fragte Ann-Britt Höglund »Wo liegt die?«

»In der Nähe vom Nattmanstorg, mitten in der Stadt«, sagte Wallander.

»Hat Vanja Andersson davon gesprochen, daß er noch ein Zimmer gemietet hatte?«

»Die Frage ist, ob sie es gewußt hat«, sagte Wallander. »Das haben wir gleich.«

Er verließ die Wohnung und ging schräg über die Straße zum Blumenladen. Der Wind kam jetzt in noch heftigeren Böen. Wallander hielt die Luft an und duckte sich gegen den Wind. Der Blumenduft war wieder sehr stark. Ein flüchtiges Gefühl von Verlorenheit überkam Wallander, als er an die Reise nach Rom und an seinen Vater dachte, der nicht mehr lebte. Aber er vertrieb die Gedanken. Er war Polizist. Trauern konnte er, wenn er Zeit dazu hatte. Nicht jetzt.

»Ich habe eine Frage«, sagte er, »die Sie vermutlich direkt mit ja oder nein beantworten können.«

Sie wandte ihm ihr blasses und verschrecktes Gesicht zu. Wallander dachte, daß manche Menschen ständig den Eindruck machten, als seien sie darauf vorbereitet, daß jeden Augenblick das Schlimmste eintreten konnte. Vanja Andersson schien so ein Mensch zu sein. Und gerade jetzt konnte Wallander ihr das auch nicht verdenken.

»Wußten Sie, daß Gösta Runfelt ein Zimmer in der Harpegatan hier in der Stadt gemietet hatte?« fragte er.

Sie schüttelte den Kopf.

»Sind Sie sicher?«

»Gösta hatte nur diesen Laden und seine Wohnung.«

Wallander hatte es plötzlich eilig.

»Das war alles«, sagte er. »Sonst nichts.«

Als er zurück in die Wohnung kam, hatten Svedberg und Ann-Britt Höglund sämtliche Schlüsselbunde eingesammelt, die sie finden konnten. Sie fuhren in Svedbergs Wagen zur Harpegatan. Es war ein gewöhnliches Mietshaus. Auf den Namensschildern im Eingang konnten sie Gösta Runfelts Namen nicht entdecken.

»Auf den Quittungen steht, daß es sich um einen Kellerraum handelt«, sagte Svedberg.

Eine halbe Treppe führte hinunter ins Kellergeschoß. Wallander roch den säuerlichen Duft von Winteräpfeln. Svedberg begann, seine Schlüssel zu probieren. Der zwölfte war der richtige. Sie kamen in einen Korridor, wo rotgestrichene Stahltüren zu den einzelnen Kellern führten.

Ann-Britt Höglund fand die richtige Tür. »Ich glaube, hier ist es«, sagte sie.

An der Tür war ein Aufkleber mit einem Blumenmotiv.

»Eine Orchidee«, sagte Svedberg.

»Ein geheimer Raum«, sagte Wallander.

Svedberg versuchte weiter seine Schlüssel. Wallander sah, daß die Tür ein zusätzliches Schloß hatte.

Schließlich klickte es in dem einen Schloß. Wallander spürte, wie die Spannung in ihm zunahm. Svedberg suchte den richtigen Schlüssel. Er hatte nur noch zwei, als er die anderen ansah und nickte.

»Dann gehen wir rein«, sagte Wallander.

Und Svedberg öffnete die Tür.

16

Die Angst packte ihn wie mit Krallen. Doch als der Gedanke kam, war es schon zu spät. Svedberg hatte die Tür geöffnet. Wallander wartete während des kurzen Augenblicks, in dem die Angst das Zeitempfinden verdrängt hatte, auf die Explosion. Aber alles, was geschah, war, daß Svedberg mit einer Hand über die Wand fuhr und leise fragte, wo der Lichtschalter saß. Hinterher war Wallander seine Angst peinlich. Warum sollte Gösta Runfelt seinen Kellerraum mit einer Sprengladung gesichert haben?

Svedberg machte Licht. Sie traten ein und sahen sich um. Da der Raum unter der Erde lag, gab es nur eine Reihe schmaler Fenster in Höhe des Straßenniveaus. Wallander fiel sogleich auf, daß die Fenster auch auf der Innenseite mit einem Eisengitter versehen waren. Das war ungewöhnlich, und es war anzunehmen, daß Gösta Runfelt sie auf eigene Kosten hatte anbringen lassen. Der Raum war als Büro eingerichtet. Da war ein Schreibtisch. An den Wänden Aktenschränke. Auf einem kleinen Tisch an einer Wand eine Kaffeemaschine und ein paar Tassen auf einem Handtuch. Es gab Telefon, Fax und einen Kopierer.

»Gehen wir rein, oder warten wir auf Nyberg?« fragte Svedberg. Wallander wurde in seinen Gedanken unterbrochen. Er hatte Svedbergs Frage gehört. Aber er zögerte mit der Antwort. Er versuchte noch zu verstehen, was der erste Eindruck ihm sagte. Warum hatte Gösta Runfelt diesen Kellerraum gemietet und die Zahlungen von seiner übrigen Buchführung getrennt gehalten? Warum wußte Vanja Andersson nichts davon? Und am wichtigsten: Wozu hatte er den Raum benutzt?

»Kein Bett«, sagte Svedberg. »Ein heimliches Liebesnest scheint es also nicht gewesen zu sein.«

»Hier unten würde keine Frau romantisch werden«, bestätigte Ann-Britt Höglund.

Wallander hatte noch immer nicht auf Svedbergs Frage geantwortet. Warum hatte Gösta Runfelt dieses Büro geheimgehalten? Denn ein Büro war es. Daran gab es keinen Zweifel.

Wallander ließ den Blick über die Wände gleiten. Dort war noch eine Tür. Er nickte Svedberg zu. Der trat heran und legte die Hand auf die Klinke. Die Tür war offen. Er schaute hinein.

»Es sieht nach einem Fotolabor aus«, sagte er. »Voll eingerichtet.«

In diesem Augenblick begann sich Wallander zu fragen, ob es nicht trotz allem eine ganz einfache und plausible Erklärung für diesen Kellerraum gab. Runfelt hatte viel fotografiert. Das konnten sie in seiner Wohnung sehen. Er hatte eine große Fotosammlung mit Orchideen aus aller Welt. Menschen waren fast nie auf seinen Fotografien, und viele Bilder waren schwarzweiß, obwohl die Orchideen sehr schöne Farben hatten und einen Mann mit einer Kamera gereizt haben müßten.

Wallander und Ann-Britt Höglund schauten über Svedbergs Schultern. Es war tatsächlich ein kleines Fotolabor. Wallander entschied, daß sie nicht auf Nyberg zu warten brauchten. Sie konnten den Raum selbst durchsuchen.

Als erstes hatte er nach einem Koffer Ausschau gehalten, aber keinen gesehen. Er setzte sich in den Schreibtischstuhl und begann in den Papieren, die auf dem Schreibtisch lagen, zu blättern. Svedberg und Ann-Britt Höglund konzentrierten sich auf die Aktenschränke. Wallander erinnerte sich dunkel daran, daß Rydberg vor unendlich langer Zeit, an einem der vielen Abende, an denen sie auf seinem Balkon gesessen und Whisky getrunken hatten, darüber sinnierte, daß die Aufgaben eines Kriminalpolizisten und eines Revisors vieles gemeinsam hatten. Beide widmeten einen Großteil ihrer Zeit der Durchsicht von Papieren. Wenn das stimmt, dann bin ich gerade mit der Revision der Papiere eines toten Mannes beschäftigt, in dessen Buchführung, wie auf einem Geheimkonto, ein Büro mit der Adresse Harpegatan in Ystad auftaucht.

Wallander zog die Schreibtischschubfächer heraus. In der obersten lag ein tragbarer Computer. Wallanders Fähigkeiten im Umgang mit Computern waren begrenzt. Oft mußte er jemanden um

Hilfe bitten, wenn er an dem Gerät arbeiten sollte, das in seinem Zimmer im Präsidium stand. Sowohl Svedberg als auch Ann-Britt Höglund waren an den Umgang mit Computern gewöhnt und betrachteten sie als ganz normale Arbeitsgeräte.

»Laßt uns einmal nachsehen, was sich in dem hier verbirgt«, sagte er und hob den Laptop auf den Schreibtisch. Er stand auf, Ann-Britt Höglund übernahm seinen Platz. Neben dem Schreibtisch war eine Steckdose. Sie öffnete den Computer und schaltete ihn ein. Nach einem kurzen Augenblick leuchtete der Bildschirm auf. Svedberg wühlte noch in einem der Aktenschränke. Sie drückte ein paar Tasten und war im Programm.

»Kein Password«, sagte sie.

Wallander beugte sich vor, um besser zu sehen. So nah, daß er den Duft ihres diskreten Parfüms wahrnahm. Er dachte an seine Augen. Er durfte nicht mehr warten. Er brauchte eine Brille.

»Das ist ein Register«, sagte sie. »Personennamen.«

»Versuch mal, ob Harald Berggren dabei ist«, sagte er.

Sie blickte ihn erstaunt an. »Glaubst du das?«

»Ich glaube gar nichts«, sagte er. »Aber wir können es ja versuchen.«

Svedberg stand jetzt auch neben Wallander. Ann-Britt suchte im Register. Dann schüttelte sie den Kopf.

»Holger Eriksson?« schlug Svedberg vor.

Wallander nickte. Sie suchte. Nichts.

»Geh aufs Geratewohl ins Register«, sagte Wallander.

»Hier haben wir einen Mann namens Lennart Skoglund«, sagte sie. »Versuchen wir den mal?«

»Aber verdammt, das ist doch Nacka!« platzte Svedberg heraus.

Sie sahen ihn verständnislos an.

»Es gab einen bekannten Fußballspieler, Lennart Skoglund«, sagte Svedberg. »Er wurde Nacka genannt. Ihr müßt doch von ihm gehört haben.«

Wallander nickte. Ann-Britt Höglund dagegen kannte ihn nicht.

»Lennart Skoglund hört sich an wie ein ganz normaler Name«, sagte Wallander. »Sehen wir ihn uns mal an.«

Sie holte den Text auf den Bildschirm. Wallander kniff die Augen zusammen, und es gelang ihm, den sehr kurzen Text zu lesen.

Lennart Skoglund. Begonnen 10. Juni 1994. Abgeschlossen 19. August 1994. Nichts veranlaßt. Fall zu den Akten.

»Was bedeutet das?« fragte Svedberg. »Was meint er mit Fall zu den Akten? Welcher Fall?«

»Es sieht fast aus wie etwas, was wir hätten schreiben können«, sagte sie.

Im gleichen Augenblick ahnte Wallander, was die Erklärung bedeuten konnte. Er dachte an die technische Ausrüstung, die Gösta Runfelt beim Postversand in Borås gekauft hatte. An das Fotolabor. An das geheime Büro. Das Ganze wirkte unwahrscheinlich, aber trotzdem durchaus denkbar. Als sie über das Register gebeugt standen, schien es sogar wahrscheinlich.

Wallander streckte den Rücken. »Die Frage ist, ob Gösta Runfelt sich nicht doch noch für andere Dinge interessiert hat als für Orchideen«, sagte er. »Die Frage ist, ob er nicht auch Privatdetektiv gewesen ist.«

Viele Einwände waren möglich. Aber Wallander wollte die Spur verfolgen, und zwar sofort.

»Ich glaube, ich habe recht«, sagte er. »Jetzt müßt ihr beide mich davon zu überzeugen versuchen, daß ich unrecht habe. Geht alles durch, was ihr hier findet. Haltet die Augen auf und vergeßt Holger Eriksson nicht. Ich möchte außerdem, daß einer von euch Kontakt mit Vanja Andersson aufnimmt. Ohne sich dessen bewußt geworden zu sein, kann sie Dinge gehört oder gesehen haben, die mit dieser Tätigkeit zu tun haben. Ich fahre ins Präsidium und spreche mit Runfelts Kindern.«

»Was machen wir mit der Pressekonferenz heute abend um halb sieben? Ich habe versprochen, dabeizusein.«

»Es ist besser, du bleibst hier.«

Svedberg reichte Wallander seine Autoschlüssel, aber der schüttelte den Kopf.

»Ich hole meinen eigenen. Ich muß mich bewegen.«

Als er auf die Straße hinauskam, bereute er es sofort. Der Wind war scharf, und es wurde immer kälter. Wallander überlegte einen

Moment, ob er nicht zunächst nach Hause gehen und sich einen dickeren Pullover holen sollte. Aber er ließ es sein. Er hatte es eilig. Außerdem war er unruhig. Sie entdeckten Neues. Aber was sie entdeckten, paßte nicht ins Bild. Warum war Gösta Runfelt Privatdetektiv gewesen? Er lief durch die Stadt und holte sein Auto. Die Benzinanzeige stand auf Null, und das rote Licht leuchtete. Aber er wollte jetzt nicht tanken. Die Unruhe machte ihn ungeduldig.

Er kam um halb fünf ins Präsidium. Ebba reichte ihm einen Stapel mit Telefonnachrichten, die er in die Tasche stopfte. Von seinem Zimmer aus rief er als erstes Lisa Holgersson an. Sie bestätigte, daß die Pressekonferenz für halb sieben angesetzt war. Wallander versprach, sie zu leiten. Er tat das ungern, denn er ließ sich immer allzuleicht von den Fragen der Journalisten irritieren, die er als aufdringlich und anmaßend empfand. Bei mehreren Gelegenheiten hatte es aus höchsten Polizeikreisen in Stockholm Klagen über sein unwirsches Verhalten gegeben. In solchen Augenblicken hatte Wallander das Gefühl, wirklich ein über den Kreis seiner eigenen Kollegen und Freunde hinaus bekannter Polizeibeamter zu sein. Er war im guten wie im schlechten ein Polizist auf Landesniveau.

Wallander informierte sie kurz über den Kellerraum in der Harpegatan, sagte aber vorläufig noch nichts darüber, daß es den Anschein hatte, als habe Gösta Runfelt einen Teil seiner Zeit als Privatdetektiv verbracht. Danach rief er Hansson an. Gösta Runfelts Tochter saß bei ihm. Sie kamen überein, sich kurz im Flur zu unterhalten.

»Den Sohn habe ich weggeschickt«, sagte Hansson. »Er wohnt im Hotel Sekelgården.«

Wallander nickte. Er wußte, wo das lag.

»Hat es was gebracht?«

»Kaum. Er hat bestätigt, daß Gösta Runfelt ein leidenschaftlicher Orchideenliebhaber war.«

»Und die Mutter? Gösta Runfelts Frau?«

»Ein tragisches Unglück. Willst du die Details?«

»Nicht jetzt. Was sagt die Tochter?«

»Ich wollte gerade mit ihr anfangen. Das Gespräch mit dem

Sohn hat gedauert. Ich will das ja gründlich machen. Der Sohn wohnt übrigens in Arvika und die Tochter in Eskilstuna.«

Wallander sah auf die Uhr. Viertel vor fünf. Er sollte eigentlich die Pressekonferenz vorbereiten. Aber ein paar Minuten konnte er noch mit der Tochter sprechen. »Hast du was dagegen, wenn ich ihr zunächst ein paar Fragen stelle?«

»Warum sollte ich?«

»Ich habe jetzt keine Zeit, es dir zu erklären. Aber die Fragen werden in deinen Ohren etwas wunderlich klingen.«

Sie gingen in Hanssons Zimmer. Die Frau auf dem Besucherstuhl war jung. Er nahm an, daß sie kaum älter als dreiundzwanzig oder vierundzwanzig war. Wallander ahnte, daß sie im Aussehen ihrem Vater ähnelte. Sie stand auf, als er hereinkam. Wallander lächelte und gab ihr die Hand. Hansson lehnte sich an den Türpfosten, während Wallander sich auf seinen Stuhl setzte. Er bemerkte, daß der Stuhl vollkommen neu war. Für einen kurzen Moment fuhr ihm der Gedanke durch den Kopf, wie Hansson es wohl angestellt hatte, einen neuen Bürostuhl zu bekommen. Sein eigener war in sehr schlechtem Zustand.

Auf einem Blatt Papier hatte Hansson einen Namen notiert, Lena Lönnerwall. Wallander blickte schnell zu Hansson auf, der nickte. Dann zog er die Jacke aus und legte sie auf den Fußboden neben den Stuhl. Die ganze Zeit folgte sie seinen Bewegungen mit dem Blick.

»Als erstes möchte ich sagen, wie leid es mir tut, was da passiert ist.«

»Danke«, sagte sie.

Wallander merkte, daß sie gefaßt war. Mit einer gewissen Erleichterung registrierte er, daß sie nicht im Begriff war, in Weinen auszubrechen. »Sie sind Lena Lönnerwall aus Eskilstuna«, fuhr Wallander fort. »Gösta Runfelts Tochter.«

»Ja.«

»Alle übrigen Angaben zur Person, die wir leider brauchen, wird Inspektor Hansson aufnehmen. Ich habe nur ein paar Fragen. Sind Sie verheiratet?«

»Ja.«

»Was arbeiten Sie?«

»Ich bin Basketballtrainerin.«

Wallander dachte über ihre Antwort nach. »Heißt das, daß Sie Sportlehrerin sind?«

»Das heißt, daß ich Basketballtrainerin bin.«

Wallander nickte. Er überließ Hansson das Weitere. Aber eine Basketballtrainerin war ihm noch nie begegnet.

»Ihr Vater war Blumenhändler?«

»Ja.«

»Schon immer?«

»In seiner Jugend ist er zur See gefahren. Als er und Mama heirateten, blieb er an Land.«

»Wenn ich richtig verstanden habe, ist Ihre Mutter ertrunken?«

»Ja.«

Der kurze Augenblick des Zögerns, bevor sie antwortete, war ihm nicht entgangen. Er reagierte mit geschärfter Aufmerksamkeit. »Wie lange ist das her?«

»Ungefähr zehn Jahre. Ich war damals erst dreizehn.«

Wallander merkte, daß sie plötzlich angespannt war. Er ging vorsichtig weiter. »Können Sie etwas ausführlicher erzählen, was passiert ist? Wo ist es passiert?«

»Hat das hier wirklich mit Papa zu tun?«

»Es gehört zur grundlegenden polizeilichen Routine, chronologische Rückgriffe zu machen«, sagte Wallander und versuchte, sich gewichtig anzuhören. Hansson starrte ihn von seinem Platz an der Tür mit offenem Mund an.

»Ich weiß nicht viel«, sagte sie.

Falsch, dachte Wallander schnell. Sie wissen schon, aber Sie wollen lieber nicht darüber sprechen. »Erzählen Sie, was Sie wissen«, sagte er.

»Es war im Winter. Aus irgendeinem Grund sind sie nach Älmhult gefahren, um einen Sonntagsspaziergang zu machen. Sie ist draußen auf dem Eis eingebrochen. Papa hat versucht, sie zu retten. Aber es ging nicht.«

Wallander saß reglos. Etwas in dem, was sie sagte, hatte mit ihrer Ermittlung zu tun. Dann kam er darauf. Es betraf nicht Gösta Runfelt, sondern Holger Eriksson. Ein Mann, der in ein sichtbares Erdloch fällt und aufgespießt wird. Lena Lönnerwalls Mutter stürzte in ein Eisloch. Alle polizeilichen Instinkte sagten Wallander, daß hier ein Zusammenhang bestand. Aber wie der aussah, ahnte er nicht. Auch nicht, warum die junge Frau ihm gegenüber nicht über den Tod ihrer Mutter sprechen wollte.

Er ließ das Thema fallen und ging direkt auf die Hauptfrage zu. »Ihr Vater hatte einen Blumenladen. Er war außerdem ein passionierter Orchideenliebhaber.«

»Das ist das erste, woran ich mich erinnern kann. Wie er mir und meinem Bruder von Blumen erzählte.«

»Warum war er ein so passionierter Orchideenliebhaber?«

Sie sah ihn mit plötzlicher Verwunderung an. »Warum ist man passioniert? Kann man darauf antworten?«

Wallander schüttelte den Kopf. »Wußten Sie, daß Ihr Vater Privatdetektiv war?«

Hansson an der Tür zuckte zusammen. Wallander sah die Frau unverwandt an. Ihre Verblüffung wirkte überzeugend. »Mein Papa soll Privatdetektiv gewesen sein?«

»Ja. Haben Sie das nicht gewußt?«

»Das kann nicht stimmen.«

»Warum nicht?«

»Ich verstehe es nicht. Ich weiß nicht einmal, was das eigentlich heißt, Privatdetektiv. Gibt es die wirklich in Schweden?«

»Das ist eine andere Frage, die man sich stellen kann«, sagte Wallander. »Aber Ihr Vater hat sich ganz offensichtlich in einem Teil seiner Zeit als privat praktizierender Detektiv betätigt.«

»Wie Ture Sventon? Das ist der einzige schwedische Detektiv, den ich kenne.«

»Von Serienheften können wir absehen«, sagte Wallander. »Ich meine es ernst.«

»Ich auch. Ich habe noch nie davon gehört, daß mein Vater mit so etwas zu tun gehabt haben soll. Was hat er gemacht?«

»Es ist noch zu früh, darauf zu antworten.«

Wallander war jetzt überzeugt davon, daß sie nicht wußte, womit ihr Vater sich heimlich beschäftigt hatte. Es gab natürlich die Möglichkeit, daß Wallander sich irrte, daß die Voraussetzung nicht ein Faktum war, sondern ein Irrtum. Aber schon jetzt wußte er im Innersten, daß ein Irrtum ausgeschlossen war. Die Entdeckung von Gösta Runfelts geheimem Raum bedeutete keinen Durchbruch in der Ermittlung, dessen Konsequenzen sie sogleich überblicken konnten. Der geheime Raum führte sie vielleicht nur weiter zu anderen geheimen Räumen. Aber Wallander hatte das Gefühl, daß die ganze Ermittlung einen Stoß bekommen hatte. Ein kaum spürbares Erdbeben war eingetreten und hatte alles in Bewegung versetzt.

Er stand auf. »Das war alles«, sagte er und streckte ihr die Hand hin. »Wir treffen uns sicher noch einmal.«

Sie betrachtete ihn ernst. »Wer hat das getan?« fragte sie.

»Ich weiß es nicht«, sagte Wallander, »aber ich bin davon überzeugt, daß wir den- oder diejenigen, die Ihren Vater getötet haben, fassen werden.«

Hansson folgte ihm auf den Flur.

»Privatdetektiv?« sagte er. »Sollte das ein Witz sein?«

»Nein«, antwortete Wallander. »Wir haben ein geheimes Büro gefunden, das Runfelt unterhielt. Du hörst nachher noch Genaueres.«

Hansson nickte.

»Ture Sventon war keine Serienheftfigur«, sagte er dann. »Das war eine Buchserie.«

Aber da war Wallander schon gegangen. Er holte eine Tasse Kaffee und schloß die Tür seines Zimmers hinter sich. Das Telefon klingelte. Er nahm den Hörer ab, ohne zu antworten. Am liebsten hätte er sich vor der Pressekonferenz gedrückt. Er hatte allzuviel anderes, woran er denken mußte. Mit einer Grimasse zog er seinen Block zu sich und schrieb die wichtigsten Punkte auf, die er der Presse mitteilen konnte. Er lehnte sich zurück und schaute durchs Fenster nach draußen. Der Wind heulte.

Wenn der Mörder eine Sprache spricht, können wir versuchen, ihm zu antworten, dachte er. Wenn es so ist, wie ich denke, daß er nämlich anderen zeigen will, was er tut. Dann werden wir auch davon reden, daß wir verstanden haben. Aber wir haben uns nicht einschüchtern lassen.

Er machte noch ein paar Notizen. Dann stand er auf und ging hinüber zu Lisa Holgersson. Er referierte kurz, was er sich dachte.

Sie hörte ihm aufmerksam zu und nickte dann. Sie würden tun, was er vorschlug.

Die Pressekonferenz fand im großen Versammlungsraum des Polizeigebäudes statt. Wallander hatte das Gefühl, wieder in den Sommer zurückversetzt zu sein, als er eine tumultartige Pressekonferenz wutentbrannt verlassen hatte. Viele der Gesichter erkannte er wieder.

»Ich bin froh, daß du die Sache übernimmst«, flüsterte Lisa Holgersson.

»Einer muß es ja tun«, erwiderte Wallander.

»Ich mache nur die Begrüßung«, sagte sie. »Den Rest übernimmst du.«

Sie stiegen auf das Podium an der einen Schmalseite des Saales. Lisa Holgersson begrüßte die Anwesenden und gab Wallander das Wort. Er merkte, wie ihm der Schweiß lief.

Er gab einen gründlichen Überblick über die Morde an Holger Eriksson und Gösta Runfelt. Er trug eine Reihe ausgewählter Einzelheiten vor und brachte seine eigene Meinung zum Ausdruck, daß es sich um die gröbsten Gewaltverbrechen handelte, mit denen er und seine Kollegen je zu tun gehabt hatten. Die einzige wesentliche Information, die er zurückhielt, war die Entdeckung, daß Gösta Runfelt vermutlich einer geheimen Tätigkeit als Privatdetektiv nachgegangen war. Er erwähnte auch nicht, daß sie nach einem Tagebuchschreiber suchten, der einmal Söldner in einem entlegenen afrikanischen Krieg gewesen war und sich Harald Berggren genannt hatte.

Dagegen sagte er etwas ganz anderes. Das, was er mit Lisa Holgersson abgesprochen hatte. Daß die Polizei eine klare Spur verfolge. Er könne nicht ins Detail gehen. Aber es gebe Spuren und Hinweise. Die Polizei habe sich ein deutliches Bild gemacht, über das er indessen aus verständlichen ermittlungstechnischen Gründen nichts sagen könne.

Der Gedanke dazu war ihm gekommen, als er das Gefühl hatte, die ganze Ermittlung werde erschüttert, von einem Beben in der Tiefe, das fast nicht zu registrieren war, aber dennoch dagewesen war.

Der Gedanke war sehr einfach. Bei einem Erdbeben fliehen die Menschen. Sie bewegen sich in aller Hast vom Zentrum fort. Der Täter – oder die Täter – wollte, daß die Umwelt sehen sollte, wie sadistisch und sorgfältig die Morde geplant waren. Jetzt konnten die Ermittler bekräftigen, daß sie es gesehen hatten. Aber sie konnten auch eine ausführlichere Antwort geben. Sie hatten mehr gesehen, als vielleicht beabsichtigt gewesen war.

Wallander wollte den Täter dazu bringen, sich zu bewegen. Bewegliches Wild war leichter zu sehen als das, was sich still verhielt und sich im Schatten verbarg.

Wallander war sich natürlich darüber im klaren, daß es auch den gegenteiligen Effekt haben konnte. Der Täter konnte sich unsichtbar machen. Dennoch fand er, daß es den Versuch wert war. Außerdem hatte er Lisa Holgerssons Zustimmung, etwas zu sagen, das nicht ganz korrekt war.

Sie hatten keine Spur. Alles, was sie hatten, waren fragmentarische Erkenntnisse, die nicht zusammenhingen. Als Wallander schwieg, kamen die Fragen. Auf die meisten war er vorbereitet. Er hatte sie schon früher gehört und beantwortet, er würde sie hören, solange er Polizist war.

Erst gegen Ende der Pressekonferenz, als Wallander langsam ungeduldig wurde und Lisa Holgersson ihm zugenickt hatte, daß es an der Zeit sei aufzuhören, nahm das Ganze eine Wendung in eine vollkommen andere Richtung. Der Mann, der die Hand hob und dann aufstand, hatte ganz außen in einer Ecke gesessen. Wallander sah ihn nicht und wollte gerade abschließen, als Lisa Holgersson ihn darauf aufmerksam machte, daß es offenbar noch eine Frage gab.

»Ich komme von der Zeitung *Anmärkaren*«, sagte der Mann. »Ich möchte gern eine Frage stellen.«

Wallander forschte in seinem Gedächtnis. Er hatte noch nie von einer Zeitung gehört, die *Anmärkaren* hieß. Seine Ungeduld nahm zu. »Von welcher Zeitung kommen Sie?« wollte er wissen.

»*Anmärkaren.*«

Im Saal machte sich Unruhe bemerkbar.

»Ich muß zugeben, daß ich noch nie von dieser Zeitung gehört habe. Welche Frage wollten Sie stellen?«

»*Anmärkaren* hat ehrwürdige Ahnen«, antwortete der Mann in der Ecke ungerührt. »Anfang des 19. Jahrhunderts gab es eine Zeitung dieses Namens. Eine gesellschaftskritische Zeitung. Wir rechnen damit, daß unsere erste Nummer in Kürze erscheint.«

»Eine Frage«, sagte Wallander. »Wenn Ihre erste Nummer erschienen ist, antworte ich auf zwei Fragen.«

Im Saal breitete sich eine gewisse Heiterkeit aus. Aber der Mann in der Ecke blieb weiter ungerührt. Er hatte etwas von einem Verkünder an sich. Wallander begann sich zu fragen, ob die noch nicht erschienene Zeitung möglicherweise religiös war. Kryptoreligiös, dachte er. Die neue Geistigkeit hat jetzt auch Ystad erreicht. Söderslätt ist erobert. Jetzt wartet Österlen.

»Wie stellt sich die Polizei in Ystad dazu, daß die Bewohner von Lödinge beschlossen haben, eine Bürgerwehr zu bilden?« fragte der Mann in der Ecke.

Wallander konnte sein Gesicht nicht richtig erkennen. »Ich habe noch nichts davon gehört, daß die Leute in Lödinge vorhaben, kollektive Dummheiten zu begehen«, erwiderte er.

»Nicht nur in Lödinge«, sagte der Mann in der Ecke. »Es gibt Pläne für eine landesweite Volksbewegung. Eine Dachorganisation für die Bürgerwehren. Ein vom Volk gebildetes Polizeikorps, das die Bürger schützt. Das die Dinge tut, um die sich die Polizei nicht kümmert. Oder die sie nicht schafft. Einer der Ausgangspunkte sollte die Gegend um Ystad sein.«

Es war plötzlich still geworden im Saal.

»Warum gibt man Ystad die Ehre?« fragte Wallander. Er war noch immer nicht sicher, ob er den Mann von der Zeitung *Anmärkaren* ernst nehmen sollte.

»Im Laufe weniger Monate hat es eine große Anzahl Morde gegeben. Zwar hat die Polizei das, was im Sommer geschah, aufgeklärt. Aber jetzt scheint es wieder anzufangen. Die Menschen wollen leben, während sie leben. Nicht als Erinnerungen im Bewußtsein anderer. Die schwedische Polizei hat vor dem Verbrechen kapituliert, das heute überall aus seinen Löchern kriecht. Deshalb ist die Bürgerwehr die einzige Möglichkeit, der Sicherheitsprobleme Herr zu werden.«

»Daß Menschen das Gesetz in die eigenen Hände nehmen, hat

noch nie irgendwelche Probleme gelöst«, sagte Wallander. »Seitens der Polizei in Ystad gibt es nur eine Antwort, und die ist klar und eindeutig und nicht mißzuverstehen. Jede private Initiative zur Errichtung einer parallelen Ordnungsmacht wird von unserer Seite als Gesetzesverstoß betrachtet und entsprechend geahndet werden.«

»Soll ich das so verstehen, daß Sie gegen Bürgerwehren sind?« fragte der Mann in der Ecke.

Wallander konnte jetzt sein blasses und mageres Gesicht sehen. Er nahm sich vor, es sich einzuprägen. »Ja«, antwortete er. »Wir sind gegen alle Versuche, Bürgerwehren aufzustellen.«

»Fragen Sie sich nicht, was die Leute in Lödinge dazu sagen werden?«

»Ich frage mich vielleicht«, erwiderte Wallander. »Aber vor der Antwort ist mir nicht bange.«

Danach beendete er die Pressekonferenz.

»Glaubst du, er hat das ernst gemeint?« fragte Lisa Holgersson, als sie allein im Raum zurückgeblieben waren.

»Vielleicht«, erwiderte Wallander. »Wir sollten auf jeden Fall im Auge behalten, was in Lödinge vor sich geht. Wenn die Leute mit der Forderung nach Bürgerwehren offen auftreten, hat sich die Situation gegenüber früher verändert. Dann können wir Probleme bekommen.«

Es war sieben Uhr geworden. Wallander verabschiedete sich von Lisa Holgersson und ging zu seinem Büro. Er setzte sich. Er mußte denken. Er konnte sich nicht erinnern, wann er zuletzt bei einer Ermittlung so wenig Zeit zum Nachdenken und für Zusammenfassungen gehabt hatte.

Das Telefon klingelte. Er nahm sofort ab. Es war Svedberg. »Wie ging die Pressekonferenz?« fragte er.

»Nur ein bißchen schlimmer als gewöhnlich. Wie ist es bei euch?«

»Ich denke, du solltest mal herkommen. Wir haben eine Kamera mit einem Film gefunden. Nyberg ist hier. Wir wollen den Film entwickeln.«

»Können wir jetzt davon ausgehen, daß er ein Doppelleben als Privatdetektiv geführt hat?«

»Wir glauben es. Und wir glauben noch etwas.«

Wallander wartete gespannt auf die Fortsetzung.

»Wir glauben, daß der Film Bilder seines letzten Klienten enthält.«

»Ich komme«, sagte Wallander.

Er trat aus dem Polizeigebäude in den stürmischen Wind. Am Himmel trieben zerfetzte Wolken. Während er zu seinem Auto ging, fragte er sich, ob Zugvögel bei Nacht in so starkem Wind auch unterwegs waren.

Auf dem Weg zur Harpegatan hielt er und tankte. Er fühlte sich matt und leer und fragte sich, wann er wohl Zeit hätte, sich ein Haus anzusehen. Und an seinen Vater zu denken. Und wann Baiba kommen würde.

Er sah auf die Armbanduhr. Verging die Zeit, oder verging sein Leben? Er war zu müde, um sich für das eine oder das andere zu entscheiden.

Dann fuhr er los. Die Uhr zeigte fünf nach halb acht. Kurz darauf parkte er in der Harpegatan und ging hinunter in den Keller.

17

Gespannt sahen sie zu, wie das Bild im Entwicklerbad hervortrat. Wallander wußte nicht, was er erwartete – oder zumindest erhoffte, als er neben seinen Kollegen in dem dunklen Raum stand. Das rote Licht gab ihm das Gefühl, daß etwas Unanständiges geschehen würde. Nyberg besorgte das Entwickeln. Er hüpfte mit einer Krücke umher. Als Wallander in die Harpegatan zurückgekehrt war, hatte Ann-Britt Höglund ihm zugeflüstert, daß Nyberg ungewöhnlich schlechter Laune war.

Aber sie hatten Fortschritte gemacht in der Zeit, die Wallander den Journalisten gewidmet hatte. Es bestand nun kein Zweifel mehr, daß Gösta Runfelt sich als Privatdetektiv betätigt hatte. Den verschiedenen Kundenregistern, die sie gefunden hatten, konnten sie entnehmen, daß er seit mindestens zehn Jahren dieses Geschäft betrieben hatte. Die ältesten Unterlagen waren vom September 1983.

»Seine Aktivitäten sind nicht sehr umfangreich gewesen«, sagte Ann-Britt Höglund. »Meistens hatte er sieben, acht Aufträge pro Jahr. Man könnte meinen, daß es eine Freizeitbeschäftigung war.«

Svedberg hatte eine vollständige Übersicht über die Art der Aufträge gemacht, die Runfelt übernommen hatte. »In der Hälfte der Fälle handelt es sich um Verdacht auf Untreue«, sagte er, nachdem er seine Aufzeichnungen konsultiert hatte. »Eigentümlicherweise sind es meistens Männer, die ihre Frauen verdächtigen.«

»Warum ist das eigentümlich?« fragte Wallander.

Svedberg sah ein, daß er keine gute Antwort darauf hatte. »Ich habe nicht geglaubt, daß es so wäre«, sagte er nur. »Aber was weiß ich?«

Svedberg war unverheiratet und hatte nie eine Beziehung zu

irgendeiner Frau erwähnt. Er war über vierzig und schien mit seinem Junggesellenleben zufrieden zu sein.

Wallander gab ihm ein Zeichen weiterzumachen.

»In mindestens zwei Fällen pro Jahr verdächtigt ein Unternehmer Angestellte des Diebstahls. Außerdem haben wir eine Reihe von Überwachungsaufträgen gefunden, die nicht ganz klar sind. Das Ganze ergibt ein ziemlich gemischtes Bild. Seine Aufzeichnungen sind nicht besonders ausführlich. Aber er hat ganz ordentlich kassiert.«

»Da haben wir auf jeden Fall die Erklärung dafür, wie er sich so teure Auslandsreisen leisten konnte«, sagte Wallander. »Er hat 30 000 Kronen für die Reise nach Nairobi bezahlt, aus der nichts wurde.«

»Er hatte einen Auftrag, als er starb«, sagte Ann-Britt Höglund.

Sie legten einen Kalender auf den Schreibtisch. Wallander dachte an die Brille, die er noch immer nicht hatte. Er sah gar nicht hin.

»Es scheint einer seiner gewöhnlichsten Aufträge gewesen zu sein«, fuhr sie fort. »Eine Frau Svensson hat ihren Mann im Verdacht, ihr untreu zu sein.«

»Hier in Ystad?« fragte Wallander. »Oder hat er auch außerhalb gearbeitet?«

»1987 hatte er einen Auftrag in Markaryd«, sagte Svedberg. »Das liegt am nördlichsten. Ansonsten nur Schonen. 1991 reist er zweimal nach Dänemark und einmal nach Kiel. Ich habe mir die Details noch nicht angesehen. Aber es geht um einen Ersten Maschinisten auf einer Fähre, der eine Geschichte mit einer Kellnerin gehabt zu haben scheint, die auch auf der Fähre arbeitete. Seine Frau in Skanör hatte offenbar recht mit ihrem Verdacht.«

»Aber sonst ist er nur hier um Ystad herum tätig gewesen?«

»So würde ich das nicht sagen«, erwiderte Svedberg. »Südliches und östliches Schonen ist wohl eine korrektere Antwort.«

»Holger Eriksson?« fragte Wallander. »Habt ihr seinen Namen gefunden?«

Ann-Britt Höglund sah Svedberg an, der den Kopf schüttelte.

»Harald Berggren?«

»Auch nicht.«

»Habt ihr irgendwas gefunden, was auf einen Zusammenhang zwischen Holger Eriksson und Gösta Runfelt hindeutet?«

Die Antwort war negativ. Sie hatten nichts gefunden. Es muß aber einen geben, dachte Wallander. Es ist undenkbar, daß es zwei verschiedene Täter gibt. Es ist genauso undenkbar, daß es zwei zufällige Opfer gewesen sind. Es gibt einen Zusammenhang. Wir haben ihn nur noch nicht gefunden.

»Ich begreife diesen Menschen nicht«, sagte Ann-Britt Höglund. »Es kann kein Zweifel daran bestehen, daß er ein passionierter Blumenliebhaber ist. Gleichzeitig betätigt er sich als Privatdetektiv.«

»Menschen sind selten das, wofür man sie hält«, sagte Wallander und fragte sich im selben Moment, ob das auch für ihn galt.

»Er scheint also einiges Geld mit seiner Tätigkeit verdient zu haben«, sagte Svedberg. »Aber wenn ich mich richtig erinnere, hat er diese Einkünfte nicht in seiner Steuererklärung angegeben. Ist es vielleicht so einfach, daß er das hier geheimgehalten hat, damit das Finanzamt ihm nicht auf die Schliche kommt?«

»Wohl kaum«, sagte Wallander. »Privatdetektiv zu sein ist wohl in den Augen der meisten etwas Zwielichtiges.«

»Oder Kindisches«, sagte Ann-Britt Höglund. »Ein Spiel für Männer, die nie erwachsen werden.«

Wallander spürte eine vage Lust, ihr zu widersprechen. Aber weil er nicht wußte, wie er es formulieren sollte, unterließ er es.

Das Bild, das im Entwicklerbad hervortrat, zeigte einen Mann. Das Foto war im Freien aufgenommen. Keiner von ihnen konnte den Hintergrund identifizieren. Der Mann war in den Fünfzigern. Er hatte schütteres, kurzgeschnittenes Haar. Nyberg vermutete, daß die Bilder aus ziemlich großer Entfernung aufgenommen worden waren. Einige der Negative waren unscharf. Das konnte darauf hindeuten, daß Runfelt ein Teleobjektiv benutzt hatte, das auf Bewegungen empfindlich reagierte.

»Frau Svensson nimmt zum erstenmal am 9. September Kontakt zu ihm auf«, sagte Ann-Britt Höglund. »Am 14. und 17. September hat Runfelt notiert, ›an dem Auftrag gearbeitet‹.«

»Das ist nur wenige Tage bevor er nach Nairobi fliegen will«, sagte Wallander.

Sie waren aus dem Fotolabor in den angrenzenden Raum gegangen. Nyberg hatte sich an den Schreibtisch gesetzt und sah eine Reihe von Dokumentenmappen mit Fotografien durch.

»Wer ist seine Klientin?« fragte Wallander. »Diese Frau Svensson?«

»Seine Kundenkartei und die Aufzeichnungen sind unklar«, sagte Svedberg. »Er scheint ein schreibfauler Detektiv gewesen zu sein. Es gibt nicht einmal eine Adresse von Frau Svensson.«

»Wie bekommt ein Privatdetektiv Kunden?« fragte Ann-Britt Höglund. »Er muß ja seine Tätigkeit bekanntmachen.«

»Ich habe Annoncen in Zeitungen gesehen«, sagte Wallander. »Vielleicht nicht gerade in *Ystads Allehanda*. Aber in den überregionalen Zeitungen. Irgendwie muß es doch möglich sein, diese Frau Svensson ausfindig zu machen.«

»Ich habe mit dem Hausmeister gesprochen«, sagte Svedberg. »Er nahm an, Runfelt hätte hier eine Art Lager. Er hat nie gesehen, daß Leute gekommen sind.«

»Er hat seine Kunden wohl an anderen Stellen getroffen«, sagte Wallander. »Dies hier war der geheime Raum in seinem Leben.«

Sie dachten eine Weile über das nach, was er gesagt hatte. Wallander versuchte zu entscheiden, was nun am wichtigsten war. Gleichzeitig merkte er, daß die Pressekonferenz noch in seinem Kopf herumspukte. Der Mann von *Anmärkaren* machte ihm Sorge. War es wirklich möglich, daß eine landesweite Organisation für Bürgerwehren im Entstehen begriffen war? Wenn es so war, wußte Wallander, daß es bis zu dem Punkt, wo diese Menschen auch Strafen verhängten, nur noch ein kleiner Schritt war. Er hatte das Bedürfnis, Svedberg und Ann-Britt Höglund von der Sache zu erzählen, aber er unterließ es. Wahrscheinlich war es besser, wenn sie sich bei ihrer nächsten Besprechung gemeinsam damit befaßten. Eigentlich war das auch Lisa Holgerssons Aufgabe.

»Wir müssen Frau Svensson finden«, sagte Svedberg. »Fragt sich nur, wie.«

»Wir müssen sie finden«, bestätigte Wallander. »Und wir werden sie finden. Wir bewachen hier das Telefon und gehen alle

Papiere noch einmal durch. Irgendwo ist sie. Da bin ich sicher. Ich überlasse das euch. Ich werde mich jetzt mit Runfelts Sohn unterhalten.«

Als er die Harpegatan verließ und in dem immer noch stürmischen Wind auf die Österleden hinausfuhr, wirkte die Stadt verlassen. Er bog in die Hamngatan ein und parkte vor der Post. Dann trat er wieder hinaus in den Wind. Er sah sich selbst als eine lächerliche Figur: ein Kriminalpolizist in einem viel zu dünnen Pullover, der im Herbst in einer menschenleeren schwedischen Stadt gegen den Wind ankämpft. Das schwedische Rechtswesen, dachte er. Das, was davon noch übrig ist. So sieht es aus. Frierende Polizeibeamte in zu dünnen Pullovern.

Er bog bei der Sparkasse nach links ab und folgte der Straße, in der das Hotel Sekelgården lag. In der Rezeption saß ein junger Mann und las. Wallander nickte ihm zu.

»Hej«, sagte der Junge.

Plötzlich wurde Wallander klar, daß er ihn kannte, aber es dauerte einen Moment, bis ihm einfiel, daß es der älteste Sohn des früheren Polizeichefs Björk war.

»Das ist aber lange her«, sagte Wallander. »Wie geht es deinem Vater?«

»Der fühlt sich unwohl in Malmö.«

Der fühlt sich nicht unwohl in Malmö, dachte Wallander. Er fühlt sich unwohl als Chef.

»Was liest du da?« fragte Wallander.

»Etwas über Fraktale.«

»Fraktale?«

»Das ist ein Begriff aus der Mathematik. Ich studiere in Lund. Dies hier ist nur ein Nebenjob.«

»Das hört sich gut an«, sagte Wallander. »Und ich bin nicht hier, um ein Zimmer zu mieten. Sondern um mit einem deiner Gäste zu sprechen. Bo Runfelt.«

»Der ist gerade reingekommen.«

»Können wir hier irgendwo ungestört reden?«

»Wir haben heute abend fast keine Gäste«, sagte der Junge. »Ihr könnt euch ins Frühstückszimmer setzen.«

Er zeigte auf den Flur.

»Ich warte da«, sagte Wallander. »Ruf hoch in sein Zimmer und sag ihm, wer hier ist.«

»Ich habe es in den Zeitungen gesehen«, sagte der Junge. »Wie kommt es, daß alles immer schlimmer wird?«

Wallander sah ihn voller Interesse an. »Was meinst du damit?«

»Schlimmer. Gröber. Kann man mehr als das eine meinen?«

»Ich weiß nicht«, sagte Wallander. »Ich weiß ehrlich gesagt nicht, warum es so ist. Gleichzeitig glaube ich selbst nicht an das, was ich hier gerade sage. Eigentlich weiß ich es besser. Eigentlich wissen alle, warum es so geworden ist.«

Björks Sohn wollte das Gespräch weiterführen, aber Wallander hob abwehrend die Hand und zeigte auf das Telefon. Dann ging er ins Frühstückszimmer und setzte sich. Er dachte an das abgebrochene Gespräch. Warum alles schlimmer und gröber wurde. Er fragte sich, warum er selbst so unwillig war, eine Antwort zu geben. Er wußte sehr wohl, wie die Erklärung aussah. Das Land, in dem er aufgewachsen war, sein Schweden, das Land, das nach dem Krieg aufgebaut worden war, hatte nicht so felsenfest auf Urgestein gestanden, wie sie geglaubt hatten. Unter dem Ganzen hatte sich verdeckter Morast befunden. Schon damals waren die neuen Wohnblocksiedlungen als »unmenschlich« bezeichnet worden. Wie konnte man verlangen, daß Menschen, die dort lebten, ihre »Menschlichkeit« unversehrt bewahren würden? Die Gesellschaft war härter geworden, Menschen, die sich in ihrem eigenen Land überflüssig oder gar unwillkommen fühlten, reagierten mit Aggressivität und Verachtung. Wallander wußte, daß es keine sinnlose Gewalt gab. Jede Gewalt hatte für den, der sie ausübte, einen Sinn. Erst wenn man es wagte, diese Wahrheit zu akzeptieren, durfte man hoffen, die Entwicklung in eine andere Richtung zu lenken.

Er fragte sich auch, wie es in Zukunft möglich sein würde, Polizist zu sein. Viele seiner Kollegen überlegten ernsthaft, sich andere Beschäftigungen zu suchen. Martinsson hatte mehrfach davon geredet, Hansson hatte es einmal erwähnt, als sie in der Kantine saßen. Und Wallander selbst hatte vor einigen Jahren eine Annonce aus der Zeitung ausgeschnitten, in der eine freie Stelle als Sicherheitsbeauftragter eines großen Unternehmens in Trelleborg angeboten wurde.

Wie Ann-Britt Höglund wohl darüber dachte? Sie war noch jung. Sie würde noch mindestens dreißig Jahre Polizeibeamtin sein. Er würde sie bei Gelegenheit danach fragen. Er mußte es wissen, um zu verstehen, wie er selbst es schaffen sollte.

Gleichzeitig war ihm bewußt, daß das Bild, das er sich machte, unvollständig war. Unter jungen Menschen hatte das Interesse am Polizeiberuf in den letzten Jahren stark zugenommen. Und diese Tendenz schien ungebrochen zu sein. Wallander kam mehr und mehr zu der Überzeugung, daß das Ganze eine Generationsfrage war. Er hatte das unklare Gefühl, lange recht gehabt zu haben. Schon Anfang der neunziger Jahre hatte er an warmen Sommerabenden häufig auf Rydbergs Balkon gesessen und mit ihm darüber gesprochen, wie der Polizist der Zukunft aussehen würde. Sie hatten ihre Gespräche auch während Rydbergs Krankheit und bis zuletzt weitergeführt. Nirgendwo hatten sie einen Punkt gemacht. Auch einig waren sie nicht immer gewesen. Aber darin stimmten sie stets überein, daß Polizeiarbeit letzten Endes darauf hinauslief, die Zeichen der Zeit zu deuten. Veränderungen zu verstehen und Bewegungen in einer Gesellschaft zu interpretieren.

Wallander hatte schon damals gedacht, daß er – ebenso wie er vieles richtig sah – sich auch in einem entscheidenden Punkt irrte: Es war nicht schwerer, heute Polizist zu sein als früher.

Es war schwerer für ihn. Was nicht das gleiche war. Wallander wurde in seinen Gedanken durch Schritte in der Rezeption unterbrochen. Er erhob sich und begrüßte Bo Runfelt. Er war ein großer und gutgebauter Mann. Wallander schätzte ihn auf etwa siebenundzwanzig. Sein Händedruck war kräftig. Wallander bat ihn, sich zu setzen. Im gleichen Augenblick stellte er fest, daß er wie üblich vergessen hatte, einen Notizblock mitzunehmen. Er zweifelte sogar, ob er einen Bleistift bei sich hatte. Er überlegte, ob er zur Rezeption gehen und sich von Björks Sohn Papier und Bleistift leihen sollte. Doch er ließ es bleiben. Er mußte eben versuchen, sich das Wesentliche zu merken. Aber die Nachlässigkeit war unverzeihlich. Das irritierte ihn.

»Ich möchte Ihnen als erstes mein Beileid aussprechen«, begann Wallander.

Bo Runfelt nickte, sagte aber nichts. Seine Augen hatten ein intensives Blau, der Blick war ein wenig blinzelnd. Möglicherweise war er kurzsichtig.

»Ich weiß, daß Sie mit meinem Kollegen schon ausführlich gesprochen haben, mit Inspektor Hansson. Aber ich muß Ihnen auch ein paar Fragen stellen.«

Bo Runfelt schwieg weiter. Jetzt empfand Wallander seinen Blick als durchdringend.

»Soweit ich verstanden habe, wohnen Sie in Arvika«, sagte Wallander. »Und Sie sind Wirtschaftsprüfer.«

»Ich arbeite für Price Waterhouse«, sagte Bo Runfelt. Seine Stimme verriet einen Menschen, der es gewohnt war, sich auszudrücken.

»Das hört sich nicht richtig schwedisch an.«

»Das ist es auch nicht. Price Waterhouse ist eine der größten Wirtschaftsprüfungsfirmen der Welt. Es ist leichter, die Länder zu nennen, wo wir nicht tätig sind, als die anderen.«

»Aber Sie arbeiten in Schweden?«

»Nicht die ganze Zeit. Ich habe oft Aufträge in Ländern in Afrika und Asien.«

»Brauchen die Wirtschaftsprüfer aus Schweden?«

»Nicht notwendigerweise aus Schweden. Aber von Price Waterhouse. Wir kontrollieren viele Entwicklungshilfeprojekte. Ob die Gelder wirklich da gelandet sind, wo sie hinsollten.«

»Und das sind sie?«

»Nicht immer. Hat dies wirklich Bedeutung für das, was mit meinem Vater passiert ist?«

Wallander spürte, daß der Mann, der ihm gegenübersaß, nur schwer verbergen konnte, daß er ein Gespräch mit einem Polizeibeamten für weit unter seiner Würde hielt. Im Normalfall führte das dazu, daß Wallander wütend wurde. Außerdem war es ihm gerade erst vor ein paar Stunden passiert. Aber er fühlte sich unsicher gegenüber Bo Runfelt. Etwas an ihm brachte Wallander dazu, sich zurückzuhalten. Ihm fuhr der Gedanke durch den Kopf, ob er vielleicht die Unterwürfigkeit geerbt hatte, die sein Vater so oft an den Tag gelegt hatte. Vor allem gegenüber den Männern in ihren chromglänzenden amerikanischen Wagen, die seine Bilder kauften. Er hatte noch nie zuvor daran gedacht. Vielleicht war dies das Erbe seines Vaters. Ein Minderwertigkeitsgefühl, unter einer dünnen Schicht von demokratischem Firnis verborgen.

Er betrachtete den Mann mit den blauen Augen. »Ihr Herr Vater ist ermordet worden«, sagte er betont förmlich. »Und im Moment entscheide ich, welche Fragen von Bedeutung sind.«

Bo Runfelt zuckte die Schultern. »Ich muß zugeben, daß ich nicht besonders viel von Polizeiarbeit verstehe.«

»Ich habe am Nachmittag mit Ihrer Schwester gesprochen«, fuhr Wallander fort. »Eine Frage, die ich ihr gestellt habe, ist besonders wichtig. Jetzt stelle ich sie auch Ihnen. Wußten Sie, daß Ihr Vater neben seinem Blumengeschäft auch einer Tätigkeit als Privatdetektiv nachging?«

Bo Runfelt saß unbeweglich. Dann brach er in Lachen aus. »Das ist das Idiotischste, was ich seit langem gehört habe.«

»Idiotisch oder nicht. Aber es ist wahr.«

»Privatdetektiv?«

»Privater Ermittler, wenn Sie das vorziehen. Er hat ein Büro gehabt und verschiedene Formen von Nachforschungsaufträgen übernommen. Mindestens in den letzten zehn Jahren.«

Bo Runfelt sah ein, daß Wallander meinte, was er sagte. Seine Verblüffung war echt.

»Er hat diese Tätigkeit ungefähr zu der Zeit begonnen, als Ihre Mutter ertrank.«

Wallander hatte wieder das Gefühl, das er am Nachmittag hatte, als er mit Bo Runfelts Schwester sprach. Eine beinahe unmerkliche Veränderung in seinem Gesicht, als habe Wallander ein Gelände betreten, von dem er sich hätte fernhalten sollen.

»Sie haben gewußt, daß Ihr Vater nach Nairobi reisen wollte«, fuhr er fort. »Einer meiner Kollegen hat mit Ihnen am Telefon gesprochen. Es war Ihnen vollkommen unbegreiflich, daß er nicht in Kastrup erschienen war.«

»Ich hatte am Tag davor mit ihm telefoniert.«

»Wie wirkte er da?«

»Wie immer. Er sprach von seiner Reise.«

»Er zeigte keine Anzeichen von Besorgnis?«

»Nein.«

»Sie haben sicher darüber nachgegrübelt, was eigentlich geschehen ist. Haben Sie eine denkbare Erklärung dafür, daß er freiwillig auf die Reise verzichtet haben könnte? Oder Sie hinters Licht geführt hat?«

»Dafür gibt es keine plausible Erklärung.«

»Es scheint, als habe er seinen Koffer gepackt und die Wohnung verlassen. Dann enden alle Spuren.«

»Jemand muß auf ihn gewartet haben.«

»Wer?«

»Ich weiß nicht.«

»Hatte Ihr Vater irgendwelche Feinde?«

»Nicht soweit ich weiß. Nicht mehr.«

Wallander horchte auf.

»Was meinen Sie damit? Nicht mehr?«

»Das, was ich sage. Ich glaube kaum, daß er noch Feinde hatte.«

»Können Sie sich etwas deutlicher ausdrücken?«

Bo Runfelt holte ein Päckchen Zigaretten aus der Tasche. Wallander sah, daß seine Hand leicht zitterte.

»Haben Sie etwas dagegen, wenn ich rauche?«

»Nein, bitte!«

Wallander wartete. Er wußte, daß eine Fortsetzung kommen würde. Er hatte auch eine Vorahnung, daß er sich einem wichtigen Punkt näherte.

»Ich weiß nicht, ob mein Vater Feinde hatte«, sagte Bo Runfelt. »Aber ich weiß einen Menschen, der Grund hatte, ihn wirklich zu verabscheuen.«

»Wer?«

»Meine Mutter.«

Bo Runfelt wartete, daß Wallander eine Frage stellte. Aber es kam keine. Wallander schwieg weiter.

»Mein Vater war ein Mann, der Orchideen aufrichtig liebte«, sagte Bo Runfelt. »Er war auch ein Mann mit großem Wissen. Ein gelehrter Autodidakt als Blumenforscher, kann man sagen. Aber er war auch etwas anderes.«

»Was?«

»Er war ein brutaler Mensch. Er hat meine Mutter in all den Jahren, in denen sie verheiratet waren, mißhandelt. Manchmal so schwer, daß sie sich in ärztliche Behandlung begeben mußte. Wir wollten, daß sie ihn verließe. Aber das ging nicht. Er schlug sie. Danach war er zerknirscht, und sie ließ sich wieder überreden. Es war ein Alptraum ohne Ende. Die Brutalität hörte erst auf, als sie ertrank.«

»Ich habe es so verstanden, daß sie in ein Loch im Eis eingebrochen ist.«

»Das ist auch alles, was ich weiß. Das war das, was Gösta sagte.«

»Aber Sie sind nicht wirklich überzeugt?«

Bo Runfelt zerdrückte die halbgerauchte Zigarette im Aschenbecher. »Vielleicht hatte sie vorher ein Loch ins Eis gesägt? Vielleicht hat sie dem Ganzen ein Ende gemacht?«

»Kann das eine Möglichkeit gewesen sein?«

»Sie hat davon gesprochen, sich das Leben zu nehmen. Nicht oft. Ein paarmal in ihren letzten Lebensjahren. Aber keiner von uns glaubte daran. Das tut man ja nie. Alle Selbstmorde sind im Grunde unerklärlich für die, die hätten sehen und verstehen sollen, was da geschah.«

Wallander dachte an das Pfahlgrab. Die angesägten Planken. Gösta Runfelt war ein brutaler Mann gewesen. Er hatte seine Frau mißhandelt. Wallander suchte intensiv nach der Bedeutung dessen, was Bo Runfelt erzählte.

»Ich trauere nicht um meinen Vater«, sagte Runfelt. »Ich glaube auch nicht, daß meine Schwester das tut. Er war ein brutaler Mann. Er hat unsere Mutter zu Tode gequält.«

»Gegen Sie war er nie brutal?«

»Nie. Nur gegen sie.«

»Warum hat er sie mißhandelt?«

»Ich weiß es nicht, und man soll nicht schlecht über Tote reden. Aber er war ein Monstrum.«

Wallander dachte nach. »Ist Ihnen mal in den Sinn gekommen, daß Ihr Vater Ihre Mutter umgebracht haben könnte?«

Die Antwort kam prompt und bestimmt. »Sehr oft. Aber natürlich ist es nicht zu beweisen. Es gab keine Zeugen. Sie waren an jenem Wintertag allein auf dem Eis.«

»Wie hieß der See?«

»Stångsjön. Er liegt nicht weit von Älmhult entfernt. Im südlichen Småland.«

Wallander überlegte. Hatte er eigentlich noch mehr Fragen? Es war, als habe ihre Ermittlung sich selbst in den Würgegriff genommen. Es sollte viele Fragen geben. Es gab auch viele. Aber es gab niemanden, dem man sie stellen konnte.

»Sagt Ihnen der Name Harald Berggren etwas?«

Bo Runfelt dachte gründlich nach, bevor er antwortete. »Nein. Nichts. Aber ich kann mich irren. Es ist ein gewöhnlicher Name.«

»Hat Ihr Vater jemals Kontakt zu Söldnern gehabt?«

»Soweit ich weiß, nicht. Aber ich erinnere mich, daß er häufig von der Fremdenlegion erzählte, als ich Kind war. Nicht meiner Schwester. Aber mir.«

»Und was erzählte er?«

»Abenteuer. In die Fremdenlegion einzutreten war vielleicht ein unreifer Traum, den er selbst einmal hatte. Aber ich bin ganz sicher, daß er nie mit ihnen Kontakt hatte. Oder mit anderen Söldnern.«

»Holger Eriksson. Haben Sie den Namen schon einmal gehört?«

»Der Mann, der eine Woche vor meinem Vater ermordet wurde? Ich habe davon in der Zeitung gelesen. Aber soweit ich weiß, hatte mein Vater nie mit ihm zu tun. Ich kann mich natürlich irren. So eng war unser Kontakt nicht.«

Wallander nickte. »Wie lange bleiben Sie hier in Ystad?«

»Die Beerdigung findet statt, sobald wir alles geregelt haben. Wir müssen noch entscheiden, was wir mit dem Blumenladen machen sollen.«

»Es ist sehr gut möglich, daß ich noch einmal von mir hören lasse«, sagte Wallander und stand auf.

18

Sie wartete, bis es halb drei in der Nacht war. Aus Erfahrung wußte sie, daß einen da die Müdigkeit beschlich. Sie dachte an alle Nächte zurück, in denen sie selbst gearbeitet hatte. Es war immer so gewesen. Zwischen zwei und vier war die Gefahr einzuschlummern am größten.

Sie wartete seit neun Uhr in der Wäschekammer. Wie bei ihrem ersten Besuch war sie durch den Haupteingang des Krankenhauses hineingegangen. Niemand hatte sie beachtet. Eine Krankenschwester in Eile. Vielleicht hatte sie etwas Wichtiges erledigt? Oder etwas aus ihrem Auto geholt? Niemand hatte sie beachtet, weil nichts Ungewöhnliches an ihr war. Sie hatte überlegt, ob sie sich maskieren sollte. Vielleicht eine Perücke? Doch das wäre übertriebene Vorsicht gewesen. In der Kleiderkammer, wo sie sich vage an den Duft frischgewaschener, gemangelter Laken aus ihrer Kindheit erinnerte, hatte sie viel Zeit zum Nachdenken. Sie hatte dort im Dunkeln gesessen, auch wenn sie ruhig die Lampe hätte anmachen können. Erst nach Mitternacht hatte sie die Taschenlampe hervorgeholt, die sie auch im Dienst benutzte, und den letzten Brief gelesen, den ihre Mutter ihr geschrieben hatte. Er war ebenso unvollendet wie all die anderen Briefe, die Françoise Bertrand ihr geschickt hatte. Aber im letzten Brief hatte die Mutter angefangen, von sich selbst zu sprechen. Über die Ereignisse, die dazu geführt hatten, daß sie sich das Leben nehmen wollte. Sie hatte verstanden, daß ihre Mutter ihre Bitterkeit nie überwunden hatte. *Wie ein herrenloses Schiff treibe ich durch die Welt*, hatte sie geschrieben. *Ich bin wie ein verfluchter fliegender Holländer, der gezwungen ist, die Schuld eines anderen zu sühnen. Ich habe geglaubt, daß das Alter den Abstand vergrößern würde, daß die Erinnerungen immer schwächer werden, verblassen und schließlich verschwinden. Aber ich sehe ein, daß es nicht so ist. Erst mit dem Tod kann ich den Schlußpunkt setzen. Und weil ich nicht sterben will, jedenfalls noch nicht, wähle ich auch die Erinnerung.*

Der Brief trug das Datum des letzten Tages, bevor die Mutter zu den französischen Nonnen gekommen war, bevor Schatten sich aus der Dunkelheit gelöst und sie getötet hatten.

Nachdem sie den Brief gelesen hatte, knipste sie die Taschenlampe aus. Alles war sehr still. Zweimal ging jemand auf dem Korridor vorbei. Die Wäschekammer lag in einer Abteilung, die nur teilweise genutzt wurde.

Sie hatte viel Zeit zum Nachdenken gehabt. In ihrem Zeitplan standen jetzt drei freie Tage. Erst in neunundvierzig Stunden würde sie wieder im Dienst sein, um 17 Uhr 44. Sie hatte Zeit, und sie wollte sie nutzen. Bisher war alles gegangen, wie es gehen mußte. Frauen machten nur Fehler, wenn sie dachten wie Männer. Das wußte sie seit langem. Sie fand auch, daß sie das bereits jetzt bewiesen hatte.

Es gab jedoch etwas, das sie störte und ihren Zeitplan durcheinanderbrachte. Sie hatte genau verfolgt, was alles in den Zeitungen geschrieben worden war. Sie hatte die Nachrichten im Radio gehört und die Sendungen der verschiedenen Fernsehprogramme angesehen. Es war ihr vollkommen klar, daß die Polizei nichts begriff. Es war auch ihre Absicht gewesen, keine Spuren zu hinterlassen, die Hunde wegzulocken von dem Pfad, wo sie eigentlich suchen mußten. Aber jetzt überkam sie eine Ungeduld angesichts dieser ganzen Unfähigkeit. Die Polizei würde nie verstehen, was geschehen war. Mit ihren Handlungen schuf sie Rätsel, die in die Geschichte eingehen würden. Aber in der späteren Erinnerung würde die Polizei immer nach einem Mann suchen, der diese Verbrechen begangen hatte. Sie wollte nicht mehr, daß es so wäre.

Sie saß in der dunklen Wäschekammer und machte einen Plan. Von jetzt an würde sie kleine Veränderungen vornehmen. Nichts, was ihren Zeitplan durcheinanderbrachte. Es gab stets einen eingeplanten Spielraum, auch wenn das nach außen nicht sichtbar wurde.

Sie wollte dem Rätsel ein Gesicht geben.

Um halb drei verließ sie die Wäschekammer. Der Krankenhauskorridor lag verlassen. Sie brachte ihre weiße Arbeitskleidung in

Ordnung und ging die Treppe hinauf, die zur Entbindungsstation führte. Sie wußte, daß dort in der Regel nur vier Personen Dienst hatten. Am Tage war sie dagewesen und hatte so getan, als wolle sie eine Frau besuchen, von der sie wußte, daß sie mit ihrem Kind schon wieder zu Hause war. Sie hatte der Schwester über die Schulter geblickt und gesehen, daß alle Zimmer belegt waren. Es fiel ihr schwer zu verstehen, warum Frauen in dieser Jahreszeit Kinder zur Welt brachten, wo der Herbst in den Winter überging. Aber sie wußte die Antwort. Frauen wählten immer noch nicht selbst, wann sie ihre Kinder bekommen wollten.

Als sie zur Glastür kam, die zur Entbindungsstation führte, verharrte sie und spähte vorsichtig zum Schwesternzimmer. Sie hielt die Tür einen Spaltweit offen. Es waren keine Stimmen zu hören. Das bedeutete, daß die Hebammen und die Schwestern beschäftigt waren. Sie würde weniger als fünfzehn Sekunden brauchen bis zu dem Zimmer, in dem die Frau lag, die sie besuchen wollte. Wahrscheinlich würde ihr niemand begegnen. Aber sie konnte nicht sicher sein. Sie zog den selbstgenähten Handschuh hervor. Sie hatte die Außenseite mit Blei verstärkt, das sie geformt hatte, bis es sich den Konturen der Knöchel anpaßte. Sie zog ihn über die rechte Hand, öffnete die Tür und betrat schnell die Abteilung. Das Schwesternzimmer war leer, irgendwo spielte ein Radio, und sie ging lautlos und mit schnellen Schritten zu dem Zimmer. Dort glitt sie durch die Tür, die lautlos hinter ihr wieder zufiel.

Die Frau im Bett war wach. Sie zog sich den Handschuh ab und stopfte ihn in die Tasche. Dieselbe Tasche, in der der Brief von ihrer Mutter lag. Sie setzte sich auf die Bettkante. Die Frau war sehr blaß, und ihr Bauch wölbte sich unter dem Laken. Sie nahm die Hand der Frau.

»Hast du dich entschieden?«

Die Frau nickte. Die Frau auf der Bettkante war nicht erstaunt. Aber sie empfand dennoch eine Art Triumph. Auch die verkrüppeltsten Frauen konnten sich wieder dem Leben zuwenden.

»Eugen Blomberg«, sagte die Frau im Bett. »Er wohnt in Lund. Er ist Forscher an der Universität. Ich weiß nicht, wie ich näher erklären kann, was er tut.«

Sie streichelte die Hand der Frau.

»Das finde ich schon selbst heraus«, sagte sie. »Daran brauchst du nicht zu denken.«

»Ich hasse den Mann«, sagte die Frau im Bett.

»Ja«, sagte die auf der Bettkante. »Und du haßt ihn zu Recht.«

»Wenn ich könnte, würde ich ihn umbringen.«

»Ich weiß. Aber das kannst du nicht. Denk statt dessen lieber an dein Kind.«

Sie beugte sich vor und streichelte der Frau die Wange. Dann erhob sie sich und zog den Handschuh wieder an. Sie war höchstens zwei Minuten im Zimmer gewesen. Vorsichtig schob sie die Tür auf. Keine der Hebammen oder der Schwestern war zu sehen. Sie ging wieder zur Ausgangstür.

Als sie am Schwesternzimmer vorbeikam, trat eine Frau heraus. Das war Pech. Aber es war nicht zu ändern. Die Frau starrte sie an. Es war eine ältere Frau, vermutlich eine der beiden Hebammen.

Sie ging weiter zum Ausgang. Aber die Frau hinter ihr rief etwas und lief ihr nach. Immer noch hatte sie vor, einfach weiterzugehen und durch die Tür zu verschwinden. Aber die Frau ergriff ihren Arm und fragte, wer sie sei und was sie hier tue. Es war betrüblich, dachte sie, daß Frauen immer so viele Schwierigkeiten machten. Dann wandte sie sich schnell um und schlug mit dem Handschuh zu. Sie wollte nicht verletzen, nicht zu hart schlagen. Sie achtete genau darauf, nicht die Schläfe zu treffen, das konnte verhängnisvoll sein. Sie schlug der Frau auf die Wange, mäßig hart. Genug, um sie zu betäuben, damit sie ihren Arm losließ. Die Frau stöhnte auf und sank auf den Fußboden. Sie wandte sich um und wollte weitergehen. Da spürte sie, wie zwei Hände ihre Füße faßten. Sie hatte nicht fest genug zugeschlagen. Gleichzeitig hörte sie, wie im Hintergrund eine Tür geöffnet wurde. Sie war drauf und dran, die Kontrolle über die Situation zu verlieren. Sie zerrte an ihrem Bein und beugte sich nieder, um noch einmal zuzuschlagen. Da fuhr die Frau ihr mit den Nägeln ins Gesicht. Jetzt schlug sie zu, ohne daran zu denken, ob es zu fest war oder nicht. Genau an die Schläfe. Die Frau ließ ihre Beine los und sank zusammen. Sie floh durch die Glastüre und spürte, daß die Nägel ihre Wange aufgerissen hatten. Sie lief den Korridor entlang. Niemand rief ihr nach. Sie wischte sich das Gesicht ab. Der weiße Ärmel hatte Blutflecken. Sie steckte den Handschuh in die Tasche und zog die Holzschuhe aus, um schneller laufen zu können. Sie fragte sich, ob das Krankenhaus eine interne Alarmanlage hatte. Aber sie kam hinaus, ohne jemandem zu begegnen. Erst als sie im Auto saß und ihr Gesicht im Rückspiegel betrachtete, sah sie, daß es nicht viele Kratzer waren, und tief waren sie auch nicht.

Es war nicht ganz so verlaufen, wie sie es sich gedacht hatte. Damit konnte man auch nicht immer rechnen. Das wichtigste war trotz allem, daß es ihr jetzt gelungen war, die Frau, die das Kind bekommen sollte, dazu zu bewegen, den Namen des Mannes preiszugeben, der ihr so viel Leid zugefügt hatte.

Eugen Blomberg.

Noch hatte sie zwei Tage Zeit, um Nachforschungen anzustellen, einen Plan auszudenken und einen Zeitplan zu erarbeiten. Sie hatte auch keine Eile. Es brauchte eben seine Zeit. Aber sie rechnete nicht damit, daß sie länger benötigen würde als eine Woche.

Der Backofen war leer und wartete.

Kurz nach acht Uhr am Donnerstagmorgen war die Fahndungsgruppe im Besprechungszimmer versammelt. Wallander hatte auch Per Åkesson hinzugebeten. Gerade als er anfangen wollte, entdeckte er, daß jemand fehlte.

»Svedberg?« fragte er. »Ist er nicht gekommen?«

»Er ist gekommen und wieder gegangen«, sagte Martinsson. »Im Krankenhaus hat es in der Nacht einen Überfall gegeben. Er meinte, er würde bald wieder zurück sein.«

Eine undeutliche Erinnerung tauchte in Wallanders Kopf auf, ohne daß er sie festhalten konnte. Es hatte mit Svedberg zu tun. Und mit dem Krankenhaus.

»Dies zeigt deutlich, daß wir mehr Personal brauchen«, sagte Per Åkesson. »Um diese Diskussion kommen wir nicht mehr herum. Leider.«

Wallander wußte, was er meinte. Bei mehreren früheren Gelegenheiten waren er und Åkesson aneinandergeraten, als es um die Einschätzung der Notwendigkeit ging, mehr Personal anzufordern.

»Wir greifen diese Frage am Schluß auf«, sagte Wallander. »Laßt uns damit anfangen, wo wir eigentlich stehen in diesem Durcheinander.«

»Es sind ein paar Anrufe aus Stockholm gekommen«, sagte Lisa Holgersson. »Von wem, brauche ich wohl nicht zu sagen. Diese Gewalttaten überschatten das Bild der freundlichen, bürgernahen Polizei.«

Eine Mischung von Resignation und Heiterkeit bemächtigte sich der Versammelten. Aber keiner kommentierte, was Lisa Holgersson gesagt hatte. Martinsson gähnte vernehmbar. Wallander nahm das als Startsignal.

»Wir sind alle müde«, sagte er. »Der Fluch der Polizei ist der Mangel an Schlaf. Jedenfalls periodenweise.«

Er wurde dadurch unterbrochen, daß die Tür aufging. Nyberg kam herein. Wallander wußte, daß er mit dem kriminaltechnischen Laboratorium in Linköping telefoniert hatte. Er humpelte mit seiner Krücke zum Tisch.

»Was macht der Fuß?« fragte Wallander.

»Es ist auf jeden Fall besser, als von Bambusstäben aufgespießt zu werden, die aus Thailand importiert sind«, gab Nyberg zurück.

Wallander sah ihn forschend an. »Wissen wir das mit Sicherheit? Daß sie aus Thailand kommen?«

»Das wissen wir. Sie werden als Angelruten und als Dekorationsmaterial importiert, über ein Handelshaus in Bremen. Wir haben mit dem schwedischen Agenten gesprochen. Es kommen pro Jahr über hunderttausend Bambusstangen ins Land. Es ist unmöglich zu sagen, wo die gekauft wurden, die uns interessieren. Aber ich habe gerade mit Linköping gesprochen. Sie können uns auf jeden Fall sagen, wie lange sie sich im Land befunden haben. Bambus wird importiert, wenn er ein bestimmtes Alter erreicht hat.«

Wallander nickte. »Noch was anderes?« fragte er, weiterhin an Nyberg gewandt.

»Meinst du im Fall Eriksson oder Runfelt?«

»Beide. Der Reihe nach.«

Nyberg schlug seinen Block auf. »Die Planken vom Steg kommen vom Baumarkt in Ystad«, begann er. »Wenn uns das nun

Spaß macht zu wissen. Der Mordplatz ist frei von Gegenständen, an denen wir eventuell Freude haben könnten. Auf der Rückseite des Hügels, auf dem er seinen Vogelturm hatte, war ein Feldweg, den der Mörder höchstwahrscheinlich benutzt hat. Wenn er mit dem Auto gekommen ist. Was er getan haben dürfte. Wir haben Abdrucke von allen Wagenspuren, die wir finden konnten. Aber das Ganze ist ein eigentümlich aufgeräumter Tatort.«

»Und das Haus?«

»Das Problem ist, daß wir nicht wissen, wonach wir suchen sollen. Alles scheint seine gewohnte Ordnung gehabt zu haben. Der Einbruch, den er vor einem Jahr angezeigt hat, ist auch ein Rätsel. Möglicherweise bemerkenswert ist allein, daß Holger Eriksson erst vor wenigen Monaten ein paar zusätzliche Schlösser in den Türen hat anbringen lassen, die ins eigentliche Wohnhaus führen.«

»Das kann man wohl so verstehen, daß er Angst bekommen hat«, sagte Wallander.

»Das denke ich auch«, sagte Nyberg. »Aber andererseits montieren ja heutzutage alle Leute Extraschlösser in ihre Türen. Wir leben in der gelobten Zeit der Panzertüren.«

Wallander wandte sich von Nyberg fort und blickte in die Runde. »Nachbarn«, sagte er. »Irgendwelche Tips. Wer war Holger Eriksson? Wer kann einen Grund gehabt haben, ihn zu töten? Harald Berggren? Es wird Zeit, daß wir das alles einmal gründlich durchsprechen. Es dauert dann eben seine Zeit.«

Später sollte Wallander an diesen Donnerstagmorgen als an einen scheinbar endlosen Aufwärtshang denken. Jeder legte das Ergebnis seiner Arbeit vor, und das Ganze lief darauf hinaus, daß nirgendwo ein Zeichen für einen Durchbruch sichtbar wurde. Der mühsame Aufstieg ging weiter. Holger Erikssons Leben schien uneinnehmbar. Wenn es ihnen gelang, eine Bresche zu schlagen, fand sich nichts dahinter. Und sie gingen weiter, und der Hang zog sich immer mehr in die Länge und wurde steiler. Keiner hatte etwas gesehen, keiner schien eigentlich diesen Mann gekannt zu haben, der Autos verkauft, Vögel beobachtet und Gedichte geschrieben hatte. Wallander begann schließlich zu glauben, daß er sich doch geirrt hatte, daß Holger Eriksson eben das Zufallsopfer eines Lustmörders geworden war, der ausgerechnet seinen Graben ausgewählt und seinen Steg angesägt hatte. Aber im Innersten wußte er, daß es so nicht sein konnte. Der Mörder sprach eine Sprache, die Art und Weise, wie Holger Eriksson getötet worden war, hatte Logik und Konsequenz. Wallander irrte sich nicht. Sein Problem war, daß er die richtige Lösung noch nicht vor sich sah.

Sie hatten sich vollständig festgefahren, als Svedberg vom Krankenhaus zurückkam. Später dachte Wallander, daß er wirklich als der Retter in der Not erschienen war. Denn erst als Svedberg sich an eine Längsseite des Tisches gesetzt und mühsam seine Papiere geordnet hatte, erreichten sie einen Punkt, an dem sich die Tür wieder einen Spaltweit zu öffnen schien.

Svedberg hatte damit angefangen, sich für sein Fehlen zu entschuldigen. Wallander meinte, daß er fragen mußte, was im Krankenhaus eigentlich passiert war.

»Das Ganze ist sehr eigenartig«, sagte Svedberg. »Kurz vor drei Uhr heute nacht erschien eine Krankenschwester in der Entbindungsstation. Ylva Brink, eine der Hebammen und nebenbei gesagt meine Cousine, hatte Nachtdienst. Sie kannte die Schwester nicht, und als sie versuchte, herauszufinden, was sie dort zu suchen hatte, wurde sie niedergeschlagen. Es hat den Anschein, als hätte diese Krankenschwester einen Schläger aus Blei oder etwas Ähnliches in der Hand gehabt. Ylva wurde ohnmächtig. Als sie wieder zu Bewußtsein kam, war die Frau verschwunden. Es war natürlich ein großer Aufstand. Niemand weiß, was sie dort verloren hatte. Sie haben alle Frauen gefragt, die dort liegen und entbinden sollen. Aber keine hat sie gesehen. Ich bin dagewesen und habe mit dem Personal gesprochen, das Nachtdienst hatte. Sie waren natürlich äußerst aufgebracht.«

»Wie geht es der Hebamme?« fragte Wallander. »Deiner Cousine?«

»Sie hat eine Gehirnerschütterung.«

Wallander wollte gerade wieder zu Holger Eriksson zurückkehren, als Svedberg noch einmal ansetzte. Er wirkte verlegen und kratzte sich nervös den kahlen Schädel.

»Noch eigentümlicher ist, daß diese Krankenschwester schon

einmal dort gewesen ist. In einer Nacht vor einer Woche. Zufällig arbeitete Ylva in jener Nacht auch. Sie ist sicher, daß es eigentlich keine Krankenschwester ist. Daß sie sich verkleidet hat.«

Wallander zog die Stirn in Falten. Er erinnerte sich an das Blatt Papier, das seit einer Woche auf seinem Schreibtisch lag. »Du hast auch damals mit Ylva Brink gesprochen«, sagte er, »und hast dir Notizen gemacht.«

»Die habe ich weggeworfen«, sagte Svedberg. »Weil damals nichts passiert war, dachte ich, daß es nichts wäre, womit wir uns befassen mußten. Wir haben ja wichtigere Dinge zu tun.«

»Ich finde, das klingt ungut«, sagte Ann-Britt Höglund. »Eine falsche Krankenschwester, die sich nachts auf einer Entbindungsstation herumtreibt. Und die nicht davor zurückschreckt, Gewalt anzuwenden. Das muß etwas bedeuten.«

»Meine Cousine kannte sie nicht. Aber sie hat sie gut beschrieben. Sie war kräftig gebaut und offenbar sehr stark.«

Wallander sagte nichts davon, daß Svedbergs Papier auf seinem Schreibtisch lag. »Das klingt wirklich seltsam«, sagte er nur. »Welche Maßnahmen ergreift das Krankenhaus?«

»Vorläufig wollen sie eine Wachgesellschaft beauftragen. Dann sehen sie ja, ob die falsche Krankenschwester wieder auftaucht.«

Sie ließen die Ereignisse der Nacht zunächst auf sich beruhen. Wallander sah Svedberg an und dachte mißmutig, daß er sicher den Eindruck noch verstärken würde, daß sie mit ihrer Ermittlung auf der Stelle traten. Aber er irrte sich. Svedberg hatte Neuigkeiten zu berichten.

»In der letzten Woche habe ich mit einem von Holger Erikssons Angestellten gesprochen«, sagte er. »Tore Karlhammar, dreiundsiebzig Jahre alt, wohnhaft in Svarte. Ich habe einen Bericht darüber geschrieben, den ihr vielleicht gelesen habt. Er hat über dreißig Jahre als Autoverkäufer für Eriksson gearbeitet. Anfangs saß er nur da und bedauerte, was geschehen war. Und Holger Eriksson sei ein Mann gewesen, über den jeder nur Gutes sagen könne. Karlhammars Frau war in der Küche und machte Kaffee. Die Küchentür war offen. Plötzlich kam sie herein, knallte das Kaffeetablett auf den Tisch, daß die Sahne überschwappte, und sagte, Holger Eriksson sei ein Schurke gewesen. Dann ging sie.«

»Und weiter?« fragte Wallander erstaunt.

»Es war natürlich ein bißchen peinlich. Aber Karlhammar blieb bei seiner Version. Als ich nachher mit seiner Frau sprechen wollte, war sie weg.«

»Was heißt das? Weg?«

»Sie hat das Auto genommen und ist weggefahren. Ich habe danach noch ein paarmal angerufen. Da hat sich keiner gemeldet. Aber heute morgen lag hier ein Brief. Ich habe ihn gelesen, bevor ich ins Krankenhaus fuhr. Er ist von Karlhammars Frau. Wenn es stimmt, was sie schreibt, dann ist das ein sehr interessanter Brief.«

»Fasse es zusammen«, sagte Wallander. »Du kannst ja nachher den Brief für uns kopieren.«

»Sie behauptet, Holger Eriksson habe in seinem Leben immer wieder Zeichen von Sadismus erkennen lassen. Er behandelte seine Angestellten schlecht. Er konnte ihnen dermaßen zusetzen, daß sie sich entschlossen, bei ihm aufzuhören. Sie wiederholt ständig, daß sie zahllose Beispiele dafür anführen könne, daß das, was sie schreibt, wahr ist.«

Svedberg suchte in dem Text. »Sie schreibt, daß er sehr wenig Respekt vor anderen Menschen gehabt habe. Er war hart und habgierig. Gegen Ende des Briefes deutet sie an, daß er häufig Reisen nach Polen unternommen habe. Da sollen irgendwelche Frauen im Spiel gewesen sein. Frau Karlhammar zufolge würden die auch einiges erzählen können. Aber das ist natürlich Klatsch. Woher sollte sie wissen, was er in Polen getrieben hat?«

»Sie deutet nicht an, daß er homosexuell gewesen sein könnte?« fragte Wallander.

»Das mit den Reisen nach Polen macht kaum den Eindruck.«

»Von einer Person namens Harald Berggren hat Karlhammar natürlich nie reden hören?«

»Nein.«

Wallander hatte das Bedürfnis, sich zu strecken. Was Svedberg über den Inhalt des Briefes erzählte, war zweifellos wichtig. Zum zweitenmal im Lauf von vierundzwanzig Stunden war ihm ein Mann als brutal beschrieben worden. Er schlug eine kurze Pause vor, damit sie Luft schnappen konnten. Per Åkesson blieb im Raum zurück.

»Es ist klar jetzt«, sagte er. »Mit dem Sudan.«

Wallander verspürte einen Anflug von Neid. Per Åkesson hatte einen Beschluß gefaßt und wagte einen Aufbruch. Warum tat er selbst nicht das gleiche? Warum begnügte er sich damit, nach einem neuen Haus zu suchen? Jetzt, wo sein Vater tot war, band ihn nichts mehr an Ystad. Linda kam allein zurecht.

»Sie brauchen keine Polizisten, die unter den Flüchtlingen für Ordnung sorgen? Ich habe ja eine gewisse Erfahrung mit der Arbeit hier in Ystad.«

Per Åkesson lachte. »Ich kann mal fragen«, sagte er.

»Schwedische Polizisten sind in der Regel verschiedenen ausländischen Brigaden zugeteilt, die unter dem Kommando der UN stehen. Es hindert dich doch nichts daran, dich zu bewerben.«

»Im Augenblick hindert mich die Ermittlung in einem Mordfall. Aber vielleicht später. Wann fährst du?«

»Nach Weihnachten. Zwischen Weihnachten und Neujahr.«

»Und deine Frau?«

Per Åkesson schlug die Hände zusammen. »Eigentlich glaube ich, daß sie froh ist, mich eine Zeitlang mal nicht sehen zu müssen.«

»Und du? Bist du auch froh, sie eine Zeitlang nicht zu sehen?«

Per Åkesson zögerte mit der Antwort. »Ja«, sagte er dann. »Ich glaube, es wird schön sein fortzukommen. Manchmal habe ich das Gefühl, daß ich vielleicht nie zurückkomme. Ich werde nie in einem selbstgebauten Boot nach Westindien segeln. Ich habe noch nicht einmal davon geträumt. Aber ich reise in den Sudan. Und was danach passiert, weiß ich nicht.«

»Alle träumen davon zu fliehen«, sagte Wallander. »Die Menschen in diesem Land sind ständig auf der Suche nach neuen paradiesischen Zufluchtsorten. Manchmal denke ich, daß ich mein eigenes Land nicht mehr kenne.«

»Vielleicht bin ich auch auf der Flucht? Aber der Sudan dürfte kaum das Paradies sein.«

»Auf jeden Fall ist es richtig, daß du es versuchst«, sagte Wallander. »Ich hoffe, du schreibst mal. Du wirst mir fehlen.«

»Darauf freue ich mich direkt. Briefe zu schreiben. Briefe, die nichts mit dem Dienst zu tun haben. Sondern private Briefe. Ich denke, ich werde dabei herausfinden, wie viele Freunde ich habe. Die auf die Briefe antworten, die ich hoffentlich schreibe.«

Die kurze Pause war vorüber. Martinsson, ständig in Sorge, sich zu erkälten, schloß die Fenster. Sie setzten sich wieder.

»Wir warten noch mit der Zusammenfassung«, sagte Wallander. »Gehen wir zunächst zu Gösta Runfelt über.«

Er ließ Ann-Britt Höglund von der Entdeckung des Kellerraums in der Harpegatan berichten und davon, daß Runfelt Privatdetektiv war. Als weder sie, Svedberg oder Nyberg noch mehr zu sagen hatten und die von Nyberg entwickelten und kopierten Fotografien um den Tisch gewandert waren, berichtete er von seinem Gespräch mit Runfelts Sohn. Er merkte, daß die Gruppe jetzt viel konzentrierter war als am Beginn der langen Sitzung.

»Ich werde das Gefühl nicht los, daß wir uns ganz dicht an einem entscheidenden Punkt bewegen«, schloß Wallander ab. »Wir suchen weiter einen Berührungspunkt. Noch haben wir ihn nicht gefunden. Aber was bedeutet es, daß sowohl Holger Eriksson als auch Gösta Runfelt als brutale Menschen beschrieben werden? Was bedeutet es, daß dies erst jetzt herauskommt?«

Er machte eine Pause, um Kommentaren und Fragen Raum zu geben.

Niemand sagte etwas.

»Es wird Zeit, daß wir noch tiefer bohren«, fuhr er fort. »Es gibt viel zu viele Dinge, über die wir mehr wissen müssen. Alles Material muß von jetzt an in bezug auf Berührungspunkte zwischen diesen beiden Männern kreuz und quer verglichen werden. Martinsson ist dafür zuständig, daß das geschieht. Dann sind ein paar Dinge wichtiger als andere. Ich denke an das Unglück, bei dem Runfelts Frau ertrunken ist. Das kann entscheidend sein. Und dann die Sache mit dem Geld, das Holger Eriksson der Kirche in Svenstavik vermacht hat. Das übernehme ich. Es kann notwendig werden, ein paar Reisen zu machen. Zum Beispiel zu dem See da oben in Småland, in der Nähe von Älmhult, wo Runfelts Frau ertrunken ist. Die ganze Geschichte kommt mir, wie gesagt, seltsam vor. Vielleicht irre ich mich. Aber wir können es nicht unbearbeitet lassen. Vielleicht wird es auch nötig, nach Svenstavik zu fahren.«

»Wo liegt das?« fragte Hansson.

»Im südlichen Jämtland. Ungefähr zwanzig Kilometer von der Grenze nach Härjedalen.«

»Was hatte Holger Eriksson denn mit dem Ort zu tun? Er war doch Schone?«

»Genau das müssen wir rausfinden«, sagte Wallander. »Warum schenkt er das Geld nicht einer Kirche hier in der Gegend? Was bedeutet es, daß er eine spezielle Kirche gewählt hat? Ich will wissen, warum. Es muß einen bestimmten Grund gegeben haben.«

Keiner hatte irgendwelche Einwände, als er geendet hatte. Sie würden weiter Heuhaufen durchsuchen. Keiner von ihnen erwartete, daß die Lösung auf andere Weise käme als durch langwierige Arbeit, die ihre Geduld auf eine harte Probe stellen würde.

Nachdem sie schon viele Stunden zusammengesessen hatten, entschloß sich Wallander, die Frage der Personalverstärkung selbst aufzugreifen. Er erinnerte sich auch, daß er den Vorschlag machen mußte, einen psychologischen Experten hinzuzuziehen. »Ich habe nichts dagegen einzuwenden, daß wir Hilfe in Form von Verstärkung bekommen«, sagte er. »Wir haben viel zu klären, und es wird zeitraubend werden.«

»Ich kümmere mich darum«, sagte Lisa Holgersson.

Per Åkesson nickte, ohne etwas zu sagen. Wallander hatte in all den Jahren, in denen er mit Per Åkesson zusammengearbeitet hatte, nie erlebt, daß dieser jemals etwas wiederholte, was bereits gesagt worden war. Wallander hatte die unklare Vorstellung, daß dies eine gute Voraussetzung war für den Posten, den er im Sudan antreten sollte.

»Dagegen bezweifle ich, ob wir wirklich einen Psychologen brauchen, der uns über die Schulter schaut«, fuhr Wallander fort, nachdem die Frage wegen der Verstärkung entschieden war. »Ich gebe zu, daß Mats Ekholm, den wir im Sommer hier hatten, ein guter Gesprächspartner war. Er steuerte Argumente und Gesichtspunkte bei, von denen wir Nutzen hatten. Sie waren nicht entscheidend, aber auch nicht bedeutungslos. Die Situation heute ist eine andere. Mein Vorschlag ist, daß wir ihm Zusammenfassungen unseres Ermittlungsmaterials schicken, seine Kommentare zur Kenntnis nehmen und uns vorläufig damit begnügen. Wenn etwas Dramatisches eintrifft, können wir die Situation neu beurteilen.«

Auch jetzt gab es keine Einwände.

Es war bereits nach ein Uhr, als sie die Sitzung schlossen. Wallander verließ in aller Eile das Präsidium. Nach der langen Sitzung war sein Kopf schwer. Er fuhr zu einem der Mittagsrestaurants im Zentrum. Während des Essens versuchte er, sich klarzumachen, was eigentlich bei der Besprechung herausgekommen war. Da er in Gedanken ständig zu der Frage zurückkehrte, was an jenem Wintertag vor zehn Jahren auf dem See bei Älmhult geschehen war, beschloß er, seiner Intuition zu folgen. Nach dem Essen rief er im Hotel Sekelgården an. Bo Runfelt war in seinem Zimmer. Wallander bat die Frau in der Rezeption, dem Gast mitzuteilen, daß er um kurz nach zwei komme. Dann fuhr er zum Präsidium. Er nahm Hansson und Martinsson mit in sein Zimmer und bat Hansson, in Svenstavik anzurufen.

»Was soll ich eigentlich fragen?«

»Komm direkt zur Sache. Warum hat Holger Eriksson diese einzige Ausnahme in seinem Testament gemacht? Warum will er ausgerechnet dieser Gemeinde Geld geben? Und wenn dir jemand mit Schweigepflicht kommt, dann sag ihnen, daß wir die Auskunft brauchen, um zu verhindern, daß noch mehr Morde dieser Art passieren.«

»Soll ich wirklich fragen, ob er Sündenvergebung sucht?«

Wallander bekam einen Lachanfall. »Fast«, sagte er. »Finde heraus, was du kannst. Ich fahre mit Bo Runfelt nach Älmhult. Bitte Ebba, ein Hotelzimmer in Älmhult zu buchen.«

Martinsson wirkte skeptisch. »Was willst du eigentlich rausfinden, indem du einen See betrachtest?« fragte er.

»Ich weiß nicht«, erwiderte Wallander aufrichtig. »Aber die Reise gibt mir zumindest Gelegenheit, ausführlich mit Bo Runfelt zu sprechen. Ich habe das bestimmte Gefühl, daß sich dort Informationen verbergen, die wichtig für uns sind und die wir erkennen können, wenn wir nur hartnäckig genug sind. Wir müssen so fest kratzen, daß wir durch die Oberfläche dringen. Außerdem müßte es dort jemanden geben, der in der Nähe war, als das

Unglück geschah. Leistet ein wenig Fußarbeit. Ruft die Kollegen in Älmhult an. Ein Unglücksfall vor zehn Jahren. Das exakte Datum könnt ihr von der Tochter bekommen, die Basketballtrainerin ist. Eine Frau, die ertrunken ist. Ich melde mich, wenn ich da bin.«

Der Wind war noch immer böig, als Wallander zu seinem Wagen ging. Er fuhr zum Sekelgården und betrat die Rezeption. Bo Runfelt saß in einem Stuhl und wartete auf ihn.

»Holen Sie Ihren Mantel«, sagte Wallander. »Wir machen einen Ausflug.«

Bo Runfelt betrachtete ihn abwartend: »Wohin fahren wir?«

»Das erzähle ich Ihnen im Auto.«

Kurz darauf verließen sie Ystad.

Erst als sie die Ausfahrt nach Höör hinter sich hatten, erklärte Wallander, wohin sie fuhren.

19

Nachdem sie Höör passiert hatten, begann es zu regnen. Schon da kamen Wallander Zweifel an dem ganzen Unternehmen. War diese Fahrt nach Älmhult wirklich der Mühe wert? Was erwartete er eigentlich davon? Was könnte Bedeutung für die Ermittlung in ihrem Mordfall haben? Der vage Verdacht, daß etwas faul war an einem Unglück, bei dem vor zehn Jahren jemand ertrunken war?

Die Lösung würde er nicht finden. Aber vielleicht käme er wenigstens einen Schritt weiter.

Als er Bo Runfelt erzählte, wohin sie fuhren, reagierte der irritiert und fragte, ob das ein Witz sein solle. Was hatte der tragische Tod seiner Mutter mit dem Mord an seinem Vater zu tun? Wallander fuhr hinter einem Lastzug, der so viel Schmutz an seine Windschutzscheibe schleuderte, daß er nicht überholen konnte. Erst als es ihm gelungen war, auf einem der seltenen doppelspurigen Streckenabschnitte den Laster hinter sich zu lassen, antwortete er. »Ihre Schwester und Sie sprechen ungern über das, was geschehen ist. Auf eine Weise kann ich das natürlich verstehen. Man erinnert sich nicht gern an ein tragisches Unglück. Aber ich kann einfach nicht glauben, daß es die Tragik des Geschehens ist, die Sie beide davon abhält, darüber zu reden. Wenn Sie mir hier und jetzt eine zufriedenstellende Erklärung geben, kehren wir auf der Stelle um. Und vergessen Sie nicht, daß Sie selbst es waren, der von der Brutalität Ihres Vaters erzählt hat.«

»Damit habe ich schon die Antwort gegeben«, sagte Bo Runfelt.

Wallander bemerkte eine leichte Veränderung in seiner Stimme. Ein Zug von Ermüdung, eine Verteidigungshaltung, die aufzuweichen begann.

Er näherte sich mit vorsichtigen Fragen, während sie durch die einförmige Landschaft fuhren. »Ihre Mutter hatte also davon gesprochen, sich das Leben nehmen zu wollen?«

Es dauerte etwas, bis der Mann an seiner Seite antwortete.

»Eigentlich ist es komisch, daß sie es nicht schon getan hatte. Ich glaube nicht, daß Sie sich vorstellen können, in was für einem Inferno sie leben mußte. Nicht Sie, nicht ich. Niemand.«

»Warum ließ sie sich nicht scheiden?«

»Er drohte damit, sie zu erschlagen, wenn sie ihn verließe. Und sie hatte allen Grund, ihm zu glauben. Mehrere Male mißhandelte er sie so, daß sie ins Krankenhaus mußte. Ich wußte damals nichts. Aber es ist mir nachher klargeworden.«

»Wenn Ärzte den Verdacht auf Mißhandlung haben, ist es ihre Pflicht, es der Polizei zu melden.«

»Sie hatte stets gute Erklärungen. Und sie war überzeugend. Es machte ihr auch nichts aus, sich selbst zu erniedrigen, wenn sie ihn schützte. Sie sagte, sie sei betrunken gewesen und gefallen. Meine Mutter trank nie Alkohol. Aber das wußten ja die Ärzte nicht.«

Das Gespräch stockte, während Wallander einen Bus überholte. Er merkte, daß Runfelt sich verspannte. Wallander fuhr nicht schnell. Aber sein Beifahrer hatte offenbar Angst.

»Ich glaube, was sie davon abhielt, Selbstmord zu begehen, waren wir Kinder«, sagte er, als der Bus hinter ihnen lag.

»Das ist natürlich«, sagte Wallander. »Aber lassen Sie uns lieber auf das zurückkommen, was Sie eben gesagt haben. Daß Ihr Vater Ihre Mutter bedrohte. Wenn ein Mann eine Frau mißhandelt, hat er meistens nicht die Absicht, sie zu töten. Er will sie unter Kontrolle behalten. Manchmal schlägt er zu fest zu, und die Mißhandlung führt zum Tod, obwohl es nicht beabsichtigt war. Aber wirklich jemanden zu töten, das hat meistens einen anderen Grund. Das ist ein Schritt weiter.«

Bo Runfelt überraschte ihn mit einer Frage. »Sind Sie verheiratet?«

»Nicht mehr.«

»Haben Sie sie geschlagen?«

»Warum hätte ich das tun sollen?«

»Ich frage mich nur.«

»Wir reden ja wohl nicht von mir.«

Bo Runfelt verstummte. Es war, als wolle er Wallander Zeit geben, nachzudenken, und dieser erinnerte sich mit erschreckender Deutlichkeit an das eine Mal in seiner Ehe, als er Mona in sinnloser und unkontrollierter Wut geschlagen hatte. Sie war mit dem Nacken gegen einen Türpfosten geprallt und hatte für einige Sekunden das Bewußtsein verloren. Damals hätte nicht viel gefehlt, daß sie ihre Taschen gepackt hätte und gegangen wäre. Aber Linda war noch sehr klein. Und Wallander hatte gebettelt und gefleht. Sie hatten den ganzen Abend und die ganze Nacht miteinander geredet. Er hatte an sie appelliert. Schließlich war sie geblieben. Das Ereignis hatte sich in seiner Erinnerung festgefressen. Aber er konnte sich kaum noch daran erinnern, was das Ganze ausgelöst hatte. Worüber hatten sie sich gestritten? Woher war seine Wut gekommen? Er sah ein, daß er es verdrängt hatte. Zu sehr schämte er sich dessen, was damals passiert war. Er verstand seinen Unwillen, daran erinnert zu werden, nur zu gut.

»Kehren wir zurück zu dem Tag vor zehn Jahren«, sagte Wallander nach einer Weile. »Was passierte?«

»Es war ein Sonntag im Winter«, sagte Bo Runfelt. »Anfang Februar. Der 5. Februar 1984. Ein kalter und schöner Wintertag. Sie machten häufig Sonntagsausflüge. Waldspaziergänge. Und Strandwanderungen. Oder sie gingen auf zugefrorenen Seen.«

»Das hört sich sehr idyllisch an«, sagte Wallander. »Wie soll ich das mit dem vereinbaren, was Sie vorher gesagt haben?«

»Es war natürlich keine Idylle. Es war genau das Gegenteil. Meine Mutter war ständig in Panik. Ich übertreibe nicht. Sie hatte schon lange die Grenze überschritten, wo die Angst die Oberhand gewonnen hat und das ganze Leben beherrscht. Sie muß seelisch ausgelaugt gewesen sein. Aber wenn er einen Sonntagsspaziergang machen wollte, dann machten sie einen. Ich bin überzeugt davon, daß mein Vater ihre panische Angst nie wahrnahm. Er dachte wahrscheinlich nach jedem Mal, daß alles vergessen und vergeben wäre. Ich nehme an, daß er die Mißhandlungen als momentane Entgleisungen ansah. Kaum als mehr.«

»Ich glaube, ich verstehe. Was geschah also?«

»Warum sie an dem Sonntag nach Småland gefahren sind,

weiß ich nicht. Sie hatten den Wagen auf einem Waldweg abgestellt. Es war Schnee gefallen, aber er war nicht besonders hoch. Dann gingen sie den Forstweg entlang und kamen an den See. Sie gingen aufs Eis. Plötzlich gab es nach, und sie brach ein. Er konnte sie nicht rausziehen. Dann lief er zurück zum Auto und fuhr, um Hilfe zu holen. Sie war natürlich tot, als sie sie fanden.«

»Wie haben Sie davon erfahren?«

»Er rief selbst an. Ich war damals in Stockholm.«

»Können Sie sich an etwas erinnern von diesem Gespräch?«

»Er war natürlich sehr erschüttert.«

»Auf welche Weise?«

»Kann man auf mehr als eine Weise erschüttert sein?«

»Weinte er? Stand er unter Schock? Versuchen Sie, es genauer zu beschreiben.«

»Er weinte nicht. Daß mein Vater Tränen in den Augen hatte, kam meines Wissens nur vor, wenn er von einem seltenen Exemplar von Orchideen sprach. Es war mehr ein Gefühl, daß er mich zu überzeugen versuchte, daß er alles getan hatte, was in seiner Macht stand, um sie zu retten. Aber das war doch nicht nötig. Wenn ein Mensch in Not ist, versucht man eben zu helfen.«

»Was sagte er noch?«

»Er bat mich, meine Schwester anzurufen.«

»Er rief also Sie zuerst an?«

»Ja.«

»Und dann?«

»Wir sind hierhergefahren, nach Schonen. Genau wie jetzt. Die Beerdigung war eine Woche später. Einmal sprach ich am Telefon mit einem Polizeibeamten. Er sagte, daß das Eis unerwartet schwach gewesen sein müsse. Meine Mutter war ja außerdem keine besonders großgewachsene Person.«

»Hat er das gesagt? Der Polizist? Daß das Eis ›unerwartet schwach‹ gewesen sei?«

»Ich habe ein gutes Gedächtnis für Einzelheiten. Vielleicht weil ich Revisor bin.«

Wallander nickte. Sie kamen an einem Schild vorbei, das ein Café ankündigte. Während der kurzen Pause fragte Wallander Bo Runfelt nach seiner Arbeit als internationaler Wirtschaftsprüfer.

Aber er hörte nur unaufmerksam zu. Statt dessen ging er in Gedanken noch einmal das Gespräch durch, das sie im Wagen geführt hatten. Etwas daran war wichtig gewesen, aber er wußte noch nicht, was es war. Als sie das Café verließen, piepte sein Telefon. Es war Martinsson. Bo Runfelt ging ein Stück zur Seite, um Wallander allein zu lassen.

»Es sieht aus, als hätten wir Pech«, sagte Martinsson. »Von den beiden Polizisten, die damals in Älmhult gearbeitet haben, ist einer gestorben, und der andere ist pensioniert und nach Örebro gezogen.«

Wallander war enttäuscht. Ohne einen konkreten Ansprechpartner würde die Fahrt viel von ihrem Sinn verlieren. »Ich weiß nicht einmal, wie ich zu dem See finden soll«, klagte er. »Gibt es keinen Krankenwagenfahrer? War die Feuerwehr nicht an der Rettungsaktion beteiligt?«

»Ich habe den Mann gefunden, der Gösta Runfelt damals Hilfe geleistet hat«, sagte Martinsson. »Ich weiß, wie er heißt und wo er wohnt. Das Problem ist nur, daß er kein Telefon hat.«

»Gibt es in diesem Land wirklich noch Leute ohne Telefon?«

»Offensichtlich. Hast du was zu schreiben?«

Wallander suchte. Er hatte wie üblich keinen Stift – und einen Block schon gar nicht. Er winkte Bo Runfelt zu sich, der ihm einen goldgefaßten Kugelschreiber und eine seiner Visitenkarten gab.

»Der Mann heißt Jacob Hoslowski«, sagte Martinsson. »Er ist so eine Art Dorforiginal und lebt allein in einer Hütte nicht weit von dem See. Der heißt Stångsjön und liegt direkt nördlich von Älmhult. Ich habe mit einer freundlichen Person in der Gemeindeverwaltung gesprochen. Sie hat gesagt, der Stångsjön wäre auf der Informationstafel vor der Ortseinfahrt eingezeichnet. Sie konnte aber nicht erklären, wie man zu Hoslowski kommt. Du mußt in ein Haus gehen und fragen.«

»Wo können wir übernachten?«

»IKEA hat ein Hotel, wo Zimmer für euch reserviert sind.«

»Verkauft IKEA nicht Möbel?«

»Schon. Aber sie haben auch ein Hotel. IKEA Värdshus.«

»Ist sonst etwas passiert?«

»Alle sind schwer beschäftigt. Aber es scheint, als käme Hamrén von Stockholm herunter, um uns zu helfen.«

Wallander erinnerte sich an die beiden Kriminalbeamten aus Stockholm, die ihnen im Sommer beigestanden hatten. Er hatte nichts dagegen, sie wiederzutreffen.

»Ludwigsson nicht?«

»Der hatte einen Autounfall und liegt im Krankenhaus.«

»Ist er schwer verletzt?«

»Ich werde mich erkundigen. Aber ich hatte nicht den Eindruck.«

Wallander beendete das Gespräch und reichte den Kugelschreiber zurück. »Der sieht teuer aus«, sagte er.

»Wirtschaftsprüfer bei einem Unternehmen wie Price Waterhouse zu sein ist einer der besten Berufe, die es gibt«, sagte Bo Runfelt. »Auf jeden Fall, was Bezahlung und Zukunftsaussichten angeht. Kluge Eltern raten ihren Kindern, Wirtschaftsprüfer zu werden.«

»Wie hoch ist ein Durchschnittsgehalt?« fragte Wallander.

»Die meisten, die oberhalb eines gewissen Niveaus arbeiten, haben persönliche Verträge. Die außerdem geheim sind.«

Das bedeutete also sehr hohe Gehälter. Wie alle anderen war Wallander immer wieder verblüfft über verschiedene Enthüllungen über Abfindungen, Gehaltsniveaus und sogenannte Fallschirmabsprachen. Sein eigenes Gehalt als Kriminalbeamter mit langjähriger Berufserfahrung war niedrig. Wenn er eine Stelle im privaten Sicherheitsbereich vorgezogen hätte, könnte er mindestens doppelt soviel verdienen. Aber er hatte sich entschieden. Er blieb Polizeibeamter. Zumindest so lange, wie er mit seinem Gehalt überleben konnte. Aber er hatte oft gedacht, daß das Bild Schwedens als ein Vergleich zwischen verschiedenen Verträgen gezeichnet werden könnte.

Sie kamen um fünf Uhr in Älmhult an. Bo Runfelt hatte wissen wollen, ob es wirklich nötig war, über Nacht zu bleiben. Wallander hatte eigentlich keine überzeugende Antwort. Im Grunde konnte Bo Runfelt den Zug zurück nach Malmö nehmen. Aber Wallander behauptete, daß sie erst am folgenden Tag den See aufsuchen konnten, weil es bald dunkel war. Und er wollte Runfelt dabeihaben.

Als sie sich im Hotel einquartiert hatten, fuhr Wallander sofort wieder los, um Jacob Hoslowskis Haus zu suchen, bevor es dunkel wurde. Sie hatten an der Informationstafel am Ortseingang von Älmhult gehalten. Wallander hatte sich gemerkt, wo der Stångsjön lag. Er verließ die Ortschaft. Es war schon dämmerig. Er bog nach links ab, und dann noch einmal nach links. Der Wald war dicht. Die schonische Landschaft lag schon weit zurück. Er hielt, als er einen Mann sah, der ein Gartentor an der Straße reparierte. Der Mann erklärte ihm, wie er zu Hoslowskis Häuschen kam. Wallander fuhr weiter. Der Motor machte ein sonderbares Geräusch. Wallander dachte, daß es bald wieder Zeit wäre, den Wagen zu wechseln. Sein Peugeot wurde alt. Er fragte sich, wie er sich einen neuen Wagen leisten sollte. Den, den er jetzt fuhr, hatte er vor einigen Jahren gekauft, als sein voriger Wagen, auch ein Peugeot, eines Nachts an der E65 ausgebrannt war. Wallander ahnte, daß auch sein nächster Wagen ein Peugeot sein würde. Je älter er wurde, um so schwerer fiel es ihm, seine Gewohnheiten zu ändern.

Er hielt an, als er zur nächsten Abzweigung kam. Wenn er die Wegbeschreibung richtig verstanden hatte, mußte er hier nach rechts abbiegen, und nach ungefähr achthundert Metern sollte Hoslowskis Hütte zu sehen sein. Der Weg war in schlechtem Zustand. Nach hundert Metern hielt Wallander an und setzte zurück, um nicht steckenzubleiben. Er ließ den Wagen stehen und ging zu Fuß. Die Bäume auf beiden Seiten des schmalen Waldwegs rauschten. Er ging schnell, um warm zu bleiben.

Das Häuschen lag dicht am Weg. Es war eine alte Kätnerhütte. Der Hofplatz war voller Schrottautos. Ein einsamer Hahn saß auf einem Baumstumpf und betrachtete ihn. Nur in einem Fenster war Licht – eine Petroleumlampe. Er zögerte und fragte sich, ob er den Besuch bis zum nächsten Morgen aufschieben sollte. Aber er war weit gefahren. Unter dem Druck der Ermittlung durfte er die Zeit nicht ungenutzt verstreichen lassen. Er trat an die Haustür. Der Hahn auf dem Baumstumpf rührte sich nicht. Die Tür wurde geöffnet. Der Mann, der dort im Dunkeln stand, war jünger, als

Wallander gedacht hatte, kaum vierzig Jahre. Wallander stellte sich vor.

»Jacob Hoslowski«, sagte der Mann. Wallander nahm einen schwachen, kaum merklichen Akzent wahr. Der Mann war ungewaschen. Er roch nicht angenehm. Sein langes Haar und der Bart waren verfilzt. Wallander begann, durch den Mund zu atmen.

»Darf ich ein paar Minuten stören?« sagte er. »Ich bin Polizeibeamter und komme aus Ystad.«

Hoslowski lächelte und trat zur Seite. »Komm rein. Wer bei mir anklopft, den lasse ich immer rein.«

Wallander trat in den dunklen Flur und stolperte beinah über eine Katze. Dann sah er, daß das ganze Haus voller Katzen war. Er hatte noch nie so viele Katzen an einem Ort gesehen. Der Gestank war entsetzlich. Er sperrte den Mund auf, um überhaupt Luft zu bekommen und folgte Hoslowski in den größeren der beiden Räume, aus denen die Hütte bestand. Es gab so gut wie keine Möbel. Nur Matratzen und Kissen und Bücherstapel und eine einsame Petroleumlampe auf einem Schemel. Und Katzen. Überall Katzen. Wallander hatte das unangenehme Gefühl, daß sie ihn alle mit wachsamen Augen anstarrten und sich jeden Augenblick auf ihn werfen könnten.

»Man kommt selten in ein Haus ohne Strom«, sagte Wallander.

»Ich lebe außerhalb der Zeit«, antwortete Hoslowski einfach. »In meinem nächsten Leben werde ich als Katze wiedergeboren.«

Wallander nickte. »Ich verstehe«, sagte er wenig überzeugend. »Wenn ich richtig informiert wurde, haben Sie auch vor zehn Jahren hier gewohnt?«

»Ich wohne hier, seit ich die Zeit verlassen habe.«

Wallander sah das Bedenkliche in seiner nächsten Frage, aber er stellte sie trotzdem. »Wann haben Sie die Zeit verlassen?«

»Das ist sehr lange her.«

Wallander ahnte, daß er keine erschöpfendere Antwort erwarten konnte. Mit gewisser Überwindung ließ er sich auf ein Kissen nieder und hoffte nur, daß es nicht voller Katzenpisse war. »Vor zehn Jahren ist eine Frau hier in der Nähe auf dem Stångsjön ins Eis eingebrochen und ertrunken«, sagte er. »Weil es vermutlich nicht so häufig vorkommt, daß Leute hier ertrinken, können Sie sich vielleicht daran erinnern? Obwohl Sie, wie Sie sagen, außerhalb der Zeit leben.«

Wallander merkte, daß Hoslowski, der entweder verrückt oder von irgendwelchen unklaren prophetischen Ideen verwirrt war, positiv darauf reagierte, daß er sein Reden vom zeitlosen Dasein akzeptierte. »Ein Sonntag im Winter vor zehn Jahren«, fügte Wallander hinzu. »Der Mann soll hierhergekommen sein und um Hilfe gebeten haben.«

Hoslowski nickte. Er erinnerte sich.

»Ein Mann kam und klopfte an meine Tür. Er wollte mein Telefon benutzen.«

Wallander blickte sich im Zimmer um. »Aber Sie haben kein Telefon?«

»Mit wem sollte ich sprechen?«

Wallander nickte. »Was geschah dann?«

»Ich zeigte ihm den Weg zu meinem nächsten Nachbarn. Der hat Telefon.«

»Sind Sie mit ihm hingegangen?«

»Ich bin zum See gegangen, um zu sehen, ob ich sie herausholen könnte.«

Wallander hielt inne und tat einen Schritt zurück. »Der Mann, der an die Tür klopfte, war sicher sehr erregt?«

»Vielleicht.«

»Was meinen Sie mit ›vielleicht‹?«

»Ich erinnere mich daran, daß er so gefaßt war, wie man es vielleicht nicht erwartet.«

»Ist Ihnen noch etwas anderes aufgefallen?«

»Ich habe vergessen. Es geschah in einer anderen kosmischen Dimension, die sich seitdem viele Male verändert hat.«

»Sehen wir weiter. Sie kamen zum See. Was geschah da?«

»Das Eis war ganz blank. Ich sah das Loch. Ich ging hin. Aber ich sah nichts im Wasser.«

»Sie gingen hin? Hatten Sie keine Angst, daß das Eis brechen könnte?«

»Ich weiß, wo es trägt. Außerdem kann ich mich gewichtslos machen, wenn es nötig ist.«

Mit einem Verrückten kann man nicht vernünftig reden, dachte Wallander resigniert. Aber er stellte seine Fragen dennoch. »Können Sie mir das Loch beschreiben?«

»Es war sicher von einem Angler ins Eis geschlagen worden. Vielleicht war es dann wieder überfroren, aber das Eis war noch nicht wieder dick genug.«

Wallander dachte nach. »Bohren Angler nicht kleinere Löcher?«

»Dies hier war fast viereckig. Vielleicht war es aufgesägt worden?«

»Gibt es denn Eisangler auf dem Stångsjön?«

»Es ist ein fischreicher See. Ich hole selbst Fisch da. Aber nicht im Winter.«

»Und was passierte dann? Sie standen am Eisloch und sahen nichts. Was haben Sie dann getan?«

»Ich habe mich ausgezogen und habe mich ins Wasser hinuntergelassen.«

Wallander starrte ihn an. »Warum um alles in der Welt haben Sie das gemacht?«

»Ich dachte, ich könnte ihren Körper mit meinen Füßen spüren.«

»Sie hätten sich doch den Tod holen können.«

»Ich kann mich gegen zu starke Kälte oder Hitze gefühllos machen, wenn es nötig ist.«

Wallander sah ein, daß er diese Antwort hätte vorhersehen können. »Aber Sie haben sie nicht gefunden?«

»Nein. Ich stemmte mich wieder aufs Eis hoch und hab meine Sachen angezogen. Kurz darauf kamen Menschen gelaufen. Ein Auto mit Leitern. Da bin ich weggegangen.«

Wallander begann sich aus dem unbequemen Kissen hochzuarbeiten. Der Gestank war unerträglich. Er hatte keine Fragen mehr und wollte nicht länger als nötig bleiben. Gleichzeitig mußte er einräumen, daß Jacob Hoslowski entgegenkommend und freundlich gewesen war.

Hoslowski begleitete ihn auf den Hofplatz hinaus. »Sie haben sie dann gefunden«, sagte er. »Mein Nachbar kommt immer einmal vorbei und erzählt mir, was ich seiner Meinung nach über die

Umwelt wissen sollte. Unter anderem meint er, daß ich alles wissen muß, was im Schützenverein hier los ist. Was an anderen Orten in der Welt geschieht, ist weniger wichtig, meint er. Deshalb weiß ich auch sehr wenig über das, was geschieht. Vielleicht darf ich fragen, ob zur Zeit gerade ein Krieg größeren Ausmaßes stattfindet?«

»Kein großer«, sagte Wallander. »Aber viele kleine.«

Hoslowski nickte. Dann wies er mit der Hand in eine Richtung. »Mein Nachbar wohnt ganz nah. Man sieht sein Haus nicht, vielleicht sind es dreihundert Meter. Irdische Abstände sind schwer zu berechnen.«

Wallander dankte ihm und ging. Es war jetzt dunkel. Er hatte die Taschenlampe eingesteckt und leuchtete auf den Weg. Zwischen den Bäumen schimmerte Licht. Er dachte an Jacob Hoslowski und alle seine Katzen.

Das Haus, zu dem er kam, wirkte relativ neu. Davor stand ein Pritschenwagen mit Verdeck, auf dessen einer Seite »Rohrservice« stand. Wallander läutete. Ein Mann in einem weißen Unterhemd und mit bloßen Füßen öffnete. Er riß die Türe auf, als sei Wallander der letzte in einer unendlichen Reihe von Menschen, die gekommen waren und ihn gestört hatten. Aber der Mann hatte ein offenes und freundliches Gesicht. Im Hintergrund war Kindergeschrei zu hören. Wallander erklärte kurz, wer er war.

»Und Hoslowski hat Sie hergeschickt?« fragte der Mann.

»Woher wissen Sie das?«

»Das merkt man am Geruch«, sagte der Mann. »Aber kommen Sie rein. Ich kann ja nachher lüften.«

Wallander folgte dem großgewachsenen Mann in eine Küche. Das Kindergeschrei kam vom Obergeschoß. Außerdem lief irgendwo ein Fernseher. Der Mann sagte, er heiße Rune Nilsson und sei Rohrleger.

Wallander lehnte dankend ab, als Nilsson ihm Kaffee anbot, und erzählte, warum er hier sei.

»So ein Ereignis vergißt man nicht«, sagte Nilsson, nachdem Wallander geendet hatte. »Ich war damals unverheiratet. Hier lag ein altes Haus, das ich abgerissen habe, als ich neu baute. Ist das wirklich schon zehn Jahre her?«

»Genau zehn Jahre, bis auf ein paar Monate.«

»Er kam und hämmerte an die Tür. Es war mitten am Tag.«

»Wie wirkte er?«

»Er war erregt. Aber gefaßt. Dann rief er den Rettungsdienst an. In der Zeit zog ich mich an. Dann liefen wir los. Wir nahmen eine Abkürzung durch den Wald. Ich habe damals viel gefischt.«

»Die ganze Zeit machte er einen gefaßten Eindruck? Was hat er gesagt? Wie hat er das Unglück erklärt?«

»Sie wäre eingebrochen. Das Eis hätte nachgegeben.«

»Aber das Eis war ziemlich dick?«

»Man weiß nie mit Eis. Es kann unsichtbare Spalten geben oder dünne Stellen. Obwohl, ein bißchen komisch war es schon.«

»Jacob Hoslowski sagte, das Eisloch sei viereckig gewesen. Er meinte, daß es aufgesägt worden sein konnte.«

»Ob es viereckig war, weiß ich nicht mehr. Aber groß war es.«

»Aber das Eis darum herum war stark. Sie sind ein großer Mann und hatten keine Angst, aufs Eis zu gehen?«

Rune Nilsson nickte. »Ich habe hinterher viel darüber nachgedacht«, sagte er. »Es war schon komisch mit dem Eisloch, das sich einfach öffnete, und der Frau, die verschwand. Warum hatte er sie nicht rausziehen können?«

»Was war seine eigene Erklärung?«

»Er hätte es versucht. Aber sie wäre so schnell verschwunden und unter das Eis gezogen worden.«

»War das so?«

»Sie fanden sie ein paar Meter vom Eisloch entfernt. Genau unter dem Eis. Sie war nicht gesunken. Ich war dabei, als sie sie rausholten. Das vergesse ich nie. Ich konnte nie verstehen, daß sie so viel gewogen haben konnte.«

Wallander sah ihn fragend an. »Was meinen Sie damit? Daß sie ›so viel gewogen haben konnte‹?«

»Ich kannte Nygren, der damals hier Polizist war. Jetzt ist er tot. Er sagte einmal, der Mann hätte behauptet, sie wöge achtzig Kilo. Das sollte erklären, warum das Eis brach. Ich hab das nie verstanden. Aber ich nehme an, daß man immer über Unglücke nachgrübelt. Was geschah. Wie es hätte vermieden werden können.«

»Das ist sicher richtig«, sagte Wallander und stand auf. »Danke, daß Sie sich Zeit genommen haben. Morgen früh möchte ich gern, daß Sie mir zeigen, wo es war.«

»Sollen wir übers Wasser gehen?«

Wallander lächelte. »Das ist nicht nötig. Aber Jacob Hoslowski hat vielleicht die Fähigkeit.«

Rune Nilsson schüttelte den Kopf. »Er ist nett«, sagte er. »Er und alle seine Katzen. Aber er ist verrückt.«

Wallander ging auf dem Waldweg zurück. In Hoslowskis Fenster leuchtete die Petroleumlampe. Rune Nilsson hatte zugesagt, bis acht Uhr am folgenden Morgen zu Hause zu bleiben. Wallander ließ den Wagen an und fuhr zurück nach Älmhult. Das komische Geräusch im Motor war jetzt wieder weg. Er war hungrig. Vielleicht war es angebracht, Bo Runfelt vorzuschlagen, gemeinsam zu Abend zu essen. Wallander hatte nicht mehr das Gefühl, daß die Reise unnötig gewesen war.

Aber als er ins Hotel kam, wartete dort eine Nachricht von Bo Runfelt auf ihn. Er hatte sich ein Auto gemietet und war nach Växjö gefahren. Dort hatte er gute Freunde und wollte bei denen die Nacht verbringen. Er würde früh am nächsten Morgen wieder in Älmhult sein. Wallander war einen kurzen Moment verärgert über Runfelts Verhalten. Was, wenn er ihn am Abend gebraucht hätte? Runfelt hatte eine Telefonnummer in Växjö hinterlassen. Doch Wallander hatte keinen Grund, ihn anzurufen. In gewisser Weise war er auch erleichtert, den Abend allein verbringen zu können. Er ging auf sein Zimmer, um zu duschen. Er hatte nicht einmal eine Zahnbürste bei sich. Er zog sich an und suchte dann einen Laden, wo er so spät noch kaufen konnte, was er brauchte. Dann aß er in einer Pizzeria, an der er zufällig vorbeikam. Die ganze Zeit dachte er an das Unglück, bei dem Runfelts Frau ertrunken war. Er spürte, daß es ihm jetzt langsam gelang, sich ein Bild zu machen. Nach dem Essen ging er auf sein Hotelzimmer. Kurz vor neun rief er bei Ann-Britt Höglund zu Hause an. Er hoffte, daß ihre Kinder schliefen. Als sie sich meldete, erzählte er in knappen Worten, was gewesen war. Er selbst wollte wissen, ob sie Frau Svensson ausfindig gemacht hatten, die vermutlich Gösta Runfelts letzte Klientin war.

»Noch nicht«, sagte sie. »Aber irgendwie kriegen wir das noch hin.«

Er beendete das Gespräch. Dann schaltete er den Fernseher ein und hörte abwesend einem Diskussionsprogramm zu. Darüber schlief er ein.

Als er kurz nach sechs am Morgen wach wurde, fühlte er sich ausgeschlafen. Um halb acht hatte er bereits gefrühstückt und sein Zimmer bezahlt. Dann setzte er sich in die Rezeption und wartete. Bo Runfelt kam ein paar Minuten später. Keiner von beiden kommentierte es, daß er die Nacht in Växjö verbracht hatte.

»Wir machen einen Ausflug«, sagte Wallander. »Zu dem See, in dem Ihre Mutter ertrunken ist.«

»Hat die Reise sich gelohnt?« fragte Bo Runfelt.

Wallander war irritiert. »Ja«, sagte er. »Und Ihre Anwesenheit ist praktisch ausschlaggebend gewesen. Ob Sie es glauben oder nicht.«

Das stimmte natürlich nicht. Doch Wallander sprach die Worte mit solchem Nachdruck aus, daß Bo Runfelt zumindest spürbar nachdenklich wurde.

Rune Nilsson wartete auf sie. Sie gingen auf einem Pfad durch den Wald. Es war windstill, nahe null Grad. Der Boden unter ihren Füßen war hart. Vor ihnen breitete sich das Wasser aus. Es war ein langgestreckter See. Rune Nilsson zeigte auf einen Punkt irgendwo in der Mitte. Wallander spürte, daß es Bo Runfelt unangenehm war, den Ort zu besuchen. Wallander nahm an, daß er noch nie hiergewesen war.

»Es ist schwer, sich einen eisbedeckten See vorzustellen«, sagte Rune Nilsson. »Alles verändert sich, wenn der Winter kommt. Nicht zuletzt die Entfernungen erlebt man anders. Was einem im Sommer weit weg zu sein scheint, kann plötzlich sehr nah wirken. Oder umgekehrt.«

Wallander ging an den Strand. Das Wasser war dunkel. Er glaubte, die Kontur eines kleinen Fisches an einem Stein zu erkennen. Im Hintergrund hörte er, daß Bo Runfelt fragte, ob der See tief sei. Rune Nilssons Antwort verstand er jedoch nicht.

Was ist passiert? fragte er sich. Hatte Gösta Runfelt sich im voraus entschieden? Daß er an diesem Sonntag seine Frau ertränken wollte? So mußte es gewesen sein. Irgendwie hatte er das Eisloch vorbereitet. Auf die gleiche Art und Weise, wie jemand die Planken angesägt hatte, die über den Graben bei Holger Eriksson führten. Oder Gösta Runfelt gefangengehalten hatte.

Wallander stand lange da und blickte auf den See, der sich vor ihm ausbreitete. Aber was er zu sehen meinte, spielte sich in seiner Vorstellung ab.

Sie gingen durch den Wald zurück. Beim Wagen verabschiedeten sie sich von Rune Nilsson. Wallander schätzte, daß sie gut und gern vor zwölf Uhr wieder in Ystad sein konnten.

Aber er hatte sich verrechnet. Kaum hatten sie Älmhult hinter sich gelassen, als der Wagen stehenblieb. Der Motor streikte. Wallander rief den örtlichen Vertreter des Pannendienstes an, dem er angeschlossen war. Der Mann kam schon nach knapp zwanzig Minuten und stellte schnell fest, daß es sich um einen schwerwiegenden Defekt handelte, den er nicht an Ort und Stelle beheben konnte. Es gab keine andere Möglichkeit, als den Wagen in Älmhult zurückzulassen und den Zug nach Malmö zu nehmen. Der Abschleppdienst fuhr sie zum Bahnhof. Bo Runfelt erbot sich, die Fahrkarten zu kaufen, während Wallander mit dem Pannenhelfer abrechnete. Es zeigte sich nachher, daß Bo Runfelt erster Klasse genommen hatte. Wallander sagte nichts. Um 9 Uhr 44 ging der Zug nach Hässleholm und Malmö. In der Zwischenzeit hatte Wallander im Präsidium angerufen und darum gebeten, daß jemand sie in Malmö abholte. Es gab keine passende Verbindung nach Ystad. Ebba versprach, daß jemand dasein werde.

»Hat die Polizei wirklich keine besseren Autos?« fragte Bo Runfelt plötzlich, als der Zug Älmhult verlassen hatte. »Was wäre gewesen, wenn es sich um einen dringenden Einsatz gehandelt hätte?«

»Das ist mein Privatwagen«, sagte Wallander. »Unsere Einsatzwagen sind in bedeutend besserem Zustand.«

Vor dem Fenster glitt die Landschaft vorbei. Wallander dachte an Jacob Hoslowski und seine Katzen. Aber er dachte auch daran, daß Gösta Runfelt vermutlich seine Ehefrau ermordet hatte. Was das bedeutete, wußte er nicht. Jetzt war Gösta Runfelt tot. Ein brutaler Mann, der vielleicht selbst einen Mord begangen hatte, war auf ebenso grausame Art getötet worden.

Wallander dachte, daß das natürlichste Motiv Rache war.

Aber wer rächte sich wofür? Wie paßte Holger Eriksson ins Bild?

Er wurde in seinen Gedanken unterbrochen. Fahrkartenkontrolle.

Es war eine Frau. Sie lächelte und bat in ausgeprägtem Schonisch um die Fahrkarten.

Wallander hatte das Gefühl, daß sie ihn ansah, als kenne sie ihn. Vielleicht hatte sie ihn auf einem Bild in der Zeitung gesehen.

»Wann sind wir in Malmö?« fragte er.

»12 Uhr 15«, antwortete sie. »11 Uhr 13 in Hässleholm.«

Ihren Fahrplan hatte sie im Kopf.

20

Am Hauptbahnhof in Malmö wartete Peters. Bo Runfelt entschuldigte sich bei der Ankunft und sagte, er wolle ein paar Stunden in Malmö bleiben, aber am Nachmittag werde er nach Ystad zurückkehren. Dann werde er mit seiner Schwester die Hinterlassenschaft des Vaters durchgehen und entscheiden, was mit dem Blumengeschäft geschehen solle.

Auf der Fahrt nach Ystad saß Wallander auf der Rückbank und machte Notizen zu den Dingen, die er in Älmhult gehört hatte. Er hatte auf dem Bahnhof in Malmö einen Stift und einen kleinen Notizblock gekauft und balancierte den Block auf den Knien, während er schrieb. Peters, der kein geschwätziger Mann war, sprach während der ganzen Fahrt kein Wort, da er sah, daß Wallander beschäftigt war. Die Sonne schien, aber es wehte kräftig. Schon der 14. Oktober. Sein Vater lag noch nicht eine Woche unter der Erde. Wallander ahnte, oder fürchtete vielleicht eher, daß die eigentliche Trauerarbeit noch vor ihm lag.

Sie fuhren direkt zum Polizeigebäude. Wallander hatte im Zug ein paar sündhaft teure belegte Brote gegessen und brauchte keine Mittagspause. Er blieb an der Anmeldung stehen und erzählte Ebba, was mit dem Wagen passiert war. Ihr gutgepflegter PV stand wie immer auf dem Parkplatz.

»Ich komme kaum darum herum, einen neuen Wagen zu kaufen«, sagte er. »Aber wie soll ich den bezahlen?«

»Eigentlich ist es eine Schande, wie schlecht wir bezahlt werden«, sagte sie. »Aber am besten denkt man gar nicht daran.«

»Da bin ich mir nicht so sicher«, sagte Wallander. »Die Gehälter werden ja nicht besser dadurch, daß wir sie einfach vergessen.«

»Du hast vielleicht eine heimliche Fallschirmabsprache«, sagte Ebba.

»Alle haben Fallschirme«, gab Wallander zurück, »außer möglicherweise du und ich.«

Auf dem Weg in sein Büro schaute Wallander bei seinen Kollegen herein. Alle waren unterwegs. Der einzige, den er antraf, war Nyberg, dessen Zimmer am Ende des Korridors lag. Er war sehr selten da. Eine Krücke lehnte am Schreibtisch.

»Was macht der Fuß?« fragte Wallander.

»Na, eben so«, sagte Nyberg mürrisch.

»Ihr habt nicht zufällig Runfelts Koffer gefunden?«

»Er liegt jedenfalls nicht im Wald von Marsvinsholm. Da hätten die Hunde ihn aufgespürt.«

»Habt ihr andere Sachen gefunden?«

»Das tut man ja immer. Die Frage ist nur, ob sie mit der Tat zu tun haben oder nicht. Aber wir sind dabei, die Wagenspuren vom Feldweg hinter dem Hügel bei Holger Erikssons Turm mit denen zu vergleichen, die wir im Wald gefunden haben. Aber ich bezweifle, ob das was bringt. Es war an beiden Stellen zu regnerisch und zu matschig.«

»Was anderes, was ich wissen sollte?«

»Der Affenkopf«, sagte Nyberg. »Der kein Affen-, sondern ein Menschenkopf war. Es ist ein ausführlicher Brief vom Ethnographischen Museum in Stockholm gekommen. Ich verstehe ungefähr die Hälfte von dem, was sie schreiben. Aber am wichtigsten ist, daß sie jetzt sicher sind, daß er aus Belgisch-Kongo kommt. Oder Zaire, wie es heute heißt. Sie schätzen das Alter auf zwischen vierzig und fünfzig Jahre.«

»Das kommt ja hin mit der Zeit«, sagte Wallander.

»Das Museum ist daran interessiert, ihn zu übernehmen.«

»Das müssen die entscheiden, die nach Ende der Ermittlungen dafür zuständig sind.«

Nyberg sah Wallander plötzlich auffordernd an. »Kriegen wir die, die das getan haben?«

»Wir müssen.«

Nyberg nickte, ohne noch mehr zu sagen.

»Du hast ›die‹ gesagt. Früher, wenn ich dich gefragt habe, sagtest du, daß es wohl nur ein Täter wäre.«

»Habe ich ›die‹ gesagt?«

»Ja.«

»Ich glaube immer noch, daß es eine Person gewesen ist. Aber ich kann nicht erklären, warum ich das glaube.«

Wallander wandte sich zum Gehen. Nyberg hielt ihn zurück. »Wir haben bei diesem Postversand Secur in Borås herausgefunden, was Gösta Runfelt da gekauft hatte. Abgesehen von dieser letzten Abhörausrüstung und dem Magnetpinsel hat er dreimal was bei denen bestellt. Die Firma existiert noch nicht lange. Er hat ein Nachtglas gekauft, ein paar Taschenlampen und Kleinigkeiten, die bedeutungslos sind. Nichts Ungesetzliches übrigens. Die Taschenlampen haben wir in der Harpegatan gefunden. Aber das Nachtglas war weder da noch in der Västra Vallgatan.«

Wallander überlegte. »Kann er es in den Koffer gepackt haben, um es mit nach Nairobi zu nehmen? Sieht man sich nachts Orchideen an?«

»Jedenfalls haben wir es nicht gefunden«, sagte Nyberg.

Wallander ging in sein Zimmer. Er hatte vor, sich eine Tasse Kaffee zu holen, besann sich aber anders. Er setzte sich an den Schreibtisch und las noch einmal durch, was er im Auto auf der Fahrt von Malmö hierher geschrieben hatte. Er suchte nach den Ähnlichkeiten und nach dem, was die beiden Mordfälle unterschied. Beide Opfer waren in unterschiedlicher Weise als brutal beschrieben worden. Holger Eriksson hatte seine Angestellten schlecht behandelt, während Gösta Runfelt seine Frau mißhandelt hatte. Darin lag eine Ähnlichkeit. Sie waren beide auf ausgeklügelte Art und Weise ermordet worden. Wallander war noch immer überzeugt, daß Runfelt gefangengehalten worden war. Es gab keine andere plausible Erklärung für sein langes Verschwinden. Eriksson war dagegen direkt in seinen Tod gelaufen. Da war ein Unterschied. Aber Wallander fand auch, daß eine Ähnlichkeit vorlag, wenn auch undeutlich und schwer zu fassen. Warum war Runfelt gefangengehalten worden? Warum hatte der Täter damit gewartet, ihn zu töten? Die Antwort auf diese Frage konnte von vielen verschiedenen Möglichkeiten ausgehen. Aus irgendeinem Grund wollte der Täter warten. Was wiederum neue Fragen aufwarf. Konnte es daran liegen, daß der Täter keine Möglichkeit hatte, ihn sofort zu töten? Falls ja, warum nicht? Oder war es ein

Teil des Mordplans, Runfelt gefangenzuhalten, ihn hungern zu lassen, bis er kraftlos war?

Das einzige Motiv, das Wallander wiederum vor sich sehen konnte, war Rache. Aber Rache wofür? Sie hatten noch keine handfeste Spur.

Wallander ging zum Täter über. Sie hatten davon gesprochen, daß es vermutlich ein einzelner, sehr kräftiger Mann war. Sie konnten sich natürlich irren, doch Wallander glaubte es nicht. Etwas an der Planung des Ganzen deutete auf einen Einzeltäter hin. Die gute Planung war eine der Voraussetzungen. Wäre der Täter nicht allein, könnte die Planung längst nicht so detailliert sein.

Wallander lehnte sich zurück. Er versuchte, die dumpfe Unruhe, die in ihm rumorte, zu deuten. Es war da etwas, was er nicht erkannte. Oder völlig falsch deutete. Er kam nur nicht darauf, was es war.

Nach ungefähr einer Stunde holte Wallander sich den Kaffee, auf den er zuvor verzichtet hatte. Dann rief er den Optiker an, der vergebens auf seinen Besuch gewartet hatte. Wallander erhielt keinen neuen Termin. Er solle kommen, wann er wolle. Nachdem er zweimal seine Jacke durchsucht hatte, fand Wallander den Zettel mit der Telefonnummer der Autowerkstatt in Älmhult in einer Hosentasche. Die Reparatur würde sehr teuer werden. Aber Wallander hatte keine Alternative, wenn er noch etwas für das Auto bekommen wollte, falls er es verkaufte.

Anschließend rief er Martinsson an.

»Ich wußte nicht, daß du zurück bist. Wie ging es in Almhult?«

»Ich dachte, wir sollten darüber sprechen. Wer von den anderen ist denn gerade hier?«

»Ich habe eben Hansson gesehen«, sagte Martinsson. »Wir wollten uns um fünf Uhr für einen Augenblick zusammensetzen.«

»Dann warten wir solange.«

Wallander legte den Hörer auf, und plötzlich fragte er sich, wann er Zeit hätte, nach einem Haus zu suchen. Er befürchtete, daß nie etwas daraus würde. Die Arbeitsbelastung der Polizei wurde immer größer. Früher hatte es immer Phasen gegeben, in denen die Intensität der Arbeit abnahm. Das war jetzt nie mehr der Fall. Es gab auch nichts, was dafür sprach, daß dieser Fall noch einmal eintreten würde. Ob die Kriminalität zunahm, wußte er nicht. Dagegen wurde sie in gewissen Fällen gröber und immer komplizierter. Außerdem waren immer weniger Polizeibeamte mit direkten polizeilichen Aufgaben beschäftigt. Immer mehr saßen in der Verwaltung. Immer mehr planten für immer weniger. Für Wallander war es unmöglich, sich selbst ausschließlich hinter einem Schreibtisch zu sehen. Wenn er da saß wie jetzt, war das eine Unterbrechung seiner natürlichen Routine. Sie würden den Täter, den sie suchten, nie finden, wenn sie nur in den vier Wänden des Polizeigebäudes blieben. Die kriminaltechnische Entwicklung machte ständig Fortschritte. Aber sie würde niemals die Feldarbeit ersetzen können.

Er kehrte in Gedanken nach Älmhult zurück. Was war an jenem Wintertag vor zehn Jahren auf dem Eis des Stångsjön passiert? Hatte Gösta Runfelt das Unglück arrangiert und in Wirklichkeit seine Frau getötet? Dafür gab es Anzeichen. Zu viele Details paßten nicht in das Bild eines Unglücksfalls. Irgendwo in einem Archiv würde man sicher ohne große Schwierigkeiten die Akten der damaligen polizeilichen Ermittlung ausgraben können. Auch wenn diese Ermittlung aller Wahrscheinlichkeit nach schlampig durchgeführt worden war, fiel es ihm schwer, die Polizisten zu kritisieren. Was für einen Verdacht hätten sie eigentlich haben können? Warum hätten sie überhaupt Verdacht schöpfen sollen?

Wallander rief Martinsson an und bat ihn, mit Älmhult Kontakt aufzunehmen und eine Kopie des Ermittlungsprotokolls von damals anzufordern.

»Warum hast du das denn nicht selbst gemacht?« fragte Martinsson verwundert.

»Ich habe mit keinem einzigen Polizisten gesprochen. Statt dessen habe ich auf dem Fußboden in einem Haus gesessen, in dem es unzählbare Katzen gab und einen Mann, der sich gewichtslos machen kann, wenn es nötig ist. Es wäre gut, wenn wir die Kopie so schnell wie möglich bekämen.«

Er legte auf, bevor Martinsson die Möglichkeit hatte, weitere Fragen zu stellen. Es war inzwischen drei Uhr geworden, und das

Wetter war noch immer schön. Er fand, daß er ebensogut sofort zum Optiker gehen konnte. Um fünf Uhr würden sie sich treffen. Vorher konnte er sowieso nicht mehr viel ausrichten. Außerdem war sein Kopf müde. Er zog die Jacke an und verließ sein Zimmer. Ebba telefonierte. Er schrieb einen Zettel, daß er um fünf Uhr zurück wäre, und schob ihn ihr hin. Auf dem Parkplatz suchte er seinen Wagen, bis ihm einfiel, daß der nicht da war. Er brauchte zehn Minuten zu Fuß bis ins Zentrum. Beim Optiker in der Stora Östergatan mußte er ein paar Minuten warten. Er blätterte Zeitungen durch, die auf einem Tisch lagen. In einer davon war ein Bild von ihm, das vor mehr als fünf Jahren aufgenommen worden war. Er erkannte sich kaum wieder. Die Berichte über die Morde waren groß aufgemacht. »Die Polizei verfolgt sichere Spuren.« Wallander hatte das gesagt. Was nicht stimmte. Er fragte sich, ob der Täter Zeitungen las. Verfolgte er die Arbeit der Polizei? Wallander blätterte weiter. Auf einer der Innenseiten hielt er inne und las mit wachsendem Befremden. Betrachtete das Bild. Der Journalist der Zeitung *Anmärkaren*, die noch nicht erschienen war, hatte recht gehabt. Eine Anzahl von Menschen aus dem ganzen Land hatte sich in Ystad getroffen, um eine landesweite Organisation für Bürgerwehren zu gründen. Sie äußerten sich ohne Umschweife. Falls es nötig werden sollte, würden sie nicht zögern, Handlungen zu begehen, die außerhalb des Gesetzes lagen. Sie unterstützten die Arbeit der Polizei. Aber sie akzeptierten die Kürzungen nicht. Vor allem akzeptierten sie die Rechtsunsicherheit nicht. Wallander las mit einer Mischung aus wachsendem Unbehagen und Verbitterung. Es war jetzt tatsächlich soweit. Die Fursprecher bewaffneter und organisierter Bürgerwehren verbargen sich nicht mehr im Schatten. Sie traten offen in Erscheinung. Mit Namen und Fotos. Auf einem Treffen in Ystad, um eine Organisation zu bilden.

Wallander warf die Zeitung auf den Tisch. Wir werden an zwei Fronten kämpfen müssen, dachte er. Dies hier ist entschieden gravierender als alle vielbeschriebenen Neonazi-Organisationen, deren Gefährlichkeit häufig übertrieben wird. Von den Motorradgangs ganz zu schweigen.

Er war an der Reihe. Bald saß er mit einem eigentümlichen Apparat vor den Augen da und starrte auf verschwommene

Buchstaben. Er fürchtete plötzlich, er könne langsam blind werden. Aber hinterher, als der Optiker eine Brille auf seine Nase gesetzt hatte und eine Zeitung vor ihn hinlegte, eine Zeitung, in der auch ein Artikel über die Bürgerwehren und die geplante Organisation stand, konnte er den Text lesen, ohne die Augen anzustrengen.

»Sie brauchen eine Lesebrille«, sagte der Optiker freundlich. »Nichts Ungewöhnliches in Ihrem Alter. Plus 1,5 reicht fürs erste. So nach und nach werden Sie die Stärke alle paar Jahre erhöhen müssen.«

Anschließend betrachtete Wallander Brillengestelle. Er wunderte sich über die Preise. Als er hörte, daß es auch billige Kunststoffbrillen gab, entschloß er sich sofort für diese Alternative.

»Wie viele?« fragte der Optiker. »Zwei, damit Sie eine in Reserve haben?«

Wallander dachte an all die Kugelschreiber, die er ständig verlor. Er konnte sich nicht vorstellen, die Brille an einer Schnur um den Hals zu tragen.

»Fünf«, sagte er.

Es war erst vier Uhr, als er beim Optiker fertig war. Ohne es vorher geplant zu haben, ging er zum Maklerbüro, vor dessen Fenster er vor einigen Tagen gestanden und die Fotos der zum Verkauf angebotenen Häuser angesehen hatte. Diesmal ging er hinein, setzte sich an einen Tisch und studierte die Mappen mit den einzelnen Angeboten. Zwei der Häuser interessierten ihn. Er bekam Kopien und versprach anzurufen, wenn er eins der Häuser besichtigen wollte. Da er immer noch Zeit hatte, beschloß er, Antwort auf eine Frage zu suchen, die er seit Holger Erikssons Tod im Kopf hatte. Er ging zur Buchhandlung am Stortorget. Der Buchhändler, den er von früher her kannte, war im Lager im Keller. Wallander ging eine halbe Treppe hinunter und fand seinen Bekannten zwischen einer Anzahl von Kartons mit Unterrichtsmaterial, das gerade ausgepackt wurde. Sie begrüßten sich.

»Du schuldest mir noch neunzehn Kronen«, sagte der Buchhändler und lächelte.

»Wofür denn?«

»Im Sommer hat die Polizei mich eines Morgens um sechs Uhr

geweckt, weil sie eine Karte von der Dominikanischen Republik brauchte. Der Polizist, der kam und sie abholte, hat hundert Kronen bezahlt, aber sie kostete hundertneunzehn.«

Wallander steckte die Hand in die Jacke, um seine Brieftasche herauszuholen. Der Buchhändler hob abwehrend die Hand. »Laß nur, das spendier ich«, sagte er. »Das war mehr als Scherz gemeint.«

»Holger Erikssons Gedichte«, sagte Wallander. »Die er selbst hat drucken lassen. Wer hat die gelesen?«

»Natürlich war er ein Dilettant«, sagte der Buchhändler. »Aber er schrieb nicht schlecht. Das Problem war, daß er nur über Vögel schrieb. Oder besser gesagt: Vögel waren das einzige, worüber er gut schreiben konnte. Wenn er sich an anderen Stoffen versuchte, ging es immer schief.«

»Wer kaufte seine Gedichte?«

»Er hat nicht viele durch mich und den Buchhandel verkauft. Ein großer Teil dieser Heimatschreibereien bringt natürlich keinen Gewinn. Aber sie sind wichtig auf eine andere Weise.«

»Wer kaufte sie?«

»Ehrlich gesagt, ich weiß es nicht. Vielleicht der eine oder andere Tourist hier in Schonen? Hobby-Ornithologen kannten seine Bücher. Vielleicht Sammler von Heimatliteratur.«

»Vögel«, sagte Wallander. »Das bedeutet, daß er nie etwas schrieb, worüber Menschen sich aufregen konnten.«

»Natürlich nicht«, sagte der Buchhändler erstaunt. »Hat jemand das behauptet?«

»Ich frage mich nur«, sagte Wallander.

Dann verließ er den Buchladen und ging zum Präsidium hinauf.

Als er im Sitzungszimmer seinen gewohnten Platz eingenommen hatte, setzte er als erstes seine neue Brille auf die Nase. Im Raum machte sich eine gewisse Heiterkeit breit.

Aber niemand sagte etwas.

»Wer fehlt noch?« fragte er.

»Svedberg«, sagte Ann-Britt Höglund. »Ich weiß nicht, wo er ist.«

Sie hatte den Satz kaum zu Ende gesprochen, da riß Svedberg die Tür zum Sitzungszimmer auf. Wallander wußte sofort, daß etwas passiert war.

»Ich habe Frau Svensson gefunden«, sagte Svedberg. »Gösta Runfelts letzte Klientin. Wenn es stimmt, was wir glauben.«

»Gut«, sagte Wallander und spürte, wie die Spannung stieg.

»Ich dachte, daß sie vielleicht bei irgendeiner Gelegenheit im Blumenladen gewesen sein könnte«, fuhr Svedberg fort. »Sie hätte Runfelt ja dort treffen können. Ich nahm das Bild mit, das wir entwickelt hatten. Vanja Andersson erinnerte sich, daß ein Foto desselben Mannes einmal auf dem Tisch im Hinterzimmer gelegen hatte. Sie wußte auch, daß eine Dame namens Svensson mehrfach den Blumenladen besucht hatte. Einmal kaufte sie Blumen, die geschickt werden sollten. Der Rest war einfach. Adresse und Telefonnummer waren aufgeschrieben worden. Sie wohnt im Byabacksvägen in Sövestad. Ich bin hingefahren. Sie hat eine kleine Gärtnerei. Ich nahm das Bild mit und sagte klar heraus, daß wir glaubten, sie habe Gösta Runfelt als Privatdetektiv angeheuert. Sie antwortete sofort, daß das richtig sei.«

»Gut«, sagte Wallander. »Was hat sie noch gesagt?«

»Ich habe nichts weiter gefragt. Sie hatte Handwerker im Haus, und ich dachte, es wäre besser, wenn wir gemeinsam das Gespräch mit ihr vorbereiteten.«

»Ich will noch heute abend mit ihr reden«, sagte Wallander. »Laßt uns diese Sitzung so kurz wie möglich machen.«

Sie waren ungefähr eine halbe Stunde zusammen. Während der Sitzung kam Lisa Holgersson dazu und nahm still am Tisch Platz. Wallander gab einen Bericht über seine Fahrt nach Älmhult. Zum Schluß sagte er, sie könnten seines Erachtens nicht von der Möglichkeit absehen, daß Gösta Runfelt seine Frau umgebracht habe. Sie mußten auf die Kopie der Untersuchung von damals warten. Dann konnten sie dazu Stellung nehmen, wie sie weiter vorgehen wollten.

Als Wallander endete, sagte keiner der anderen etwas. Alle sahen ein, daß er recht haben konnte. Doch keiner war sicher, was es eigentlich bedeutete.

»Die Fahrt war wichtig«, sagte Wallander nach einer Weile.

»Ich glaube auch, daß die Reise nach Svenstavik uns weiterbringen kann.«

»Mit einem Stop in Gävle«, sagte Ann-Britt Höglund. »Ich weiß nicht, ob es etwas bedeutet. Aber ich habe einen guten Freund in Stockholm gebeten, in eine Spezialbuchhandlung zu gehen und mir ein paar Exemplare einer Zeitschrift zu beschaffen, die ›Terminator‹ heißt. Sie sind heute gekommen.«

»Was ist das eigentlich für eine Zeitschrift?« fragte Wallander, der bisher nur in Andeutungen davon gehört hatte.

»Sie erscheint in den USA«, fuhr sie fort. »Eine schlecht getarnte Fachzeitung, könnte man sagen. Für Leute, die sich als Söldner, Leibwächter oder sonst irgendwie als Soldaten verdingen wollen. Es ist eine sehr unangenehme Zeitung. Unter anderem sehr rassistisch. Aber ich fand eine kleine Annonce, die uns interessieren sollte. Es gibt einen Mann in Gävle, der annonciert, daß er Aufträge vermitteln kann an ›kampfwillige und vorurteilsfreie Männer‹, wie er es nennt. Ich habe die Kollegen in Gävle angerufen. Sie wußten, wer er war, hatten aber noch nie direkt mit ihm zu tun. Sie glaubten aber, daß er umfangreiche Kontakte mit Männern in Schweden hat, die eventuell eine Vergangenheit als Söldner haben.«

»Das kann wichtig sein«, sagte Wallander. »Mit dem müssen wir unbedingt in Kontakt kommen. Es müßte möglich sein, die Fahrt nach Svenstavik mit einem Besuch in Gävle zu kombinieren.«

»Ich habe mal auf die Karte gesehen«, sagte sie. »Man kann nach Östersund fliegen und dann einen Wagen mieten. Oder die Kollegen da oben um Hilfe bitten.«

Wallander klappte seinen Block zu. »Sorgt dafür, daß mir jemand eine Rundreise arrangiert«, sagte er. »Wenn möglich schon morgen.«

»Obwohl Samstag ist?« fragte Martinsson.

»Die, die ich treffen will, können mich sicher trotzdem empfangen«, sagte Wallander. »Wir haben keine Zeit zu verlieren. Ich schlage vor, wir hören jetzt auf. Wer fährt mit nach Sövestad?«

Bevor jemand antworten konnte, klopfte Lisa Holgersson mit

einem Bleistift auf den Tisch. »Nur einen Augenblick«, sagte sie. »Ich weiß nicht, ob ihr mitbekommen habt, daß hier in der Stadt eine Art Treffen von Menschen stattfindet, die beschlossen haben, eine Organisation für Bürgerwehren zu gründen. Ich glaube, es wäre gut, wenn wir uns möglichst bald darüber unterhielten, wie wir uns dazu verhalten wollen.«

»Die Reichspolizeibehörde hat zahlreiche Rundschreiben veröffentlicht über das Thema Bürgerwehren«, sagte Wallander. »Ich glaube, die Leute sind sich vollkommen im klaren darüber, was das schwedische Gesetz über Privatjustiz sagt.«

»Das wissen sie sicher«, erwiderte sie. »Aber ich habe das Gefühl, daß sich etwas verändert. Ich fürchte, wir werden sehr bald erleben, daß ein Dieb von jemandem, der einer solchen Gruppe angehört, erschossen wird. Und dann werden sie sich gegenseitig schützen.«

Wallander wußte, daß sie recht hatte. Aber gerade im Moment fiel es ihm schwer, sich für etwas anderes zu interessieren als für die zweifache Mordermittlung, mit der sie beschäftigt waren.

»Laßt uns auf jeden Fall bis Montag damit warten«, sagte er. »Ich bin auch der Meinung, daß dies wichtig ist. Auf längere Sicht ist die Frage natürlich ganz wesentlich, wenn wir nicht von Leuten überschwemmt werden wollen, die Polizei spielen. Laßt uns am Montag darüber sprechen.«

Lisa Holgersson ließ es dabei bewenden. Sie beendeten die Sitzung. Ann-Britt Höglund und Svedberg wollten mit Wallander nach Sövestad fahren. Es wurde sechs, bis sie das Präsidium verließen. Wolken waren aufgezogen und es würde wahrscheinlich im Laufe des Abends oder der Nacht zu regnen beginnen. Sie fuhren in ihrem Wagen. Wallander hatte sich auf die Rückbank gesetzt. Er fragte sich plötzlich, ob er noch immer nach Jacob Hoslowskis Katzenhaus roch.

»Maria Svensson«, sagte Svedberg. »Sie ist sechsunddreißig Jahre alt und hat eine kleine Gärtnerei in Sövestad. Wenn ich sie richtig verstanden habe, handelt sie nur mit ökologisch angebautem Gemüse.«

»Du hast sie nicht gefragt, warum sie Kontakt mit Runfelt aufgenommen hat?«

»Als sie die Verbindung bestätigt hatte, habe ich nichts weiter gefragt.«

»Das wird sehr interessant«, sagte Wallander. »In all meinen Jahren bei der Polizei habe ich noch nie einen Menschen getroffen, der bei einem Privatdetektiv Hilfe gesucht hat.«

»Die Fotografie war von einem Mann«, sagte Ann-Britt Höglund. »Ist sie verheiratet?«

»Ich weiß nicht«, antwortete Svedberg. »Ich habe alles gesagt, was ich weiß. Von jetzt an wissen wir gleich viel.«

»Gleich wenig«, sagte Wallander. »Wir wissen so gut wie nichts.«

Nach ungefähr zwanzig Minuten kamen sie nach Sövestad. Vor vielen Jahren war Wallander hier gewesen und hatte einen Mann abgenommen, der sich erhängt hatte. Er erinnerte sich daran, weil es der erste Selbstmord war, mit dem er konfrontiert worden war. Er dachte mit einem unguten Gefühl daran zurück.

Svedberg bremste vor einem Haus mit angrenzendem Gewächshaus und Ladenlokal. »Svenssons Gemüse« stand auf einem Schild. Sie stiegen aus.

»Sie wohnt in dem Haus«, sagte Svedberg. »Ich nehme an, sie hat den Laden geschlossen.«

»Blumen- und Gemüsehandel«, sagte Wallander. »Bedeutet das etwas, oder ist es nur ein Zufall?«

Er erwartete keine Antwort, und er bekam auch keine. Als sie ungefähr die Hälfte des Kieswegs zurückgelegt hatten, wurde die Haustur geöffnet.

»Maria Svensson«, sagte Svedberg. »Sie hat uns erwartet.«

Wallander betrachtete die Frau, die auf der Haustreppe stand. Sie trug Jeans und eine weiße Bluse. An den Füßen Holzschuhe. Ihr Aussehen war irgendwie unbestimmt. Er sah, daß ihr Gesicht vollkommen ungeschminkt war. Svedberg stellte sie vor. Maria Svensson bat sie herein. Sie setzten sich in ihr Wohnzimmer. Wallander dachte flüchtig, daß auch ihre Wohnung etwas Unbestimmtes an sich hatte, als sei sie im Grunde nicht daran interessiert, wie sie wohnte.

»Ich mache gern Kaffee«, sagte Maria Svensson.

Alle drei lehnten dankend ab.

»Wie Sie sich denken können, sind wir hergekommen, um ein wenig mehr über Ihr Verhältnis zu Gösta Runfelt zu erfahren.«

»Solange Sie nicht meinen, daß ich ein Verhältnis mit ihm hatte.«

»Ich meine das Verhältnis zwischen Privatdetektiv und Klient«, sagte Wallander.

»Ja, das stimmt.«

»Gösta Runfelt ist ermordet worden. Es hat eine Weile gedauert, bis uns klar wurde, daß er nicht nur Blumenhändler war, sondern auch Privatdetektiv. Meine erste Frage ist deshalb, wie Sie Kontakt zu ihm bekommen haben.«

»Ich habe eine Annonce in der Zeitung gesehen. Das war im Sommer.«

»Wie kam der erste Kontakt zustande?«

»Ich besuchte ihn in dem Blumengeschäft. Später am gleichen Tag trafen wir uns in einem Café in Ystad. Es liegt am Stortorget. Aber ich weiß nicht mehr, wie es heißt.«

»Warum haben Sie Kontakt mit ihm aufgenommen?«

»Darauf möchte ich lieber nicht antworten.«

Sie war sehr bestimmt. Wallander war erstaunt, weil ihre Antworten bis dahin so offen waren.

»Trotzdem glaube ich, daß Sie darauf antworten müssen«, sagte er.

»Ich kann versichern, daß es nichts mit seinem Tod zu tun hat. Ich bin ebenso entsetzt und schockiert wie alle anderen über das, was ihm passiert ist.«

»Ob es mit der Sache zu tun hat oder nicht, entscheidet die Polizei«, sagte Wallander. »Leider müssen Sie wohl auf die Frage antworten. Sie können sich entscheiden, es hier zu tun. Dann bleibt alles, was nicht direkt mit der Ermittlung zu tun hat, unter uns. Wenn wir gezwungen sind, Sie zu einem formellen Verhör vorzuladen, kann es schwerer werden zu verhindern, daß Details zu den Massenmedien durchsickern.«

Sie schwieg lange. Sie warteten. Wallander legte die Fotografie, die sie in der Harpegatan entwickelt hatten, auf den Tisch. Sie betrachtete das Bild mit ausdruckslosem Gesicht.

»Ist das Ihr Mann?« fragte Wallander.

Sie starrte ihn an. Dann lachte sie schallend. »Nein. Das ist nicht mein Mann«, sagte sie. »Aber er hat meine Beziehung zerstört.«

Wallander begriff nicht. Ann-Britt Höglund hingegen verstand sofort.

»Wie heißt sie?«

»Annika.«

»Und dieser Mann ist zwischen Sie gekommen?«

Sie war nun wieder ganz gefaßt. »Ich hatte einen Verdacht. Schließlich wußte ich nicht mehr, was ich tun sollte. Da kam ich auf die Idee, einen Privatdetektiv aufzusuchen. Ich mußte wissen, ob sie im Begriff war, mich zu verlassen. Sich zu verändern. Zu einem Mann zu gehen. Schließlich sah ich ein, daß sie es getan hatte. Gösta Runfelt kam her und erzählte es mir. Am Tag danach schrieb ich Annika, daß ich sie nie wiedersehen wollte.«

»Wann war das?« fragte Wallander. »Wann war er hier und erzählte Ihnen das?«

»Am 20. oder 21. September.«

»Danach hatten Sie keinen Kontakt mehr?«

»Nein. Ich bezahlte ihn über sein Postgirokonto.«

»Was hatten Sie für einen Eindruck von ihm?«

»Er war sehr freundlich. Er liebte Orchideen. Ich glaube, wir kamen gut miteinander aus, weil er ebenso reserviert wirkte wie ich.«

Wallander überlegte. »Ich habe nur noch eine Frage«, sagte er. »Konnten Sie sich einen Grund denken, warum er ermordet wurde? Etwas, was er gesagt hat oder tat? Ist Ihnen irgend etwas aufgefallen?«

»Nein«, sagte sie. »Nichts. Und ich habe wirklich darüber nachgedacht.«

Wallander sah seine Kollegen an und erhob sich. »Dann wollen wir nicht weiter stören«, sagte er. »Und dies alles bleibt unter uns. Das kann ich versprechen.«

»Dafür bin ich dankbar«, sagte sie. »Ich möchte ungern meine Kunden verlieren.«

Sie verabschiedeten sich. Sie schloß hinter ihnen die Tür, bevor sie die Straße erreicht hatten.

»Was hat sie gemeint mit dem letzten?« fragte Wallander. »Daß sie ihre Kunden nicht verlieren wollte?«

»Die Menschen hier auf dem Land sind konservativ«, sagte Ann-Britt Höglund. »Eine lesbische Frau ist für viele noch immer etwas Anstößiges. Ich glaube, sie hat allen Grund, nicht zu wollen, daß es rauskommt.«

Sie setzten sich ins Auto. Wallander dachte, daß es bald anfangen würde zu regnen.

»Was hat das jetzt gebracht?« fragte Svedberg.

Wallander wußte, daß es nur eine Antwort gab. »Es hat uns weder vorangebracht noch zurückgeworfen«, sagte er. »Die Wahrheit über diese beiden Mordermittlungen ist sehr einfach. Wir wissen nichts mit Sicherheit. Wir haben eine Reihe loser Enden. Aber wir haben keine ordentliche Spur. Wir haben nichts.«

Sie saßen schweigend im Wagen. Wallander fühlte sich für einen Augenblick schuldbewußt. Als habe er der ganzen Ermittlung einen Dolchstoß in den Rücken versetzt. Aber dennoch wußte er, daß es die Wahrheit war.

Sie hatten nichts, dem sie nachgehen konnten.

Absolut nichts.

21

In dieser Nacht hatte Wallander einen Traum. Er war wieder in Rom. Er ging mit seinem Vater auf einer Straße, der Sommer war plötzlich vorbei, es war Herbst geworden, römischer Herbst. Sie hatten sich über irgend etwas unterhalten, er wußte nicht mehr, worüber. Plötzlich war der Vater verschwunden. Es war sehr schnell gegangen. Im einen Augenblick hatte er sich noch an seiner Seite befunden, im nächsten war er verschwunden, verschluckt vom Menschengewimmel der Straße.

Er war mit einem Ruck aufgewacht. In der Stille der Nacht war der Traum klar und durchsichtig gewesen. Die Trauer um den Vater, um das Gespräch, das sie begonnen, aber nicht zu Ende geführt hatten. Seinen toten Vater konnte er nicht bedauern. Aber sich selbst, der übriggeblieben war.

Es gelang ihm nicht mehr einzuschlafen. Er sollte auch früh aufstehen.

Als sie am Abend zuvor nach dem Besuch bei Maria Svensson in Sölvestad ins Präsidium zurückgekehrt waren, lag dort eine Mitteilung, daß für Wallander ein Flug um 7 Uhr am folgenden Morgen von Sturup gebucht war, mit Umsteigen in Arlanda und Ankunft in Östersund um 9 Uhr 50. Er hatte den Reiseplan durchgesehen und festgestellt, daß er wählen konnte, ob er den Samstagabend in Svenstavik oder in Gävle verbringen wollte. Am Flugplatz Frösön stand ein Auto für ihn. Er blickte auf die Schwedenkarte, die an der Wand neben der vergrößerten Karte von Schonen hing. Das brachte ihn auf eine Idee. Er ging in sein Zimmer und rief Linda an. Zum erstenmal lief bei ihr ein Anrufbeantworter. Er sprach eine Frage auf das Band: Konnte sie den Zug nach Gävle nehmen, eine Fahrt von höchstens zwei Stunden, und dort die Nacht verbringen? Dann suchte er Svedberg und fand ihn schließlich im Gymnastikraum im Untergeschoß. Svedberg ging dort an Freitagabenden in aller Ruhe in die Sauna. Wallander bat ihn um den Gefallen, für den Samstagabend zwei Zimmer in einem guten Hotel in Gävle für ihn zu buchen. Am Tag danach könnte er ihn über sein Mobiltelefon erreichen.

Dann ging er nach Hause. Und als er schlief, kam der Traum zu ihm, von der Straße im herbstlichen Rom.

Um sechs Uhr stand das vorbestellte Taxi vor dem Haus. In Sturup holte er seine Flugscheine ab. Da es Samstagmorgen war, war die Maschine kaum mehr als halbvoll. Der Flug nach Östersund ging pünktlich. Wallander war noch nie in Östersund gewesen. Die nördlich von Stockholm gelegenen Landesteile hatte er nur selten besucht. Er freute sich auf die Reise. So gewann er auch Abstand zu dem Traum der letzten Nacht.

Es war ein kühler Morgen auf dem Flugplatz in Östersund. Der Pilot hatte von einem Grad plus gesprochen. Die Kälte fühlte sich anders an, dachte er auf dem Weg zum Flughafengebäude. Es riecht auch nicht nach Lehm. Er fuhr von Frösön über die Brücke und dachte, daß die Landschaft schön war. Die Stadt ruhte sanft an einem zum Storsjön abfallenden Hang. Er hatte den Weg nach Süden gesucht und ein befreiendes Gefühl dabei empfunden, in einem fremden Auto zu sitzen und durch eine unbekannte Landschaft zu fahren.

Um halb zwölf kam er nach Svenstavik. Von Svedberg hatte er unterwegs erfahren, daß er einen Mann namens Melander aufsuchen sollte. Er war der Mann im Kirchenvorstand, mit dem Anwalt Bjurman verhandelt hatte. Melander wohnte in einem roten Haus neben dem alten Amtsgericht in Svenstavik, das nur noch für die Kurse des Arbeiterbildungsverbands genutzt wurde.

Wallander parkte vor dem ICA-Supermarkt mitten im Zentrum. Es dauerte eine Weile, bis er erkannte, daß das alte Amtsgericht auf der anderen Seite des neugebauten Einkaufszentrums lag. Er ließ den Wagen stehen und ging zu Fuß. Es war bewölkt, regnete aber nicht. Er betrat den Hofplatz des Hauses, in dem Robert Melander wohnen sollte. Ein Elchspitz lag angekettet vor einer Hundehütte. Die Tür stand offen. Wallander klopfte. Niemand antwortete. Da glaubte Wallander, von der Rückseite des Hauses Geräusche zu hören. Er ging um die Giebelseite des guterhaltenen und gepflegten Holzhauses herum. Das Grundstück war groß. Es gab einen Kartoffelacker und Johannisbeersträucher. Wallander wunderte sich darüber, daß so weit nördlich noch Johannisbeeren wuchsen. Auf der Rückseite des Hauses stand ein Mann in Stiefeln und sägte Äste von einem gefällten Baum. Als er Wallander bemerkte, hörte er sofort auf und streckte den Rücken. Er war in Wallanders Alter. Er lächelte und legte die Säge zur Seite.

»Ich vermute, daß Sie es sind«, sagte er und streckte die Hand aus. »Der Polizist aus Ystad.«

Sein Dialekt war sehr ausdrucksvoll, dachte Wallander, als er ihn begrüßte.

»Wann sind Sie losgefahren«, fragte Melander. »Gestern abend?«

»Um sieben heute morgen ging der Flug«, antwortete Wallander.

»So schnell«, sagte Melander. »Ich war irgendwann in den Sechzigern mal in Malmö. Ich hatte die Idee, daß das vielleicht was sein könnte, ein bißchen rumzukommen. Und es gab Arbeit auf der großen Werft.«

»Kockums«, sagte Wallander. »Aber die gibt es bestimmt nicht mehr.«

»Nichts gibt es mehr«, erwiderte Melander philosophisch. »Damals dauerte die Reise vier Tage mit dem Auto.«

»Aber Sie sind nicht geblieben«, sagte Wallander.

»Nee nich«, antwortete Melander fröhlich. »Es war schön und gut da unten. Aber nichts für mich. Wenn ich noch reise in meinem Leben, dann nach oben und nicht nach unten. Ihr habt ja nicht einmal Schnee da unten, haben sie gesagt.«

»Es kommt schon mal vor«, sagte Wallander. »Und wenn er kommt, dann gleich in rauhen Mengen.«

»Drinnen wartet Essen«, sagte Melander. »Meine Frau arbeitet in der Sozialpflegezentrale, aber sie hat es vorbereitet.«

»Es ist sehr schön hier«, sagte Wallander.

»Sehr«, antwortete Melander. »Und die Schönheit hält sich. Von Jahr zu Jahr.«

Sie setzten sich an den Küchentisch. Wallander aß mit Appetit.

Das Essen war reichlich. Melander war außerdem ein guter Erzähler. Wenn Wallander es richtig verstand, so war er ein Mann, der eine Vielzahl verschiedener Beschäftigungen zu einem Auskommen verband. Unter anderem gab er im Winter Volkstanzkurse. Erst beim Kaffee begann Wallander von seinem Anliegen zu sprechen.

»Es war natürlich auch für uns eine Überraschung«, sagte Melander. »100 0000 Kronen sind nicht wenig. Besonders wenn es ein Geschenk von einem Unbekannten ist.«

»Niemand wußte also, wer Holger Eriksson war?«

»Er war vollkommen unbekannt. Ein Autohändler aus Schonen, der erschlagen worden ist. Das war ziemlich sonderbar. Wir von der Kirche haben angefangen, uns zu erkundigen. Wir haben auch dafür gesorgt, daß eine Meldung in die Zeitung kam, mit seinem Namen. Die Zeitung schrieb, daß wir Auskünfte suchten. Aber niemand hat sich gemeldet.«

Wallander hatte daran gedacht, ein Foto von Holger Eriksson einzustecken, das sie in einer seiner Schreibtischschubladen gefunden hatten. Robert Melander studierte das Bild, während er seine Pfeife stopfte. Wallander begann zu hoffen. Doch dann schüttelte Melander den Kopf. »Den Mann kenne ich nicht«, sagte er. »Ich habe ein gutes Gedächtnis für Gesichter. Aber den habe ich nie gesehen. Vielleicht erkennt ihn jemand anders. Aber ich nicht.«

»Ich will Ihnen zwei Namen nennen«, sagte Wallander. »Der eine ist Gösta Runfelt. Sagte der Ihnen etwas?«

Melander dachte nach. Aber nicht besonders lange. »Runfelt ist kein Name von hier«, sagte er. »Er kommt mir auch nicht wie ein angenommener oder erfundener Name vor.«

»Harald Berggren«, sagte Wallander. »Noch ein Name.«

Melanders Pfeife war ausgegangen. Er legte sie auf den Tisch. »Vielleicht«, sagte er. »Lassen Sie mich eben mal telefonieren.«

In der breiten Fensternische stand ein Telefon. Wallander spürte, wie seine Spannung stieg. Am meisten wünschte er, den Mann identifizieren zu können, der das Tagebuch aus dem Kongo geschrieben hatte.

Melander sprach mit einem Mann namens Nils. »Ich habe

Besuch aus Schonen«, sagte er ins Telefon. »Ein Mann, der Kurt heißt und Kriminalbeamter ist. Er fragt nach einem Mann namens Harald Berggren. Einen lebenden haben wir ja wohl nicht in Svenstavik. Aber haben wir nicht einen toten auf dem Friedhof?«

Wallanders Mut sank. Aber nicht ganz. Auch ein toter Harald Berggren konnte ihnen weiterhelfen.

Melander lauschte auf die Antwort. Dann beendete er das Gespräch mit der Frage, wie es einem Menschen namens Artur gehe, der irgendeinen Unfall hatte. Wallander ahnte, daß Arturs Gesundheitszustand unverändert war. Melander kam wieder an den Küchentisch.

»Nils Enman hat den Friedhof unter sich«, sagte er. »Und da gibt es einen Stein mit dem Namen Harald Berggren. Aber Nils ist jung. Und der frühere Friedhofsvorsteher liegt jetzt selbst da. Wir sollten vielleicht einmal rübergehen und nachsehen.«

Wallander stand auf. Melander registrierte seine Eile mit Verwunderung. »Jemand hat mal gesagt, die Leute aus Schonen wären langsam. Aber das kann auf Sie nicht zutreffen.«

»Ich habe meine schlechten Angewohnheiten«, sagte Wallander.

Sie gingen durch die klare Herbstluft. Melander grüßte alle, denen er begegnete. Sie kamen zum Friedhof.

»Er müßte drüben auf der Waldseite liegen«, sagte Melander.

Wallander ging hinter Melander zwischen den Gräbern und dachte an den Traum der vergangenen Nacht. Daß sein Vater tot war, kam ihm plötzlich unwirklich vor. Als habe er es noch immer nicht verstanden.

Melander hielt an einem aufrecht stehenden Stein mit gelber Inschrift. Wallander las sie und war sich sofort darüber im klaren, daß ihm damit nicht geholfen war. Der Mann, der Harald Berggren hieß und hier begraben lag, war bereits 1949 gestorben. Melander sah seine Reaktion.

»Der nicht?«

»Nein«, sagte Wallander. »Mit Sicherheit nicht. Der Mann, den ich suche, hat auf jeden Fall 1963 noch gelebt.«

»Ein Mann, den Sie suchen«, sagte Melander neugierig. »Ein Mann, den die Polizei sucht, hat wohl ein Verbrechen begangen?«

»Ich weiß es nicht«, sagte Wallander. »Es ist außerdem viel zu kompliziert, um es zu erklären. Häufig sucht die Polizei Menschen, die nichts Ungesetzliches getan haben.«

»Dann sind Sie vergebens hergekommen«, sagte Melander. »Wir haben viel Geld für die Kirche geschenkt bekommen. Aber wir wissen nicht, warum. Und wir wissen nicht, wer dieser Eriksson war.«

»Es muß eine Erklärung geben«, sagte Wallander.

»Wollen Sie die Kirche sehen?« fragte Melander plötzlich, als wolle er Wallander aufmuntern. Wallander nickte.

»Sie ist schön«, sagte Melander. »Wir haben da geheiratet.«

Sie gingen zur Kirche hinauf und traten in das Kircheninnere ein. Wallander hatte bemerkt, daß die Tür unverschlossen war. Durch die Fenster fiel Licht herein.

»Das ist schön«, sagte Wallander.

»Aber ich glaube nicht, daß Sie besonders religiös sind«, sagte Melander und lächelte.

Wallander antwortete nicht. Er setzte sich in eine der Holzbänke. Melander blieb im Mittelgang stehen. Wallander suchte in seinem Kopf nach einem Weg, auf dem sie weiterkämen. Er wußte, daß es eine Antwort gab. Holger Eriksson würde nie der Kirche in Svenstavik ohne einen Grund ein Geschenk gemacht haben. Und zwar einen starken Grund.

»Holger Eriksson schrieb Gedichte«, sagte Wallander. »Er war das, was man einen Heimatdichter nennt.«

»Solche haben wir hier auch«, sagte Melander. »Wenn ich ehrlich sein soll, ist das, was sie schreiben, nicht immer besonders gut.«

»Er war auch Vogelbeobachter. In den Nächten hielt er nach Zugvögeln Ausschau, die nach Süden flogen. Er sah sie nicht, aber er wußte, daß sie da waren, hoch über ihm. Vielleicht kann man das Rauschen von Tausenden von Flügeln hören?«

»Ich weiß von ein paar Leuten, die einen Taubenschlag haben, aber Ornithologen hatten wir nur eine.«

»Hatten?« fragte Wallander.

Melander setzte sich in die Bank auf der anderen Seite des Ganges. »Das war eine seltsame Geschichte«, sagte er. »Eine Geschichte ohne Schluß.« Er lachte auf. »Fast wie Ihre«, sagte er. »Ihre hat ja auch keinen Schluß.«

»Wir finden den Täter schon«, sagte Wallander. »Meistens jedenfalls. Was war das für eine Geschichte?«

»Mitte der sechziger Jahre kam eine Polin hierher«, sagte Melander. »Woher sie kam, wußte niemand. Sie arbeitete im Pensionat. Mietete ein Zimmer. Hatte wenig Kontakt mit den Leuten hier. Obwohl sie sehr schnell Schwedisch lernte, hatte sie keine Freunde. Später kaufte sie sich ein Haus. In der Gegend um Sveg. Ich war damals ziemlich jung. So jung, daß ich oft dachte, daß sie schön war. Obwohl sie zurückgezogen lebte. Und sie interessierte sich für Vögel. Auf der Post sagten sie, daß sie Karten und Briefe aus ganz Schweden bekam. Ansichtskarten mit Angaben über beringte Uhus und Gott weiß was. Und sie schrieb selbst viel. Sie verschickte neben der Gemeinde die meiste Post. Im Laden mußten sie extra für sie Ansichtskarten bestellen. Die Motive waren ihr egal. Sie nahmen Ansichtskarten, die woanders nicht verkäuflich waren.«

»Woher wissen Sie das alles?«

»In einem kleinen Ort weiß man viel, ob man will oder nicht«, sagte Melander. »So ist das nun mal.«

»Und was geschah dann?«

»Sie verschwand.«

»Verschwand?«

»Na, wie sagt man: Sie löste sich in Luft auf. War weg.«

Wallander war nicht sicher, ob er richtig verstanden hatte.

»Ist sie abgereist?«

»Sie ist eine Menge gereist. Aber sie kam immer zurück. Als sie verschwand, war sie hier. Sie hatte an einem Nachmittag im Oktober einen Spaziergang durch den Ort gemacht. Sie ging viel. Spazierte. Nach dem Tag hat man sie nie wieder gesehen. Es wurde damals viel geschrieben. Sie hatte keine Taschen gepackt. Die Leute fingen an, sich zu wundern, als sie nicht ins Pensionat kam. Sie gingen zu ihr nach Hause. Sie war weg. Sie wurde gesucht. Aber sie blieb weg. Das ist ungefähr fünfundzwanzig Jahre her. Man hat nie irgendwas gefunden. Aber es gab Gerüchte. Daß sie in Südamerika oder in Alingsås gesehen worden wäre. Oder als Gespenst im Wald in der Nähe von Rätansbyn.«

»Wie hieß sie?«

»Krista. Haberman mit Nachnamen.«

Wallander erinnerte sich schwach an den Fall. Damals war viel spekuliert worden. »Die schöne Polin«, lautete eine Zeitungsüberschrift, an die er sich erinnerte.

Wallander überlegte. »Sie hat also mit anderen Vogelbeobachtern korrespondiert«, sagte er. »Und hat sie manchmal besucht?«

»Ja.«

»Gibt es den Briefwechsel noch?«

»Sie wurde vor ein paar Jahren für tot erklärt. Ein Verwandter aus Polen tauchte plötzlich auf und stellte Forderungen. Ihr Eigentum verschwand. Und das Haus wurde abgerissen für einen Neubau.«

Wallander nickte. Es wäre zuviel verlangt gewesen, daß die Briefe und Postkarten noch da waren. »Ich erinnere mich ganz schwach an das Ganze«, sagte er. »Aber gab es nie irgendeinen Verdacht? Daß sie Selbstmord begangen hätte oder einem Verbrechen zum Opfer gefallen wäre?«

»Natürlich gingen viele Gerüchte um. Und ich glaube, daß die Polizisten, die den Fall untersuchten, gute Arbeit geleistet haben. Es waren Leute hier aus der Gegend, die zwischen Gerede und Worten mit Inhalt unterscheiden konnten. Es gab Gerüchte über geheimnisvolle Autos. Daß sie nachts Besuche empfangen hätte. Und es wußte auch keiner, was sie trieb, wenn sie auf ihren Reisen war. Das wurde nie geklärt. Sie verschwand. Und sie ist immer noch verschwunden. Wenn sie noch lebt, ist sie also fünfundzwanzig Jahre älter. Alle werden älter. Auch die Verschwundenen.«

Schon wieder, dachte Wallander. Aus der Vergangenheit taucht etwas auf. Ich reise hierher, um herauszufinden, warum Holger Eriksson der Kirche in Svenstavik Geld vermacht hat. Auf die Frage bekomme ich keine Antwort. Dagegen bekomme ich zu hören, daß es auch hier eine Hobby-Ornithologin gab, eine Frau, die seit über fünfundzwanzig Jahren verschwunden ist. Aber möglicherweise habe ich trotz allem die Antwort auf meine Frage bekommen. Auch wenn ich sie noch nicht verstehe.

»Die Ermittlungsunterlagen liegen bestimmt in Östersund«, sagte Melander. »Sie wiegen sicher viele Kilo.«

Sie verließen die Kirche. Wallander betrachtete einen Vogel, der auf der Friedhofsmauer saß.

»Kennen Sie einen Vogel, der Mittelspecht heißt?« fragte er.

»Das ist ein Specht«, sagte Melander. »Das hört man ja. Aber ist der nicht ausgestorben? Zumindest in Schweden?«

»Er ist im Begriff zu verschwinden«, sagte Wallander. »Nach Schweden ist er seit fünfzehn Jahren nicht mehr gekommen.«

»Ich habe ihn vielleicht mal gesehen«, sagte Melander zögernd. »Aber die Spechte sind heutzutage selten. Mit den Kahlschlägen sind die alten Bäume verschwunden. Und darin haben sie meistens gesessen. Und natürlich auf den Telefonmasten.«

Sie waren zum Einkaufszentrum zurückgegangen und bei Wallanders Wagen stehengeblieben.

»Wollen Sie weiter?« fragte Melander. »Oder müssen Sie zurück nach Schonen?«

»Ich fahre nach Gävle«, antwortete Wallander. »Wie lange dauert das? Drei, vier Stunden?«

»Eher fünf. Die Straßen sind schneefrei und auch nicht glatt. Es ist gut zu fahren. Aber die Zeit brauchen Sie. Es sind fast vierhundert Kilometer.«

»Ich danke Ihnen für die Hilfe«, sagte Wallander. »Und das gute Essen.«

»Aber auf Ihre Fragen haben Sie keine Antwort gekriegt.«

»Vielleicht doch«, sagte Wallander. »Das wird sich zeigen.«

»Es war ein alter Polizist, der die Untersuchung nach dem Verschwinden von Krista Haberman durchgeführt hat«, sagte Melander. »Er fing damit an, als er in mittleren Jahren war. Und machte weiter, bis er pensioniert wurde. Noch auf dem Totenbett soll er davon gesprochen haben. Was mit ihr passiert wäre. Er kam nie davon los.«

»Ja, das ist die Gefahr«, sagte Wallander.

Sie verabschiedeten sich.

»Wenn Sie mal zu uns runterkommen, müssen Sie reinschauen«, sagte Wallander.

Melander lächelte. Die Pfeife war ausgegangen. »Meine Wege führen meistens nach oben«, sagte er. »Aber man weiß ja nie.«

»Ich wäre Ihnen dankbar, wenn Sie Bescheid sagten«, meinte

Wallander zum Schluß, »falls sich noch etwas tut, was erklärt, warum Holger Eriksson der Kirche Geld geschenkt hat.«

»Es ist schon komisch«, sagte Melander. »Wenn er die Kirche gesehen hätte, könnte man es verstehen. Sie ist ja schön.«

»Sie haben recht«, sagte Wallander. »Wenn er hier gewesen wäre, könnte man es verstehen.«

»Vielleicht ist er ja einmal hier durchgekommen? Ohne daß jemand davon wußte.«

»Oder nur eine einzelne Person«, antwortete Wallander.

Melander betrachtete ihn. »Sie denken sich etwas?«

»Ja. Aber ich weiß nicht, was es bedeutet.«

Sie schüttelten sich die Hand. Wallander setzte sich in den Wagen und fuhr davon. Im Rückspiegel sah er Melander stehen und ihm nachblicken.

Er fuhr durch endlose Wälder.

Als er Gävle erreichte, war es bereits dunkel. Er suchte das Hotel, das Svedberg ihm genannt hatte. An der Rezeption erfuhr er, daß Linda schon gekommen war.

Sie fanden ein kleines Restaurant, wo es ruhig war, nur wenige Gäste, trotz des Samstagabends. Da Linda wirklich gekommen war und sie sich an diesem für sie beide unbekannten Ort befanden, entschloß sich Wallander spontan, ihr von den Gedanken zu erzählen, die er für die Zukunft hegte.

Doch zuerst unterhielten sie sich natürlich über seinen Vater und ihren Großvater, der nicht mehr da war.

»Ich habe mich oft über euer gutes Verhältnis gewundert«, sagte Wallander. »Vielleicht war ich einfach eifersüchtig? Ich habe euch zusammen gesehen, und dann konnte ich etwas erkennen, was mich an meine eigene Jugend erinnerte, was aber dann vollständig verschwunden war.«

»Es ist vielleicht gut, wenn eine Generation dazwischenliegt«, sagte Linda. »Es ist nichts Ungewöhnliches, daß Großeltern und Enkel besser miteinander zurechtkommen als Eltern und Kinder.«

»Woher weißt du das?«

»Ich kann es an mir selbst sehen. Und ich habe Freunde, die das gleiche sagen.«

»Trotzdem habe ich immer das Gefühl gehabt, daß es unnötig war«, sagte Wallander. »Ich habe nie verstanden, warum er nicht akzeptieren konnte, daß ich zur Polizei gegangen bin. Wenn er es mir wenigstens erklärt hätte. Oder eine Alternative vorgeschlagen hätte. Aber das hat er nicht getan.«

»Großvater war sehr eigen«, sagte sie. »Und launisch. Aber was würdest du denn sagen, wenn ich plötzlich käme und allen Ernstes erklärte, Polizistin werden zu wollen?«

Wallander fing an zu lachen. »Ich weiß ehrlich gesagt nicht, wie ich das fände. Wir haben das Thema ja schon einmal gestreift.«

Nach dem Abendessen kehrten sie ins Hotel zurück. Auf einem Thermometer vor einem Eisenwarenladen sah Wallander, daß es zwei Grad minus war. Sie setzten sich in den Aufenthaltsraum. Das Hotel hatte wenig Gäste, und sie blieben allein. Wallander begann, sich vorsichtig nach ihren Ambitionen als Schauspielerin zu erkundigen, spürte aber sogleich, daß sie lieber nicht darüber sprechen wollte. Jedenfalls nicht jetzt. Er ließ die Frage fallen, war aber besorgt. Im Laufe von nur wenigen Jahren hatte Linda mehrfach ihre Richtung und ihre Interessen gewechselt. Es gab Wallander zu denken, daß die Änderungen so abrupt kamen und unüberlegt zu sein schienen.

Sie schenkte Tee aus einer Thermoskanne ein und fragte plötzlich, warum es so schwer sei, in Schweden zu leben.

»Manchmal stelle ich mir vor«, sagte Wallander, »daß es damit zu tun hat, daß wir aufgehört haben, unsere Strümpfe zu stopfen.«

Sie sah ihn verwundert an.

»Ich meine das ernst«, sagte er. »Als ich groß wurde, war Schweden noch ein Land, in dem man seine Strümpfe stopfte. Ich habe es sogar noch in der Schule gelernt. Dann plötzlich eines Tages war Schluß damit. Kaputte Strümpfe wurden weggeworfen. Keiner stopfte mehr seine Wollsocken. Die ganze Gesellschaft veränderte sich. Verbrauchen und Wegwerfen wurde zur einzigen Regel, die wirklich alle vereinte. Es gab zwar Menschen, die darauf beharrten, ihre Sachen zu flicken. Aber man sah und hörte sie nicht. Solange es nur die Strümpfe betraf, war diese Veränderung vielleicht nicht so gravierend. Aber das Prinzip griff um sich.

Schließlich wurde es zu einer Art unsichtbarer, aber ständig gegenwärtiger Moral. Ich glaube, das hat unsere Auffassung von richtig und falsch verändert, was man gegenüber anderen Menschen tun durfte, und was man nicht tun durfte. Alles ist so viel härter geworden. Immer mehr Menschen, vor allem die jungen, wie du, fühlen sich überflüssig oder sogar unwillkommen im eigenen Land. Wie reagieren sie? Mit Aggression und Verachtung. Am erschreckendsten ist meiner Meinung nach, daß wir uns erst am Anfang von etwas befinden, was sich noch verschlimmern wird. Es wächst im Moment eine Generation auf – die, die jünger sind als du –, die mit noch größerer Aggressivität reagieren wird. Und die haben keine Erinnerung daran, daß es tatsächlich einmal eine Zeit gegeben hat, wo wir unsere Wollsocken gestopft haben. Wo wir weder Wollsocken noch Menschen verbraucht und weggeworfen haben.«

Wallander wußte nichts mehr zu sagen, obwohl er sah, daß sie auf eine Fortsetzung wartete. »Vielleicht drücke ich mich nicht besonders klar aus«, sagte er.

»Das stimmt«, sagte sie. »Aber ich glaube, ich ahne, worauf du hinauswillst.«

»Es ist ja auch möglich, daß ich völlig falsch denke. Vielleicht hat man zu allen Zeiten die Vergangenheit als besser empfunden.«

»Ich habe nie gehört, daß Großvater etwas darüber gesagt hat.«

Wallander schüttelte den Kopf. »Er hat ganz in seiner eigenen Welt gelebt. Er hat seine Bilder gemalt, wo er den Lauf der Sonne bestimmen konnte. Sie hing an der gleichen Stelle, fünfzig Jahre lang, oberhalb des Baumstumpfs, mit Auerhahn oder ohne. Manchmal glaube ich, daß er nicht wußte, was außerhalb des Hauses, in dem er wohnte, vor sich ging. Er hatte eine unsichtbare Mauer aus Terpentin um sich errichtet.«

»Du irrst dich«, sagte sie. »Er wußte viel.«

»Dann hat er es jedenfalls vor mir geheimgehalten.«

»Er hat sogar manchmal Gedichte geschrieben.«

Wallander sah sie ungläubig an. »Er hat Gedichte geschrieben?«

»Er hat mir einmal einige gezeigt. Vielleicht hat er sie später verbrannt. Aber er hat Gedichte geschrieben.«

»Schreibst du auch Gedichte?« fragte Wallander.

»Vielleicht. Ich weiß nicht, ob es Gedichte sind. Aber manchmal schreibe ich. Du nicht?«

»Nein«, erwiderte Wallander. »Nie. Ich lebe in einer Welt von schlecht geschriebenen Polizeiberichten und abstoßend detaillierten gerichtsmedizinischen Protokollen. Ganz zu schweigen von all den Verlautbarungen der Reichspolizeibehörde.«

Sie wechselte so abrupt das Thema, daß er nachher glaubte, sie hätte sich genau vorbereitet. »Wie geht es mit Baiba?«

»Gut. Wie es mit uns weitergeht, weiß ich nicht. Aber ich hoffe, sie kommt her. Ich hoffe, daß sie hier leben will.«

»Was sollte sie denn in Schweden tun?«

»Sie würde mit mir leben«, sagte Wallander verwundert.

Linda schüttelte langsam den Kopf.

»Warum sollte sie das nicht tun?«

»Nimm es mir nicht übel«, sagte sie. »Aber ich hoffe, du weißt, daß du ein Mensch bist, mit dem nicht leicht zu leben ist.«

»Und warum?«

»Denk an Mama. Warum, glaubst du, wollte sie ein anderes Leben leben?«

Wallander antwortete nicht. Auf unklare Weise fühlte er sich gekränkt.

»Jetzt bist du sauer«, sagte sie.

»Nein, nicht sauer.«

»Was dann?«

»Ich weiß nicht. Vielleicht bin ich müde.«

Sie stand von ihrem Stuhl auf und setzte sich neben ihn auf das Sofa. »Es geht doch nicht darum, daß ich dich nicht gern habe«, sagte sie. »Es ist vielleicht nur, weil ich erwachsen werde. Unsere Gespräche werden sich verändern.«

Er nickte. »Ich habe mich wohl noch nicht daran gewöhnt«, sagte er. »Vielleicht ist es einfach das.«

Als ihr Gespräch einschlief, sahen sie einen Film im Fernsehen an. Linda mußte früh am nächsten Morgen nach Stockholm zurückkehren. Aber Wallander fand trotzdem, daß er einen Blick in die Zukunft geworfen hatte. Von nun an würden sie sich treffen, wenn sie beide Zeit hatten. Und von nun an würde sie außerdem immer das sagen, was sie wirklich meinte.

Kurz vor ein Uhr trennten sie sich im Hotelflur.

Danach lag Wallander noch lange wach und versuchte, sich klarzumachen, ob er etwas verloren oder etwas gewonnen hatte. Das Kind war fort. Linda war erwachsen geworden.

Sie trafen sich um sieben Uhr beim Frühstück.

Anschließend begleitete er sie auf dem kurzen Weg zum Bahnhof. Als sie auf dem Bahnsteig standen und auf den Zug warteten, der ein paar Minuten Verspätung hatte, begann sie plötzlich zu weinen. Wallander war ratlos. Noch einen Moment zuvor hatte sie keinerlei Anzeichen erkennen lassen, daß sie innerlich bewegt war.

»Was ist denn?« fragte er. »Ist etwas passiert?«

»Großvater fehlt mir so«, antwortete sie. »Ich träume jede Nacht von ihm.«

Wallander nahm sie in den Arm. »Das tue ich auch«, sagte er.

Der Zug kam. Wallander wartete, bis er abgefahren war. Der Bahnsteig war öde und leer. Er kam sich einen Moment lang wie ein vergessener oder verlorener Mensch vor, vollkommen kraftlos.

Er fragte sich, woher er die Kraft zum Weitermachen nehmen sollte.

22

Als Wallander zum Hotel zurückkam, wartete eine Mitteilung von Melander in Svenstavik auf ihn. Er ging auf sein Zimmer und rief ihn an. Melanders Frau war am Apparat. Wallander stellte sich vor und bedankte sich auch gleich für das gute Essen, das er am Tag zuvor bekommen hatte. Dann kam Melander selbst ans Telefon.

»Ich konnte nicht anders gestern abend, als mir noch ein paar Gedanken zu machen«, sagte er. »Über dies und das. Ich habe auch den alten Postmeister angerufen. Ture Emmanuelsson heißt er. Er konnte bekräftigen, daß Krista Haberman regelmäßig Ansichtskarten aus Schonen bekam, und zwar viele. Aus Falsterbo, meinte er sich zu erinnern. Ich weiß ja nicht, ob das etwas zu bedeuten hat. Aber ich wollte es Ihnen auf jeden Fall sagen. Ihre Vogelpost war groß.«

»Woher wußten Sie, wo ich wohne?« fragte Wallander.

»Ich habe einfach die Polizei in Ystad angerufen und gefragt«, antwortete Melander.

»Skanör und Falsterbo sind bekannte Treffpunkte für Vogelbeobachter«, sagte Wallander. »Das ist die einzige plausible Erklärung dafür, daß sie so viele Karten von dort bekommen hat. Danke, daß Sie sich die Mühe gemacht haben, mich anzurufen.«

»Man macht sich ja seine Gedanken«, sagte Melander. »Warum dieser Autohändler unserer Kirche Geld vermacht.«

»Früher oder später wissen wir die Antwort«, sagte Wallander. »Danke jedenfalls, daß Sie angerufen haben.«

Wallander blieb sitzen, nachdem das Gespräch zu Ende war. Es war noch nicht acht. Er dachte an den plötzlichen Anfall von Kraftlosigkeit, den er auf dem Bahnhof gehabt hatte. Das Gefühl, etwas Unüberwindbares vor sich zu haben. Er dachte auch an das Gespräch mit Linda am vergangenen Abend. Und nicht zuletzt dachte er an das, was Melander gesagt hatte, und was ihm nun bevorstand. Er befand sich in Gävle, weil er einen Auftrag hatte. Es waren noch sechs Stunden bis zum Abflug seiner Maschine. Den Mietwagen würde er in Arlanda zurückgeben. Er holte ein paar Papiere, die er in einer Plastikhülle in seiner Tasche hatte. Ann-Britt Höglund hatte geschrieben, er solle als erstes Kontakt mit einem Polizeiinspektor namens Sten Wenngren aufnehmen. Er war den Sonntag über zu Hause und auf Wallanders Anruf vorbereitet. Außerdem hatte sie den Namen des Mannes aufgeschrieben, der in der Zeitung der Söldner annonciert hatte. Er hieß Johan Ekberg und wohnte in Brynäs. Wallander trat ans Fenster. Das Wetter war mehr als trist. Es hatte zu regnen begonnen, ein kalter Herbstregen. Wallander fragte sich, ob er wohl in Schneeregen übergehen würde. Und er fragte sich, ob der Wagen Winterreifen hatte. Vor allem aber fragte er sich, was er eigentlich hier in Gävle verloren hatte. Mit jedem Schritt, den er tat, schien er sich weiter von einem Zentrum fortzubewegen, das ihm zwar unbekannt war, das es aber doch irgendwo geben mußte.

Das Gefühl, daß er etwas übersah, daß er ein grundlegendes Muster im Bild dieses Verbrechens mißverstand oder falsch interpretierte, überkam ihn aufs neue. Das Gefühl führte ihn zu der immer gleichen Frage: Warum diese demonstrative Brutalität? Was wollte der Täter mitteilen?

Die Sprache des Mörders. Der Kode, den er noch nicht geknackt hatte.

Er schüttelte sich, gähnte und packte seine Tasche. Da er nicht wußte, worüber er mit Sten Wenngren sprechen sollte, entschied er sich, direkt zu Johan Ekberg zu fahren. Wenn es auch sonst nichts brachte, würde er vielleicht einen Einblick in die dunkle Welt bekommen, in der Soldaten für den Meistbietenden zu haben waren. Er nahm die Tasche und verließ das Zimmer, bezahlte an der Rezeption und erkundigte sich nach dem Weg zur Södra Fältskärnsgatan in Brynäs. Dann fuhr er mit dem Aufzug in die Tiefgarage. Als er im Wagen saß, überfiel ihn die Kraftlosigkeit wieder. Er blieb sitzen, ohne den Wagen zu starten. Wurde er krank? Er fühlte sich nicht schlecht, nicht einmal besonders müde.

Dann sagte er sich, daß es mit seinem Vater zu tun hatte. Es war eine Reaktion auf alles, was geschehen war. Vielleicht ein Teil der Trauer. Der Versuch, sich nach der dramatischen Veränderung seines Lebens der neuen Situation anzupassen. Es gab keine andere Erklärung. Linda reagierte auf ihre Weise. Er selbst reagierte auf den Verlust des Vaters mit wiederkehrenden Anfällen von Kraftlosigkeit.

Er ließ den Wagen an und fuhr aus der Garage. Der Mann an der Rezeption hatte eine klare und deutliche Wegbeschreibung gegeben. Trotzdem fuhr Wallander von Anfang an falsch. Die Stadt war sonntäglich leer. Wallander hatte das Gefühl, als irre er in einem Labyrinth umher. Er brauchte zwanzig Minuten, um das Haus zu finden. Da war es halb zehn. Er stand vor einem Mietshaus im alten Stadtteil von Brynäs. Geistesabwesend fragte er sich, ob Söldner am Sonntag lange schliefen. Und ob Johan Ekberg überhaupt Söldner war. Daß er im ›Terminator‹ annoncierte, mußte nicht einmal bedeuten, daß er seinen Militärdienst geleistet hatte.

Wallander saß im Wagen und betrachtete das Haus. Es regnete. Oktober war der Monat der Trostlosigkeit. Alles wurde grau. Das Herbstlaub verblich.

Einen Moment lang war er drauf und dran, alles aufzugeben und davonzufahren. Er konnte ebensogut nach Schonen zurückkehren und einen der anderen bitten, diesen Johan Ekberg anzurufen. Oder es selbst tun. Wenn er jetzt losfuhr, konnte er vielleicht eine frühere Maschine nach Sturup bekommen.

Aber natürlich fuhr er nicht. Es war Wallander noch nie gelungen, den symbolischen Unteroffizier in seinem Inneren zu besiegen, der überwachte, daß er tat, was er tun mußte. Er war nicht auf Kosten der Steuerzahler hergekommen, um in einem Auto zu sitzen und in den Regen zu starren. Er stieg aus und überquerte die Straße.

Johan Ekberg wohnte ganz oben. Es gab keinen Aufzug. Aus einer Wohnung drang fröhliche Ziehharmonikamusik. Jemand sang. Wallander blieb stehen und hörte zu. Es war ein schottischer Tanz. Er lächelte vor sich hin. Wer Ziehharmonika spielt, sieht sich nicht blind an dem tristen Regen, dachte er und ging weiter.

Johan Ekbergs Tür hatte eingearbeitete Stahlleisten und ein Extraschloß. Wallander klingelte. Er spürte, daß ihn jemand durch das Guckloch betrachtete. Er klingelte noch einmal, wie um zu signalisieren, daß er nicht aufgeben würde. Die Tür wurde geöffnet. Sie hatte eine Sicherheitskette. Der Flur war dunkel. Der Mann, der sich im Dunkeln abzeichnete, war sehr groß.

»Ich suche Johan Ekberg«, sagte Wallander. »Ich bin Kriminalbeamter und komme aus Ystad. Ich muß mit Ihnen sprechen, falls Sie Ekberg sind. Sie stehen unter keinem Verdacht. Ich benötige nur Auskünfte.«

Die Stimme, die ihm antwortete, war scharf, fast schrill. »Ich rede nicht mit Polizisten. Ob sie aus Gävle kommen oder von woanders.«

Auf einmal war die Kraftlosigkeit verflogen. Wallander reagierte unmittelbar auf die abweisende Haltung des Mannes. Er zog seinen Polizeiausweis hervor und hielt ihn hoch. »Ich arbeite an der Aufklärung von zwei Morden in Schonen«, sagte er. »Sie haben vermutlich in der Zeitung darüber gelesen. Ich bin nicht hergekommen, um vor Ihrer Tür zu stehen und zu diskutieren. Es ist Ihr volles Recht, mich abzuweisen. Aber dann komme ich zurück. Und dann werden Sie gezwungen, mit ins Polizeipräsidium hier in Gävle zu kommen. Sie können wählen, was Ihnen lieber ist.«

»Was wollen Sie wissen?«

»Entweder Sie lassen mich rein, oder Sie kommen hier raus«, sagte Wallander. »Ich rede nicht durch einen Türspalt mit Ihnen.«

Die Tür wurde zugeschlagen. Wurde wieder geöffnet. Die Sicherheitskette war ausgehakt. Eine starke Lampe leuchtete im Flur auf. Sie überraschte Wallander. Sie war bewußt so angebracht, daß sie einem Besucher direkt in die Augen strahlte. Wallander folgte dem Mann, dessen Gesicht er noch nicht gesehen hatte. Sie kamen in ein Wohnzimmer. Die Gardinen waren vorgezogen, und die Lampen brannten. Wallander blieb in der Tür stehen. Es war, als trete man in eine andere Zeit ein. Der Raum war wie ein Museumszimmer im Stil der fünfziger Jahre ausgestattet. An einer Wand stand eine Jukebox. Die glitzernden Neonfarben tanzten im Innern des Plastikgehäuses. Eine Wurlitzer. An den Wänden Filmplakate, James Dean war auf einem davon zu erkennen, aber ansonsten hauptsächlich Motive aus Kriegsfilmen. *Men in Action.* Amerikanische Marinesoldaten kämpften an japanischen Stränden. Auch Waffen hingen da. Bajonette, Schwerter, alte Reiterpistolen. Eine Sitzgruppe aus schwarzem Leder.

Der große Mann, der Johan Ekberg hieß, musterte ihn. Er hatte kurzgeschnittenes Haar und hätte einem der Plakate an den Wänden entstiegen sein können. Er trug Khakishorts und ein weißes Unterhemd. An den Armen hatte er Tätowierungen. Die Muskeln wölbten sich. Wallander ahnte, daß er einen Bodybuilder vor sich hatte. Ekbergs Augen waren sehr wachsam. »Was wollen Sie?«

Wallander zeigte fragend auf einen der Sessel. Der Mann nickte. Wallander setzte sich, während Ekberg stehenblieb. Er fragte sich, ob Ekberg überhaupt schon geboren war, als Harald Berggren in seinem widerwärtigen Krieg im Kongo gekämpft hatte. »Wie alt sind Sie?« fragte er.

»Sind Sie den ganzen Weg von Schonen hochgekommen, um mich das zu fragen?«

Wallander merkte, wie der Mann ihn irritierte. Er versuchte nicht, das zu verbergen. »Unter vielem anderem«, sagte er. »Wenn Sie nicht auf meine Fragen antworten, hören wir auf der Stelle auf. Dann werden Sie ins Präsidium geholt.«

»Werde ich irgendeines Verbrechens verdächtigt?«

»Haben Sie eins begangen?« parierte Wallander. Er dachte, daß er gerade gegen alle Regeln verstieß, wie er seinen Beruf ausüben sollte.

»Nein«, sagte der Mann.

»Dann fangen wir noch einmal an«, sagte Wallander. »Wie alt sind Sie?«

»Zweiunddreißig.«

Wallander hatte recht gehabt. Als Ekberg geboren wurde, war es schon ein Jahr her, seit Dag Hammarskjöld bei Ndola abgestürzt war.

»Ich bin gekommen, um mit Ihnen über schwedische Söldner zu sprechen«, sagte er. »Daß ich mich hier befinde, beruht auf dem

Umstand, daß Sie offen Ihr Schild aushängen. Sie annoncieren im ›Terminator‹.«

»Das dürfte kaum gesetzwidrig sein. Ich halte auch ›Combat & Survival‹ und ›Soldier of Fortune‹.«

»Das habe ich auch nicht behauptet. Das Gespräch wird bedeutend schneller zu Ende sein, wenn Sie auf meine Fragen antworten und keine eigenen stellen.«

Ekberg setzte sich und zündete sich eine Zigarette an. Wallander sah, daß er Zigaretten ohne Filter rauchte. Er zündete sie mit einem Feuerzeug von einem Typ an, den Wallander aus alten Filmen zu kennen glaubte. Er fragte sich, ob Ekberg in jeder Hinsicht in einer anderen Zeit lebte.

»Schwedische Söldner«, wiederholte Wallander. »Wann hat das alles angefangen? Mit dem Krieg im Kongo Anfang der sechziger Jahre?«

»Ein bißchen früher«, antwortete Ekberg.

»Wann?«

»Wir können es ja mit dem Dreißigjährigen Krieg versuchen.«

Wallander überlegte, ob Ekberg ihn zum Narren hielt. Dann sah er ein, daß er sich nicht durch Ekbergs Aussehen oder die Tatsache, daß er auf die fünfziger Jahre fixiert zu sein schien, verleiten lassen durfte. Wenn es passionierte Orchideenforscher gab, dann konnte Ekberg ebensogut eine Person sein, die alles über Söldner wußte. Wallander hatte außerdem eine vage Erinnerung aus seiner Schulzeit, daß der Dreißigjährige Krieg zwischen Armeen ausgefochten wurde, die ausschließlich aus Söldnern bestanden.

»Begnügen wir uns mit der Zeit nach dem Zweiten Weltkrieg«, sagte Wallander.

»Dann beginnt es mit dem Zweiten Weltkrieg. Es gab Schweden, die als Freiwillige in sämtliche Armeen eintraten, die gegeneinander kämpften. Es gab Schweden in deutscher Uniform, russischer Uniform, in japanischer, amerikanischer, englischer und italienischer.«

»Ich stelle mir vor, daß die freiwillige Kriegsteilnahme nicht das gleiche ist, wie Söldner zu sein.«

»Ich spreche vom Kriegswillen«, sagte Ekberg. »Es hat immer Schweden gegeben, die bereit waren, Waffendienst zu leisten.«

Wallander ahnte etwas von der hilflosen Forschheit, die Menschen mit großschwedischen Wahnideen zu prägen pflegte. Er warf einen schnellen Blick über die Wände, um zu sehen, ob ihm vielleicht ein paar Nazisymbole entgangen waren. Aber er fand keine. »Lassen wir die Freiwilligkeit«, sagte er dann. »Söldner. Leute die sich anwerben lassen.«

»Die Fremdenlegion«, sagte Ekberg. »Das ist der klassische Ausgangspunkt. Da hat es immer Schweden gegeben. Viele liegen in der Wüste begraben.«

»Kongo«, sagte Wallander. »Da beginnt etwas Neues. Stimmt das?«

»Da gab es nicht viele Schweden. Aber einige haben die ganze Zeit auf der Seite Katangas gekämpft.«

»Was für Leute waren das?«

Ekberg sah ihn erstaunt an. »Suchen Sie Namen?«

»Noch nicht. Ich möchte wissen, was für Menschen das waren.«

»Ehemalige Militärs. Manche suchten das Abenteuer. Andere waren überzeugt von der Mission. Der eine oder andere Polizist, der gefeuert worden war.«

»Überzeugt wovon?«

»Vom Kampf gegen den Kommunismus.«

»Haben sie nicht unschuldige Afrikaner getötet?«

Ekberg war plötzlich wieder auf der Hut. »Auf Fragen nach politischen Ansichten brauche ich nicht zu antworten. Ich kenne meine Rechte.«

»Ich bin nicht auf Ihre Ansichten aus. Ich möchte wissen, was das für Leute waren. Und warum sie Söldner wurden.«

Ekberg betrachtete ihn mit seinen wachsamen Augen. »Warum wollen Sie das wissen?« fragte er.

»Wollen wir sagen, daß das meine einzige Frage ist. Und auf die will ich eine Antwort haben.«

Wallander hatte nichts zu verlieren, indem er mit offenen Karten spielte. »Es kann sein, daß jemand mit einer Vergangenheit unter schwedischen Söldnern zumindest mit einem der Morde zu tun hat. Deshalb stelle ich meine Fragen. Deshalb können Ihre Antworten von Bedeutung sein.«

Ekberg nickte. Er hatte verstanden. »Möchten Sie etwas trinken?« fragte er.

»Was haben Sie denn?«

»Whisky? Bier?«

Wallander machte sich bewußt, daß es erst zehn Uhr am Morgen war. Er schüttelte den Kopf. Obwohl er eigentlich nichts gegen ein Bier gehabt hätte. »Lieber nicht«, sagte er.

Ekberg stand auf und kam kurz darauf mit einem Glas Whisky zurück.

»Was sind Sie von Beruf?« fragte Wallander.

Ekbergs Antwort verblüffte ihn. Was er erwartet hatte, wußte er nicht. Aber kaum das, was Ekberg sagte. »Ich habe eine Beraterfirma, die im personaladministrativen Sektor arbeitet. Ich konzentriere mich darauf, Methoden für Konfliktlösungen zu entwickeln.«

»Das klingt interessant«, sagte Wallander. Er war immer noch unsicher, ob Ekberg ihn zum Narren hielt.

»Außerdem habe ich ein Aktienpaket, das sich im Augenblick ganz gut macht. Meine Liquidität ist derzeit stabil.«

Wallander entschied sich dafür, daß Ekberg die Wahrheit sagte. Er kehrte zu den Söldnern zurück. »Wie kommt es, daß Sie sich so für Söldner interessieren?«

»Sie repräsentieren so viel vom Besten in unserer Kultur, das leider im Begriff ist zu verschwinden.«

Wallander fühlte sich sofort unangenehm berührt von Ekbergs Antwort. Am unbegreiflichsten war, daß Ekberg felsenfest überzeugt zu sein schien. Wie konnte das möglich sein, dachte Wallander und fragte sich gleichzeitig, ob auch andere Männer der schwedischen Börse solche Tätowierungen trugen wie Ekberg. War es vorstellbar, daß die Männer des Finanz- und Wirtschaftslebens im Schweden der Zukunft Bodybuilder waren, die echte Jukeboxen in ihren Wohnzimmern hatten?

Wallander kehrte zum Thema zurück. »Wie wurden diese Personen, die in den Kongo fuhren, rekrutiert?«

»Es gab bestimmte Bars in Brüssel. Auch in Paris. Alles ging sehr diskret vor sich. Das tut es übrigens immer noch. Nicht zuletzt nach dem, was 1975 in Angola passierte.«

»Was ist da passiert?«

»Eine Anzahl Söldner kam nicht rechtzeitig raus. Sie wurden gefangengenommen, als der Krieg endete. Das neue Regime veranstaltete einen Prozeß. Die meisten wurden zum Tode verurteilt und erschossen. Das Ganze war sehr grausam und vollkommen unnötig.«

»Warum wurden sie zum Tode verurteilt?«

»Weil sie angeworbene Soldaten waren. Als ob das einen Unterschied machte. Soldaten sind immer auf die eine oder andere Weise angeworben.«

»Aber was hatten sie in dem Krieg zu tun? Sie kamen von außen. Sie nahmen daran teil, um Geld zu verdienen.«

Ekberg ignorierte Wallanders Kommentar. Als sei der seiner nicht würdig. »Sie hätten sich rechtzeitig aus der Kampfzone zurückgezogen. Aber sie hatten zwei ihrer Kompaniechefs in den Kämpfen verloren. Ein Flugzeug, das sie herausholen sollte, landete auf dem falschen Flugplatz im Busch. Es war viel Pech mit im Spiel. Ungefähr fünfzehn wurden gefangengenommen. Der größere Teil kam raus. Die meisten von ihnen setzten sich nach Südrhodesien ab. Auf einem großen Hof außerhalb von Johannesburg steht heute ein Denkmal für die in Angola hingerichteten Söldner. Söldner aus der ganzen westlichen Welt nahmen daran teil, als das Denkmal enthüllt wurde.«

»Waren unter den Hingerichteten auch Schweden?«

»Es waren hauptsächlich Briten und Deutsche. Die Angehörigen bekamen achtundvierzig Stunden, um die Leichen abzuholen. Fast niemand tat es.«

Wallander dachte an das Denkmal außerhalb von Johannesburg. »Es existiert mit anderen Worten eine starke Gemeinschaft unter den Söldnern aus verschiedenen Teilen der Welt?«

»Jeder hat die Verantwortung für sich selbst. Aber die Gemeinschaft gibt es. Es muß sie geben.«

»Viele werden vielleicht aus dem Grund Söldner? Weil sie eine Gemeinschaft suchen?«

»Das Geld kommt zuerst. Dann das Abenteuer. Dann die Gemeinschaft. In der Reihenfolge.«

»Die Wahrheit ist also, daß die Söldner für Geld töten?«

Ekberg nickte. »Natürlich ist es so. Söldner sind keine Monster. Es sind Menschen.«

Wallander merkte, wie sein Befremden wuchs. Aber er sah ein, daß Ekberg jedes Wort, das er sagte, auch so meinte. Es war lange her, daß er einen Menschen getroffen hatte, der so überzeugt war. Es gab nichts Monströses an diesen Soldaten, die für die richtige Summe Geld beliebig töteten. Im Gegenteil, es war eine Definition ihrer Menschlichkeit. Laut Ekberg.

Wallander nahm eine Kopie der Fotografie und legte sie auf den Glastisch vor sich. Dann schob er sie Ekberg hinüber. »Sie haben Filmplakate an den Wänden«, sagte er. »Hier haben Sie ein echtes Bild. Im damaligen Belgisch-Kongo aufgenommen. Vor mehr als dreißig Jahren. Bevor Sie geboren waren. Es zeigt drei Söldner, von denen einer Schwede ist.«

Ekberg beugte sich vor und nahm das Foto auf. Wallander wartete. »Kennen Sie einen von den drei Männern?« fragte er dann. Er nannte zwei der Namen. Terry O'Banion und Simon Marchand.

Ekberg schüttelte den Kopf.

»Das brauchen nicht ihre richtigen Namen zu sein. Sondern ihre Söldnernamen.«

»In dem Fall sind das die Namen, die ich kenne«, sagte Ekberg.

»Der Mann in der Mitte ist Schwede«, fuhr Wallander fort.

Ekberg stand auf und verschwand in ein angrenzendes Zimmer. Er kam mit einem Vergrößerungsglas in der Hand zurück. Er studierte das Bild von neuem.

»Er heißt Harald Berggren«, sagte Wallander. »Und seinetwegen bin ich hier.«

Ekberg sagte nichts. Er betrachtete weiter das Bild.

»Harald Berggren«, wiederholte Wallander. »Er schrieb ein Tagebuch über den Krieg damals im Kongo. Kennen Sie ihn? Wissen Sie, wer er ist?«

»Klar weiß ich, wer Harald Berggren ist«, antwortete er.

Wallander fuhr zusammen. Was für eine Antwort er erwartet hatte, wußte er nicht. Jedenfalls nicht die, die er bekam.

»Wo ist er jetzt?«

»Er ist tot. Er ist vor sieben Jahren gestorben.«

Wallander hatte an die Möglichkeit gedacht. Dennoch fühlte er Enttäuschung darüber, daß es so lange her war.

»Wie ist er gestorben?«

»Er beging Selbstmord. Nichts Ungewöhnliches bei Menschen mit großem Mut. Und mit Kampferfahrung in bewaffneten Einheiten unter schwierigen Bedingungen.«

»Warum beging er Selbstmord?«

Ekberg zuckte die Achseln. »Ich glaube, er hatte genug.«

»Genug wovon?«

»Wovon hat man genug, wenn man sich das Leben nimmt? Vom Leben. Von der Langeweile. Vom Überdruß, der einen befällt, wenn man jeden Morgen sein Gesicht im Spiegel sieht.«

»Wie ist es passiert?«

»Er wohnte in Sollentuna nördlich von Stockholm. Eines Sonntagmorgens steckte er seine Pistole ein und nahm einen Bus bis zur Endstation irgendwo. Da ging er in den Wald und erschoß sich.«

»Und woher wissen Sie das alles?«

»Ich weiß es. Und das bedeutet, daß er kaum mit einem Mord in Schonen zu tun haben kann. Soweit er nicht als Gespenst umgeht. Oder daß er eine Mine gelegt hat, die erst jetzt detoniert ist.«

Wallander hatte das Tagebuch in Schonen gelassen. Er dachte, daß das vielleicht ein Fehler war.

»Harald Berggren schrieb ein Tagebuch aus dem Kongo. Das haben wir im Safe eines der beiden ermordeten Männer gefunden. Eines Autohändlers, der Holger Eriksson hieß. Sagt Ihnen der Name etwas?«

Ekberg schüttelte den Kopf.

»Sind Sie sicher?«

»Mein Gedächtnis ist noch ganz in Ordnung.«

»Könnten Sie sich eine Erklärung dafür denken, wie das Tagebuch da gelandet ist?«

»Nein.«

»Können Sie sich eine Erklärung denken, daß diese zwei Männer sich vor mehr als sieben Jahren kannten?«

»Ich habe Harald Berggren nur ein einziges Mal getroffen. Das war im Jahr, bevor er starb. Ich wohnte damals in Stockholm. Er kam eines Abends zu mir. Er war sehr rastlos. Er erzählte, daß er sein Warten auf einen neuen Krieg damit verbrachte, im Land herumzufahren und einen Monat hier und einen Monat da zu arbeiten. Er hatte ja einen Beruf.«

Wallander sah ein, daß er diese Möglichkeit nicht bedacht hatte. Obwohl es im Tagebuch stand, auf einer der ersten Seiten.

»Sie meinen, daß er Kfz-Mechaniker war?«

Ekberg war zum erstenmal erstaunt. »Woher wissen Sie das?«

»Es stand im Tagebuch.«

»Ich dachte, daß ein Autohändler vielleicht einen eigenen Mechaniker gebraucht haben kann. Daß Harald Berggren vielleicht durch Schonen gekommen ist und mit diesem Eriksson in Kontakt kam.«

Wallander nickte. Das war natürlich eine Möglichkeit. »War Harald Berggren homosexuell?« fragte Wallander.

Ekberg lachte. »Und wie.«

»Ist das gewöhnlich unter Söldnern?«

»Nicht notwendigerweise. Aber auch nicht ungewöhnlich. Ich nehme an, es kommt auch unter Polizisten vor.«

Wallander antwortete nicht. »Kommt es unter Beratern für Konfliktlösungen vor?« fragte er statt dessen.

Ekberg hatte sich erhoben und stand neben der Jukebox. Er lachte Wallander an. »Es kommt vor«, sagte er.

»Sie annoncieren im ›Terminator‹«, sagte Wallander. »Sie bieten Ihre Dienste an. Aber es steht nicht da, worin diese Dienste bestehen.«

»Ich vermittle Kontakte.«

»Was für Kontakte?«

»Verschiedene Arbeitgeber, die interessant sein können.«

»Kriegsaufträge?«

»Manchmal. Leibwachen, Transportschutz. Das wechselt. Wenn ich wollte, könnte ich die schwedischen Zeitungen mit erstaunlichen Geschichten füttern.«

»Aber das tun Sie nicht?«

»Ich habe das Vertrauen meiner Kunden.«

»Ich gehöre nicht der Zeitungswelt an.«

Ekberg hatte sich wieder gesetzt.

»Terre'Blanche in Südafrika«, sagte er. »Der Führer der Nazi-Partei unter den Buren. Er hat zwei schwedische Leibwächter. Nur als Beispiel. Aber wenn Sie das öffentlich behaupten, werde ich es natürlich abstreiten.«

»Ich werde nichts behaupten«, sagte Wallander.

Er hatte nichts mehr zu fragen. Was die Antworten, die er von Ekberg bekommen hatte, wirklich bedeuteten, wußte er noch nicht.

»Kann ich das Foto behalten?« fragte Ekberg. »Ich habe eine kleine Sammlung.«

»Behalten Sie es«, sagte Wallander. »Das Original haben wir.«

»Wer hat das Negativ?«

»Das wüßten wir auch gern.«

Als Wallander schon aus der Tür war, fiel ihm doch noch eine Frage ein. »Warum tun Sie das hier eigentlich?«

»Es kommen Ansichtskarten aus der ganzen Welt«, sagte Ekberg. »Das ist alles.«

Wallander begriff, daß das die Antwort war, die er hätte erwarten können. »Ich glaube es zwar kaum«, sagte er, »aber es ist möglich, daß ich noch einmal anrufe. Wenn ich noch Fragen habe.«

Ekberg nickte. Dann schloß er die Tür.

Als Wallander auf die Straße kam, war der Regen mit Schnee vermischt. Es war elf Uhr. Er hatte nichts mehr in Gävle zu tun. Er setzte sich in den Wagen. Harald Berggren hatte Holger Eriksson nicht getötet, und natürlich auch nicht Gösta Runfelt. Was vielleicht eine Spur hätte sein können, löste sich in nichts auf.

Wir müssen wieder von vorn anfangen, dachte Wallander. Wir müssen zum Ausgangspunkt zurückkehren. Wir vergessen Schrumpfköpfe und Tagebücher. Was sehen wir dann? Es muß möglich sein, Harald Berggren unter Holger Erikssons früheren Angestellten zu finden. Wir dürften auch als gesichert ansehen, daß er homosexuell war.

Die oberste Schicht der Ermittlung ergab nichts.

Wir müssen tiefer graben.

Wallander ließ den Motor an. Er fuhr auf dem kürzesten Weg nach Arlanda. Als er ankam, hatte er Schwierigkeiten, die Stelle zu finden, an der er den Mietwagen abliefern sollte. Um zwei Uhr saß er in der Abflughalle und wartete auf seine Maschine. Er blätterte zerstreut in einer Abendzeitung, die jemand liegengelassen hatte. Der Schneeregen hatte nördlich von Uppsala aufgehört.

Die Maschine startete pünktlich. Wallander saß am Gang. Er schlief ein, sobald sie abgehoben hatte. Als er Druck auf den Ohren spürte, weil sie zum Landeanflug auf Sturup angesetzt hatte, wurde er wach. Neben ihm saß eine Frau und stopfte Strümpfe. Wallander betrachtete sie entgeistert. Als nächstes dachte er, daß er in Älmhult anrufen und sich nach seinem Wagen erkundigen mußte. Er würde ein Taxi nach Ystad nehmen. Aber als er aus der Maschine stieg und zum Ausgang ging, entdeckte er plötzlich Martinsson. Es mußte etwas passiert sein.

Nicht noch einer, dachte er.

Alles, nur das nicht.

Martinsson hatte ihn entdeckt.

»Was ist passiert?« fragte Wallander.

»Du mußt dein Mobiltelefon eingeschaltet lassen«, sagte Martinsson. »Man kriegt dich ja nicht zu fassen.«

Wallander wartete. Er hielt den Atem an. »Wir haben Gösta Runfelts Koffer gefunden«, sagte er.

»Wo?«

»Er lag notdürftig versteckt an der Straße nach Höör.«

»Wer hat ihn gefunden?«

»Jemand, der angehalten hat, um zu pinkeln. Er hat den Koffer gesehen und aufgemacht. Es lagen Papiere darin mit Runfelts Namen. Er hatte von dem Mord gelesen und rief direkt an. Nyberg ist jetzt da.«

»Gut«, dachte Wallander. »Immerhin eine Spur.«

»Dann laß uns hinfahren«, sagte er.

»Mußt du erst nach Hause?«

»Nein«, sagte Wallander. »Wenn ich eins nicht muß, dann das.«

Sie gingen zu Martinssons Wagen.

Plötzlich spürte Wallander, daß er es eilig hatte.

23

Der Koffer lag noch da, wo er gefunden worden war.

Weil es direkt am Straßenrand war, hatten viele Autofahrer aus Neugier angehalten, als sie die beiden Polizeiautos und die Gruppe von Menschen entdeckten.

Nyberg war damit beschäftigt, Spuren am Fundplatz zu sichern. Einer seiner Assistenten hielt seine Krücke, während er auf den Knien lag und an etwas herumstocherte. Er blickte auf, als Wallander kam. »Wie war Norrland?« fragte er.

»Ich habe keinen Koffer gefunden«, antwortete Wallander. »Aber schön ist es. Und sehr kalt.«

»Mit ein bißchen Glück können wir genau sagen, wie lange der Koffer hier gelegen hat«, sagte Nyberg. »Ich nehme an, das könnte eine wichtige Information sein.«

Der Koffer war geschlossen. Wallander sah keinen Adressenanhänger. Auch keinen Reklameaufkleber von ›Specialresor‹. »Habt ihr mit Vanja Andersson gesprochen?« fragte er.

»Sie war schon hier«, antwortete Martinsson. »Sie hat den Koffer erkannt. Außerdem haben wir ihn geöffnet. Zuoberst lag Gösta Runfelts verschwundenes Nachtglas. Also das ist sein Koffer.«

Wallander versuchte nachzudenken. Die Stelle, an der sie sich befanden, lag etwa in der Mitte zwischen den beiden Tatorten. Sie befanden sich sehr nah an allem, dachte er. In einem unsichtbaren Mittelpunkt.

Der Koffer lag auf der östlichen Straßenseite. Wenn er von jemandem dort abgelegt worden war, der mit dem Wagen kam, war das Auto vermutlich von Ystad nach Norden unterwegs gewesen. Aber es konnte auch von Marsvinsholm gekommen, an der Kreuzung bei Sövestad abgebogen und dann nach Norden gefahren sein. Wallander versuchte, die Alternativen abzuwägen.

Nyberg hatte recht damit, daß es eine große Hilfe für sie wäre, zu wissen, wie lange der Koffer hier gelegen hatte, bevor er gefunden wurde.

»Wann können wir ihn mitnehmen?« fragte er.

»In einer Stunde habt ihr ihn in Ystad. Ich bin bald klar hier«, erwiderte Nyberg.

Wallander nickte Martinsson zu. Sie gingen zu seinem Wagen. Wallander hatte während der Fahrt vom Flugplatz berichtet, daß seine Reise in einem wichtigen Punkt Klarheit gebracht hatte, sie aber in bezug auf andere Fragestellungen nicht weiterbrachte. Warum Holger Eriksson der Kirche in Jämtland Geld hinterlassen hatte, war noch immer ein Rätsel. Dagegen wußten sie jetzt, daß Harald Berggren tot war. Wallander war sicher, daß Ekberg die Wahrheit gesagt hatte und daß er wußte, wovon er sprach. Berggren konnte nicht direkt mit Holger Erikssons Tod zu tun haben. Sie würden statt dessen herausfinden, ob er bei Eriksson gearbeitet hatte. Aber sie könnten nicht damit rechnen, daß sie das wirklich weiterbrachte. Bestimmte Teilchen ihres Ermittlungspuzzles hatten keinen anderen Wert als den, daß sie an ihrem Platz liegen mußten, damit sie die wichtigsten Teile an den richtigen Punkt legen konnten. Harald Berggren war von jetzt an solch ein Teilchen.

Sie fuhren zurück nach Ystad.

»Vielleicht hat Holger Eriksson vorübergehend arbeitslose Söldner beschäftigt«, sagte Martinsson. »Vielleicht kam jemand nach Harald Berggren, der kein Tagebuch geschrieben hat. Aber der plötzlich auf die Idee kam, ein Pfahlgrab für Eriksson zu graben. Aus dem einen oder anderen Grund.«

»Das ist natürlich eine Möglichkeit«, sagte Wallander zögernd. »Aber wie erklären wir das mit Gösta Runfelt?«

»Die Erklärung haben wir noch nicht. Vielleicht sollten wir uns auf den konzentrieren.«

»Eriksson starb zuerst«, sagte Wallander. »Aber das bedeutet nicht, daß er in einer Ursachenkette ganz hinten liegen muß. Das Problem ist nicht nur, daß wir kein Motiv und keine Erklärungen haben. Wir haben keinen eigentlichen Ausgangspunkt.«

Martinsson saß eine Weile schweigend. Sie fuhren durch Sövestad. »Warum landet sein Koffer an dieser Straße?« fragte er plötzlich. »Wenn Runfelt in eine andere Richtung unterwegs ist? Nach Kopenhagen. Marsvinsholm liegt auf der richtigen Seite, wenn er nach Kastrup wollte. Was hat sich da eigentlich abgespielt?«

»Das würde ich auch gern wissen«, sagte Wallander.

»Wir haben Runfelts Wagen untersucht«, sagte Martinsson. »Er hatte einen Parkplatz auf der Rückseite des Hauses, in dem er wohnte. Es ist ein dreiundneunziger Opel. Alles war in Ordnung.«

»Die Autoschlüssel?«

»Lagen oben in der Wohnung.«

Wallander fiel ein, daß er noch immer nicht gehört hatte, ob Runfelt an dem Morgen, an dem er abreisen wollte, ein Taxi bestellt hatte.

»Hansson hat mit der Taxizentrale gesprochen. Runfelt hatte für fünf Uhr früh einen Wagen bestellt. Er sollte nach Malmö fahren. Aber bei der Zentrale ist die Bestellung nachher als Fehltour eingetragen worden. Der Fahrer wartete. Dann riefen sie bei Runfelt an, weil sie dachten, er hätte verschlafen. Sie bekamen keine Antwort. Dann fuhr der Wagen wieder weg. Hansson sagte, daß die Person, mit der er gesprochen habe, sehr exakt Auskunft über den Hergang gegeben habe.«

»Es scheint ein gut geplanter Überfall gewesen zu sein«, sagte Wallander.

»Das deutet auf mehr als eine Person hin«, sagte Martinsson. »Die auch ganz genau Runfelts Pläne kannte. Daß er früh am Morgen verreisen wollte. Wer konnte davon wissen?«

»Die Liste ist begrenzt. Und die haben wir. Ich glaube, Ann-Britt Höglund hat sie gemacht. Anita Lagergren im Reisebüro wußte davon, seine Kinder. Die Tochter wußte nur das Datum, nicht die Uhrzeit. Aber sonst kaum einer.«

»Vanja Andersson?«

»Sie glaubte es zu wissen. Aber das tat sie nicht.«

Wallander schüttelte langsam den Kopf. »Es wußte noch jemand davon. Der fehlt auf unserer Liste. Und den suchen wir.«

»Wir haben Runfelts Klientenkartei durchgesehen. Insgesamt

haben wir herausgefunden, daß er über die Jahre ungefähr vierzig Nachforschungsaufträge hatte, oder wie man das nun nennt. Mit anderen Worten nicht besonders viele. Vier pro Jahr. Aber wir können kaum von der Möglichkeit absehen, daß die Person, die wir suchen, sich darunter befindet.«

»Wir müssen das untersuchen«, antwortete Wallander. »Das wird mühsam. Aber du kannst natürlich recht haben.«

»Ich kriege immer mehr das Gefühl, daß diese Sache sich endlos lange hinziehen wird.«

Wallander stellte sich die Frage im stillen selbst. Er stimmte mit Martinsson überein. »Laß uns hoffen, daß du dich irrst«, sagte er. »Aber besonders wahrscheinlich ist es nicht.«

Sie näherten sich Ystad. Es war halb sechs.

»Sie wollen offenbar den Blumenladen verkaufen«, sagte Martinsson. »Die Kinder sind sich einig. Sie haben Vanja Andersson gefragt, ob sie ihn übernehmen will. Aber es ist fraglich, ob sie das Geld hat.«

»Wer hat das erzählt?«

»Bo Runfelt hat angerufen. Er wollte wissen, ob er und seine Schwester nach der Beerdigung Ystad verlassen könnten.«

»Wann ist die?«

»Mittwoch.«

»Laß sie fahren«, sagte Wallander. »Wir melden uns bei ihnen, wenn es notwendig wird.«

Sie bogen auf den Parkplatz vor dem Präsidium ein.

»Ich habe mit der Werkstatt in Älmhult gesprochen«, sagte Martinsson. »Der Wagen ist Mitte nächster Woche fertig. Leider sieht es so aus, als würde das Ganze ziemlich teuer. Das hast du wohl gewußt? Aber er hat zugesagt, daß sie das Auto hierherbringen.«

Hansson saß bei Svedberg, als sie kamen. Wallander gab ein kurzgefaßtes Referat über seine Reise. Hansson war stark erkältet. Wallander schlug ihm vor, nach Hause zu gehen.

»Lisa Holgersson ist auch krank«, sagte Svedberg. »Sie hat offenbar Grippe.«

»Ist die schon da?« fragte Wallander. »Dann kriegen wir hier Probleme.«

»Ich bin nur erkältet«, sagte Hansson. »Morgen bin ich hoffentlich wieder fit.«

»Ann-Britt Höglunds Kinder sind beide krank«, sagte Martinsson. »Aber ihr Mann soll, glaube ich, morgen nach Hause kommen.«

Wallander verließ den Raum. Er bat die Kollegen, ihm Bescheid zu sagen, wenn der Koffer käme. Er wollte sich hinsetzen und einen Bericht über seine Reise schreiben. Vielleicht auch die Quittungen für die Reisekostenabrechnung zusammenstellen. Aber auf dem Weg zu seinem Zimmer besann er sich eines anderen und ging zurück. »Kann mir einer ein Auto leihen?« fragte er. »Ich bin in einer halben Stunde zurück.«

Gleich mehrere Autoschlüssel wurden ihm hingehalten. Er nahm Martinssons.

Es war dunkel, als er zur Västra Vallgatan fuhr. Der Himmel war wolkenlos. Die Nacht würde kalt werden. Vielleicht Minusgrade. Er parkte vor dem Blumengeschäft. Ging die Straße entlang zu dem Haus, in dem Runfelt gewohnt hatte. Er sah, daß Licht brannte. Er nahm an, daß es Runfelts Kinder waren, die die Wohnung ausräumten. Die Polizei hatte sie freigegeben. Sie konnten anfangen, zu packen und wegzuwerfen. Die letzte Zusammenfassung des Lebens eines Verstorbenen. Er dachte plötzlich an seinen Vater. An Gertrud und seine Schwester Kristina. Er war nicht einmal draußen in Löderup gewesen, um ihnen beim Ordnen der Hinterlassenschaft zu helfen. Auch wenn es nicht viel war und seine Hilfe nicht benötigt wurde, hätte er sich zeigen müssen. Er wußte nicht richtig, ob er es verdrängt hatte, weil es ihm unangenehm war, oder ob er keine Zeit gehabt hatte.

Er war vor Runfelts Haustür stehengeblieben. Die Straße war menschenleer. Er hatte das Bedürfnis, sich den Hergang auszumalen. Er stellte sich vor die Haustür und blickte sich um. Dann ging er hinüber auf die andere Straßenseite und tat das gleiche. *Runfelt befindet sich auf der Straße. Der Zeitpunkt ist noch unklar. Er kann am Abend oder in der Nacht aus der Haustür gekommen sein. Da hatte er seinen Koffer nicht bei sich. Etwas anderes hat ihn bewogen, die Wohnung zu verlassen. Wenn er dagegen am*

Morgen aus der Tür gekommen ist, hatte er seinen Koffer bei sich. Die Straße ist leer. Er stellt den Koffer auf den Bürgersteig. Von welcher Seite kommt das Taxi? Wartet er vor der Haustür, oder geht er über die Straße? Etwas geschieht. Runfelt und sein Koffer verschwinden. Der Koffer wird an der Straße nach Höör gefunden. Runfelt selbst hängt tot an einen Baum gebunden in der Nähe von Marsvinsholm. Wallander betrachtete die Eingänge links und rechts des Hauses. Keiner davon war so tief, daß ein Mensch sich darin verstecken konnte. Er betrachtete die Straßenlaternen. Die, die Gösta Runfelts Haustür beleuchteten, waren intakt. Ein Auto, dachte er. Ein Auto hat hier gestanden, direkt vor der Haustür. Runfelt kommt auf die Straße. Jemand steigt aus. Wenn Runfelt Angst bekommen hätte, müßte er sich durch Geräusche bemerkbar gemacht haben. Das hätte der aufmerksame Nachbar gehört. Wenn es ein unbekannter Mensch ist, war Runfelt vielleicht nur erstaunt. Der Mann ist auf Runfelt zugegangen. Hat er ihn niedergeschlagen? Ihn bedroht? Wallander dachte an Vanja Anderssons Reaktion draußen im Wald. Runfelt war in der kurzen Zeit seines Verschwindens stark abgemagert. Wallander war überzeugt davon, daß dies von der Gefangenschaft herrührte. Aushungern. Mit Gewalt, bewußtlos oder unter Drohungen ist Runfelt zu dem Auto gebracht worden. Dann ist er verschwunden. Der Koffer wird an der Straße nach Höör gefunden. Direkt am Straßenrand.

Wallanders erster Eindruck, als er an den Fundort kam, war gewesen, daß der Koffer dort abgelegt worden war, um gefunden zu werden.

Wieder dieses demonstrative Moment.

Wallander ging zurück zur Haustür. Fing noch einmal von vorn an. *Runfelt kommt auf die Straße. Er will eine Reise machen, auf die er sich freut. Er will nach Afrika fliegen, um Orchideen anzusehen.*

Wallander wurde in seinem Gedankengang durch ein vorbeifahrendes Auto unterbrochen.

Er begann, vor der Haustür auf und ab zu gehen. Er dachte an die Möglichkeit, daß Runfelt vor zehn Jahren seine Frau getötet hatte. Ein Loch im Eis vorbereitet hatte und sie einbrechen ließ. Er war ein brutaler Mensch gewesen. Hatte die Mutter seiner Kinder mißhandelt. Nach außen ist er ein freundlicher Blumenhändler mit einer Leidenschaft für Orchideen. Und jetzt will er nach Nairobi fliegen. Alle, die in den Tagen vor seiner Abreise mit ihm gesprochen haben, bezeugen einstimmig seine aufrichtige Vorfreude. Ein freundlicher Mann und ein Monster zugleich.

Wallander dehnte seinen Spaziergang bis zum Blumenladen aus. Dachte an den Einbruch. Den Blutfleck auf dem Fußboden. Zwei oder drei Tage nachdem Runfelt zuletzt gesehen worden ist, bricht jemand ein. Nichts wird gestohlen. Nicht einmal eine Blume. Auf dem Fußboden ist Blut.

Wallander schüttelte resigniert den Kopf. Da war etwas, was er nicht sah. Eine Schicht verdeckte die andere. Gösta Runfelt, Orchideenliebhaber und Monstrum. Holger Eriksson, Vogelbeobachter, Dichter und Autohändler. Auch er umgeben von dem Ruf, brutal mit anderen Menschen umgegangen zu sein.

Die Brutalität vereint sie, dachte Wallander.

Richtiger gesagt, die verborgene Brutalität. In Runfelts Fall klarer als in Erikssons. Aber es gibt Ähnlichkeiten.

Er ging wieder zurück zur Haustür. *Runfelt kommt auf die Straße. Stellt den Koffer hin. Wenn es am Morgen ist. Was tut er dann? Er wartet auf ein Taxi. Aber als das kommt, ist er schon verschwunden.*

Wallander hielt mitten im Schritt inne. *Runfelt wartet auf ein Taxi.* Kann ein anderes Taxi gekommen sein? Ein falsches Taxi? Runfelt weiß nur, daß er einen Wagen bestellt hat, nicht welcher Wagen kommt. Auch nicht, wer der Fahrer ist. Er steigt ein. Der Fahrer ist ihm behilflich mit dem Koffer. Dann fahren sie in Richtung Malmö. Aber sie kommen nicht weiter als bis Marsvinsholm.

Konnte es so abgelaufen sein? Konnte Runfelt irgendwo in der Nähe des Waldes, wo er gefunden wurde, gefangengehalten worden sein? Aber der Koffer wird an der Straße nach Höör gefunden? In einer ganz anderen Richtung. In Holger Erikssons Richtung.

Wallander merkte, daß er nicht weiterkam. Es fiel ihm selbst schwer zu glauben, daß ein anderes Taxi gekommen war. Andererseits wußte er nicht, was er glauben sollte. Aber eins war vollkommen klar: Was vor Runfelts Haustür geschehen war, war sorgfältig geplant gewesen. Von jemandem, der wußte, daß Runfelt nach Nairobi reisen wollte.

Wallander fuhr zurück zum Polizeipräsidium. Er sah Nybergs Wagen schlampig geparkt vor dem Eingang. Also war der Koffer gekommen.

Sie hatten eine Plastikfolie auf dem Tisch ausgebreitet und den Koffer daraufgestellt. Das Schloß war noch nicht aufgeklappt. Nyberg trank mit Svedberg und Hansson Kaffee. Wallander sah, daß sie auf ihn gewartet hatten. Martinsson telefonierte. Wallander hörte, daß er mit einem seiner Kinder sprach. Er gab ihm den Wagenschlüssel.

»Wie lange hat der Koffer da draußen gelegen?« fragte er.

Nybergs Antwort überraschte ihn. Er hatte mit etwas anderem gerechnet.

»Höchstens ein paar Tage«, sagte Nyberg. »Auf keinen Fall länger als drei.«

»Er ist mit anderen Worten ziemlich lange an einem anderen Ort aufbewahrt worden«, sagte Hansson.

»Das wirft eine andere Frage auf«, sagte Wallander. »Warum will der Täter ihn erst jetzt loswerden?«

Keiner hatte eine Antwort. Nyberg streifte sich ein Paar Plastikhandschuhe über und öffnete das Schloß. Er wollte gerade das Kleidungsstück herausnehmen, das zuoberst lag, als Wallander ihn bat zu warten. Er beugte sich über den Tisch. Was seine Aufmerksamkeit erregt hatte, wußte er nicht. »Haben wir ein Foto hiervon?« fragte er.

»Nicht von dem offenen Koffer«, antwortete Nyberg.

»Mach eins«, sagte Wallander. Er war überzeugt davon, daß etwas an der Art, wie der Koffer gepackt war, ihn aufmerken ließ. Er konnte nur nicht auf Anhieb sagen, was es war.

Nyberg verließ das Zimmer und kam mit einer Kamera zurück. Weil sein Fuß schmerzte, gab er Svedberg Anweisung, auf einen Stuhl zu steigen und die Bilder zu machen.

Danach packten sie den Koffer aus. Wallander sah einen Mann vor sich, der mit leichtem Gepäck nach Afrika hatte reisen wollen. In dem Koffer waren keine unerwarteten Gegenstände oder Kleidungsstücke. In einem Seitenfach fanden sie seine Reiseunterlagen. Außerdem eine größere Summe in Dollarnoten. Am Boden des Koffers lagen Notizbücher, Literatur über Orchideen und eine Kamera. Sie standen still und betrachteten die Gegenstände. Wallander suchte intensiv in seinem Gehirn nach einer Erklärung dafür, daß etwas seine Aufmerksamkeit geweckt hatte, als der Kofferdeckel aufgeschlagen wurde. Nyberg hatte das Necessaire geöffnet. Er studierte das Etikett einer Pillendose. »Malariaprophylaxe«, sagte er. »Gösta Runfelt wußte, was nötig ist da unten in Afrika.«

Wallander betrachtete den leeren Koffer. Er entdeckte, daß etwas im Futter des Deckels festgeklemmt war. Nyberg machte es los. Es war eine blaue Plastikklemme für Namensschildchen. »Gösta Runfelt hat vielleicht Kongresse besucht«, schlug Nyberg vor.

»In Nairobi wollte er auf eine Fotosafari«, sagte Wallander. »Sie kann natürlich von einer früheren Reise stammen.« Er nahm eine Papierserviette vom Tisch und faßte damit die Nadel auf der Rückseite an. Er hielt sie nah an seine Augen. Da spürte er den Duft von Parfüm. Er wurde nachdenklich. Er hielt sie Svedberg hin, der neben ihm stand.

»Weißt du, wonach das riecht?«

»Rasierwasser?«

Wallander schüttelte den Kopf. »Nein«, sagte er. »Das ist Parfüm.«

Sie rochen der Reihe nach. Hansson verzichtete wegen seiner Erkältung. Sie waren sich einig, daß es nach Parfüm roch. Frauenparfüm. Wallander wurde immer nachdenklicher. Er hatte auch das Gefühl, diese Klemme zu kennen.

»Wer hat schon einmal so eine Klemme gesehen?« fragte er.

Martinsson hatte die Antwort. »Ist das nicht so eine, wie sie das Landsting von Malmöhus längst benutzt?« sagte er. »Alle, die im Krankenhaus arbeiten, haben diesen Typ.«

Wallander gab ihm recht. »Da stimmt was nicht«, sagte er. »Eine Plastikklemme, die nach Parfüm riecht, liegt in Gösta Runfelts für die Afrikareise gepacktem Koffer.«

Im selben Augenblick kam er darauf, was ihn beim Öffnen des Kofferdeckels hatte stutzen lassen.

»Ich möchte, daß Ann-Britt Höglund herkommt«, sagte er. »Kranke Kinder her oder hin. Vielleicht kann ihre phantastische Nachbarin eine halbe Stunde einspringen. Die Rechnung übernimmt die Polizei.«

Martinsson rief an. Das Gespräch war sehr kurz. »Sie kommt«, sagte er.

»Warum willst du sie kommen lassen?« fragte Hansson.

»Ich will nur, daß sie etwas mit diesem Koffer macht«, sagte er. »Nichts sonst.«

»Sollen wir die Sachen wieder einpacken?« fragte Nyberg.

»Genau das wollen wir nicht«, sagte Wallander. »Deshalb soll sie herkommen. Um den Koffer zu packen.«

Sie sahen ihn fragend an. Aber keiner sagte etwas. Hansson schniefte. Nyberg setzte sich und ruhte seinen schmerzenden Fuß aus. Martinsson verschwand in sein Zimmer, vermutlich um zu Hause anzurufen. Wallander verließ den Sitzungsraum und trat vor eine Wandkarte von Ystads Polizeidistrikt. Er folgte den Straßen zwischen Marsvinsholm, Lödinge und Ystad. Irgendwo gibt es immer ein Zentrum, dachte er. Ein Berührungspunkt zwischen verschiedenen Ereignissen hat auch in der Wirklichkeit eine Entsprechung. Daß ein Verbrecher zum Ort des Verbrechens zurückkehrt, ist nur sehr selten richtig. Dagegen passiert ein Täter häufig den gleichen Punkt mindestens zweimal, wenn nicht öfter.

Ann-Britt Höglund kam eilig den Korridor entlang. Wie üblich bekam Wallander ein schlechtes Gewissen, weil er sie gebeten hatte zu kommen. Er verstand jetzt besser, welche Probleme sie damit hatte, so oft mit ihren zwei Kindern allein zu sein. Diesmal glaubte er jedoch, einen guten Grund dafür zu haben, daß er sie herholte.

»Ist was passiert?« fragte sie.

»Du weißt, daß wir Gösta Runfelts Koffer gefunden haben?«

»Ich habe es gehört.«

Sie gingen ins Sitzungszimmer.

»Was hier auf dem Tisch liegt, war in dem Koffer«, sagte Wallander. »Ich möchte, daß du ein Paar Handschuhe anziehst und alles einpackst.«

»In einer bestimmten Weise?«

»So, wie es für dich natürlich ist. Du hast mir einmal erzählt, daß du deinem Mann immer die Koffer packst. Du bist es mit anderen Worten gewohnt.«

Sie tat, was er sagte. Wallander war ihr dankbar, daß sie keine Fragen stellte. Sie sahen ihr zu. Gewohnt und bestimmt wählte sie die Gegenstände und packte den Koffer. Dann trat sie einen Schritt zurück.

»Soll ich den Deckel zumachen?«

»Nicht nötig.«

Sie standen um den Tisch und betrachteten das Resultat. Es war, wie Wallander geahnt hatte.

»Woher wußtest du, wie Runfelt seinen Koffer gepackt hatte?« wollte Martinsson wissen.

»Wir warten mit den Kommentaren«, sagte Wallander. »Ich habe einen Verkehrspolizisten im Eßraum gesehen. Holt ihn her.«

Der Verkehrspolizist, Laurin, kam ins Zimmer.

Inzwischen hatten sie den Koffer wieder geleert. Laurin sah müde aus. Wallander hatte gehört, daß sie während der Nacht eine große Alkoholkontrolle auf den Straßen durchgeführt hatten. Wallander bat ihn, ein Paar Plastikhandschuhe anzuziehen und die Gegenstände auf dem Tisch in den Koffer zu packen. Auch Laurin stellte keine Fragen. Wallander sah, daß er nicht nachlässig war, sondern die Kleidungsstücke sorgsam behandelte. Als er alles eingepackt hatte, dankte Wallander ihm, und er verließ den Raum wieder.

»Völlig anders«, sagte Svedberg.

»Ich will nicht unbedingt etwas beweisen«, sagte Wallander. »Ich glaube auch nicht, daß das geht. Aber als Nyberg den Kofferdeckel aufklappte, hatte ich das Gefühl, daß da etwas nicht stimmt. Ich habe immer den Eindruck gehabt, daß Männer und Frauen unterschiedlich packen. Und mein Eindruck war, daß dieser Koffer von einer Frau gepackt worden ist.«

»Vanja Andersson?« schlug Hansson vor.

»Nein«, erwiderte Wallander. »Nicht sie. Gösta Runfelt hat den Koffer selbst gepackt. Da können wir ganz sicher sein.«

Ann-Britt Höglund begriff als erste, worauf er hinauswollte. »Du meinst also, daß er nachher neu gepackt wurde? Von einer Frau?«

»Ich meine nichts Bestimmtes. Aber ich versuche, laut zu denken. Der Koffer hat ein paar Tage draußen gelegen. Gösta Runfelt war entschieden länger verschwunden. Wo war der Koffer in der Zeit? Das kann im übrigen einen eigentümlichen Mangel an seinem Inhalt erklären.«

Keiner außer Wallander hatte vorher daran gedacht. Aber jetzt verstanden alle, was er meinte.

»In dem Koffer sind keine Unterhosen«, sagte Wallander. »Ich finde es komisch, daß Gösta Runfelt auf eine Afrikareise gehen will, ohne eine einzige Unterhose einzupacken.«

»Das hat er also bestimmt nicht getan«, sagte Hansson.

»Was wiederum darauf schließen läßt, daß jemand den Koffer umgepackt hat«, sagte Martinsson. »Beispielsweise eine Frau. Und dabei verschwindet Runfelts gesamte Unterwäsche.«

Wallander spürte die Spannung im Raum.

»Noch etwas«, sagte er langsam. »Aus irgendeinem Grund, den wir noch nicht kennen, sind Runfelts Unterhosen verschwunden. Aber gleichzeitig ist ein fremder Gegenstand in dem Koffer gelandet.«

Er zeigte auf die blaue Plastikklemme. Ann-Britt Höglund hatte noch die Handschuhe an.

»Riech da mal dran«, sagte Wallander.

Sie tat, was er sagte. »Ein diskretes weibliches Parfüm«, war ihre Reaktion.

Es war still im Raum. Zum erstenmal hielten die Ermittler den Atem an.

Schließlich brach Nyberg das Schweigen. »Soll das besagen, daß eine Frau in all diese Abscheulichkeiten verwickelt ist?«

»Wir können das auf jeden Fall nicht mehr ausschließen«, gab

Wallander zurück. »Auch wenn nichts direkt dafür spricht. Außer diesem Koffer.«

Es wurde wieder still. Lange.

Es war halb acht geworden. Sonntag, der 16. Oktober.

Kurz nach sieben war sie zur Eisenbahnbrücke gekommen. Es war kalt. Sie bewegte die ganze Zeit die Füße, um sie warm zu halten. Es würde noch dauern, bis der Mann kam, auf den sie wartete. Mindestens eine halbe Stunde, vielleicht länger. Aber sie kam stets sehr früh. Mit Schaudern erinnerte sie sich an die Gelegenheiten in ihrem Leben, als sie zu spät gekommen war. Als sie Menschen hatte warten lassen. Als sie Räume betreten hatte, wo Menschen sie angestarrt hatten.

Sie würde nie mehr zu spät kommen. Sie hatte ihr Leben nach einem Zeitplan eingerichtet, der ihr Spielraum gab.

Sie war vollkommen ruhig. Der Mann, der bald unter der Brücke durchgehen würde, war ein Mann, der es nicht verdiente zu leben. Sie konnte ihn nicht hassen. Hassen konnte die Frau, der so übel mitgespielt worden war. Sie stand hier im Dunkeln und wartete nur darauf, das Notwendige zu tun.

Das einzige, was sie zweifeln ließ, war, ob sie warten sollte. Der Backofen war leer. Aber ihr Dienstplan für die nächste Woche war kompliziert. Sie wollte nicht riskieren, daß er im Backofen starb. Sie hatte den Beschluß gefaßt, daß es sofort geschehen mußte. Sie war auch nicht im Zweifel darüber gewesen, wie es vor sich gehen sollte. Die Frau, die von ihrem Leben erzählt hatte und die ihr schließlich seinen Namen verriet, hatte von einer mit Wasser gefüllten Badewanne erzählt. Wie es sich anfühlte, unter Wasser gepreßt zu werden und fast zu ersticken, von innen heraus zersprengt zu werden.

Sie hatte an die Sonntagsschule gedacht. Das Höllenfeuer, das auf den Sünder wartete. Die Angst saß noch immer tief drinnen. Niemand wußte, wie die Sünde bemessen wurde. Und niemand wußte, wann die Strafe ausgeteilt wurde. Über diese Angst hatte sie mit ihrer Mutter nie sprechen können. Und sie hatte sich nach dem letzten Augenblick im Leben ihrer Mutter gefragt. Die algerische Polizistin, Françoise Bertrand, hatte geschrieben, daß alles sehr schnell gegangen sei. Sie könne nicht gelitten haben. Es könne ihr kaum bewußt geworden sein, was mit ihr geschah. Aber woher wollte sie das wissen? Hatte sie trotz allem versucht, einen Teil der Wahrheit zu verschweigen, der allzuschwer zu ertragen war?

Über ihr fuhr ein Zug vorbei. Sie zählte die Wagen. Dann war es wieder still.

Nicht in Feuer, dachte sie. Sondern in Wasser. In Wasser soll der Sünder vergehen.

Sie sah auf ihre Uhr. Merkte, daß einer der Schnürsenkel ihrer Turnschuhe aufging. Sie beugte sich nieder und knotete ihn. Fest. Ihre Finger waren stark. Der Mann, auf den sie wartete und den sie in den letzten Tagen überwacht hatte, war klein und fett. Er würde ihr keine Probleme bereiten. Das Ganze würde in einem Augenblick vorüber sein.

Ein Mann mit Hund ging auf der anderen Straßenseite unter der Brücke durch. Seine Schritte hallten auf dem Bürgersteig. Die Situation erinnerte sie an einen alten Schwarzweißfilm. Sie machte das Einfachste, tat, als warte sie auf jemanden. Sie war sicher, daß er sich nachher nicht an sie erinnern würde. Ihr ganzes Leben lang hatte sie gelernt, unbemerkt zu bleiben, sich unsichtbar zu machen. Erst jetzt hatte sie verstanden, daß dies eine Vorbereitung auf etwas war, von dem sie früher noch nicht gewußt hatte.

Der Mann mit dem Hund verschwand. Ihr Auto stand auf der anderen Seite der Eisenbahnbrücke. Obwohl sie sich mitten in Lund befanden, war der Verkehr spärlich. Der Mann mit dem Hund war der einzige, der vorübergekommen war, außer einem Radfahrer. Sie fühlte sich bereit. Nichts würde schiefgehen.

Dann erblickte sie den Mann, auf den sie wartete. Er näherte sich auf ihrer Seite der Straße. Irgendwo hörte sie ein Auto. Sie krümmte sich, als habe sie Bauchschmerzen. Der Mann blieb neben ihr stehen. Er fragte, ob ihr unwohl sei. Statt zu antworten, sank sie auf die Knie. Er tat, was sie erwartet hatte. Trat dicht an sie heran und beugte sich nieder. Sie sagte, ihr sei plötzlich übel geworden. Konnte er ihr zu ihrem Auto helfen? Es stand ganz in der Nähe. Er nahm sie unter den Arm. Sie machte sich schwer. Er mußte sich anstrengen, um sie aufrecht zu halten. Genau das, womit sie gerechnet hatte. Seine Körperkraft war begrenzt. Er stützte sie auf dem Weg zum Auto. Fragte, ob sie weitere Hilfe brauche. Aber sie verneinte. Er öffnete ihr die Tür. Sie streckte schnell die Hand zu dem Lappen aus. Damit der Äther nicht so schnell verdunstete, hatte sie ihn in eine Plastiktüte gewickelt. Sie brauchte nur ein paar Sekunden, um ihn herauszuholen. Die Straße war immer noch menschenleer. Sie drehte sich schnell um, preßte den Lappen fest gegen sein Gesicht. Er wehrte sich, aber sie war stärker. Als er zusammensackte, hielt sie ihn mit einem Arm, während sie die hintere Tür öffnete. Es war nicht schwer, ihn hineinzustoßen. Sie setzte sich auf den Vordersitz. Ein Auto fuhr vorüber, kurz darauf noch ein Radfahrer. Sie beugte sich nach hinten zur Rückbank und drückte den Lappen gegen sein Gesicht. Dann war er bewußtlos. In der Zeit, die sie brauchte, um zum See zu fahren, würde er nicht aufwachen.

Sie fuhr über Svancholm und Brodda zum See. Bei dem kleinen verlassenen Campingplatz am Strand bog sie ein. Schaltete das Licht aus und stieg aus dem Wagen. Lauschte. Es war ganz still. Die Wohnwagen standen verlassen. Sie zog den bewußtlosen Mann aus dem Wagen auf die Erde. Dann holte sie den Sack aus dem Kofferraum. Die Gewichte schlugen an ein paar Steine. Es dauerte länger, als sie berechnet hatte, ihn in den Sack zu stecken und diesen zu verschnüren.

Er war immer noch bewußtlos. Sie zog den Sack auf den kleinen Steg, der ins Wasser hinausführte. Nicht weit entfernt flatterte ein Vogel in der Dunkelheit vorüber. Sie zog den Sack ans äußerste Ende des Stegs. Jetzt stand ihr nur noch eine kurze Zeit des Wartens bevor. Sie zündete eine Zigarette an. Im Licht der Glut betrachtete sie ihre Hand. Sie war ruhig. Nach ungefähr zwanzig Minuten kam der Mann im Sack langsam wieder zu Bewußtsein. Er bewegte sich darin.

Sie dachte an das Badezimmer. Was die Frau erzählt hatte. Und sie erinnerte sich an die Katzen, die ertränkt wurden, als sie klein war. Sie trieben in Säcken davon, noch immer lebend, verzweifelt kämpfend, um zu atmen und zu überleben.

Er begann zu rufen. Jetzt zerrte er an dem Sack. Die Zigarette hatte sie auf dem Steg ausgedrückt.

Sie versuchte zu denken. Aber ihr Kopf war leer.

Dann stieß sie den Sack mit einem Fuß ins Wasser und ging davon.

24

Sie tagten, bis der Sonntag in den Montag übergegangen war. Wallander hatte Hansson und später auch Nyberg nach Hause geschickt. Aber die anderen waren geblieben und hatten sich von neuem an die Durchsicht des gesamten Untersuchungsmaterials gemacht.

Der Koffer zwang sie zu einer Rückbesinnung. Er lag vor ihnen auf dem Tisch, bis sie ihre Besprechung beendeten. Da klappte Martinsson den Deckel zu und nahm ihn mit in sein Zimmer.

Sie gingen alles durch, was bis zu diesem Zeitpunkt geschehen war, wobei sie voraussetzten, daß nichts von der Arbeit, die sie bisher getan hatten, als vergeudete Mühe betrachtet werden konnte. Ihrer Rückbesinnung lag auch das gemeinsame Bedürfnis zugrunde, Blicke nach rechts und links zu werfen, bei einzelnen Details zu verweilen und zu hoffen, daß sie etwas bis dahin Übersehenes entdeckten.

Aber sie fanden nichts, was ihnen das Gefühl gab, den Durchbruch geschafft zu haben. Noch immer waren die Ereignisse dunkel, ihr Zusammenhang unklar, die Motive unbekannt. Die Rückbesinnung führte sie wieder zum Ausgangspunkt, daß zwei Männer auf grausame und brutale Weise getötet worden waren und daß es sich um denselben Täter handeln mußte.

Um Viertel nach zwölf setzte Wallander den Schlußpunkt. Sie verabredeten sich für den folgenden Morgen in der Frühe, um das weitere Vorgehen zu planen. Was vor allem bedeutete, daß sie sich darüber Gedanken machen mußten, ob infolge des Kofferfundes ihr bisheriges Vorgehen geändert werden mußte.

Ann-Britt Höglund hatte die ganze Zeit dabeigesessen. Zweimal hatte sie den Raum für ein paar Minuten verlassen. Wallander nahm an, daß sie zu Hause anrief und mit der Nachbarin sprach, die auf die Kinder aufpaßte. Als sie die Sitzung beendeten, bat Wallander sie, noch einige Minuten zu bleiben. Er bereute es sofort. Er durfte sie nicht länger zurückhalten. Aber sie setzte sich nur auf ihren Stuhl und wartete, bis die anderen gegangen waren.

»Ich möchte, daß du etwas für mich tust«, sagte er. »Ich möchte, daß du alle diese Ereignisse noch einmal durchgehst und dabei eine weibliche Perspektive anlegst. Daß du das Untersuchungsmaterial durchgehst und dir vorstellst, daß wir eine Täterin suchen, also keinen Mann. Es gibt zwei Ausgangspunkte. Im ersten Fall gehst du davon aus, daß sie allein gewesen ist. Im zweiten Fall, daß sie mindestens beteiligt war.«

»Du meinst, daß es mindestens zwei waren?«

»Ja. Von denen eine Person also eine Frau ist. Es können natürlich auch mehr Personen beteiligt sein.«

Sie nickte.

»So schnell wie möglich«, fuhr Wallander fort. »Am besten morgen. Ich möchte, daß du das hier als erstes tust. Wenn du andere wichtige Dinge hast, die nicht warten können, übergibst du sie an jemand anderen.«

»Ich glaube, Hamrén aus Stockholm kommt morgen«, sagte sie. »Es kommen auch ein paar Beamte aus Malmö. Ich kann es einem von denen geben.«

Wallander hatte nichts mehr zu sagen. Aber sie blieben sitzen.

»Glaubst du wirklich, daß es eine Frau ist?« fragte sie.

»Ich weiß es nicht«, sagte er. »Es besteht natürlich die Gefahr, daß wir diesen Koffer und den Parfümduft überbewerten. Aber ich kann auch nicht davon absehen, daß diese ganze Ermittlung eine Tendenz hat, uns zu entgleiten. Schon von Anfang an war etwas komisch an der ganzen Sache. Schon als wir draußen am Graben standen, wo Eriksson auf seinen Bambusstäben hing, sagtest du etwas, woran ich oft gedacht habe.«

»Daß alles so demonstrativ wirkte?«

»Die Sprache des Mörders. Was wir da sahen, roch nach Krieg. Holger Eriksson war in einer Raubtierfalle hingerichtet worden.«

»Vielleicht *ist* Krieg«, sagte sie nachdenklich.

Wallander horchte auf. »Was meinst du damit?«

»Ich weiß nicht. Vielleicht sollen wir es genauso interpretieren, wie es ist. In Pfahlgruben fängt man Raubtiere. Außerdem kommen sie manchmal im Krieg vor.«

Wallander wußte sofort, daß sie etwas Wichtiges gesagt hatte. »Mach weiter«, bat er.

Sie biß sich auf die Lippe. »Ich kann nicht«, erwiderte sie. »Die Frau, die auf meine Kinder aufpaßt, muß nach Hause. Ich kann sie nicht länger warten lassen. Als ich sie vorhin anrief, war sie ärgerlich. Da hilft es nichts, wenn ich sie gut bezahle.«

Wallander wollte das Gespräch, das sie begonnen hatten, nicht einfach fallenlassen. Einen Moment lang empfand er Irritation über ihre Kinder – oder über ihren Mann, der nie zu Hause war, Aber er besann sich sofort wieder.

»Du kannst ja mit nach Hause kommen«, sagte sie. »Da können wir weiterreden.«

Er sah, wie blaß und müde sie war. Er durfte sie nicht überfordern. Dennoch stimmte er zu. Sie fuhren in ihrem Wagen durch die nächtliche leere Stadt. Die Kinderfrau stand in der Tür und wartete. Ann-Britt Höglund wohnte in einem Neubau an der westlichen Ausfallstraße der Stadt. Wallander grüßte, entschuldigte sich und übernahm die Verantwortung dafür, daß sie so spät kam. Dann setzten sie sich in ihr Wohnzimmer. Er war schon ein paarmal hier gewesen. Es war klar, daß hier ein Mensch wohnte, der viel auf Reisen war. Souvenirs aus aller Herren Länder hingen an den Wänden. Aber daß außerdem eine Polizistin hier wohnte, sah man nicht. Das Zimmer war wohnlich, was man von seiner Wohnung keineswegs sagen konnte. Sie fragte, ob er etwas trinken wolle, aber er lehnte ab.

»Raubtierfallen und Krieg«, sagte er. »Soweit waren wir gekommen.«

»Es sind Männer, die jagen, Männer, die Soldaten sind. Wir sehen, was wir sehen, wir finden außerdem einen geschrumpften Kopf und ein Tagebuch, das von einem Söldner geschrieben wurde. Wir sehen, was wir sehen, und wir interpretieren es.«

»Wie interpretieren wir es?«

»Wir interpretieren es richtig. Wenn der Mörder eine Sprache hat, so können wir klar und deutlich lesen, was er schreibt.«

Wallander fiel plötzlich etwas ein, was Linda bei einer Gelegenheit gesagt hatte, als sie versuchte, ihm klarzumachen, was die Arbeit eines Schauspielers eigentlich ausmachte. Zwischen den Zeilen zu lesen, den Untertext zu suchen. Er sprach den Gedanken aus. Was Linda erzählt hatte. Sie nickte.

»Ich drücke mich vielleicht schlecht aus«, sagte sie, »aber ungefähr so denke ich auch. Wir haben alles gesehen und alles gedeutet, und trotzdem wird es falsch.«

»Wir sehen das, was der Mörder uns sehen lassen will?«

»Wir werden vielleicht dazu verlockt, in die falsche Richtung zu sehen.«

Wallander überlegte. Sein Kopf war jetzt vollkommen klar. Die Müdigkeit war verschwunden. Sie folgten einer Spur, die entscheidend sein konnte. Einer Spur, die in seinem Bewußtsein schon einmal aufgetaucht war, über die er aber nie die Kontrolle gewonnen hatte.

»Das Demonstrative ist also ein Täuschungsmanöver«, sagte er. »Meinst du das?«

»Ja.«

»Mach weiter.«

»Die Wahrheit ist vielleicht genau das Gegenteil.«

»Wie sieht das aus?«

»Das weiß ich nicht. Aber wenn wir glauben, wir denken richtig, und es ist falsch, dann muß das, was falsch ist, am Schluß richtig sein.«

»Ich verstehe«, sagte Wallander. »Ich verstehe, und ich bin deiner Ansicht.«

»Eine Frau würde nie einen Mann auf Bambuspfählen in einem Graben aufspießen«, sagte sie. »Sie würde auch einen Mann nicht an einen Baum binden und ihn dann mit ihren bloßen Händen erwürgen.«

Wallander sagte lange Zeit nichts. Sie verschwand im Obergeschoß und kam nach ein paar Minuten zurück. Wallander sah, daß sie die Schuhe gewechselt hatte.

»Wir haben die ganze Zeit ein Gefühl gehabt, daß dies alles gut geplant gewesen ist«, sagte Wallander. »Die Frage ist, ob es in mehr als einer Hinsicht gut geplant gewesen ist?«

»Ich kann mir natürlich nicht vorstellen, daß eine Frau diese

Dinge getan haben soll«, sagte sie. »Aber jetzt sehe ich ein, daß es vielleicht so ist.«

»Deine Zusammenfassung wird wichtig«, sagte er. »Ich glaube auch, daß wir mit Mats Ekholm hierüber sprechen müssen.«

»Mit wem?« fragte sie.

»Dem Gerichtspsychologen, den wir im Sommer hier hatten.«

Sie schüttelte resigniert den Kopf »Ich bin einfach zu müde«, sagte sie. »Ich hatte seinen Namen vergessen.«

Wallander stand auf. Es war ein Uhr.

»Wir sehen uns morgen. Kannst du mir ein Taxi rufen?«

»Du kannst mein Auto nehmen«, sagte sie. »Morgen früh brauche ich einen langen Spaziergang, um klar im Kopf zu werden.«

Sie gab ihm die Schlüssel. »Mein Mann kommt bald nach Hause. Dann wird alles leichter.«

»Mir ist erst jetzt klargeworden, wie schwierig es für dich sein muß«, sagte er. »Als Linda klein war, war Mona ständig da. Ich glaube, ich war während der Jahre, in denen sie aufwuchs, nicht einmal gezwungen, nicht zur Arbeit zu gehen.«

Sie begleitete ihn hinaus. Die Nacht war klar. Es war unter Null.

»Aber ich bereue es nicht«, sagte sie plötzlich.

»Bereust was nicht?«

»Daß ich zur Polizei gegangen bin.«

»Du bist eine gute Polizistin«, sagte Wallander. »Eine sehr gute Polizistin. Falls du das noch nicht gewußt hast.«

Er spürte, daß sie sich freute. Er nickte, setzte sich in ihren Wagen und fuhr davon.

Am folgenden Tag, dem 17. Oktober, erwachte Wallander mit hämmernden Kopfschmerzen. Er lag im Bett und fragte sich, ob er eine Erkältung bekäme. Aber er spürte keine anderen Symptome. Er machte Kaffee und suchte nach Kopfschmerztabletten. Durch das Küchenfenster sah er, daß der Wind aufgefrischt hatte. Im Lauf der Nacht war eine Wolkendecke über Schonen heraufgezogen. Die Temperatur war gestiegen. Das Thermometer zeigte vier Grad plus.

Um Viertel nach sieben war er im Polizeipräsidium. Er holte Kaffee und setzte sich in sein Büro. Auf seinem Tisch lag ein Bescheid von dem Kollegen in Göteborg, mit dem zusammen er den Autoschmuggel in die ehemaligen Ostblockstaaten bearbeitete.

Einen Augenblick saß er mit dem Blatt in der Hand da. Dann legte er es in eine Schublade. Er nahm einen Block und suchte nach einem Schreiber. In einer der Schubladen fand er Svedbergs Papier. Er fragte sich, wie oft er schon vergessen hatte, es ihm zurückzugeben.

Irritiert stand er auf und ging hinaus in den Korridor. Svedbergs Tür stand offen. Er legte das Papier auf den Tisch, ging zurück in sein Zimmer, schloß die Tür und verbrachte die nächste halbe Stunde damit, alle Fragen aufzuschreiben, auf die er so schnell wie möglich eine Antwort haben wollte. Dabei entschied er sich, den Inhalt seines nächtlichen Gesprächs mit Ann-Britt Höglund schon am gleichen Morgen aufzugreifen, wenn die Gruppe zusammenkam.

Um Viertel vor acht bollerte es an der Tür. Es war Hamrén vom Mordkommissariat in Stockholm. Sie begrüßten sich. Wallander mochte ihn. Sie hatten im Sommer hervorragend zusammengearbeitet.

»Schon hier?« sagte er. »Ich dachte, du kämst erst im Lauf des Tages.«

»Ich bin gestern mit dem Wagen heruntergekommen. Ich konnte mich nicht bremsen.«

»Wie ist es in Stockholm?«

»Wie hier. Nur größer.«

»Ich weiß nicht, wo du sitzen sollst«, sagte Wallander.

»Bei Hansson. Das ist schon geklärt.«

»Wir treffen uns in ungefähr einer halben Stunde.«

»Ich muß mich in eine Menge einlesen.«

Hamrén verließ das Zimmer. Wallander griff zerstreut nach dem Telefonhörer, um seinen Vater anzurufen. Zuckte zurück. Die Trauer war stark und kam plötzlich, wie aus dem Nichts. Es gab keinen Vater mehr, den er anrufen konnte. Nicht heute, nicht morgen. Nie mehr.

Er saß reglos in seinem Stuhl, hatte Angst, daß es anfangen könnte, irgendwo weh zu tun.

Dann beugte er sich vor und wählte die Nummer. Gertrud meldete sich fast unmittelbar. Sie wirkte erschöpft und begann plötzlich zu weinen, als er fragte, wie es ihr gehe. Er spürte selbst einen Kloß im Hals.

»Ich nehme jeden Tag für sich«, sagte sie, nachdem sie sich beruhigt hatte.

»Ich versuche, heute nachmittag vorbeizukommen«, sagte Wallander. »Nicht lange. Aber ich versuche es auf jeden Fall.«

»Ich habe über so vieles nachgedacht«, sagte sie. »Über dich und deinen Vater. Wovon ich so wenig weiß.«

»Das geht mir auch so. Aber wir können ja versuchen, ob wir gegenseitig unsere Lücken ausfüllen können.«

Er beendete das Gespräch und wußte, daß er es aller Voraussicht nach nicht schaffen würde, im Lauf des Tages nach Löderup zu fahren. Warum hatte er gesagt, er wolle es versuchen? Nun würde sie dasitzen und warten.

Ich lebe ein Leben, in dem ich immer Menschen enttäusche, dachte er.

Wütend zerbrach er den Bleistift, den er in der Hand hatte, und warf die Stücke in den Papierkorb. Eins landete auf dem Fußboden. Er trat es mit dem Fuß weg. Einen Moment lang hatte er Lust zu fliehen. Er fragte sich, wann er zuletzt mit Baiba gesprochen hatte. Auch sie hatte nicht angerufen. War ihre Beziehung im Begriff einzuschlafen? Wann würde er Zeit haben, sich ein Haus anzusehen? Einen Hund zu kaufen? Es gab Augenblicke, in denen er seinen Beruf verabscheute. Gerade jetzt war so einer.

Er stellte sich ans Fenster. Heftiger Wind und Herbstwolken. Zugvögel auf dem Weg in wärmere Länder. Er dachte an Per Åkesson, der sich schließlich für einen Aufbruch entschieden hatte. Der zu der Ansicht gelangt war, daß das Leben immer etwas mehr sein konnte.

Baiba hatte im Spätsommer, als sie am Strand von Skagen wanderten, gesagt, es käme ihr vor, als habe das gesamte westliche Europa einen gemeinsamen Traum von einem gigantischen

Segelboot, das den ganzen Kontinent in die Karibik bringen würde. Sie hatte gesagt, der Zusammenbruch der ehemaligen Ostblockstaaten habe ihr die Augen geöffnet. In dem armen Lettland habe es Inseln von Reichtum gegeben, die einfache Freude. Sie hatte entdeckt, daß die Armut auch in den reichen Ländern, die sie jetzt besuchen konnte, sehr groß war. Es gab ein Meer von Unzufriedenheit und Leere. Und da kam das Segelboot ins Spiel.

Wallander versuchte, an sich selbst als einen zurückgelassenen oder vielleicht unentschlossenen Zugvogel zu denken. Aber der Gedanke kam ihm so idiotisch und sinnlos vor, daß er ihn verwarf.

Er machte sich eine Notiz, daß er versuchen mußte, noch am gleichen Abend Baiba anzurufen. Dann sah er, daß es Viertel nach acht geworden war. Er ging ins Sitzungszimmer. Außer dem hinzugekommenen Hamrén waren noch zwei Polizisten aus Malmö anwesend. Wallander hatte sie noch nie gesehen. Er begrüßte sie. Der eine hieß Augustsson und der andere Hartman. Lisa Holgersson kam, und sie setzten sich. Sie hieß die Neuankömmlinge willkommen. Mehr Zeit war nicht. Dann sah sie Wallander an und nickte.

Er fing an, wie er es sich vorher überlegt hatte. Mit dem Gespräch, das er nach dem Experiment mit dem Packen des Koffers mit Ann-Britt Höglund geführt hatte. Er merkte sofort, daß die Reaktion im Raum von Skepsis geprägt war. Das hatte er auch erwartet. Er war selbst skeptisch. »Ich nenne dies nur als eine von mehreren Möglichkeiten. Da wir nichts wissen, können wir auch von nichts absehen.«

Er nickte Ann-Britt Höglund zu.

»Ich habe um eine Zusammenstellung unserer bisherigen Untersuchung unter weiblichem Vorzeichen gebeten«, sagte er. »So etwas haben wir noch nie gemacht. Aber im vorliegenden Fall können wir nichts unversucht lassen.«

Eine intensive Diskussion schloß sich an. Auch das hatte Wallander erwartet. Hansson, dem es an diesem Morgen besserzugehen schien, führte an. Mitten in ihrer Sitzung kam Nyberg. Er bewegte sich an diesem Morgen ohne Krücke.

Wallander begegnete seinem Blick. Er hatte das Gefühl, daß Nyberg etwas sagen wollte. Er sah ihn fragend an. Aber Nyberg schüttelte den Kopf.

Wallander verfolgte die Diskussion, ohne sich selbst besonders aktiv daran zu beteiligen. Hansson drückte sich klar aus und argumentierte gut. Es war auch richtig, daß sie schon jetzt alle Gegenvorstellungen fanden, die man geltend machen konnte.

Gegen neun machten sie eine kurze Pause. Svedberg zeigte Wallander in der Zeitung ein Bild von der neugebildeten Schutzwehr in Lödinge. Verschiedene andere Orte in Schonen schienen sich anzuschließen.

Lisa Holgersson hatte am Abend zuvor einen Spot in der Abendsendung von ›Rapport‹ gesehen. »Wir werden bald im ganzen Land Bürgerwehren haben«, sagte sie. »Stellt euch eine Situation mit zehnmal so vielen Hobby-Polizisten wie richtigen Polizisten vor.«

»Vielleicht ist das unausweichlich«, sagte Hamrén. »Es ist vielleicht immer so gewesen, daß Verbrechen sich lohnt. Aber der Unterschied heute ist, daß man es beweisen kann. Wenn wir zehn Prozent von dem ganzen Geld bekämen, das bei der Wirtschaftskriminalität verschwindet, könnten wir bestimmt dreitausend Polizisten einstellen.«

Die Ziffer hielt Wallander für überzogen, aber Hamrén blieb bei seiner Auffassung.

»Die Frage ist nur, ob wir eine solche Gesellschaft wollen«, fuhr er fort. »Hausärzte sind eine Sache, aber Hauspolizisten? Überall Polizei? Eine Gesellschaft, die in verschiedene Alarmzonen aufgeteilt ist? Schlüssel und Kodes, um seine alten Eltern zu besuchen?«

»Wir brauchen gar nicht so viele neue Polizisten«, sagte Wallander. »Wir brauchen andere Polizisten.«

»Möglicherweise brauchen wir eine andere Gesellschaft«, sagte Martinsson. »Mit weniger Fallschirmabsprachen und mehr Gemeinschaft.«

Seine Worte hatten unwillkürlich einen Klang von politischer Wahlkampfrede bekommen. Aber Wallander glaubte zu verstehen, was Martinsson meinte. Er wußte, daß er sich ständig Sorgen um seine Kinder machte. Daß sie mit Drogen in Berührung kamen. Daß ihnen etwas zustieß.

Wallander setzte sich neben Nyberg, der nicht vom Tisch aufgestanden war. »Ich hatte das Gefühl, du wolltest etwas sagen.«

»Nur eine Kleinigkeit«, sagte Nyberg. »Kannst du dich erinnern, daß ich im Wald bei Marsvinsholm einen künstlichen Fingernagel gefunden habe?«

Wallander erinnerte sich. »Von dem du glaubtest, er könnte schon lange da gelegen haben?«

»Geglaubt habe ich gar nichts. Aber ich habe es nicht ausgeschlossen. Jetzt sollten wir besser sagen, daß er nicht besonders lange dort gelegen hat.«

Wallander nickte. Er winkte Ann-Britt Höglund zu sich. »Benutzt du künstliche Fingernägel?«

»Normalerweise nicht«, antwortete sie. »Aber natürlich habe ich welche gehabt.«

»Sitzen die fest?«

»Sie brechen sehr leicht.«

Wallander nickte.

»Ich dachte, du solltest es wissen«, sagte Nyberg.

Svedberg kam zurück. »Danke für das Papier«, sagte er. »Aber du hättest es wegwerfen können.«

»Rydberg hat immer gesagt, daß es eine unverzeihliche Sünde ist, die Aufzeichnungen eines Kollegen fortzuwerfen«, sagte Wallander.

»Rydberg hat viel gesagt.«

»Oft hat sich gezeigt, daß er recht hatte.«

Wallander wußte, daß Svedberg nie ein gutes Verhältnis zu seinem älteren Kollegen hatte. Aber es erstaunte ihn, daß es noch immer drin saß, obwohl Rydberg schon seit einigen Jahren tot war.

Die Sitzung ging weiter. Sie verteilten bestimmte Arbeitsbereiche neu, so daß Hamrén und die beiden Polizisten aus Malmö sofort voll in die Ermittlung einbezogen wurden. Um Viertel vor elf fand Wallander es an der Zeit, die Besprechung abzuschließen. Ein Telefon klingelte. Martinsson, der am nächsten saß, griff nach dem Hörer. Wallander war hungrig. Er würde trotz allem vielleicht Zeit finden, am Nachmittag nach Löderup hinauszufahren und Gertrud zu besuchen. Da sah er, daß Martinsson die Hand erhoben hatte. Es wurde still um den Tisch. Martinsson lauschte konzentriert. Er sah Wallander an, der sogleich begriff, daß etwas Ernstes geschehen war. Nicht noch einer, dachte er. Das geht nicht, das schaffen wir nicht.

Martinsson legte den Hörer auf. »Sie haben im Krageholmssjön eine Leiche gefunden.«

Wallander dachte schnell, daß das nicht bedeuten mußte, daß der Täter wieder zugeschlagen hatte. Ein Ertrunkener war nichts Ungewöhnliches.

»Wo?« fragte Wallander.

»Auf dem östlichen Ufer ist ein kleiner Campingplatz. Der Körper lag unmittelbar vor dem Steg.«

Dann wurde Wallander klar, daß er zu früh Erleichterung gespürt hatte.

Martinsson hatte noch mehr zu sagen. »Die Leiche liegt in einem Sack«, sagte er. »Ein Mann.«

Es ist wieder passiert, dachte Wallander. Der Knoten in seinem Magen war wiedergekommen.

»Wer hat denn angerufen?« fragte Svedberg.

»Ein Camper. Er rief von seinem Mobiltelefon aus an. Er war völlig außer sich. Es hat sich angehört, als ob er mir direkt ins Ohr gekotzt hätte.«

»Aber jetzt campt doch keiner mehr?« wandte Svedberg ein.

»Manche Wohnwagen stehen das ganze Jahr über da«, sagte Hansson. »Ich weiß, wo es ist.«

Wallander fühlte sich plötzlich unfähig, die Situation in die Hand zu nehmen. Er wünschte sich fort von allem. Vielleicht merkte es Ann-Britt Höglund. Jedenfalls half sie ihm, indem sie aufstand.

»Dann ist es wohl das beste, wenn wir fahren«, sagte sie.

»Ja«, sagte Wallander. »Es ist sicher das beste, wenn wir sofort fahren.«

Da Hansson den Weg kannte, setzte Wallander sich zu ihm in den Wagen. Hansson fuhr schnell und riskant. Wallander bremste mit den Füßen. Das Autotelefon schrillte. Es war Per Åkesson, der mit Wallander sprechen wollte.

»Was habe ich gehört?« sagte er. »Ist es wieder passiert?«

»Es ist zu früh, darauf zu antworten. Aber ich befürchte das Schlimmste.«

»Warum?«

»Wenn es sich um eine angetriebene Leiche handelte, könnte es Selbstmord oder ein Ertrunkener sein. Eine Leiche in einem Sack ist ein Mord. Das kann nicht anders sein.«

»Verfluchte Scheiße«, sagte Per Åkesson.

»Ja, das kann man wohl sagen.«

»Halt mich auf dem laufenden. Wo bist du?«

»Auf dem Weg zum Krageholmssjön. In etwa zwanzig Minuten sind wir da.«

Das Gespräch war beendet. Wallander dachte, daß sie auf dem Weg in die gleiche Richtung waren, in der sie den Koffer gefunden hatten. Der Krageholmssjön lag in dem gleichen Dreieck, das er zu einem früheren Zeitpunkt schon einmal vor sich gesehen hatte.

Hansson schien in den gleichen Bahnen zu denken. »Der See liegt mitten zwischen Lödinge und dem Wald von Marsvinsholm«, sagte er. »Das sind keine großen Entfernungen.«

Wallander griff zum Telefon und wählte Martinssons Nummer. Der Wagen fuhr gleich hinter ihnen. Martinsson meldete sich.

»Was hat er noch gesagt? Der, der angerufen hat? Wie hieß er?«

»Ich glaube, den Namen hab ich gar nicht mitgekriegt. Aber es war ein Schone.«

»Eine Leiche in einem Sack. Woher wußte er, daß eine Leiche drin war? Hat er ihn aufgemacht?«

»Ein Fuß mit einem Schuh ragte heraus.«

Obwohl die Verbindung schlecht war, konnte Wallander spüren, wie elend Martinsson zumute war. Er beendete das Gespräch.

Sie erreichten Sövestad und bogen links ab. Wallander dachte an die Frau, die Gösta Runfelts Klientin gewesen war. Überall waren Erinnerungen an die Ereignisse. Wenn es ein geographisches Zentrum gab, dann war es Sövestad.

Zwischen den Baumstämmen konnte man den See erkennen. Wallander versuchte sich auf das, was ihn erwartete, vorzubereiten. Als sie zu dem verlassen daliegenden Campingplatz einbogen, kam ihnen ein Mann entgegengelaufen. Wallander stieg aus, noch bevor Hansson richtig angehalten hatte.

»Da unten«, sagte der Mann. Seine Stimme zitterte, und er stotterte.

Wallander ging langsam zu dem kleinen Hang, der zum Steg hinabführte. Schon aus der Entfernung erkannte er etwas im Wasser, auf der einen Seite des Stegs. Martinsson schloß neben ihm auf, blieb aber am Anfang des Stegs stehen. Die anderen blieben abwartend im Hintergrund. Wallander betrat vorsichtig den schwankenden Steg. Das Wasser war braun und sah kalt aus. Ihn schauderte.

Der Sack war nur teilweise oberhalb der Wasseroberfläche zu sehen. Ein Fuß ragte heraus. Der Schuh war braun. Ein Schnürschuh. Durch ein Loch im Hosenbein sah man die weiße Haut.

Wallander winkte Nyberg zu sich. Hansson sprach mit dem Mann, der angerufen hatte, Martinsson wartete etwas oberhalb, Ann-Britt Höglund stand abseits. Wallander kam es vor wie eine Fotografie. Die Wirklichkeit eingefroren, geschlossen. Nichts würde mehr geschehen.

Diese Wahrnehmung brach ab, als Nyberg den Steg betrat. Die Wirklichkeit kehrte zurück. Wallander ging in die Hocke. Nyberg tat das gleiche.

»Jutesack«, sagte Nyberg. »Die sind meistens kräftig. Trotzdem hat der hier ein Loch gehabt. Er muß alt gewesen sein.«

Wallander wünschte, Nyberg hätte recht. Aber er wußte schon, daß es nicht so war.

Der Sack hatte kein Loch gehabt. Man konnte sehen, daß der Mann das Loch in den Sack getreten hatte. Die Fibern des Gewebes waren gedehnt worden und dann gerissen.

Wallander wußte, was das bedeutete.

Der Mann hatte gelebt, als er in den Sack gesteckt und in den See geworfen worden war.

Nyberg sah ihn forschend an. Sagte aber nichts. Er wartete.

Wallander holte mehrmals tief Luft. Dann sagte er, was er dachte und was seiner Überzeugung nach die Wahrheit war. »Er hat ein Loch in den Sack getreten. Das bedeutet, daß er gelebt hat, als er in den See geworfen wurde.«

»Hinrichtung?« fragte Nyberg. »Bandenkrieg?«

»Laß es uns hoffen«, sagte Wallander. »Aber ich glaube es nicht.«

»Derselbe Täter?«

Wallander nickte. »Sieht so aus.«

Wallander erhob sich mühsam. Es zog in den Knien. Er ging zurück zum Strand. Nyberg blieb auf dem Steg. Die Polizeitechniker waren gerade mit ihrem Wagen angekommen. Wallander ging zu Ann-Britt Höglund hinauf. Sie stand jetzt mit Lisa Holgersson zusammen. Die anderen kamen nach. Schließlich waren sie alle versammelt. Der Mann, der den Sack entdeckt hatte, saß auf einem Stein und stützte den Kopf in die Hände.

»Es kann derselbe Täter sein«, sagte Wallander. »Falls ja, hat er diesmal einen Mann in einem Sack ertränkt.«

Der Abscheu ging wie ein Ruck durch die Gruppe.

»Wir müssen diesen Wahnsinnigen stoppen«, sagte Lisa Holgersson. »Was ist eigentlich los in diesem Land?«

»Eine Pfahlgrube«, sagte Wallander. »Ein Mann wird an einen Baum gebunden und erwürgt. Und jetzt einer, der ertränkt worden ist.«

»Glaubst du immer noch, daß eine Frau so etwas tun könnte?« fragte Hansson. Sein Tonfall war spürbar aggressiv.

Wallander stellte sich schweigend die gleiche Frage. Was glaubte er eigentlich? Im Laufe einiger weniger Sekunden zogen alle Ereignisse in seinem Kopf vorüber. »Nein«, sagte er dann. »Ich glaube es nicht. Weil ich es nicht glauben will. Aber trotzdem kann eine Frau es getan haben. Oder zumindest beteiligt gewesen sein.«

Er sah Hansson an. »Die Frage ist falsch gestellt«, sagte er. »Es geht nicht darum, was ich glaube. Es geht darum, was heutzutage in diesem Land geschieht.«

Er kehrte ans Seeufer zurück. Ein einsamer Schwan näherte sich dem Steg. Lautlos glitt er über die dunkle Wasserfläche.

Wallander betrachtete ihn lange.

Dann zog er den Reißverschluß seiner Jacke hoch und kehrte zurück zu Nyberg, der bereits dort draußen auf dem Steg an die Arbeit gegangen war.

25

Nyberg zerschnitt vorsichtig den Sack. Wallander trat auf die Brücke, um das Gesicht des toten Mannes zu sehen, neben ihm ging ein Arzt, der gerade angekommen war.

Er kannte den Toten nicht. Er hatte ihn noch nie gesehen. Was er natürlich auch nicht erwartet hatte.

Wallander glaubte, daß der Mann zwischen vierzig und fünfzig Jahre alt war.

Er betrachtete die Leiche, die vor noch nicht einmal einer Minute aus dem Sack gezogen worden war. Er konnte einfach nicht mehr. Das Schwindelgefühl in seinem Kopf wollte nicht weichen.

Nyberg war die Taschen des Mannes durchgegangen.

»Er hat einen teuren Anzug«, sagte er. »Die Schuhe sind auch nicht billig.«

Sie fanden nichts in den Taschen. Jemand hatte sich also die Mühe gemacht, die Identifizierung zu erschweren. Dagegen mußte der Täter davon ausgegangen sein, daß die Leiche im Krageholmssjön bald gefunden werden würde. Es war also nicht die Absicht gewesen, sie zu verbergen.

Die Leiche lag jetzt für sich. Der Sack auf einer Plastikfolie. Nyberg winkte Wallander zu sich auf die Seite. »Das Ganze ist sehr genau ausgerechnet«, sagte er. »Man könnte glauben, der Mörder hätte eine Waage benutzt. Oder Kenntnisse über Gewichtsverteilung und Wasserwiderstand gehabt.«

»Wie meinst du das?« fragte Wallander.

Nyberg zeigte auf ein paar dicke Wülste, die auf der Innenseite des Sackes verliefen. »Alles ist genau vorbereitet. Der Sack hat eingenähte Gewichte, die dem, der dies gemacht hat, zwei Dinge garantierten. Einerseits, daß der Sack mit nur einem schmalen Luftkissen oberhalb der Wasseroberfläche blieb. Anderseits, daß die Gewichte zusammen mit dem Gewicht des Mannes nicht so viel ausgemacht haben, daß der Sack auf den Grund gesunken ist. Weil es so genau ausgerechnet ist, muß der, der den Sack vorbereitet hat, das Gewicht des Toten gekannt haben. Auf jeden Fall ungefähr. Mit einer Fehlermarge von vielleicht vier bis fünf Kilo.«

Wallander zwang sich zum Denken, obwohl der Gedanke daran, wie der Mann getötet worden war, ihm Übelkeit bereitete.

»Das schmale Luftkissen hat also garantiert, daß der Mann wirklich ertränkt wurde?«

»Ich bin kein Arzt«, sagte Nyberg. »Trotzdem tippe ich, daß dieser Mann lebendig war, als er in den See geworfen wurde. Er ist also ermordet worden.«

Der Arzt, der neben der Leiche kniete, um sie zu untersuchen, hatte ihr Gespräch gehört. Er erhob sich und trat zu ihnen. Der Steg schwankte unter ihrem Gewicht. »Es ist natürlich zu früh, sich definitiv über irgend etwas zu äußern«, sagte er. »Aber an den sichtbaren Körperteilen habe ich nichts entdeckt. Die gerichtsmedizinische Untersuchung kann natürlich zu anderen Ergebnissen kommen.«

Wallander nickte. »Ich will gern so schnell wie möglich Bescheid haben, wenn Sie Zeichen für Gewaltanwendung finden.«

Der Arzt ging wieder an seine Arbeit. Obwohl Wallander ihm schon mehrmals begegnet war, konnte er sich nicht an seinen Namen erinnern.

Wallander verließ die Brücke und versammelte seine nächsten Mitarbeiter um sich. Hansson hatte das Gespräch mit dem Mann beendet, der den Sack im Wasser entdeckt hatte.

»Wir haben keine Ausweispapiere gefunden«, begann Wallander. »Wir wissen nicht, wer er ist. Das ist jetzt am wichtigsten. Wir müssen seine Identität feststellen. Vorher können wir nichts machen. Ihr müßt mit den Vermißtenlisten anfangen.«

»Es besteht natürlich das Risiko, daß er noch nicht vermißt wird«, sagte Hansson. »Dieser Mann, der ihn gefunden hat, er heißt Nils Göransson, behauptet, daß er noch gestern nachmittag hier war. Er ist Schichtarbeiter bei einer Maschinenfabrik in Svedala und fährt hier heraus, weil er Schlafschwierigkeiten hat. Er hat gerade erst angefangen, Schicht zu arbeiten. Er war also gestern hier. Er geht immer auf den Steg. Und da war kein Sack. Er muß also im Lauf der Nacht ins Wasser geworfen worden sein. Oder gestern abend.«

»Oder heute früh«, sagte Wallander. »Wann ist er gekommen?«

Hansson sah in seinen Aufzeichnungen nach. »Um Viertel nach acht. Seine Schicht war um sieben zu Ende, und da ist er direkt hergefahren. Unterwegs hat er angehalten und gefrühstückt.«

»Dann wissen wir das«, sagte Wallander. »Es ist also nicht viel Zeit vergangen. Das bringt uns Vorteile. Die Schwierigkeit wird also sein, ihn zu identifizieren.«

»Der Sack kann natürlich woanders in den See geworfen worden sein«, sagte Nyberg.

Wallander schüttelte den Kopf »Er hat nicht lange im Wasser gelegen. Und nennenswerte Strömungen gibt es hier nicht.«

Martinsson trat unruhig gegen den Sand, als friere er. »Muß das wirklich derselbe Täter sein?« fragte er. »Ich finde trotz allem, daß es anders wirkt.«

Wallander war seiner Sache so sicher, wie er nur sein konnte. »Nein, das ist derselbe Täter. Auf jeden Fall ist es am schlausten, davon auszugehen. Und wenn nötig einen Blick über die Schulter zu werfen.«

Dann schickte er sie fort. Sie konnten hier draußen am Ufer des Krageholmssjön nichts mehr ausrichten.

Die Autos fuhren davon. Wallander schaute aufs Wasser. Der Schwan war verschwunden. Er betrachtete die Männer, die auf der Brücke arbeiteten. Den Krankenwagen, die Polizeiautos, die Absperrungsbänder. Das Ganze gab ihm plötzlich ein Gefühl großer Unwirklichkeit. Er begegnete der Natur, umgeben von Plastikbändern, die Schauplätze von Verbrechen abschirmten. Überall, wo er ging, waren Tote. Er konnte mit dem Blick einen Schwan auf dem Wasser suchen, doch im Vordergrund lag ein Mensch, der gerade tot aus einem Sack herausgeholt worden war. Er dachte, daß seine Arbeit im Grunde nichts anderes war als schlecht bezahlte Unerträglichkeit. Er wurde dafür bezahlt, daß er durchhielt. Das Absperrungsband aus Plastik ringelte sich wie eine Schlange durch sein Leben.

Er trat zu Nyberg, der den Rücken streckte.

»Wir haben eine Zigarettenkippe gefunden«, sagte Nyberg. »Das ist alles. Auf jeden Fall hier auf der Brücke. Aber wir haben schon eine oberflächliche Untersuchung des Sands vornehmen können. Nach Schleifspuren. Es sind keine da. Der, der den Sack getragen hat, muß stark gewesen sein. Wenn er den Mann nicht hierhergeführt und ihn dann in den Sack gestopft hat.«

Wallander schüttelte den Kopf. »Laß uns davon ausgehen, daß der Sack getragen worden ist«, sagte er. »Getragen samt Inhalt.«

»Hältst du es für sinnvoll, daß wir im Wasser suchen?«

Wallander zögerte. »Ich glaube nicht«, sagte er dann. »Der Mann war bewußtlos, als er hierhergekommen ist. Es muß mit einem Auto gewesen sein. Dann ist der Sack ins Wasser geworfen worden, und der Wagen ist weggefahren.«

»Dann lassen wir das mit dem Wasser«, sagte Nyberg.

»Erzähl mal, was du siehst«, sagte Wallander.

Nyberg verzog das Gesicht. »Natürlich kann es derselbe Täter sein«, sagte er dann. »Die Gewalt, die Brutalität, das ist ähnlich. Auch wenn er variiert.«

»Glaubst du, daß eine Frau das getan haben kann?«

»Ich sage das gleiche wie du«, antwortete Nyberg. »Ich will es nicht glauben. Aber ich kann auch sagen, daß sie dann in der Lage sein muß, ohne Probleme achtzig Kilo zu tragen. Welche Frau kann das?«

»Ich kenne keine«, sagte Wallander. »Aber es gibt natürlich welche.«

Nyberg ging wieder an die Arbeit. Wallander wollte den Steg verlassen, als er dicht daneben den einsamen Schwan entdeckte. Er wünschte, er hätte ein Stück Brot bei sich. Der Schwan zupfte an etwas am Ufer. Wallander ging näher heran. Der Schwan zischte und glitt wieder aufs Wasser hinaus.

Er ging zu einem der Polizeiautos und bat darum, nach Ystad gefahren zu werden.

Unterwegs versuchte er zu denken. Was er am meisten befürchtet hatte, war eingetreten. Der Täter war nicht fertig. Sie wußten nichts von ihm. Befand er sich am Anfang oder am Schluß dessen, was er sich vorgenommen hatte? Sie wußten auch nicht, ob er überlegt handelte oder wahnsinnig war.

Es muß ein Mann sein, dachte Wallander. Alles andere widerspricht jeder gesunden Vernunft. Frauen morden äußerst selten. Und noch seltener begehen sie gut geplante Morde. Grausame und ausgeklügelte Gewaltakte.

Es muß ein Mann sein. Vielleicht mehrere. Wir werden diese Geschichte auch nie lösen, wenn wir nicht herausfinden, was die Ermordeten verbindet. Jetzt sind es drei. Das müßte unsere Möglichkeiten verbessern. Aber sicher ist nichts. Nichts enthüllt sich von selbst.

Er lehnte das Gesicht ans Wagenfenster. Die Landschaft braun, mit einem Zug ins Graue. Das Gras jedoch noch grün. Auf einem Feld ein einsamer Traktor.

Wallander dachte an die Pfahlgrube, wo er Holger Eriksson gefunden hatte. Den Baum, an den Gösta Runfelt gebunden und erwürgt worden war. Und jetzt ein Mensch, der lebend in einen Sack gestopft und in den Krageholmssjön geworfen worden war, um zu ertrinken.

Ihm war auf einmal klar, daß das Motiv nichts anderes sein konnte als Rache. Doch dies hier überstieg alle faßbaren Proportionen. Was rächte der Täter? Was war der Hintergrund? Etwas so Ungeheuerliches, daß es nicht ausreichte, einfach zu töten, sondern daß denen, die starben, auch bewußt werden sollte, was mit ihnen geschah.

Dahinter verbergen sich keine Zufälle, dachte Wallander. Alles ist genau ausgedacht – und ausgewählt.

Bei dem letzten Gedanken hielt er inne.

Der Täter wählte. Jemand wurde ausgewählt. Ausgewählt aus einer Gruppe? Aus welcher?

Als er ins Präsidium kam, hatte er das Bedürfnis, sich abzukapseln, bevor er sich mit seinen Kollegen zusammensetzte. Er legte den Telefonhörer neben das Telefon, schob den Stoß mit Telefonmitteilungen auf seinem Tisch zur Seite und legte die Füße auf einen Stapel mit Rundschreiben der Reichspolizeibehörde. Der schwierigste Gedanke war der an die Frau. Daß eine Frau beteiligt sein könnte. Er versuchte, sich an die Gelegenheiten zu erinnern, bei denen er mit weiblichen Gewalttätern zu tun hatte. Es war nicht oft vorgekommen. Er glaubte, sich an alle Fälle, die er in seiner Polizeilaufbahn erlebt hatte, erinnern zu können. Ein einziges Mal, vor ungefähr fünfzehn Jahren, hatte er selbst eine Frau gefaßt, die einen Mord begangen hatte. Vor dem Amtsgericht war es später als Totschlag gewertet worden. Eine Frau in mittleren Jahren hatte ihren Bruder getötet. Er hatte sie verfolgt und gequält, seit sie Kinder waren. Schließlich hatte sie es nicht mehr ausgehalten und ihn mit seiner eigenen Schrotflinte erschossen. Eigentlich hatte sie ihn nicht treffen, sondern nur erschrecken wollen. Aber sie war eine schlechte Schützin. Sie hatte ihn mitten in die Brust geschossen, und er war sofort tot. Bei allen anderen Gelegenheiten, die Wallander sich in Erinnerung rief, hatten die Frauen impulsiv und in Notwehr Gewalt angewendet. Bei den Opfern handelte es sich um ihre eigenen Männer oder um Männer, die sie vergeblich abzuweisen versucht hatten. In vielen Fällen war Alkohol mit im Spiel gewesen.

Niemals hatte er erlebt, daß eine Frau geplant hatte, eine Gewalttat zu begehen. Zumindest nicht nach einem sorgfältig ausgedachten Plan.

Er stand auf und trat ans Fenster.

Warum konnte er trotzdem den Gedanken nicht loswerden, daß diesmal eine Frau in die Sache verwickelt war?

Er fand keine Antwort. Er wußte nicht einmal, ob er glaubte, daß es eine Frau allein oder eine Frau zusammen mit einem Mann war.

Nichts sprach für das eine oder das andere.

Er wurde aus seinen Gedanken gerissen, als Martinsson an seiner Tür klopfte. »Die Übersicht ist bald klar«, sagte er.

Wallander verstand nicht, was er meinte. Er steckte tief in seinen eigenen Gedanken. »Welche Übersicht?«

»Die Übersicht über vermißt gemeldete Personen«, antwortete Martinsson erstaunt.

Wallander nickte. »Dann versammeln wir uns«, sagte er und schob Martinsson vor sich in den Korridor,

Als sie die Tür des Sitzungszimmers hinter sich geschlossen hatten, fühlte er, daß die Kraftlosigkeit verschwunden war. Gegen seine Gewohnheit blieb er an einer der Schmalseiten des Tisches stehen. Normalerweise setzte er sich. Jetzt war es, als habe er nicht einmal dafür Zeit.

»Was haben wir?« fragte er.

»In Ystad in den letzten Wochen keine Vermißtenmeldungen«, sagte Svedberg. »Die, nach denen wir seit längerem suchen, passen nicht zu dem Toten, den wir im Krageholmssjön gefunden haben. Ein paar weibliche Teenager und ein Junge, der aus einem Flüchtlingslager abgehauen ist. Er hat vermutlich das Land verlassen und ist auf dem Weg zurück in den Sudan.«

Wallander dachte an Per Åkesson. »Dann wissen wir das«, sagte er nur. »Und die anderen Distrikte?«

»Wir überprüfen ein paar Fälle in Malmö«, sagte Ann-Britt Höglund. »Aber die passen auch nicht. In einem Fall könnte das Alter passen. Aber es ist ein Mann aus Süditalien, der verschwunden ist. Der, den wir gefunden haben, sieht nicht italienisch aus.«

Sie gingen die Anzeigen durch, die in den nächstliegenden Distrikten eingegangen waren. Wallander wußte, daß sie notfalls landesweit und sogar im übrigen Skandinavien suchen mußten. Sie konnten nur hoffen, daß der Mann aus der Nähe von Ystad stammte.

»Lund hat gestern abend spät eine Vermißtenanzeige reinbekommen«, sagte Hansson. »Eine Frau rief an und meldete, daß ihr Mann von einem Abendspaziergang nicht zurückgekommen sei. Das Alter könnte stimmen. Er war Forscher an der Universität.«

Wallander schüttelte zweifelnd den Kopf »Ich bin skeptisch«, sagte er. »Aber wir müssen es natürlich kontrollieren.«

»Sie sind dabei, ein Foto zu beschaffen«, fuhr Hansson fort. »Sie faxen es her, sobald sie es haben.«

Wallander hatte die ganze Zeit gestanden. Jetzt setzte er sich. Im gleichen Augenblick betrat Per Åkesson den Raum. Wallander wäre am liebsten darum herumgekommen, ihn dabeizuhaben. Es war nie leicht, eine Zusammenfassung zu machen, die beinhaltete, daß sie eigentlich auf der Stelle traten. Die Ermittlung steckte mit allen Rädern in tiefem Schlamm fest. Sie bewegte sich weder vor noch zurück.

Und jetzt hatten sie noch ein Opfer.

Wallander fühlte sich mies. Als sei es seine persönliche Verantwortung, daß sie nichts hatten, woran sie sich halten konnten. Trotzdem wußte er, daß sie so hart und zielbewußt gearbeitet hatten, wie sie nur konnten. Die Polizeibeamten, die hier im Raum saßen, waren kompetent und engagiert.

Wallander bezwang seine Irritation über Per Åkessons Anwesenheit. »Du kommst gerade recht«, sagte er statt dessen. »Ich wollte jetzt versuchen, den Stand der Ermittlungen zusammenzufassen.«

»Gibt es überhaupt einen Stand der Ermittlungen?« fragte Per Åkesson.

Wallander wußte, daß dies nicht als boshafter oder kritischer Kommentar gemeint war. Wer Per Åkesson nicht kannte, konnte mit seiner unverblümten Art Probleme haben. Aber Wallander hatte so viele Jahre mit ihm zusammengearbeitet; er wußte, daß seine Worte ein Ausdruck seiner Besorgnis und des Willens waren, zu helfen, wenn er konnte.

Hamrén, der neu war, betrachtete Per Åkesson mit Mißbilligung. Wallander fragte sich, wie die Staatsanwälte, mit denen er es in Stockholm zu tun hatte, sich auszudrücken pflegten.

»Einen Ermittlungsstand gibt es immer«, sagte Wallander. »Den haben wir auch jetzt. Aber er ist sehr unklar. Eine Reihe von Spuren, die wir verfolgt haben, sind nicht mehr aktuell. Ich glaube, wir sind an einem Punkt angelangt, wo wir zum Ausgangspunkt zurückkehren müssen. Was dieser neue Mord bedeutet, können wir noch nicht sagen. Dafür ist es zu früh.«

»Ist es derselbe Täter?« fragte Per Åkesson.

»Ich nehme es an«, sagte Wallander.

»Weshalb?«

»Die Vorgehensweise. Die Brutalität. Die Grausamkeit. Ein Sack ist natürlich nicht das gleiche wie angespitzte Bambusstangen. Aber man kann vielleicht sagen, daß es eine Variation eines Themas ist.«

»Was ist aus dem Verdacht geworden, daß ein Söldner dahinterstecken kann?«

»Der führte uns zu der Feststellung, daß Harald Berggren seit sieben Jahren tot ist.«

Per Åkesson hatte keine weiteren Fragen.

Die Tür wurde vorsichtig einen Spaltbreit geöffnet. Eine Schreibkraft brachte ein Bild, das per Fax gekommen war.

»Das haben wir aus Lund erhalten«, sagte das Mädchen und schloß die Tür.

Alle standen gleichzeitig auf und scharten sich um Martinsson, der mit dem Bild in der Hand dastand.

Wallander atmete tief durch. Es gab keinen Zweifel. Es war der Mann, den sie im Krageholmssjön gefunden hatten.

»Gut«, sagte Wallander leise. »Damit haben wir einen Großteil des Vorsprungs wettgemacht, den der Mörder hat.«

Sie setzten sich wieder.

»Wer ist es?« fragte Wallander.

Hansson hatte gute Ordnung in seinen Papieren. »Eugen Blomberg, einundfünfzig Jahre. Forschungsassistent an der Universität Lund. Forscht irgendwas, was mit Milch zu tun hat.«

»Milch?« sagte Wallander erstaunt.

»So steht es hier. ›Wie Milchallergien sich zu verschiedenen Darmkrankheiten verhalten‹.«

»Wer hat ihn als vermißt gemeldet?«

»Seine Frau. Kristina Blomberg. Siriusgatan in Lund.«

Wallander fühlte, daß sie die Zeit auf die bestmögliche Weise nutzen mußten. Er wollte den unsichtbaren Vorsprung zum Täter noch weiter verkürzen.

»Dann fahren wir hin«, sagte er und stand auf. »Teilt den Kollegen mit, daß wir ihn identifiziert haben. Sie sollen die Frau verständigen, damit ich mit ihr reden kann. Ich kenne in Lund einen Kriminalbeamten, Kalle Birch. Redet mit dem. Ich fahre hin.«

»Kannst du wirklich mit ihr sprechen, bevor wir eine definitive Identifikation haben?«

»Jemand anders soll ihn identifizieren. Jemand von der Universität. Ein anderer Milchforscher. Und jetzt muß außerdem alles Material über Eriksson und Runfelt neu gesichtet werden. Eugen Blomberg. Ist er irgendwo mit im Bild? Wir sollten schon heute einen großen Teil schaffen.«

Wallander wandte sich an Per Åkesson. »Vielleicht kann man sagen, daß der Stand der Ermittlung sich verändert hat.«

Per Åkesson nickte. Aber er sagte nichts.

Wallander holte seine Jacke und die Schlüssel zu einem der Wagen der Polizei. Um Viertel nach zwei verließ er Ystad. Er überlegte einen Moment, ob er das Blaulicht aufs Wagendach setzen sollte. Aber dann ließ er es sein. Er würde trotzdem nicht schneller ankommen.

Er erreichte Lund gegen halb vier. Ein Streifenwagen erwartete ihn an der Ortseinfahrt und lotste ihn zur Siriusgatan. Sie lag in einem Villenviertel östlich vom Stadtzentrum. Vor dem Einbiegen in die Straße bremste der Streifenwagen. Ein anderer Wagen stand am Straßenrand. Wallander sah Kalle Birch aussteigen. Sie hatten sich vor ein paar Jahren bei einer großen Konferenz der Polizeidistrikte von Südschweden auf Tylosand vor Halmstad kennengelernt. Es war um die Verbesserung der Zusammenarbeit in der Region gegangen. Wallander hatte nur sehr widerwillig teilgenommen. Der damalige Polizeichef Björk war gezwungen gewesen, ihm den dienstlichen Auftrag zu erteilen. Beim Mittagessen saß er zufällig neben Birch. Dabei stellten sie fest, daß sie sich beide für Opern interessierten. Im Lauf der Jahre hatten sie dann und wann Kontakt gehabt. Wallander hatte von verschiedenen Seiten gehört, daß Birch ein sehr tüchtiger Kriminalpolizist war, aber zuweilen schwere Depressionen hatte. Als er Wallander jetzt entgegenkam, schien er jedoch in guter Stimmung zu sein. Sie schüttelten sich die Hand.

»Ich bin gerade erst ins Bild gesetzt worden«, sagte Birch. »Ein Kollege von Blomberg ist schon unterwegs, um den Toten zu identifizieren. Wir werden telefonisch benachrichtigt.«

»Und die Witwe?«

»Noch nicht informiert. Wir fanden das zu voreilig.«

»Es erschwert das Verhör«, sagte Wallander. »Sie wird natürlich geschockt sein.«

»Daran können wir wohl nicht viel ändern.«

Birch zeigte auf eine Konditorei auf der anderen Straßenseite. »Wir können da drüben warten. Außerdem bin ich hungrig.«

Wallander hatte auch nichts zu Mittag gegessen. Sie setzten sich in die Konditorei, aßen belegte Brote und tranken Kaffee. Wallander gab Birch eine Zusammenfassung der Ereignisse.

»Das erinnert an das, was ihr im Sommer hattet«, sagte er, als Wallander geendet hatte.

»Nur insoweit, als der Mörder mehr als eine Person tötet«, sagte Wallander. »Ansonsten scheinen die Motive sich zu unterscheiden.«

»Wo liegt denn eigentlich der Unterschied zwischen Skalpieren und Menschen in Säcken zu ertränken?«

»Ich kann es vielleicht nicht in Worte fassen«, sagte Wallander nachdenklich. »Aber es ist doch ein großer Unterschied.«

Birch ließ die Frage fallen. »Das haben wir uns bestimmt nicht vorgestellt, als wir Polizisten wurden«, sagte er statt dessen.

»Ich kann mich kaum noch daran erinnern, was ich mir vorgestellt habe«, sagte Wallander.

»Ich erinnere mich an einen alten Kommissar«, sagte Birch. »Er ist schon lange tot. Karl-Oscar Fredrick Wilhelm Sunesson. Er ist nachgerade eine Legende. Jedenfalls hier in Lund. Er hat das alles kommen sehen. Ich weiß noch, daß er mit uns jüngeren Kriminalbeamten gesprochen hat und uns davor gewarnt hat, daß alles härter werden würde. Die Gewalt würde zunehmen und brutaler werden. Er hat auch erklärt, warum. Er sprach von Schwedens Wohlstand als von einem verdeckten Morast. Der Verfall wäre eingebaut. Er hat sich tatsächlich die Zeit genommen, wirtschaftliche Analysen zu machen und den Zusammenhang zwischen verschiedenen Typen von Kriminalität zu erklären. Außerdem kann ich mich erinnern, daß er einer von den seltenen Menschen war, die niemals schlecht über irgendeinen anderen Menschen redeten. Er konnte kritisch gegenüber Politikern sein, er konnte Vorschläge für Veränderungen im Polizeiwesen mit seinen Argumenten vernichten. Aber er zweifelte nie daran, daß ein guter, wenn auch unklarer Wille dahinterstand. Er sagte immer, daß ein guter Wille, der nicht mit Vernunft einhergeht, größere Katastrophen anrichtet als Handlungen, die auf Böswilligkeit oder Dummheit beruhen. Damals habe ich nicht viel davon verstanden. Aber heute verstehe ich es.«

Wallander dachte an Rydberg. Es hätte auch Rydberg sein können, von dem Birch sprach.

»Das beantwortet die Frage nicht, was wir eigentlich dachten, als wir uns entschlossen haben, zur Polizei zu gehen«, sagte Wallander.

Was Birch meinte, erfuhr Wallander nicht mehr. Das Telefon piepte. Birch hörte zu, ohne etwas zu sagen.

»Er ist identifiziert«, sagte er, als das Gespräch beendet war.

»Dann gehen wir rein«, sagte Wallander.

»Wenn du willst, kannst du ja warten, während wir die Ehefrau informieren«, sagte Birch. »Es ist meistens quälend.«

»Ich gehe mit«, sagte Wallander. »Lieber das, als hier zu sitzen und untätig zu sein. Außerdem kann es mir Aufschluß darüber geben, was für ein Verhältnis sie zu ihrem Mann hatte.«

Die Frau, die ihnen gegenübertrat, war erstaunlich gefaßt und schien sogleich die Bedeutung dessen zu verstehen, daß Polizisten vor ihrer Tür standen. Wallander hielt sich im Hintergrund, während Birch ihr die Todesbotschaft überbrachte. Sie hatte sich auf die äußerste Kante eines Stuhls gesetzt, wie um sich mit den Füßen abstützen zu können, und sie nickte schweigend. Wallander schätzte, daß sie im gleichen Alter war wie ihr Mann. Aber sie wirkte älter, als sei sie vor der Zeit gealtert. Sie war sehr mager, ihre Haut spannte sich hart über den Wangenknochen. Wallander beobachtete sie insgeheim. Er glaubte nicht, daß sie zusammenbrechen würde. Zumindest noch nicht.

Birch nickte Wallander zu, der nach vorn trat. Birch hatte nur gesagt, daß sie ihren Mann tot im Krageholmssjön gefunden hatten. Nichts davon, was geschehen war. Das würde Wallanders Aufgabe sein.

»Der Krageholmssjön liegt im Polizeidistrikt von Ystad«, sagte Birch. »Deshalb ist einer der Kollegen von dort hergekommen. Er heißt Kurt Wallander.«

Kristina Blomberg blickte auf. Sie erinnerte Wallander an jemanden. Aber ihm fiel nicht ein, an wen.

»Ich kenne Ihr Gesicht«, sagte sie. »Ich muß Sie in der Zeitung gesehen haben.«

»Das ist nicht unmöglich«, sagte Wallander und setzte sich auf einen Stuhl ihr gegenüber. Birch hatte inzwischen Wallanders Position im Hintergrund eingenommen.

Das Haus war sehr still. Geschmackvoll möbliert. Aber wirklich sehr still. Wallander fiel ein, daß er noch nicht wußte, ob es Kinder in der Familie gab.

Das war auch seine erste Frage.

»Nein«, sagte sie. »Wir haben keine Kinder.«

»Auch nicht aus früheren Ehen?«

Wallander bemerkte sofort ihre Unsicherheit. Sie zögerte mit der Antwort, kaum merkbar zwar, aber er nahm es wahr.

»Nein«, sagte sie. »Soweit ich weiß, nicht. Und nicht von mir.«

Wallander wechselte einen Blick mit Birch, der auch ihr Zögern angesichts einer Frage bemerkt hatte, die eigentlich nicht schwer zu beantworten war. Wallander ging langsam weiter. »Wann haben Sie Ihren Mann zuletzt gesehen?«

»Er machte gestern abend einen Spaziergang. Das tat er immer.«

»Wissen Sie, welchen Weg er ging?«

Sie schüttelte den Kopf. »Er war oft über eine Stunde draußen. Wohin er ging, weiß ich nicht.«

»War gestern abend alles wie immer?«

»Ja.«

Wallander ahnte wieder den Schatten von Unsicherheit in ihrer Antwort. Er fuhr vorsichtig fort. »Er kam also nicht zurück? Was haben Sie dann gemacht?«

»Um zwei Uhr in der Nacht habe ich die Polizei angerufen.«

»Aber konnte er nicht jemanden besucht haben?«

»Er hatte sehr wenige Freunde. Die habe ich angerufen, bevor ich bei der Polizei anrief. Da war er nicht.«

Sie blickte ihn an. Immer noch gefaßt. Wallander sah ein, daß er nicht länger warten konnte. »Ihr Mann ist also tot im Krageholmssjön gefunden worden. Wir haben festgestellt, daß er ermordet wurde. Es tut mir leid, was geschehen ist. Aber ich muß es sagen, wie es ist.«

Wallander betrachtete ihr Gesicht. Sie ist nicht erstaunt, dachte er. Weder darüber, daß er tot ist, noch darüber, daß er ermordet wurde.

»Es ist natürlich wichtig, daß wir den oder die Täter fassen. Haben Sie einen Verdacht, wer es sein könnte? Hatte Ihr Mann Feinde?«

»Ich weiß nicht«, antwortete sie. »Ich kannte meinen Mann sehr schlecht.«

Wallander überlegte, bevor er fortfuhr. Ihre Antwort beunruhigte ihn. »Ich bin nicht sicher, wie ich diese Antwort verstehen soll«, sagte er.

»Ist das so schwer? Einmal, vor langer Zeit, glaubte ich, ihn zu verstehen. Aber das war damals.«

»Was ist geschehen? Was hat sich verändert?«

Sie schüttelte den Kopf. Wallander spürte, wie etwas, das er als Bitterkeit interpretierte, in ihr aufstieg. Er wartete.

»Nichts ist geschehen«, sagte sie. »Wir haben uns auseinandergelebt. Wir wohnen im gleichen Haus. Aber wir haben getrennte Zimmer. Er lebt sein Leben. Ich lebe meins.«

Dann verbesserte sie sich. »Er hat sein Leben gelebt. Ich lebe meins.«

»Wenn ich recht verstanden habe, war er Forscher an der Universität?«

»Ja.«

»Milchallergien, stimmt das?«

»Ja.«

»Arbeiten Sie auch da?«

»Ich bin Lehrerin.«

Wallander nickte. »Sie wissen also nicht, ob Ihr Mann irgendwelche Feinde hatte?«

»Nein.«

»Und wenige Freunde?«

»Ja.«

»Sie können sich also niemanden vorstellen, der ihn hätte umbringen wollen? Und warum?«

Ihr Gesicht war hart angespannt. Wallander hatte das Gefühl, als sehe sie direkt durch ihn hindurch. »Niemand außer mich selbst«, antwortete sie. »Aber ich habe ihn nicht umgebracht.«

Wallander sah sie lange an, ohne etwas zu sagen. Birch war an seine Seite getreten. »Warum hätten Sie ihn umbringen können?« fragte er.

Sie stand vom Stuhl auf und zerrte sich so heftig die Bluse herunter, daß sie zerriß. Es ging so schnell, daß Wallander und Birch nicht verstanden, was geschah. Dann hielt sie ihnen ihre Arme hin. Sie waren mit Narben übersät. »Das hier hat er mir angetan«, sagte sie. »Und noch vieles andere, von dem ich gar nicht reden will.«

Sie verließ das Zimmer mit der zerrissenen Bluse in der Hand. Wallander und Birch sahen sich an.

»Er hat sie mißhandelt«, sagte Birch. »Glaubst du, sie kann es getan haben?«

»Nein«, sagte Wallander. »Sie war es nicht.«

Sie warteten schweigend. Nach einigen Minuten kam sie zurück. Sie hatte ein Hemd angezogen, das sie über dem Rock trug. »Ich trauere nicht um ihn«, sagte sie. »Ich weiß nicht, wer das getan hat. Ich glaube, ich will es auch nicht wissen. Aber ich begreife, daß Sie ihn finden müssen.«

»Ja«, sagte Wallander. »Das müssen wir. Und wir benötigen jede denkbare Hilfe.«

Sie sah ihn an, und ihr Gesicht war plötzlich vollkommen hilflos. »Ich weiß nichts mehr von ihm«, sagte sie. »Ich kann Ihnen nicht helfen.«

Wallander dachte, daß sie sicher die Wahrheit sagte. Sie konnte ihnen nicht helfen.

Doch sie glaubte das nur. Sie hatte ihnen schon geholfen.

Als Wallander ihre Arme gesehen hatte, waren seine letzten Zweifel verflogen.

Er wußte jetzt, daß sie eine Frau suchten.

26

Als sie das Haus in der Siriusgatan verließen, hatte es zu regnen begonnen. Sie blieben neben Wallanders Wagen stehen. Er war unruhig und hatte es eilig.

»Ich glaube, ich habe noch nie eine Frau getroffen, die gerade Witwe geworden ist und den Verlust ihres Mannes so leicht genommen hat«, sagte Birch unangenehm berührt.

»Gleichzeitig ist das ein Punkt, an dem wir ansetzen müssen«, erwiderte Wallander.

Er bemühte sich nicht, seine Antwort zu vertiefen. Statt dessen versuchte er, sich die nächsten Stunden zu vergegenwärtigen. Sein Gefühl, daß größte Eile geboten war, war jetzt sehr stark.

»Wir müssen seine persönlichen Sachen hier zu Hause und auf der Universität durchgehen«, sagte er. »Das ist natürlich eure Aufgabe. Aber ich hätte gern, daß jemand aus Ystad dabei ist. Wir wissen nicht, wonach wir suchen. Aber es kann sein, daß wir auf diese Weise schneller etwas entdecken, was von Interesse ist.«

Birch nickte. »Du selbst bleibst nicht?«

»Nein. Ich lasse Martinsson und Svedberg herkommen. Ich bitte sie, sofort loszufahren.«

Wallander holte sein Mobiltelefon aus dem Wagen, drückte die Nummer der Polizei in Ystad und ließ sich mit Martinsson verbinden. Er erklärte kurz, worum es ging. Martinsson versprach, daß sie gleich losfahren würden. Wallander sagte ihm, er solle sich im Polizeipräsidium in Lund an Birch wenden. Er mußte Martinsson den Namen buchstabieren. Birch lachte.

»Ich würde bleiben«, sagte Wallander. »Aber ich muß mich daranmachen, die Ermittlung noch einmal von hinten aufzurollen. Ich habe den Verdacht, daß die Lösung des Mordes an Blomberg schon daliegt. Wir haben sie nur nicht gesehen. Die Lösung aller drei Morde. Es ist, als hätten wir uns in einem komplizierten Höhlensystem verirrt.«

»Es wäre schon gut, wenn uns weitere Tote erspart blieben«, sagte Birch. »Es reicht auch so.«

Sie verabschiedeten sich. Wallander fuhr nach Ystad zurück. Der Regen kam und ging in Schauern. Ein Flugzeug war im Landeanflug, als er in der Nähe von Sturup vorbeikam. Unterwegs ging er das Ermittlungsmaterial im Kopf aufs neue durch. Zum wievielten Mal wußte er nicht. Er plante auch, wie er vorgehen wollte, wenn er nach Ystad zurückkam.

Um Viertel vor sechs parkte er den Wagen. An der Anmeldung blieb er stehen und fragte Ebba, ob Ann-Britt Höglund im Hause sei.

»Sie und Hansson sind vor einer Stunde zurückgekommen.«

Wallander hastete weiter. Er traf Ann-Britt Höglund in ihrem Zimmer. Sie telefonierte. Wallander machte ihr ein Zeichen, in Ruhe zu Ende zu telefonieren. Er wartete auf dem Korridor. Sobald er hörte, daß sie den Hörer auflegte, war er wieder in ihrem Zimmer. »Ich dachte, wir setzen uns zu mir rein«, sagte er. »Wir müssen das Ganze noch einmal gründlich durchgehen.«

»Soll ich was mitnehmen?« Sie zeigte auf alle Papiere und Mappen, die über ihren Tisch verstreut waren.

»Ich glaube, das ist nicht nötig. Wenn was ist, kannst du es holen.«

Sie folgte ihm in sein Zimmer. Wallander rief die Vermittlung an und bat darum, nicht gestört zu werden. Er sagte nicht, für wie lange. Was er sich vorgenommen hatte, brauchte eben seine Zeit.

»Du erinnerst dich, daß ich dich gebeten habe, die ganze Sache unter weiblichem Vorzeichen durchzugehen«, sagte er.

»Das habe ich getan«, antwortete sie.

»Ich bin fest davon überzeugt, daß es einen Punkt gibt, an dem wir durchstoßen können. Nur haben wir ihn nicht gesehen. Wir sind daran vorbeigegangen. Wir sind vor und zurück gegangen, er war da, aber wir haben uns auf eine andere Richtung konzentriert. Ich glaube jetzt ganz sicher, daß eine Frau mit im Spiel ist.«

»Warum glaubst du das?«

Er erzählte ihr von dem Gespräch mit Kristina Blomberg. Wie

sie sich die Bluse vom Leib gerissen und die Narben von den Mißhandlungen vorgezeigt hatte, denen sie ausgesetzt gewesen war.

»Du redest von einer mißhandelten Frau«, sagte sie. »Nicht von einer mordenden Frau.«

»Das ist vielleicht ein und dasselbe«, sagte Wallander. »Ich muß mich auf jeden Fall davon überzeugen, falls ich mich irre.«

»Wo fangen wir an?«

»Am Anfang. Wie im Märchen. Und das erste, was geschah, war, daß jemand in einem Graben eine Pfahlgrube für Holger Eriksson in Lödinge vorbereitete. Stell dir vor, daß es eine Frau war. Was siehst du dann?«

»Daß es natürlich keine Unmöglichkeit ist. Nichts war zu groß oder zu schwer.«

»Warum hat sie gerade diese Vorgehensweise gewählt?«

»Um den Eindruck zu erwecken, daß es ein Mann getan hat.«

Wallander dachte lange über ihre Antwort nach, bevor er fortfuhr. »Sie hat uns also auf eine falsche Fährte gelockt.«

»Nicht unbedingt. Es kann auch sein, daß sie demonstrieren wollte, wie die Gewalt wiederkehrt. Wie ein Bumerang. Oder warum nicht beides?«

Wallander dachte nach. Ihre Erklärung war nicht unmöglich. »Das Motiv«, fuhr er fort. »Wer wollte Holger Eriksson töten?«

»Das ist weniger klar als im Fall Gösta Runfelt. Es gibt zumindest verschiedene Möglichkeiten. Über Holger Eriksson wissen wir noch immer nur wenig. So wenig, daß es schon sonderbar ist. Sein Leben scheint nahezu gegen jeden Einblick abgeschottet gewesen zu sein. Als sei sein Leben ein Gelände, zu dem der Zutritt verboten ist.«

»Wie meinst du das?«

»Wie ich es sage. Wir müßten mehr wissen. Über einen Mann, der achtzig Jahre alt ist und sein ganzes Leben in Schonen verbracht hat. Eine Person, die gut bekannt war. Daß wir so wenig wissen, ist nicht natürlich.«

»Wie erklärst du es?«

»Ich weiß nicht.«

»Haben die Leute Angst, über ihn zu reden?«

»Nein.«

»Was ist es dann?«

»Wir haben nach einem Söldner gesucht«, sagte sie. »Wir haben einen Mann gefunden, der tot ist. Wir haben gelernt, daß diese Menschen oft unter angenommenen Namen auftreten. Ich hatte die Idee, daß das auch für Holger Eriksson gelten könnte.«

»Daß er Söldner war?«

»Das glaube ich nicht. Aber daß er unter einem angenommenen Namen aufgetreten ist. Er braucht nicht immer Holger Eriksson gewesen zu sein. Das kann die Erklärung dafür sein, daß wir so wenig über sein Privatleben wissen. Daß er von Zeit zu Zeit ein anderer gewesen ist.«

Wallander dachte an Holger Erikssons früheste Gedichtsammlungen. Die er unter einem Pseudonym herausgebracht hatte. Später hatte er seinen richtigen Namen gewählt. »Es fällt mir schwer zu glauben, was du sagst, vor allem, weil ich kein Motiv sehe, das Sinn ergibt. Warum verwendet ein Mensch einen angenommenen Namen?«

»Weil er etwas tut, wobei er nicht ertappt werden will.«

Wallander sah sie an.» Du meinst, er kann einen Namen angenommen haben, weil er homosexuell war? In einer Zeit, als man das nach Möglichkeit geheimhielt?«

»Das ist eine denkbare Erklärung.«

Wallander nickte. Trotzdem zweifelte er. »Wir haben die Schenkung an die Kirche in Jämtland«, sagte er. »Das muß etwas bedeuten. Warum tut er das? Und die Polin, die verschwand. Eins an ihr macht sie zu etwas Speziellem. Hast du darüber nachgedacht, was das ist?«

Ann-Britt Höglund schüttelte den Kopf.

»Daß sie die einzige Frau ist, die überhaupt in dem Untersuchungsmaterial über Holger Eriksson auftaucht.«

»Die Kopien des Untersuchungsmaterials aus Östersund sind gekommen«, sagte sie. »Aber ich glaube nicht, daß sich schon jemand damit befaßt hat. Außerdem ist sie nur eine Randfigur. Wir haben keine Beweise dafür, daß sie und Holger Eriksson sich kannten.«

Wallander war auf einmal sehr bestimmt. »Das ist richtig«,

sagte er. »Das muß so schnell wie möglich geklärt werden. Wir müssen herausfinden, ob diese Verbindung existiert.«

»Wer soll das machen?«

»Hansson. Er liest schneller als wir alle. Außerdem trifft er oft direkt das, was wichtig ist.«

Sie machte sich eine Notiz. Dann verließen sie für einen Augenblick Holger Eriksson.

»Gösta Runfelt war ein brutaler Mann«, sagte Wallander. »Das können wir festhalten. Darin erinnert er also an Holger Eriksson. Außerdem hat Runfelt seine Frau mißhandelt. Wie Blomberg. Wohin führt uns das?«

»Daß wir drei Männer haben, die zu Gewalt neigten. Von denen mindestens zwei Frauen mißhandelten.«

»Nein«, sagte Wallander. »Nicht ganz so. Wir haben drei Männer. Von zweien wissen wir, daß sie Frauen mißhandelt haben. Aber das kann auch für den dritten gelten, Holger Eriksson. Das wissen wir noch nicht.«

»Die Polin? Krista Haberman?«

»Zum Beispiel sie. Es kann außerdem sein, daß Gösta Runfelt seine Frau sogar umgebracht hat. Ein Loch im Eis vorbereitet hat. Sie hineinstieß. Und sie ertrank.«

Sie spürten beide, daß etwas klickte. Wallander ging noch einmal zurück. »Das Pfahlgrab«, sagte er. »Was war das?«

»Vorbereitet, sorgfältig geplant. Eine Todesfalle.«

»Mehr als das. Eine Methode, einen Menschen langsam zu töten.«

Wallander suchte ein Papier auf seinem Tisch. »Dem Gerichtsmediziner in Lund zufolge kann Holger Eriksson mehrere Stunden dort aufgespießt gehangen haben, bevor er starb.«

Er legte das Blatt angewidert weg. »Gösta Runfelt«, sagte er dann. »Abgemagert, erwürgt, an einem Baum hängend. Was sagt das?«

»Daß er gefangengehalten wurde. Er hat nicht in einem Pfahlgrab gehangen.«

Wallander hob die Hand. Sie verstummte. Er überlegte. Erinnerte sich an den Besuch am Stångsjön. *Sie fanden sie unter dem Eis.*

»Ertrinken unter dem Eis«, sagte er. »Ich habe mir das immer als das Grauenhafteste vorgestellt, was einem Menschen passieren kann. Unter dem Eis zu landen. Nicht durchkommen können. Vielleicht das Licht durch das Eis ahnen können.«

»Eine Gefangenschaft unter dem Eis«, sagte sie.

»Genau. Genau das denke ich.«

»Du meinst, daß die Methode der Rache, die der Täter gewählt hat, an das erinnert, was er rächt?«

»So ungefähr. Es ist auf jeden Fall eine Möglichkeit.«

»In dem Fall erinnert das, was Eugen Blomberg geschehen ist, mehr an Runfelts Frau.«

»Ich weiß«, sagte Wallander. »Vielleicht können wir auch das verstehen, wenn wir noch eine Weile weitermachen.«

Sie machten weiter. Redeten über den Koffer. Er erwähnte wieder den falschen Fingernagel, den Nyberg im Wald bei Marsvinsholm gefunden hatte.

Dann kamen sie zu Blomberg. Das Muster kehrte wieder.

»Er sollte ertränkt werden. Aber nicht zu schnell. Ihm sollte bewußt sein, was geschah.«

Wallander lehnte sich im Stuhl zurück und sah sie über den Tisch hinweg an. »Erzähl, was du siehst.«

»Ein Rachemotiv nimmt Form an. Es kehrt auf jeden Fall als gemeinsamer Nenner wieder. Männer, die Gewalt gegen Frauen anwenden, werden von einer ausgeklügelt männlichen Gewalt zurückgetroffen. Als sollten sie gezwungen werden, ihre eigenen Hände an ihren Körpern zu spüren.«

»Die Formulierung ist gut«, warf Wallander ein. »Mach weiter.«

»Es kann auch eine Methode sein, um zu verbergen, daß eine Frau dies alles getan hat. Es hat lange gedauert, bis wir überhaupt nur den Gedanken denken konnten, eine Frau könnte im Spiel sein. Und dann haben wir ihn gleich wieder verworfen.«

»Was spricht dagegen, daß eine Frau im Spiel ist?«

»Wir wissen immer noch sehr wenig. Außerdem wenden Frauen Gewalt fast nur an, wenn sie sich selbst oder ihre Kinder verteidigen. Es ist keine geplante Gewalt. Es sind nur instinktive Schutzreflexe. Eine Frau gräbt normalerweise kein Pfahlgrab.

Oder hält einen Mann gefangen. Oder wirft einen Mann in einem Sack in einen See.«

Wallander betrachtete sie forschend. »Normalerweise«, sagte er. »Dein Wort.«

»Wenn eine Frau an dieser Geschichte beteiligt ist, muß sie krank sein.«

Wallander stand auf und ging zum Fenster. »Noch etwas«, sagte er. »Was das gesamte Gebäude, das wir hier zu bauen versuchen, zum Einsturz bringen kann. Sie rächt nicht sich selbst. Sie rächt andere. Gösta Runfelts Frau ist tot. Eugen Blombergs Frau hat es nicht getan. Da bin ich mir sicher. Holger Eriksson hat keine Frau. Wenn es Rache ist, und wenn es eine Frau ist, dann rächt sie *andere*. Und das hört sich unsinnig an. Wenn das stimmen sollte, dann habe ich so etwas noch nie erlebt.«

»Es können ja mehr als eine sein«, sagte Ann-Britt Höglund unsicher.

»Eine Anzahl Mordengel? Eine Gruppe Frauen? Eine Sekte?«

»Das klingt nicht wahrscheinlich.«

»Nein«, sagte Wallander. »Das tut es nicht.

Er setzte sich wieder. »Ich möchte, daß du es umgekehrt machst«, sagte er. »Daß du alles noch einmal durchgehst und mir alle guten Gründe dafür sagst, warum es keine Frau ist, die das getan hat.«

»Wäre es nicht besser zu warten, bis wir etwas mehr darüber wissen, was Blomberg geschehen ist?«

»Vielleicht«, erwiderte Wallander. »Aber ich glaube, wir haben keine Zeit dazu.«

»Du glaubst, daß es wieder passieren kann?«

Wallander wollte ihr eine ehrliche Antwort geben. Er schwieg eine Weile, bevor er ihr antwortete. »Es gibt keinen Anfang«, sagte er. »Zumindest keinen, den wir sehen können. Das macht es auch nicht wahrscheinlich, daß es ein Ende gibt. Es kann wieder passieren. Und wir haben keine Ahnung, in welche Richtung wir gehen müssen.«

Sie kamen nicht weiter. Wallander war ungeduldig, weil weder Martinsson noch Svedberg anriefen. Dann fiel ihm ein, daß das Telefon blockiert war. Er rief die Vermittlung an. Keiner von beiden hatte sich gemeldet. Er sagte, daß ihre Gespräche durchgestellt werden sollten, aber nur ihre.

»Die Einbrüche«, sagte sie plötzlich. »Im Blumenladen und zu Hause bei Eriksson. Wie passen die ins Bild?«

»Ich weiß es nicht«, antwortete er. »Auch nicht der Blutfleck auf dem Fußboden. Ich glaubte, ich hätte eine Erklärung. Aber jetzt weiß ich nicht mehr so recht.«

»Ich habe nachgedacht«, sagte sie.

Wallander merkte, daß ihr das, was sie sagen wollte, wichtig war. Er nickte ihr aufmunternd zu.

»Wir reden davon, daß wir unterscheiden müssen zwischen dem, was wir wirklich sehen, und dem, was geschehen ist. Holger Eriksson hat einen Einbruch angezeigt, bei dem nichts gestohlen wurde. Warum hat er ihn dann gemeldet?«

»Daran habe ich auch schon gedacht«, sagte Wallander. »Er kann aufgebracht gewesen sein darüber, daß jemand bei ihm eingebrochen ist.«

»Das würde ins Bild passen.«

Wallander verstand nicht sogleich, was sie meinte.

»Es gibt doch die Möglichkeit, daß jemand bei ihm eingebrochen ist, um ihn in Unruhe zu versetzen. Nicht, um etwas zu stehlen.«

»Eine erste Warnung? Meinst du das?«

»Ja.«

»Und der Blumenladen?«

»Gösta Runfelt verläßt seine Wohnung. Entweder wird er herausgelockt, oder es ist früh am Morgen. Er geht auf die Straße, um auf das Taxi zu warten. Da verschwindet er spurlos. Vielleicht ist er zum Laden gegangen? Es sind nur ein paar Minuten. Den Koffer kann er hinter der Haustür abgestellt haben. Oder mitgenommen haben. Der war nicht schwer.«

»Warum sollte er zum Laden gegangen sein?«

»Ich weiß nicht. Vielleicht hatte er etwas vergessen.«

»Du meinst, daß er im Laden überfallen wurde?«

»Ich weiß, daß das kein guter Gedanke ist. Aber ich habe ihn trotzdem gedacht.«

»Er ist nicht schlechter als viele andere«, sagte Wallander.

Er sah sie an. »Ist überhaupt untersucht worden, ob das Blut auf dem Fußboden Runfelts gewesen sein kann?«

»Ich glaube, das haben wir gar nicht gemacht. Das ist dann mein Fehler.«

»Wenn man fragen wollte, wer die Verantwortung für alle Fehler hat, die bei Verbrechensermittlungen gemacht werden, hätte man für nichts anderes Zeit. Ich nehme an, es gibt keine Spuren von dem Blut mehr?«

»Ich kann mit Vanja Andersson sprechen.«

»Tu das. Wir können es ja untersuchen lassen. Nur um sicher zu sein.«

Sie stand auf und verließ das Zimmer. Wallander war müde. Es war ein gutes Gespräch. Aber seine Unruhe hatte sich vertieft. Sie waren so weit von einem Zentrum entfernt, wie sie nur sein konnten. Der Ermittlung fehlte es noch immer an einer Gravitationskraft, die sie in eine bestimmte Richtung zog.

Auf dem Korridor hob jemand irritiert die Stimme. Dann dachte er an Baiba, zwang sich aber wieder zurück an die Arbeit. Da sah er vor seinem inneren Auge den Hund, den er kaufen wollte. Er stand auf und holte sich Kaffee. Jemand fragte ihn, ob er Zeit gehabt habe, eine Stellungnahme dazu zu schreiben, ob Bedenken dagegen bestanden, daß ein Heimatverein sich »Freunde der Axt« nannte. Er verneinte und ging zurück in sein Büro. Es hatte aufgehört zu regnen. Die Wolkendecke lag unbeweglich über dem Wasserturm.

Das Telefon klingelte. Es war Martinsson. Wallander konnte an seiner Stimme nicht hören, ob etwas Wichtiges geschehen war.

»Svedberg ist gerade von der Universität zurückgekommen. Eugen Blomberg scheint einer von den Menschen gewesen zu sein, von denen man ein bißchen boshaft sagt, daß sie im Tapetenmuster aufgehen. Er scheint auch kein herausragender Forscher gewesen zu sein, was Milchallergien betrifft. Irgendwie hat er ziemlich lose mit der Kinderklinik in Lund in Kontakt gestanden, scheint aber vor vielen Jahren in seiner Entwicklung stehengeblieben zu sein. Seine Forschungen müssen sich auf einem sehr elementaren Niveau bewegt haben. Behauptet Svedberg jedenfalls. Andererseits, was versteht Svedberg von Milchallergien?«

»Mach weiter«, sagte Wallander und versuchte nicht, seine Ungeduld zu verbergen.

»Es fällt mir schwer zu verstehen, wie ein Mensch so vollkommen bar aller Interessen sein kann«, sagte Martinsson. »Er scheint seine verdammte Milch gehabt zu haben, sonst nichts. Abgesehen von einem.«

Wallander wartete.

»Es hat den Anschein, als habe er ein Verhältnis mit einer Frau gehabt. Ich habe ein paar Briefe gefunden. Die Initialen KA tauchen da auf. Interessant daran ist, daß sie offenbar ein Kind erwartet hat.«

»Woher hast du das?«

»Aus den Briefen. Aus dem jüngsten Brief geht hervor, daß sie am Ende der Schwangerschaft ist.«

»Wann ist der datiert?«

»Er ist undatiert. Aber sie erwähnt einen Film im Fernsehen, der ihr gefallen hat. Und wenn ich mich richtig erinnere, gab es den vor ungefähr einem Monat. Wir finden das raus.«

»Hat sie eine Adresse?«

»Geht nicht aus den Briefen hervor.«

»Auch nicht, ob es Lund ist?«

»Nein. Aber sie ist sicher aus Schonen. Sie benutzt ein paar Wendungen, die darauf schließen lassen.«

»Hast du die Witwe danach gefragt?«

»Darüber wollte ich mit dir sprechen. Ob sich das schickt. Oder ob ich nicht lieber warten soll.«

»Frag sie«, sagte Wallander. »Wir können nicht warten. Außerdem habe ich das Gefühl, daß sie es sowieso weiß. Wir brauchen Namen und Anschrift von dieser Frau. Und zwar verdammt fix. Melde dich, sobald du mehr weißt.«

Wallander blieb mit dem Hörer in der Hand sitzen. Ein kalter Hauch von Unlust durchfuhr ihn. Was Martinsson gesagt hatte, erinnerte ihn an etwas anderes.

Es hatte mit Svedberg zu tun.

Aber er kam nicht darauf, was es war.

Hansson erschien in der Tür und sagte, daß er noch am gleichen Abend versuchen wolle, einen Teil des Materials, das aus Östersund gekommen war, durchzusehen.

»Es sind elf Kilo«, sagte er. »Nur damit du es weißt.«

»Hast du es gewogen?« fragte Wallander erstaunt.

»Nicht ich«, sagte Hansson. »Aber Jetpack. Elf Komma drei Kilo vom Polizeipräsidium in Östersund. Willst du wissen, was es gekostet hat?«

»Lieber nicht.«

Hansson ging wieder. Wallander pulte an seinen Nägeln. Dachte an einen schwarzen Labrador, der neben seinem Bett schlief. Es war zwanzig vor acht. Martinsson hatte sich noch immer nicht gemeldet. Nyberg rief an und sagte, er wolle Feierabend machen.

Wallander fragte sich nachher, was das wohl bedeuten sollte, daß er ihn darüber informierte. Daß er zu Hause erreichbar war? Oder daß er seine Ruhe haben wollte?

Endlich rief Martinsson an. »Sie hat geschlafen«, sagte er. »Ich wollte sie eigentlich nicht wecken. Deshalb hat es gedauert.«

Wallander sagte nichts. Er wußte, daß er selbst Kristina Blomberg, ohne zu zögern, geweckt hätte.

»Was hat sie gesagt?«

»Du hattest recht. Sie weiß, daß ihr Mann andere Frauen hatte. Diese hier war nicht die erste. Aber sie weiß nicht, wer sie ist. KA sagt ihr nichts.«

»Weiß sie, wo die Frau wohnt?«

»Sie sagt nein. Und ich neige dazu, ihr zu glauben.«

»Aber sie muß doch gewußt haben, wenn er verreist war?«

»Das habe ich sie auch gefragt. Sie sagt nein. Außerdem hatte er kein Auto. Er hatte nicht einmal einen Führerschein.«

»Das heißt, daß sie in der Nähe wohnen muß.«

»Das denke ich auch.«

»Eine Frau mit den Initialen KA. Wir müssen sie finden. Laß alles andere vorläufig liegen. Ist Birch da?«

»Er ist eben ins Präsidium zurückgefahren.«

»Wo ist Svedberg?«

»Er wollte mit jemand sprechen, der Blomberg angeblich am besten kannte.«

»Er soll sich darauf konzentrieren herauszufinden, wer die Frau mit den Initialen KA ist.«

»Ich bin nicht sicher, daß ich ihn erreichen kann«, antwortete Martinsson. »Er hat sein Telefon hier bei mir vergessen.«

Wallander fluchte.

»Die Witwe muß doch wissen, wer der beste Freund ihres Mannes war. Es ist wichtig, daß Svedberg das erfährt.«

»Ich sehe zu, was ich machen kann.«

Wallander hatte den Hörer schon aufgelegt, als ihm plötzlich einfiel, was er vergessen hatte. Er suchte die Nummer des Polizeipräsidiums in Lund heraus. Er hatte Glück und bekam Birch in kurzer Zeit an den Apparat.

»Wir sind vielleicht auf etwas gekommen«, sagte Wallander.

»Martinsson hat mit Hamrén gesprochen, der mit ihm in der Siriusgatan zusammenarbeitet«, antwortete Birch. »Ich habe die Sache so verstanden, daß wir nach einer unbekannten Frau suchen, die möglicherweise die Initialen KA hat.«

»Nicht möglicherweise«, erwiderte Wallander. »Die hat sie. Karin Andersson, Katarina Ahlström, wir müssen sie finden, wie sie auch heißt. Es gibt da ein Detail, das wichtig ist, glaube ich.«

»Die Erwähnung in einem Brief, daß sie bald ein Kind bekommen sollte?«

Birch dachte schnell.

»Genau«, sagte Wallander. »Wir sollten also die Entbindungsstation in Lund kontaktieren. Frauen, die in der letzten Zeit ein Kind bekommen haben. Oder bekommen sollen. Mit den Initialen KA.«

»Ich kümmere mich persönlich darum«, sagte Birch. »So etwas ist immer ein bißchen heikel.«

Wallander beendete das Gespräch. Er schwitzte – etwas war in Bewegung gekommen. Er ging auf den Korridor. Er war verlassen. Als das Telefon klingelte, fuhr er zusammen. Es war Ann-Britt Höglund. Sie rief aus Runfelts Blumenladen an.

»Von dem Blut ist nichts mehr da«, sagte sie. »Vanja Andersson hat selbst gescheuert.«

»Das Scheuertuch«, sagte Wallander.

»Das hat sie leider weggeworfen. Sie fand die Blutlache eklig. Und der Müll ist natürlich längst abgeholt.«

Wallander wußte, daß selbst die geringste Spur für eine Blutanalyse ausreichte. »Die Schuhe«, sagte er. »Was für Schuhe hat sie an dem Tag angehabt? Es kann ein kleiner Fleck unter der Sohle sein.«

»Ich frag sie.«

Wallander wartete am Telefon.

»Sie hatte Holzschuhe an«, sagte Ann-Britt Höglund.

»Aber die hat sie zu Hause in ihrer Wohnung.«

»Hol sie. Bring sie her. Und ruf Nyberg an. Er ist zu Hause. Er müßte zumindest sagen können, ob Blut daran ist.«

Während des Gesprächs war Hamrén in der Tür erschienen.

Wallander hatte ihn kaum gesehen, seit er nach Ystad gekommen war. Er fragte sich auch, womit die beiden Beamten aus Malmö beschäftigt waren.

»Ich habe die Abgleichung zwischen Eriksson und Runfelt übernommen, jetzt, wo Martinsson in Lund ist«, sagte Hamrén. »Bisher hat es nichts gebracht. Ihre Wege haben sich wohl nie gekreuzt.«

»Trotzdem ist es wichtig, daß wir es zu Ende durchziehen«, sagte Wallander. »Irgendwo werden diese Ermittlungen zusammenlaufen. Davon bin ich überzeugt.«

»Und Blomberg?«

»Auch der bekommt seinen Platz in diesem Muster. Etwas anderes ist einfach nicht denkbar.«

»Seit wann ist Polizeiarbeit eine Frage dessen, was denkbar ist?« sagte Hamrén und lachte.

»Du hast natürlich recht«, sagte Wallander. »Aber hoffen darf man ja.«

Hamrén stand mit seiner Pfeife in der Hand da. »Ich gehe nach draußen und rauche«, sagte er. »Das reinigt das Gehirn.«

Es war kurz nach acht. Wallander wartete, daß Svedberg von sich hören ließe. Er holte sich eine Tasse Kaffee und ein paar Kekse. Dann ging das Telefon. Ein Anruf war falsch verbunden worden. Gegen halb neun stellte er sich in die Tür der Kantine und sah gedankenverloren eine Weile in den Fernseher. Schöne Bilder von den Komoren. Er fragte sich geistesabwesend, wo die Inselgruppe liegen mochte. Um Viertel vor neun saß er wieder an seinem Platz. Da rief Birch an. Er berichtete, daß sie jetzt die Namen der Frauen durchgingen, die in den vergangenen zwei Monaten Kinder geboren hatten oder in den kommenden zwei Monaten entbinden sollten. Bisher hatten sie keine mit den Initialen KA gefunden. Nach dem Gespräch dachte Wallander, daß er nach Hause gehen konnte. Er war ja über sein Mobiltelefon erreichbar. Er versuchte, Martinsson anzurufen, hatte aber kein Glück. Um zehn Minuten nach neun rief Svedberg an.

»Es gibt keine Person mit den Initialen KA«, sagte er. »Jedenfalls keine, die der Mann, der Blombergs bester Freund gewesen sein soll, kennt.«

»Dann wissen wir das«, sagte Wallander, ohne seine Enttäuschung zu verbergen.

»Ich fahre jetzt nach Hause«, sagte Svedberg.

Wallander hatte kaum den Hörer aufgelegt, als es wieder klingelte. Es war Birch.

»Leider«, sagte er. »Es gibt niemand mit den Initialen KA. Und diese Information dürfte zuverlässig sein.«

»Scheiße«, sagte Wallander.

Beide überlegten einen Augenblick.

»Sie kann ja ihr Kind woanders bekommen haben«, sagte Birch. »Es muß ja nicht Lund sein.«

»Du hast recht«, sagte Wallander. »Wir müssen morgen weitermachen.«

Er legte auf.

Er wußte jetzt, was es war, das mit Svedberg zu tun hatte. Ein Blatt Papier, das durch ein Versehen auf seinem Schreibtisch gelandet war. Etwas mit nächtlichen Vorkommnissen auf der Entbindungsstation in Ystad. War es ein Überfall gewesen? Irgendwas mit einer falschen Krankenschwester?

Er rief Svedberg an, der aus seinem Auto antwortete.

»Wo bist du?« fragte Wallander.

»Ich bin noch nicht mal in Staffanstorp.«

»Komm her«, sagte Wallander. »Wir müssen da eine Sache untersuchen.«

»Ja«, sagte Svedberg. »Ich komme.«

Es dauerte genau zweiundvierzig Minuten.

Um fünf vor zehn stand Svedberg in der Tür von Wallanders Büro. Da waren Wallander bereits wieder Zweifel gekommen.

Die Wahrscheinlichkeit, daß er sich etwas eingebildet hatte, war zu groß.

27

Erst als die Tür hinter ihm zuschlug, begriff er, was geschehen war. Er ging die wenigen Schritte zu seinem Wagen und setzte sich hinters Steuer. Dann sprach er laut seinen Namen aus: Åke Davidsson.

Åke Davidsson würde von jetzt an ein sehr einsamer Mann sein. Er hatte nicht damit gerechnet, daß ihm dies passieren würde. Daß die Frau, mit der er so viele Jahre hindurch eine Beziehung gehabt hatte, auch wenn sie nicht zusammenlebten, ihm eines Tages sagen würde, daß sie nicht mehr wollte. Und ihn hinauswarf.

Er fing an zu weinen. Es tat weh. Er verstand es nicht. Aber sie war entschieden gewesen. Sie hatte ihn gebeten, zu gehen und nie wiederzukommen. Sie hatte einen anderen Mann getroffen, der sich auch vorstellen konnte, mit ihr zusammenzuleben.

Es war fast Mitternacht. Montag, der 17. Oktober. Er sah in die Dunkelheit hinaus. Er wußte, daß er nicht fahren sollte, wenn es dunkel war. Seine Augen waren zu schlecht. Eigentlich konnte er nur mit einer Spezialbrille bei Tageslicht Auto fahren. Er blinzelte gegen die Scheibe. Mit Mühe erkannte er die Straßenränder. Aber er konnte nicht die ganze Nacht hierbleiben. Er mußte zurück nach Malmö.

Er ließ den Wagen an. Er war sehr traurig und verstand nicht, was geschehen war.

Dann lenkte er den Wagen auf die Straße. Er konnte wirklich wenig sehen. Vielleicht würde es leichter werden, wenn er erst auf der Hauptstraße war. Aber jetzt mußte er zunächst aus Lödinge herausfinden.

Aber er verfuhr sich. Es gab viele kleine Straßen, und in der Dunkelheit sahen sie alle gleich aus. Um halb eins sah er ein, daß er sich total verirrt hatte. Da war er zu einem Hofplatz gekommen, an dem der Weg zu enden schien. Er wollte wenden. Plötzlich nahm er im Scheinwerferlicht einen Schatten wahr. Jemand war auf dem Weg zu seinem Wagen. Er fühlte sich sofort erleichtert. Jemand war da draußen, der ihm sagen konnte, wie er fahren mußte.

Er öffnete die Wagentür und stieg aus.

Dann wurde alles dunkel.

Es dauerte eine Viertelstunde, bis Svedberg das Blatt Papier fand, das Wallander haben wollte. Wallander war sehr deutlich gewesen, als Svedberg kurz vor zehn in sein Büro gekommen war.

»Es kann ein Schuß ins Blaue sein«, sagte Wallander. »Aber wir suchen eine Frau mit den Initialen KA, die gerade hier unten in Schonen ein Kind gekriegt hat oder kriegen soll. Wir haben zuerst geglaubt, es wäre Lund. Aber da war nichts. Vielleicht ist es statt dessen hier in Ystad. Wenn ich mich nicht irre, haben sie hier bestimmte Methoden, die die Entbindungsstation von Ystad auch überregional bekannt gemacht haben. Und da passiert eines Nachts etwas Merkwürdiges. Später noch einmal. Es kann also ein Schuß ins Blaue sein. Aber ich will trotzdem wissen, was da passiert ist.«

Svedberg fand das Papier mit den Notizen. Er kehrte zu Wallander zurück, der ungeduldig wartete.

»Ylva Brink«, sagte Svedberg. »Sie ist meine Cousine. Was man so eine entfernte Cousine nennt. Und sie ist Hebamme auf der Entbindungsstation. Sie kam her und erzählte, daß eine unbekannte Frau eines Nachts auf der Entbindungsstation aufgetaucht war. Deshalb war sie beunruhigt.«

»Warum denn?«

»Es ist einfach nicht in Ordnung, daß eine unbekannte Person sich nachts auf der Entbindungsstation aufhält.«

»Laß uns das mal der Reihe nach durchgehen«, sagte Wallander. »Wann ist es zum erstenmal passiert?«

»In der Nacht vom 30. September auf den 1. Oktober.«

»Vor fast drei Wochen. Und sie war beunruhigt?«

»Sie ist am Tag danach hergekommen. Das war ein Samstag. Ich habe eine Zeitlang mit ihr geredet. Damals habe ich diese Notizen gemacht.«

»Und dann ist es wieder passiert?«

»In der Nacht auf den 13. Oktober. Zufällig arbeitete Ylva auch in der Nacht. Und da ist sie niedergeschlagen worden. Ich wurde am Morgen hingerufen.«

»Was war passiert?«

»Die unbekannte Frau war wieder aufgetaucht. Als Ylva versuchte, sie aufzuhalten, wurde sie niedergeschlagen. Ylva sagte, es wäre gewesen, als ob ein Pferd sie getreten hätte.«

»Sie hatte die Frau vorher nie gesehen?«

»Nein.«

»Und sie trug Schwesterntracht?«

»Ja. Aber Ylva war sicher, daß sie nicht im Krankenhaus angestellt war.«

»Wie konnte sie sicher sein? Es müssen doch viele im Krankenhaus arbeiten, die sie nicht kennt.«

»Sie war sicher. Leider habe ich sie nicht gefragt, warum.«

Wallander überlegte. »Diese Frau hat sich zwischen dem 30. September und dem 13. Oktober für die Entbindungsstation interessiert«, sagte er. »Sie macht zwei nächtliche Besuche und zögert nicht, eine Hebamme niederzuschlagen. Die Frage ist, was sie eigentlich da getan hat.«

»Das fragt Ylva sich auch.«

»Und sie hatte keine Antwort?«

»Sie sind beide Male durch alle Zimmer der Station gegangen. Aber alles war normal.«

Wallander sah auf die Uhr. Bald Viertel vor elf. »Ruf bitte deine Cousine an«, sagte er. »Es ist nicht zu ändern, wenn wir sie vielleicht wecken.«

Svedberg nickte. Wallander zeigte auf sein Telefon. Er wußte, daß Svedberg, der oft vergeßlich war, ein ausgeprägtes Gedächtnis für Telefonnummern hatte. Svedberg wählte. Ließ es lange klingeln. Niemand nahm ab.

»Wenn sie nicht zu Hause ist, bedeutet das, daß sie arbeitet«, sagte er, nachdem er den Hörer aufgelegt hatte.

Wallander erhob sich hastig. »Um so besser«, sagte er. »Ich war nicht mehr auf einer Entbindungsstation, seit Linda geboren wurde.«

»Die alte Abteilung ist abgerissen worden«, sagte Svedberg. »Da ist alles neu gebaut.«

Sie brauchten nur ein paar Minuten, um in Svedbergs Wagen zur Ambulanz des Krankenhauses zu fahren. Wallander erinnerte sich an die Nacht vor einigen Jahren, als er mit so heftigen Schmerzen in der Brust aufgewacht war, daß er glaubte, er habe einen Herzinfarkt. Damals hatte die Ambulanz an einer anderen Stelle gelegen. Das ganze Krankenhaus schien umgebaut zu sein.

Sie läuteten. Kurz darauf kam eine Wache und öffnete ihnen. Wallander zeigte seinen Polizeiausweis. Sie gingen die Treppen hinauf zur Entbindungsstation. Die Wache hatte sie angemeldet. An der Tür der Station wartete eine Frau auf sie.

»Meine Cousine«, sagte Svedberg. »Ylva Brink.«

Wallander begrüßte sie. Im Hintergrund ging eine Schwester. Ylva Brink nahm die beiden mit in einen kleinen Büroraum. »Im Moment ist es ziemlich ruhig«, sagte sie. »Aber das kann sich sehr schnell ändern.«

»Ich möchte direkt zur Sache kommen«, sagte Wallander. »Ich weiß, daß alle Informationen über Personen, die sich aus irgendeinem Grund im Krankenhaus befinden, vertraulich behandelt werden müssen. Ich beabsichtige auch nicht, gegen diese Regel zu verstoßen. Das einzige, was ich vorläufig wissen möchte, ist, ob zwischen dem 30. September und dem 13. Oktober eine Frau hier auf der Station war, die ein Kind bekommen sollte, und die die Initialen KA hatte. Zum Beispiel K wie Karin, A wie Andersson.«

Ein Schatten von Besorgnis zog über Ylva Brinks Gesicht. »Ist etwas passiert?«

»Nein«, sagte Wallander. »Ich muß nur eine Person identifizieren. Sonst nichts.«

»Ich kann darauf nicht antworten«, sagte sie. »Das sind ganz und gar vertrauliche Informationen. Wenn nicht die Entbindende schriftlich erklärt hat, daß Auskünfte darüber, daß sie hier ist, erteilt werden dürfen. Das gilt meiner Ansicht nach auch für Initialen.«

»Früher oder später muß jemand meine Frage beantworten«, sagte Wallander. »Mein Problem ist, daß ich es jetzt wissen muß.«

»Ich kann Ihnen trotzdem nicht helfen.«

Svedberg hatte nichts gesagt. Wallander sah, daß er die Stirn in Falten zog. »Gibt es hier eine Toilette?« fragte er.

»Um die Ecke.«

Svedberg nickte Wallander zu. »Du hast doch gesagt, du müßtest mal auf die Toilette. Am besten benutzt du jetzt die Gelegenheit.«

Wallander verstand. Er erhob sich und verließ das Zimmer.

Er wartete fünf Minuten auf der Toilette, bevor er zurückging. Ylva Brink war nicht da. Svedberg stand über ein paar Papiere gebeugt, die auf dem Tisch lagen.

»Was hast du gesagt?« fragte Wallander.

»Daß sie der Familie keine Schande machen soll«, antwortete Svedberg. »Außerdem habe ich ihr erklärt, daß sie ein Jahr Gefängnis bekommen kann.«

»Wofür denn?« fragte Wallander erstaunt.

»Behinderung bei der Dienstausübung.«

»So etwas gibt es doch gar nicht.«

»Das weiß sie ja nicht. Hier hast du alle Namen. Ich glaube, am besten lesen wir schnell zusammen.«

Sie gingen die Liste durch. Keine der Frauen hatte die Initialen KA. Es war so, wie Wallander es befürchtet hatte. Eine Niete.

»Vielleicht sind es gar keine Initialen«, sagte Svedberg nachdenklich. »KA bedeutet vielleicht etwas anderes?«

»Und was sollte das sein?«

»Es gibt ja eine Katarina Taxell hier«, sagte Svedberg und wies auf einen Namen. »Die Buchstaben KA sind vielleicht nur eine Abkürzung von Katarina.«

Wallander nickte und ging die Liste noch einmal durch. Es gab keine andere Frau mit der Kombination KA. Keine Karin, keine Karoline. Weder mit C noch mit K.

»Du kannst recht haben«, sagte er. »Schreib die Adresse auf.«

»Die steht nicht da. Nur die Namen. Vielleicht ist es das beste, wenn du unten wartest, während ich noch einmal mit Ylva spreche.«

»Aber laß es dabei bewenden, daß sie der Familie keine Schande machen soll«, sagte Wallander. »Rede nicht von was Strafbarem. Das kann nachher Ärger geben. Ich muß wissen, ob Katarina

Taxell noch hier ist. Ich muß wissen, ob sie Besuch gehabt hat. Ich muß wissen, ob etwas Besonderes mit ihr ist. Familienverhältnisse. Aber vor allem, wo sie wohnt.«

»Das wird wohl eine Weile dauern«, sagte Svedberg. »Ylva ist gerade bei einer Geburt.«

»Ich warte«, sagte Wallander. »Wenn es sein muß, die ganze Nacht.«

Er nahm einen Zwieback aus einer Schale und verließ die Station. Als er zur Ambulanz hinunterkam, war gerade ein Krankenwagen mit einem betrunkenen und blutverschmierten Mann eingetroffen. Wallander kannte ihn. Er hieß Niklasson und hatte einen Schrottplatz am Stadtrand von Ystad. Normalerweise war er nüchtern. Aber er konnte seine Ausfälle haben und geriet dann oft in Schlägereien.

Wallander nickte den Krankenwagenfahrern zu, die er kannte. »Ist es schlimm?« fragte er.

»Niklasson ist zäh«, sagte der ältere der beiden Männer. »Das hier übersteht er auch. Sie haben sich in einer Hütte in Sandskogen geprügelt.«

Wallander ging hinaus auf den Parkplatz. Es war kalt. Er dachte, daß sie auch untersuchen mußten, ob es in Lund eine Karin oder Katarina gab. Das konnte Birch übernehmen. Es war halb zwölf. Die Türen von Svedbergs Wagen waren verschlossen. Er überlegte, ob er die Schlüssel holen sollte. Die Wartezeit konnte lang werden. Aber er ließ es sein.

Er begann, auf dem Parkplatz auf und ab zu gehen.

Plötzlich war er wieder in Rom. Vor ihm, ein Stück entfernt, ging sein Vater. Die Spanische Treppe, dann ein Brunnen. Das Glänzen in seinen Augen. Ein alter Mann allein in Rom. Wußte er, daß er bald sterben würde? Daß er die Reise nach Italien jetzt machen mußte, bevor es zu spät war?

Wallander hielt inne. Ihm steckte ein Kloß im Hals. Wann würde er endlich Zeit haben, die Trauer um seinen Vater anzunehmen? Das Leben warf ihn hin und her. Bald wäre er fünfzig. Jetzt war Herbst. Nacht. Und er ging auf der Rückseite eines Krankenhauses umher und fror. Am meisten fürchtete er, daß das Leben so unbegreiflich würde, daß er nicht mehr damit zurechtkäme. Was blieb ihm dann? Vorzeitige Pensionierung? Ein Gesuch um einfachere Arbeit? Sollte er fünfzehn Jahre durch die Schulen tingeln und über Drogen und Gefahren im Straßenverkehr reden?

Das Haus, dachte er. Und ein Hund. Und vielleicht auch Baiba. Eine äußere Veränderung tut not. Damit fange ich an. Dann werde ich sehen, wie es mit mir selbst weitergeht. Meine Arbeitsbelastung ist immer groß. Ich schaffe es nicht, wenn ich mich zusätzlich noch mit mir selbst abschleppen muß.

Mitternacht war vorüber. Er patrouillierte auf dem Parkplatz. Der Krankenwagen war wieder abgefahren. Alles war still. Er wußte, daß er viele Dinge zu durchdenken hatte. Aber er war zu müde. Das einzige, was er noch schaffte, war, zu warten. Und sich zu bewegen, damit er nicht fror.

Um halb eins kam Svedberg. Er ging schnell. Wallander sah, daß er Neuigkeiten hatte. »Katarina Taxell kommt aus Lund«, sagte er.

Wallanders Spannung stieg. »Ist sie noch da?«

»Sie hat am 15. Oktober ihr Kind bekommen. Sie ist schon wieder zu Hause.«

»Hast du die Adresse?«

»Ich habe noch mehr. Sie ist alleinstehend. Und ein Vater ist nicht angegeben. Außerdem hatte sie nie Besuch, während sie hier war.«

Wallander hielt den Atem an. »Dann kann sie es sein«, sagte er. »Sie muß es sein. Die Frau, die Eugen Blomberg KA nannte.«

Sie fuhren zurück zum Polizeipräsidium. Unmittelbar vor der Einfahrt machte Svedberg eine Vollbremsung, um nicht einen Hasen zu überfahren, der sich in die Stadt verirrt hatte.

Sie setzten sich in die Kantine, die leer war. Irgendwo lief leise ein Radio. Bei den wachhabenden Polizisten klingelte das Telefon. Wallander hatte sich einen Becher mit bitterem Kaffee eingeschenkt.

»Aber es kann kaum sie sein, die Blomberg in einen Sack gesteckt hat«, sagte Svedberg und kratzte sich mit dem Kaffeelöffel die Glatze. »Es fällt mir schwer zu glauben, daß eine junge Mutter hingeht und Leute umbringt.«

»Sie ist ein Zwischenglied«, sagte Wallander. »Wenn meine Auffassung richtig ist. Sie steht zwischen Blomberg und der Person, die jetzt die wichtigste ist.«

»Die Krankenschwester, die Ylva niedergeschlagen hat?«

»Die und keine andere.«

Svedberg strengte sich an, um Wallanders Gedanken zu folgen. »Du meinst also, diese unbekannte Krankenschwester ist auf der Entbindungsstation aufgetaucht, um sie zu treffen?«

»Ja.«

»Aber warum tut sie das in der Nacht? Warum kommt sie nicht zur normalen Besuchszeit? Es gibt doch feste Besuchszeiten. Und keiner schreibt auf, wer kommt und wer Besuch hat.«

Wallander sah ein, daß Svedbergs Fragen ausschlaggebend waren. Er mußte sie beantworten, um weiterzukommen. »Sie will nicht gesehen werden«, sagte er. »Das ist die einzig denkbare Erklärung.«

Svedberg gab nicht nach. »Von wem nicht gesehen? Hatte sie Angst, erkannt zu werden? Wollte sie nicht einmal, daß Katarina Taxell sie sah? Hat sie das Krankenhaus in der Nacht besucht, um eine schlafende Frau zu betrachten?«

»Ich weiß es nicht«, sagte Wallander. »Ich gebe dir recht, es ist merkwürdig.«

»Es gibt nur eine denkbare Erklärung«, fuhr Svedberg fort. »Sie kommt in der Nacht, weil sie am Tag erkannt werden kann.«

Wallander grübelte über Svedbergs Kommentar nach. »Das könnte zum Beispiel bedeuten, daß jemand, der am Tag arbeitet, sie erkannt hätte?«

»Man kann kaum davon ausgehen, daß sie es ohne Grund vorzieht, die Entbindungsstation in der Nacht aufzusuchen. Um sich außerdem noch in eine Situation zu begeben, in der es nötig wird, meine Cousine niederzuschlagen, die nichts Böses getan hat.«

»Es gibt vielleicht eine alternative Erklärung«, sagte Wallander.

»Welche?«

»Daß sie die Entbindungsstation nur in der Nacht besuchen *kann*.«

Svedberg nickte nachdenklich. »Das kann natürlich sein. Aber warum?«

»Dafür kann es viele Erklärungen geben. Wo sie wohnt. Ihre Arbeit. Außerdem will sie diese Besuche vielleicht heimlich machen.«

Svedberg schob seinen Kaffeebecher zur Seite. »Ihre Besuche müssen wichtig gewesen sein. Sie war zweimal da.«

»Wir können einen Zeitplan aufstellen«, sagte Wallander. »Sie kommt zum erstenmal in der Nacht auf den 1. Oktober. Und zwar zu dem Zeitpunkt in der Nacht, wo alle, die arbeiten, besonders müde und am wenigsten aufmerksam sind. Sie bleibt ein paar Minuten und verschwindet wieder. Zwei Wochen später wiederholt sich das Ganze. Der gleiche Zeitpunkt. Diesmal wird sie von Ylva Brink aufgehalten und schlägt sie nieder. Die Frau verschwindet spurlos.«

»Ein paar Tage später bringt Katarina Taxell ihr Kind zur Welt.«

»Die Frau kommt nicht wieder. Aber Eugen Blomberg wird ermordet.«

»Sollte eine Krankenschwester hinter dem Ganzen stecken?«

Sie sahen einander an, ohne etwas zu sagen.

Wallander fiel plötzlich ein, daß er vergessen hatte, Svedberg nach einem wichtigen Detail zu fragen. »Erinnerst du dich an die Plastikklemme, die wir in Gösta Runfelts Koffer gefunden haben?«

Svedberg nickte.

»Ruf noch einmal auf der Entbindungsstation an. Frag Ylva, ob sie sich erinnern kann, daß die Frau, die sie niedergeschlagen hat, ein Namensschild trug.«

Svedberg stand auf und nahm ein Telefon, das an der Wand hing.

Eine von Ylvas Kolleginnen war am Apparat. Svedberg wartete. Wallander trank ein Glas Wasser. Dann begann Svedberg zu fragen. Es war ein kurzes Gespräch.

»Sie ist sicher, daß sie ein Namensschild hatte«, sagte er. »Beide Male.«

»Konnte sie den Namen darauf lesen?«

»Sie war nicht sicher, ob ein Name draufstand.«

Wallander dachte nach. »Sie kann das erste verloren haben«, sagte er. »Irgendwo hat sie die Schwesterntracht her. Da kann sie sich auch eine neue Klemme beschafft haben.«

»Daß wir für uns wichtige Fingerabdrücke im Krankenhaus finden, halte ich für unmöglich«, sagte Svedberg. »Da wird ja ständig geputzt. Außerdem wissen wir nicht, ob sie überhaupt etwas angefaßt hat.«

»Auf jeden Fall hatte sie keine Handschuhe an«, sagte Wallander. »Das wäre Ylva aufgefallen.«

Svedberg schlug sich mit dem Kaffeelöffel an die Stirn.

»Vielleicht trotzdem«, sagte er. »Wenn ich Ylva richtig verstanden habe, hatte die Frau sie gepackt, als sie sie niederschlug.«

»Sie hat nur die Kleidung berührt«, sagte Wallander. »Und daran findet man ja nichts.«

Für eine Weile schien ihn der Mut zu verlassen. »Wir müssen trotzdem mit Nyberg reden«, sagte er dann. »Vielleicht hat sie das Bett angefaßt, in dem Katarina Taxell lag. Wir müssen es versuchen. Wenn wir Fingerabdrücke finden, die mit etwas übereinstimmen, was wir in Runfelts Koffer gefunden haben, dann sind wir einen großen Schritt weiter. Dann können wir anfangen, die gleichen Fingerabdrücke bei Holger Eriksson und Eugen Blomberg zu verfolgen.«

Svedberg schob ihm den Zettel hin, auf dem er Katarina Taxells Personalien aufgeschrieben hatte. Wallander sah, daß sie dreiunddreißig Jahre alt und selbständig war, ohne daß daraus hervorging, was sie beruflich tat. Sie hatte eine Adresse im Zentrum von Lund.

»Morgen früh um sieben sind wir da«, sagte er. »Weil wir zwei heute nacht hier zusammengearbeitet haben, können wir auch damit weitermachen. Aber jetzt tun wir gut daran, ein paar Stunden zu schlafen.«

»Es ist schon komisch«, sagte Svedberg. »Erst suchen wir einen Söldner, und jetzt eine Krankenschwester.«

»Die vermutlich nicht echt ist«, ergänzte Wallander.

»Das wissen wir genaugenommen nicht«, betonte Svedberg. »Daß Ylva sie nicht kannte, besagt ja noch nicht, daß sie auch keine Krankenschwester ist.«

»Du hast recht. Die Möglichkeit besteht.«

»Ich fahr dich nach Hause«, sagte Svedberg. »Was macht dein Wagen?«

»Ich müßte mir einen neuen anschaffen. Aber ich weiß nicht, wie ich das bezahlen soll.«

Einer der wachhabenden Beamten kam hastig in den Raum. »Ich wußte, daß ihr hier gewesen seid«, sagte er. »Ich glaube, es ist was passiert.«

Wallander spürte die Faust im Magen. Nicht wieder, dachte er. Das schaffen wir nicht.

»Am Straßenrand zwischen Sövestad und Lödinge liegt ein schwerverletzter Mann. Ein LKW-Fahrer hat ihn entdeckt. Ob er angefahren oder überfallen worden ist, wissen wir nicht. Ein Krankenwagen ist unterwegs. Ich dachte, weil es in der Nähe von Lödinge ist ...«

Er brachte den Satz nicht zu Ende. Svedberg und Wallander waren schon aus dem Raum gerannt.

Sie erreichten die Stelle, als die Sanitäter den Verletzten gerade auf eine Bahre hoben. Wallander erkannte einen der Sanitäter wieder, den er vorher am Krankenhaus getroffen hatte.

»Schiffe begegnen sich in der Nacht«, sagte der Fahrer des Krankenwagens.

»Ist es ein Autounfall?«

»Das wäre dann Fahrerflucht. Aber das hier sieht eher nach anderer Gewaltanwendung aus.«

Wallander blickte sich um. Die Landstraße lag verlassen. »Wer läuft nachts hier herum?« fragte er.

Der Mann hatte schwere Gesichtsverletzungen. Er röchelte schwach.

»Wir müssen los«, sagte der Fahrer des Krankenwagens. »Ich glaube, das hier könnte eilig sein. Vielleicht hat er innere Verletzungen.«

Der Krankenwagen verschwand. Sie untersuchten den Platz im Licht der Scheinwerfer von Svedbergs Wagen. Kurz danach kam eine Nachtstreife aus Ystad. Svedberg und Wallander hatten nichts gefunden. Nicht die geringste Bremsspur. Svedberg teilte den eben angekommenen Polizisten mit, was geschehen war.

Dann fuhren Wallander und er nach Ystad zurück. Es war stürmisch geworden. Svedberg konnte in seinem Wagen die Außentemperatur ablesen. Drei Grad plus.

»Das hier ist bestimmt etwas anderes«, sagte Wallander. »Wenn du mich am Krankenhaus absetzt, kannst du nach Hause fahren und eine Weile schlafen. Dann ist einer von uns morgen früh weniger müde.«

»Wo soll ich dich abholen?« fragte Svedberg.

»In der Mariagatan. Sagen wir um sechs. Martinsson ist früh auf. Ruf ihn an, erzähl ihm, was los ist. Sag ihm, er soll mit Nyberg über die Plastikklemme reden. Sag ihm, daß wir nach Lund fahren.«

Zum zweitenmal in dieser Nacht stand Wallander vor der Notaufnahme des Krankenhauses. Als er hineinkam, wurde der Verletzte gerade behandelt. Wallander setzte sich hin und wartete. Er war sehr müde. Ohne etwas dagegen tun zu können, schlief er ein. Als er aufschreckte, weil jemand seinen Namen sagte, wußte er im ersten Moment nicht, wo er war. Er hatte geträumt. Von Rom. Er war durch dunkle Straßen gelaufen und hatte seinen Vater gesucht und nicht gefunden.

Ein Arzt stand vor ihm. Im Nu war er hellwach.

»Er kommt durch«, sagte der Arzt. »Aber er ist schlimm zugerichtet worden.«

»Also nicht von einem Auto überfahren?«

»Nein. Er ist überfallen worden. Aber soweit wir es beurteilen können, hat er keine inneren Verletzungen.«

»Hatte er Papiere bei sich?«

Der Arzt gab ihm einen Umschlag. Wallander nahm eine Brieftasche heraus, die unter anderem einen Führerschein enthielt. Der Mann hieß Åke Davidsson. Wallander sah, daß er eine Brille tragen mußte, um Auto fahren zu können. »Kann ich mit ihm sprechen?«

»Ich glaube, es ist besser, damit zu warten.«

Wallander beschloß, Hansson oder Ann-Britt Höglund zu bitten, sich der Sache weiter anzunehmen. Auch wenn es ein schwerer Fall von Körperverletzung war, mußten sie ihn vorläufig zurückstellen. Sie hatten ganz einfach keine Zeit.

Wallander erhob sich, um zu gehen.

»Wir haben noch etwas in seinen Kleidern gefunden, was Sie, glaube ich, interessiert«, sagte der Arzt.

Er reichte Wallander ein Stück Papier. Wallander las die krickelige Handschrift: »Ein Dieb, von den Nachtwachen unschädlich gemacht.«

»Welche Nachtwachen?« fragte er.

»Es hat doch in der Zeitung gestanden«, sagte der Arzt. »Über die Bürgerwehren, die sich gebildet haben. Kann doch gut sein, daß sie sich Nachtwachen nennen.«

Wallander starrte ungläubig auf den Text.

»Dafür spricht noch etwas«, fuhr der Arzt fort. »Das Papier ist mit einem Heftapparat an seiner Kleidung befestigt worden.«

Wallander schüttelte den Kopf. »Das ist doch verdammt noch mal nicht zu fassen«, sagte er.

»Ja«, sagte der Arzt. »Es ist unglaublich, daß es so weit gekommen ist.«

Wallander machte sich nicht die Mühe, ein Taxi zu bestellen. Er ging durch die menschenleere Stadt nach Hause. Er dachte an Katarina Taxell. Und an Åke Davidsson, dem eine Botschaft an die Kleidung geheftet worden war.

Als er in seine Wohnung hinaufkam, zog er nur die Schuhe und die Jacke aus, legte sich aufs Sofa und deckte sich mit einer Wolldecke zu. Der Wecker war gestellt. Aber er konnte nicht einschlafen. Außerdem bekam er Kopfschmerzen. Er ging in die Küche und löste Tabletten in einem Glas Wasser auf. Die Straßenlaterne vor dem Fenster schwankte im Wind. Dann legte er sich wieder hin. Er verfiel in eine Art Halbschlaf, bis der Wecker klingelte. Als er sich aufsetzte, war er noch müder als vorher. Er ging ins Badezimmer und sprengte sich kaltes Wasser ins Gesicht. Dann wechselte er das Hemd. Während er darauf wartete, daß der Kaffee durchlief, rief er Hansson an. Es dauerte lange, bis er sich meldete. Wallander merkte, daß er ihn geweckt hatte.

»Ich bin noch nicht fertig mit den Papieren aus Östersund«, sagte Hansson. »Ich habe bis zwei Uhr nachts daran gesessen. Ich habe noch ungefähr vier Kilo vor mir.«

»Wir reden später darüber«, unterbrach ihn Wallander. »Ich möchte nur, daß du zum Krankenhaus fährst und mit einem Mann namens Åke Davidsson redest. Er ist gestern abend oder heute nacht irgendwo bei Lödinge überfallen worden. Von Leuten, die wahrscheinlich einer Bürgerwehr angehören. Ich möchte, daß du dich darum kümmerst.«

»Und was mach ich mit den Papieren aus Östersund?«

»Das mußt du gleichzeitig erledigen. Svedberg und ich fahren nach Lund. Du hörst später mehr.«

Er beendete das Gespräch, bevor Hansson noch irgendwelche Fragen stellen konnte.

Er hätte nicht den Nerv gehabt, sie zu beantworten.

Um sechs hielt Svedberg vor seiner Tür. Wallander stand mit der Kaffeetasse am Küchenfenster und sah ihn kommen.

»Ich habe mit Martinsson gesprochen«, sagte Svedberg, als Wallander sich neben ihn gesetzt hatte. »Er wollte Nyberg bitten, sich die Plastikklemme vorzunehmen.«

»Ist ihm klargeworden, worauf wir aus sind?«

»Ich glaube, ja.«

»Dann fahren wir.«

Wallander lehnte sich zurück und schloß die Augen. Das Beste, was er auf dem Weg nach Lund tun konnte, war schlafen.

Katarina Taxell wohnte in einem Mietshaus an einem Platz, den Wallander nicht kannte. »Vielleicht ist es besser, wir rufen Birch an«, sagte er. »Damit es nachher keinen Ärger gibt.«

Svedberg erreichte ihn zu Hause. Er gab Wallander den Hörer. Wallander erklärte in aller Kürze, was geschehen war. Birch versprach, in zwanzig Minuten dazusein. Sie saßen im Auto und warteten. Der Himmel war grau. Es regnete nicht. Aber der Wind war stärker geworden. Birchs Auto hielt hinter ihnen. Wallander erklärte ihm genauer, was bei dem Gespräch mit Ylva Brink herausgekommen war. Birch hörte aufmerksam zu. Wallander konnte aber sehen, daß er skeptisch war.

Dann gingen sie hinein. Katarina Taxell wohnte im ersten Stock links.

»Ich halte mich im Hintergrund«, sagte Birch. »Das Gespräch mußt du führen.«

Svedberg klingelte an der Tür. Sie wurde fast augenblicklich geöffnet. Vor ihnen stand eine Frau im Morgenrock. Sie hatte vor Müdigkeit dunkle Ringe unter den Augen. Wallander dachte, daß sie ihn an Ann-Britt Höglund erinnerte.

Wallander grüßte und versuchte, so freundlich wie möglich zu klingen. Aber als er sagte, daß er Polizeibeamter sei und aus Ystad komme, sah er, daß sie reagierte. Sie gingen in die Wohnung, die einen kleinen und engen Eindruck machte. Überall sah man Zeichen davon, daß sie gerade ein Kind bekommen hatte. Wallander erinnerte sich daran, wie es in seiner eigenen Wohnung ausgesehen hatte, als Linda geboren war. Sie betraten ein Wohnzimmer mit hellen Holzmöbeln. Auf dem Tisch lag eine Broschüre, die Wallanders Aufmerksamkeit erweckte: »Taxells Haarpflegemittel«. Das gab ihm eine denkbare Erklärung, womit sie sich als Selbständige beschäftigte.

»Es tut mir leid, daß wir so früh kommen«, sagte er, nachdem sie sich gesetzt hatten. »Aber unser Anliegen kann nicht warten.«

Er war sich nicht sicher, wie er fortfahren sollte. Sie saß ihm genau gegenüber und ließ sein Gesicht nicht aus den Augen.

»Sie haben gerade auf der Entbindungsstation in Ystad ein Kind bekommen«, sagte er.

»Einen Jungen«, sagte sie. »Er wurde am 15. geboren. Um drei Uhr am Nachmittag.«

»Meine herzlichen Glückwünsche«, sagte Wallander. Svedberg und Birch schlossen sich murmelnd an.

»Ungefähr zwei Wochen vorher«, fuhr Wallander fort, »um genau zu sein in der Nacht zwischen dem 30. September und dem 1. Oktober – ich möchte gern wissen, ob Sie Besuch hatten, erwartet oder unerwartet, irgendwann nach Mitternacht.«

Sie blickte ihn verständnislos an. »Wer sollte das gewesen sein?«

»Eine Krankenschwester, die Sie vielleicht früher noch nicht gesehen hatten?«

»Ich kannte alle, die nachts gearbeitet haben.«

»Diese Frau kam zwei Wochen später noch einmal«, sagte er. »Und wir glauben, daß sie da war, um Sie zu besuchen.«

»In der Nacht?«

»Ja. Irgendwann nach zwei Uhr.«

»Mich hat niemand besucht. Außerdem habe ich geschlafen.«

Wallander nickte langsam. Birch stand hinter dem Sofa, Svedberg saß auf einem Stuhl an der Wand. Alles war plötzlich sehr still.

Sie warteten darauf, daß Wallander fortfuhr.

Es fiel ihm schwer, sich zu konzentrieren. Er war immer noch müde. Eigentlich hätte er fragen sollen, warum sie so lange auf der Entbindungsstation gelegen hatte. Waren während der Schwangerschaft Komplikationen aufgetreten? Aber er ließ es auf sich beruhen.

Etwas anderes war wichtiger.

Es war ihm nicht entgangen, daß sie nicht die Wahrheit sagte. Er war überzeugt davon, daß sie Besuch gehabt hatte. Und daß sie wußte, wer die Frau war.

28

Ein Kind begann plötzlich zu schreien. Katarina Taxell stand auf und verließ das Zimmer. Wallander hatte sich im gleichen Moment entschieden, wie er das Gespräch weiterführen wollte. Schon vom ersten Augenblick an hatte er etwas Unbestimmtes und Ausweichendes an ihr wahrgenommen. Die langen Jahre als Polizist, in denen er gezwungen war, den Unterschied zwischen Lüge und Wahrheit zu erspüren, hatten ihm ein fast unfehlbares Gefühl dafür gegeben, wann jemand von der Wahrheit abwich. Er stand auf und trat ans Fenster zu Birch. Svedberg kam hinzu. Sie steckten die Köpfe zusammen, und Wallander sprach mit leiser Stimme. Die ganze Zeit behielt er die Tür im Auge.

»Sie sagt nicht die Wahrheit«, flüsterte er.

Die anderen schienen nichts gemerkt zu haben. Oder sie waren weniger überzeugt. Aber sie machten keine Einwände.

»Es ist möglich, daß das hier seine Zeit braucht«, sagte Wallander. »Aber weil ich der Meinung bin, daß sie für uns von entscheidender Bedeutung ist, gebe ich nicht klein bei. Sie weiß, wer diese Frau ist. Und ich bin überzeugter davon denn je, daß sie wichtig ist.«

Birch schien erst jetzt den Zusammenhang zu begreifen. »Meinst du, daß hinter dem allen eine Frau steckt? Eine Frau als Täterin?«

Er klang, als sei er über seine eigenen Worte erschrocken.

»Sie muß nicht notwendigerweise die Mörderin sein«, sagte Wallander. »Aber es gibt eine Frau irgendwo im Zentrum dieser Ermittlung. Davon bin ich überzeugt. Und wenn sie nur etwas verdeckt, was sich wiederum dahinter befindet. Deshalb müssen wir sie so schnell wie möglich fassen. Wir müssen wissen, wer sie ist.«

Das Kind hörte auf zu schreien. Svedberg und Wallander gingen schnell zurück an ihre früheren Plätze. Es dauerte eine Minute. Dann kam Katarina Taxell zurück und setzte sich aufs Sofa. Wallander sah, daß sie äußerst wachsam war.

»Kommen wir zurück zur Entbindungsstation in Ystad«, sagte er freundlich. »Sie sagen, daß Sie geschlafen haben. Und daß niemand Sie in diesen Nächten besucht hat?«

»Ja.«

»Sie wohnen hier in Lund. Trotzdem haben Sie Ihr Kind in Ystad bekommen?«

»Die Methoden, die dort praktiziert werden, sagen mir zu.«

»Ich weiß«, sagte Wallander. »Meine eigene Tochter ist auch in Ystad geboren.«

Sie reagierte nicht. Wallander verstand, daß sie nur auf Fragen antworten wollte. Darüber hinaus würde sie freiwillig nichts sagen.

»Ich stelle Ihnen jetzt eine persönliche Frage«, fuhr er fort. »Da dies hier kein Verhör ist, brauchen Sie nicht zu antworten. Aber dann muß ich Ihnen sagen, daß es nötig sein kann, daß wir Sie ins Polizeipräsidium mitnehmen und ein formelles Verhör durchführen müssen. Wir sind hergekommen, weil wir Informationen im Zusammenhang mit mehreren schweren Gewaltverbrechen suchen.«

Sie reagierte noch immer nicht. Ihr Blick fixierte ihn, als wollte sie ihm direkt in den Kopf starren. Etwas in ihren Augen bereitete ihm Unbehagen.

»Haben Sie verstanden, was ich sage?«

»Ich habe verstanden. Ich bin nicht dumm.«

»Akzeptieren Sie, daß ich Fragen persönlicher Art stelle?«

»Das kann ich erst sagen, wenn ich sie gehört habe.«

»Es hat den Anschein, daß Sie hier allein leben. Sie sind nicht verheiratet?«

»Nein.«

Die Antwort kam schnell und bestimmt. Hart, dachte Wallander. Als schlüge sie zu.

»Darf ich fragen, wer der Vater Ihres Kindes ist?«

»Darauf will ich nicht antworten. Das braucht niemanden zu interessieren außer mich selbst. Und das Kind.«

»Wenn der Vater des Kindes Opfer eines Gewaltverbrechens geworden ist, muß man wohl sagen, daß es mit der Sache zu tun hat.«

»Das würde voraussetzen, daß Sie wissen, wer der Vater meines Kindes ist. Aber das wissen Sie nicht. Also ist die Frage unsinnig.«

Wallander sah ein, daß sie recht hatte. Auf den Kopf gefallen war sie nicht.

»Lassen Sie mich eine andere Frage stellen«, fuhr er fort. »Kennen Sie einen Mann namens Eugen Blomberg?«

»Ja.«

»Auf welche Weise kennen Sie ihn?«

»Ich kenne ihn.«

»Wissen Sie, daß er ermordet wurde?«

»Ja.«

»Woher wissen Sie das?«

»Ich habe es heute morgen in der Zeitung gelesen.«

»Ist er der Vater Ihres Kindes?«

»Nein.«

Sie lügt gut, dachte Wallander. Aber nicht überzeugend genug.

»Hatten Sie nicht ein Verhältnis mit Eugen Blomberg?«

»Das stimmt.«

»Und trotzdem ist er nicht der Vater Ihres Kindes?«

»Nein.«

»Wie lange dauerte Ihr Verhältnis?«

»Zweieinhalb Jahre.«

»Es muß heimlich gewesen sein, weil er verheiratet war.«

»Er hat mich belogen. Ich habe es erst viel später erfahren.«

»Was geschah da?«

»Ich habe Schluß gemacht.«

»Wann war das?«

»Vor ungefähr einem Jahr.«

»Danach haben Sie sich nicht mehr getroffen?«

»Nein.«

Wallander nutzte die Gelegenheit und ging zum Angriff über.

»Wir haben Briefe bei ihm gefunden, die Sie ihm noch vor ein paar Monaten geschrieben haben.«

Sie ließ sich nicht erschüttern. »Wir haben uns geschrieben. Aber wir haben uns nicht gesehen.«

»Das Ganze wirkt sehr eigenartig.«

»Er hat geschrieben. Ich habe geantwortet. Er wollte, daß wir uns wieder treffen. Das wollte ich nicht.«

»Weil Sie einen anderen Mann getroffen hatten?«

»Weil ich ein Kind erwartete.«

»Und den Namen des Vaters wollen Sie nicht sagen?«

»Nein.«

Wallander warf einen Blick auf Svedberg, der auf den Fußboden starrte. Birch sah zum Fenster hinaus. Wallander wußte, daß beide unter Hochspannung standen.

»Wer, glauben Sie, kann Eugen Blomberg getötet haben?«

Wallander ließ die Frage mit aller Wucht los. Birch bewegte sich am Fenster. Svedberg ging dazu über, seine Hände anzustarren.

»Ich weiß nicht, wer ihn hätte töten wollen.«

Das Kind gab wieder Laute von sich. Sie sprang auf. Wieder war sie fort. Wallander sah die beiden anderen an. Birch schüttelte den Kopf. Wallander versuchte, die Situation einzuschätzen. Es würde große Probleme bereiten, eine Frau zum Verhör vorzuladen, die ein drei Tage altes Kind hatte. Außerdem lag kein Verdacht gegen sie vor. Er entschloß sich schnell. Sie stellten sich wieder ans Fenster.

»Ich breche hier ab«, sagte Wallander. »Aber ich will, daß sie beschattet wird. Und ich will alles über sie wissen, was es überhaupt gibt. Sie scheint eine Firma zu haben, die irgendwelche Produkte für Haarpflege verkauft. Ich will alles über ihre Eltern wissen, Freunde, was sie früher gemacht hat. Sucht sie in allen Karteien, die es gibt. Ich brauche ein lückenloses Bild.«

»Wir nehmen das in die Hand«, sagte Birch.

»Svedberg bleibt hier in Lund. Wir brauchen hier jemand, der über die früheren Morde im Bild ist.«

»Eigentlich würde ich lieber nach Hause fahren«, sagte Svedberg. »Du weißt doch, daß ich mich außerhalb von Ystad nicht richtig wohl fühle.«

»Ich weiß«, sagte Wallander. »Aber im Moment ist es nicht zu ändern. Ich werde jemand bitten, dich abzulösen, wenn ich nach

Ystad komme. Wir können es uns im Augenblick nicht leisten, daß Leute unnötig hin- und herfahren.«

Plötzlich stand sie in der Tür. Sie hielt das Kind im Arm. Wallander lächelte. Sie gingen zu ihr und betrachteten den Jungen. Svedberg, der Kinder liebte, obwohl er selbst keine hatte, fing an, mit dem Baby herumzudallern.

Wallander merkte plötzlich, daß etwas eigentümlich war. Er dachte daran, wie es war, als Linda geboren wurde. Als Mona sie herumgetragen hatte. Als er selbst es getan hatte, ständig in Angst, sie fallen zu lassen.

Dann kam er darauf. Sie hielt das Kind nicht an ihren Körper gedrückt. Sie hielt es wie etwas, was eigentlich nicht zu ihr gehörte.

Ihm wurde beklommen zumute. Aber er ließ sich nichts anmerken.

»Wir wollen nicht länger stören«, sagte er. »Wir lassen mit Sicherheit wieder von uns hören.«

»Ich hoffe, Sie kriegen die Person, die Eugen ermordet hat«, sagte sie.

Wallander sah sie an. Dann nickte er.

»Ja«, sagte er. »Wir klären das auf. Das kann ich Ihnen versprechen.«

Sie kamen auf die Straße. Der Wind war noch stärker geworden.

»Was hältst du von ihr?« fragte Birch.

»Sie sagt natürlich nicht die Wahrheit«, sagte Wallander. »Aber es war, als ob sie auch nicht gelogen hätte.«

Birch betrachtete ihn fragend. »Wie soll ich das verstehen? Als ob sie zur gleichen Zeit gelogen und die Wahrheit gesagt hätte?«

»Ungefähr«, sagte Wallander. »Was das bedeutet, weiß ich auch nicht.«

»Mir ist eine Kleinigkeit aufgefallen«, sagte Svedberg plötzlich. »Daß sie ›die Person‹ gesagt hat und nicht ›ihn‹ oder ›den Täter‹.«

Wallander nickte, es war ihm auch aufgefallen.

»Muß das etwas zu bedeuten haben?« fragte Birch skeptisch.

»Nein«, sagte Wallander. »Aber sowohl Svedberg als auch mir ist es aufgefallen. Und das wiederum bedeutet vielleicht etwas.«

Sie kamen überein, daß Wallander mit Svedbergs Wagen nach Ystad zurückfahren sollte. Er versprach erneut, jemand zu schicken, der ihn in Lund so schnell wie möglich ablöste.

»Das hier ist wichtig«, sagte er noch einmal zu Birch. »Katarina Taxell hat im Krankenhaus Besuch von dieser Frau gehabt. Wir müssen rausfinden, wer sie ist. Die Hebamme, die von ihr niedergeschlagen wurde, hat eine ziemlich gute Personenbeschreibung von ihr gegeben.«

»Gib sie mir«, sagte Birch. »Es kann ja sein, daß sie sie auch hier besucht.«

»Sie war sehr groß«, sagte Wallander. »Ylva Brink ist selbst 1,74. Sie glaubt, daß die Frau ungefähr 1,80 war. Dunkles Haar, halblang und glatt. Blaue Augen, spitze Nase, schmale Lippen. Sie war kräftig, aber nicht dick. Nicht besonders auffällige Figur. Die Wucht des Schlags läßt vermuten, daß sie stark ist. Vielleicht gut trainiert.«

»Das paßt aber auf ziemlich viele Personen«, sagte Birch.

»Das tun alle Personenbeschreibungen«, sagte Wallander. »Und doch begreift man sofort, wenn man die richtige gefunden hat.«

»Hat sie etwas gesagt? Wie war ihre Stimme?«

»Sie hat kein Wort gesprochen. Sie hat sie nur niedergeschlagen.«

»Hat sie auf ihre Zähne geachtet?«

Wallander sah Svedberg an, der den Kopf schüttelte.

»War sie geschminkt?«

»Nicht auffallend.«

»Wie sahen die Hände aus? Hatte sie falsche Fingernägel?«

»Die hatte sie mit Sicherheit nicht. Ylva Brink sagte, das hätte sie bemerkt.«

Birch hatte sich Notizen gemacht. Er nickte. »Mal sehen, was wir tun können«, sagte er. »Die Überwachung hier vor dem Haus muß sehr diskret ablaufen. Sie wird auf der Hut sein.«

Sie gingen auseinander. Svedberg gab Wallander seine Wagenschlüssel. Unterwegs versuchte Wallander zu verstehen, warum

Katarina Taxell nicht zugeben wollte, daß sie in den Nächten, als sie auf der Entbindungsstation lag, zweimal Besuch hatte. Wer war die Frau? Wie hing sie mit Katarina Taxell und Eugen Blomberg zusammen? Wie liefen die Drähte weiter? Wie sah die Kette aus, die zu dem Mord führte?

Gleichzeitig fühlte Wallander eine innere Unruhe und fürchtete, auf einem vollkommen falschen Weg zu sein. Möglicherweise brachte er die Ermittlung völlig vom Kurs ab, auf ein Gebiet mit Unterwasserriffs, die zu guter Letzt dazu führen konnten, daß sie Schiffbruch erlitten.

Nichts konnte ihn mehr quälen, ihm den Schlaf rauben, ihm Magenschmerzen verursachen, als die Vorstellung, daß er die Ermittlung mit voller Fahrt in den Untergang steuerte. Er hatte das schon früher erlebt. Daß Ermittlungen sich plötzlich bis zur Unkenntlichkeit zersplitterten. Daß nichts übrigblieb, als ganz von vorn anzufangen. Und es war sein Fehler gewesen.

Es war halb zehn, als er vor dem Präsidium parkte. Als er an der Anmeldung vorüberkam, hielt Ebba ihn fest. »Hier herrscht das totale Chaos«, sagte sie.

»Was ist denn passiert?«

»Lisa Holgersson will sofort mit dir sprechen. Es geht um den Mann, den Svedberg und du heute nacht an der Straße gefunden habt.«

»Ich gehe zu ihr«, sagte Wallander.

»Tu das sofort«, sagte Ebba.

Wallander ging auf direktem Weg zu ihrem Büro. Die Tür stand offen. Hansson saß im Zimmer, er sah blaß aus. Daß Lisa Holgersson erregter war, als er sie je zuvor gesehen hatte, war auch klar. Sie zeigte auf einen Stuhl. »Ich glaube, du hörst dir einmal an, was Hansson zu erzählen hat.«

Wallander zog die Jacke aus und setzte sich.

»Åke Davidsson«, sagte Hansson. »Ich hatte heute morgen ein längeres Gespräch mit ihm.«

»Wie geht es ihm?« fragte Wallander.

»Es sieht schlimmer aus, als es ist. Aber andererseits ist es schlimm genug. Mindestens genauso schlimm wie die Geschichte, die er zu erzählen hatte.«

Hansson hat nicht übertrieben, dachte Wallander später. Er hatte zugehört, erst mit Verblüffung, dann mit wachsender Empörung. Hansson hatte kurzgefaßt und klar berichtet. Aber die Geschichte trat dennoch über alle Ufer. Wallander dachte, daß er an diesem Herbstmorgen etwas gehört hatte, was er bis dahin nicht für möglich gehalten hatte. Nun war es geschehen, und sie würden gezwungen sein, damit zu leben. Schweden veränderte sich ständig. Häufig handelte es sich um schleichende Veränderungen, die man erst im nachhinein einordnen konnte. Aber manchmal hatte Wallander das Gefühl, daß ein Ruck durch die ganze Gesellschaft ging. So jedenfalls empfand er die Veränderungen, die er als Polizeibeamter registrierte und erlebte.

Hanssons Geschichte über Åke Davidsson war so ein Ruck, der dazu führte, daß Wallanders Bewußtsein erschüttert wurde.

Åke Davidsson war Beamter bei der Sozialverwaltung in Malmö. Er war aufgrund seines schlechten Sehvermögens als teilweise arbeitsunfähig eingestuft. Nach langjährigem Kampf war es ihm gelungen, einen Führerschein mit Auflagen zu bekommen. Seit dem Ende der siebziger Jahre hatte Åke Davidsson ein Verhältnis mit einer Frau in Lödinge. Am gestrigen Abend hatte sie Schluß gemacht. Im Normalfall übernachtete Åke Davidsson in Lödinge, weil er im Dunkeln nicht fahren durfte. Jetzt war er gezwungen gewesen, es doch zu tun. Er hatte sich verfahren und schließlich angehalten, um nach dem Weg zu fragen. Da war er von einer Nachtpatrouille freiwilliger Wachen niedergeschlagen worden, die sich in Lödinge organisiert hatten. Sie hatten ihn als Dieb hingestellt und sich geweigert, seine Erklärung zu akzeptieren. Seine Brille war verschwunden, vielleicht war sie zerschlagen worden. Er war bewußtlos geprügelt worden und erst wieder zu sich gekommen, als die Sanitäter ihn auf die Trage hoben.

Das war Hanssons Geschichte von Åke Davidsson. Aber es war noch nicht alles.

»Åke Davidsson ist ein friedlicher Mensch, der nicht nur schlechte Augen hat, sondern auch noch an überhöhtem Blutdruck leidet. Ich habe mit einigen seiner Kollegen in Malmö gesprochen, die hellauf empört waren. Einer von ihnen erzählte etwas, was Åke Davidsson selbst nicht erwähnte. Vielleicht, weil er ein zurückhaltender Mensch ist.«

Wallander hörte zu.

»Åke Davidsson ist ein sehr aufopferungsvolles aktives Mitglied von Amnesty International«, sagte Hansson. »Die Frage ist, ob diese Organisation sich von jetzt an nicht auch für Schweden interessieren sollte, wenn dieser Trend zu brutalen Nachtwachen und Bürgerwehren nicht gestoppt wird.«

Wallander war sprachlos. Ihm war übel, und ihn überkam die Wut.

»Diese Typen haben einen Anführer«, ergänzte Hansson. »Er heißt Eskil Bengtsson und ist Fuhrunternehmer in Lödinge.«

»Wir müssen der Sache ein Ende machen«, sagte Lisa Holgersson. »Auch wenn wir bis über die Ohren in den Mordermittlungen stecken. Wir brauchen zumindest einen Plan, was wir tun wollen.«

»Der Plan existiert schon«, sagte Wallander und stand auf. »Er ist ganz simpel. Nämlich der, daß wir hinfahren und diesen Eskil Bengtsson holen. Und wir werden jeden einzelnen festnehmen, der mit dieser Bürgerwehr zu tun hat. Åke Davidsson soll sie identifizieren, einen nach dem anderen.«

»Der sieht doch nichts«, sagte Lisa Holgersson.

»Leute, die schlecht sehen, haben häufig ein gutes Gehör«, erwiderte Wallander. »Wenn ich richtig verstanden habe, so ging der Mißhandlung ein verbaler Angriff voraus.«

»Ich frage mich, ob das Stich hält«, sagte sie skeptisch. »Was für Beweise haben wir eigentlich?«

»Für mich hält es Stich«, sagte Wallander. »Du kannst mir natürlich die dienstliche Weisung erteilen, hier im Präsidium zu bleiben.«

Sie schüttelte den Kopf. »Fahr«, sagte sie. »Je schneller, desto besser.«

Wallander nickte Hansson zu. Auf dem Flur blieben sie stehen.

»Ich will zwei Streifenwagen haben«, sagte Wallander und tippte nachdrücklich mit einem Finger auf Hanssons Schulter,

»Und die sollen Blaulicht und Sirenen einschalten, wenn wir Ystad verlassen und nach Lödinge reinkommen. Es würde auch nicht schaden, wenn jemand der Presse einen Tip gäbe.«

»Das können wir ja wohl schlecht«, sagte Hansson bedauernd.

»Natürlich können wir das nicht«, sagte Wallander. »Wir fahren in zehn Minuten los. Im Auto können wir über die Papiere aus Östersund reden.«

»Ich habe noch ein Kilo«, sagte Hansson. »Das ist eine unglaubliche Nachforschung. Runde um Runde. Es gibt sogar einen Sohn, der nach seinem Vater die Arbeit weitergeführt hat.«

»Im Wagen«, unterbrach ihn Wallander. »Nicht hier.«

Als Hansson gegangen war, trat Wallander zur Anmeldung. Er redete leise mit Ebba. Sie nickte und versprach ihm, zu tun, was er gesagt hatte.

Fünf Minuten später waren sie auf dem Weg. Mit Blaulicht und Sirenen verließen sie die Stadt.

»Wofür sollen wir ihn festnehmen?« fragte Hansson. »Eskil Bengtsson, den Fuhrunternehmer?«

»Er steht im Verdacht der schweren Körperverletzung«, antwortete Wallander. »Anstiftung zur Gewalt. Davidsson muß zur Landstraße transportiert worden sein. Da versuchen wir es mit Menschenraub. Aufwiegelung.«

»Für diese Sache kriegst du Per Åkesson auf den Hals.«

»Das ist nicht so sicher«, sagte Wallander.

»Es kommt mir vor, als rückten wir aus, um ein paar richtig gefährliche Burschen zu schnappen.«

»Ja«, gab Wallander zurück. »Du hast vollkommen recht. Wir haben es mit richtig gefährlichen Personen zu tun. Im Moment kann ich mir nur schwer Menschen vorstellen, die für die Rechtssicherheit in diesem Land gefährlicher sind.«

Sie bremsten vor Eskil Bengtssons Hof, der am Ortseingang lag. Zwei Lastwagen und ein Bagger standen vor dem Haus. In einem Zwinger bellte ein wütender Hund.

»Also holen wir ihn«, sagte Wallander.

Als sie die Haustür erreichten, wurde sie von einem kräftigen Mann mit gewölbtem Bauch geöffnet. Wallander warf einen Blick auf Hansson, der nickte.

»Kommissar Wallander von der Polizei in Ystad«, sagte Wallander. »Ziehen Sie sich eine Jacke an. Sie kommen mit.«

»Und wohin?«

Die Arroganz des Mannes ließ Wallander beinahe die Beherrschung verlieren. Hansson merkte es und packte ihn am Arm.

»Sie kommen mit nach Ystad«, sagte Wallander mit mühsam erkämpfter Ruhe. »Und Sie wissen sehr wohl, warum.«

»Ich habe nichts getan«, sagte Eskil Bengtsson.

»O doch«, sagte Wallander. »Sie haben sogar viel zuviel getan. Wenn Sie jetzt Ihre Jacke nicht holen, dann fahren Sie ohne mit.«

Eine kleine dünne Frau tauchte an der Seite des Mannes auf.

»Was ist denn los?« rief sie mit hoher, schriller Stimme. »Was hat er denn getan?«

»Halt du dich da raus«, sagte der Mann und stieß sie zurück ins Haus.

»Legt ihm Handschellen an«, sagte Wallander.

Hansson starrte ihn verständnislos an. »Warum das?«

Wallander hatte jetzt seine Geduld verbraucht. Er wandte sich an einen der Streifenpolizisten und bekam ein Paar Handschellen. Dann ging er die Treppe hinauf, forderte Eskil Bengtsson auf, die Hände vorzustrecken, und legte ihm die Handschellen an. Es ging so schnell, daß Bengtsson überhaupt nicht daran dachte, zu reagieren. Gleichzeitig flammte ein Blitzlicht auf. Ein Fotograf, der gerade aus seinem Auto gesprungen war, hatte ein Bild gemacht.

»Woher zum Teufel weiß die Presse, daß wir hier sind?« fragte Hansson.

»Du sagst es«, gab Wallander zurück und dachte, daß Ebba zuverlässig und schnell war. »Fahren wir!«

Die Frau, die ins Haus geschubst worden war, kam wieder heraus. Plötzlich ging sie auf Hansson los und schlug mit den Fäusten auf ihn ein. Der Fotograf machte Bilder. Wallander führte Eskil Bengtsson zum Wagen.

»Das kriegst du heimgezahlt«, sagte Eskil Bengtsson.

Wallander lachte. »Sicher«, erwiderte er. »Aber das ist nichts gegen das, was du kriegst. Fangen wir gleich mit den Namen an. Wer war mit dabei letzte Nacht?«

Eskil Bengtsson antwortete nicht. Wallander stieß ihn unsanft in den Wagen. Hansson hatte sich inzwischen von der rasenden Frau befreit.

»Die gehört verdammt noch mal in den Hundezwinger«, sagte er. Er war so erregt, daß er zitterte. Sie hatte ihm einen tiefen Riß auf der Backe beigebracht.

»Jetzt fahren wir«, sagte Wallander. »Du setzt dich in das andere Auto und fährst zum Krankenhaus. Ich will wissen, ob Åke Davidsson irgendwelche Namen gehört hat. Ob er jemand gesehen hat, der Eskil Bengtsson gewesen sein kann.«

Hansson nickte und ging. Der Fotograf trat zu Wallander.

»Wir haben einen anonymen Tip bekommen«, sagte er. »Was ist denn los?«

»Eine Reihe von Personen hier in der Gegend hat gestern abend einen unschuldigen Menschen angegriffen und schwer verletzt. Sie scheinen in einer Art Bürgerwehr organisiert zu sein. Der Mann war in jeder Hinsicht unschuldig, außer in der, daß er sich verfahren hatte. Sie haben behauptet, er sei ein Dieb. Sie haben ihn fast totgeschlagen.«

»Und der Mann im Auto?«

»Er steht im Verdacht, daran beteiligt gewesen zu sein. Außerdem wissen wir, daß er einer der Initiatoren dieses Unfugs ist. Wir wollen keine Bürgerwehren in Schweden. Weder in Schonen noch anderswo.«

Der Fotograf wollte noch eine Frage stellen. Wallander hob abwehrend die Hand.

»Es gibt eine Pressekonferenz«, sagte er. Dann ordnete er an, auch auf dem Rückweg mit Sirenen zu fahren. Mehrere Autos mit Schaulustigen waren vor der Hofeinfahrt stehengeblieben. Wallander drängte sich auf die Rückbank neben Eskil Bengtsson.

»Wollen wir mit den Namen anfangen?« fragte er. »Dann sparen wir Zeit. Deine und meine.«

Eskil Bengtsson antwortete nicht. Wallander spürte, daß er stark nach Schweiß roch.

Wallander brauchte drei Stunden, bis Eskil Bengtsson zugab, an der Mißhandlung von Åke Davidsson beteiligt gewesen zu sein. Danach ging es sehr schnell. Eskil Bengtsson benannte die drei anderen Männer, die dabeigewesen waren. Wallander gab Anweisung, sie unverzüglich festzunehmen. Åke Davidssons Wagen, den man in eine verlassene Maschinenhalle draußen auf einem Acker gefahren hatte, war bereits zum Präsidium gebracht worden. Kurz nach drei Uhr am Nachmittag überzeugte Wallander Per Åkesson davon, daß die vier Männer in Untersuchungshaft genommen werden sollten. Anschließend ging er sofort mit Per Åkesson zu dem Raum, in dem eine Anzahl von Journalisten wartete. Lisa Holgersson hatte die Leute bereits über die Ereignisse der Nacht informiert, als Wallander hereinkam. Diesmal freute er sich geradezu, vor die Presse zu treten. Obwohl ihm klar war, daß Lisa Holgersson die grundlegenden Informationen bereits gegeben hatte, schilderte er den Vorfall noch ein weiteres Mal, als könne das nicht oft genug geschehen.

»Vier Personen sind soeben auf Veranlassung der Staatsanwaltschaft festgenommen worden«, sagte er dann. »Es besteht nicht der geringste Zweifel, daß sie sich der schweren Körperverletzung schuldig gemacht haben. Aber noch gravierender ist der Umstand, daß es nicht gerade diese vier hätten sein müssen. Es gibt noch weitere fünf oder sechs Personen, die dort draußen in Lödinge ein privates Wachkommando gebildet haben. Diese Menschen haben sich vorsätzlich über das Gesetz gestellt. Was dabei herauskommt, können wir an diesem Fall eines unschuldigen Mannes sehen, eines Mannes mit schlechten Augen und hohem Blutdruck, der fast ermordet wurde, als er sich verfahren hat. Die Frage ist, ob wir so etwas wollen. Daß es mit Lebensgefahr verbunden ist, nach rechts oder links abzubiegen. Wollen wir das? Daß wir uns von jetzt an alle gegenseitig als Diebe, Vergewaltiger und Totschläger betrachten? Ich kann das hier nicht klar genug sagen. Einige der Menschen, die verleitet worden sind, sich diesen ungesetzlichen und gefährlichen Schutzwehren anzuschließen, haben vielleicht nicht begriffen, worauf sie sich damit eingelassen haben. Das mag noch entschuldbar sein, wenn sie sich unmittelbar aus der Sache herausziehen. Aber diejenigen, die sich in vollem Bewußtsein dessen, was sie tun, an dieser Geschichte beteiligen, sind nicht zu entschuldigen. Die vier Männer, die wir heute festgenommen haben, sind leider ein Beispiel dafür. Man kann nur hoffen, daß die Strafen, die sie bekommen werden, auf andere abschreckend wirken.«

Wallander hatte mit großem Nachdruck gesprochen. Das spürten auch die Journalisten, die sich nicht sofort mit Fragen auf ihn stürzten. Und die wenigen Fragen, die gestellt wurden, bezogen sich fast ausschließlich auf die Bestätigung gewisser Details. Ann-Britt Höglund und Hansson hatten sich an die hintere Wand gestellt. Wallander suchte mit den Augen unter den versammelten Journalisten den Mann von der Zeitung *Anmärkaren*. Aber er war nicht da.

Nach einer halben Stunde war die Pressekonferenz vorüber.

»Das hast du gut gemacht«, sagte Lisa Holgersson.

»Eine andere Art gab es für mich nicht«, antwortete Wallander.

Ann-Britt Höglund und Hansson gaben ihre Zustimmung zu erkennen, als er auf sie zukam. Aber er war nicht erleichtert. Nur sehr hungrig. Und er brauchte Luft. Er sah auf die Uhr.

»Gebt mir eine Stunde«, sagte er. »Laßt uns um fünf zusammenkommen. Ist Svedberg schon zurück?«

»Er ist unterwegs.«

»Wer löst ihn ab?«

»Augustsson.«

»Wer ist das denn?« fragte Wallander verwundert.

»Einer von den Leuten aus Malmö.«

Wallander hatte den Namen vergessen. Er nickte. »Um fünf«, sagte er. »Wir haben viel zu tun.«

Er blieb kurz bei der Anmeldung stehen und dankte Ebba für die Hilfe. Sie lachte.

Wallander ging ins Zentrum. Ein kräftiger Wind wehte. Er setzte sich in die Konditorei am Bushalteplatz und aß ein paar belegte Brote. Der ärgste Hunger verging. Sein Kopf war leer. Er blätterte achtlos in einer zerlesenen Zeitschrift. Auf dem Rückweg ins Präsidium blieb er noch einmal stehen und aß einen Hamburger. Er warf die Serviette in den Papierkorb und wandte sich in seinen Gedanken wieder Katarina Taxell zu. Eskil Bengtsson existierte jetzt nicht mehr für ihn. Aber Wallander wußte, daß sie in Zukunft mit weiteren lokalen Bürgerwehren konfrontiert werden würden. Was Åke Davidsson zugestoßen war, war erst der Anfang.

Um zehn nach fünf waren sie im Sitzungszimmer versammelt. Wallander faßte zunächst zusammen, was sie bisher über Katarina Taxell wußten. Er spürte sofort die gespannte Aufmerksamkeit der Anwesenden. Zum erstenmal während der laufenden Ermittlung hatte er das Gefühl, daß sie sich einem Punkt näherten, an dem ihnen vielleicht ein Durchbruch gelingen würde. Das Gefühl verstärkte sich durch das, was Hansson zu sagen hatte.

»Das Nachforschungsmaterial über Krista Haberman ist uferlos«, sagte er. »Ich habe viel zu wenig Zeit, und es kann sein, daß ich etwas Wesentliches übersehen habe. Aber eine Sache habe ich gefunden, die von Interesse sein kann.«

Er blätterte in seinen Notizen, bis er das Richtige gefunden hatte. »In der zweiten Hälfte der sechziger Jahre hat Krista Haberman dreimal Schonen besucht. Sie war mit einem Vogelbeobachter aus Falsterbo in Kontakt gekommen. Viele Jahre später, als sie bereits lange verschwunden war, reist ein Polizist mit Namen Fredrik Nilsson den ganzen Weg von Östersund herunter, um mit diesem Mann in Falsterbo zu sprechen. Er hat im übrigen notiert, daß er mit dem Zug gefahren ist. Der Mann in Falsterbo heißt Tandvall. Erik Gustav Tandvall. Er erzählt ohne Umschweife, daß er Besuch von Krista Haberman hatte. Ohne daß es direkt zur Sprache kommt, ahnt man, daß sie ein Verhältnis hatten. Aber der Polizeibeamte Nilsson aus Östersund kann an dem Ganzen nichts Verdächtiges finden. Das Verhältnis zwischen Haberman und Tandvall war lange vor ihrem spurlosen Verschwinden zu Ende. Tandvall hat mit Sicherheit nichts mit ihrem Verschwinden zu tun. Damit wird er abgeschrieben und taucht in der Ermittlung nie wieder auf.«

Hansson hatte aus seinen Notizen gelesen. Jetzt blickte er in die Runde der Zuhörenden. »Der Name kam mir irgendwie bekannt vor. Tandvall. Ein ungewöhnlicher Name. Ich hatte das Gefühl, ihn schon einmal gelesen zu haben. Es dauerte eine Weile, bis mir einfiel, wo. In einer Liste von Leuten, die als Autoverkäufer für Holger Eriksson gearbeitet hatten.«

Es war jetzt vollkommen still im Raum. Die Spannung war groß. Alle erkannten, daß Hansson sich zu einem sehr wichtigen Zusammenhang vorgearbeitet hatte.

»Der Autoverkäufer hieß nicht Erik Tandvall«, fuhr Hansson fort, »sondern Göte. Göte Tandvall. Unmittelbar vor dieser Sitzung bekam ich die Bestätigung, daß er Erik Tandvalls Sohn ist. Ich sollte vielleicht noch sagen, daß Erik Tandvall vor ein paar Jahren gestorben ist. Den Sohn habe ich noch nicht ausfindig gemacht.«

Hansson schwieg.

Lange Zeit sagte keiner etwas.

»Das heißt mit anderen Worten«, sagte Wallander langsam, »daß es eine Möglichkeit gibt, daß Holger Eriksson Krista Haberman gekannt hat: eine Frau, die dann spurlos verschwindet. Eine Frau aus Svenstavik. Wo es eine Kirche gibt, die einer Verfügung in Holger Erikssons Testament zufolge eine Schenkung erhält.«

Wieder wurde es still im Raum.

Alle sahen, was das bedeutete.

Endlich zeigten sich die ersten Zusammenhänge.

29

Kurz vor Mitternacht sah Wallander ein, daß sie nicht mehr konnten. Sie saßen seit fünf Uhr zusammen und hatten nur kurze Pausen gemacht, um zu lüften.

Hansson hatte den Anstoß gegeben. Sie hatten einen Zusammenhang gesichert. Die Konturen eines Menschen, der sich schattengleich zwischen den drei getöteten Männern bewegte, begannen hervorzutreten. Auch wenn sie immer noch nur mit Vorsicht das Motiv als bekannt bezeichneten, hatten sie jetzt das Gefühl, sich am äußeren Rand einer Reihe von Ereignissen zu bewegen, deren gemeinsamer Nenner Rache war.

Wallander hatte zu einem gemeinsamen Vorrücken durch das unwegsame Terrain gesammelt, Hansson war gekommen und hatte ihnen die Richtung gewiesen. Aber noch immer hatten sie keine Karte, der sie folgen konnten.

Es hatte auch Zweifel in der Gruppe gegeben. Konnte dies wirklich richtig sein? Daß ein sonderbares Verschwinden vor vielen Jahren, beleuchtet durch fast elf Kilo Untersuchungsmaterial von inzwischen toten Polizisten in Jämtland, ihnen helfen konnte, einen Täter zu entlarven, der unter anderem in einem schonischen Graben angespitzte Bambusstäbe aufstellte?

Erst als sich einige Minuten nach sechs die Tür öffnete und Nyberg hereinkam, verflogen die Zweifel. Nyberg machte sich nicht einmal die Mühe, sich auf seinen Platz unten am Tisch zu setzen. Er ließ ganz gegen seine Art Anzeichen von Erregung erkennen.

»Es lag ein Zigarettenstummel draußen auf dem Steg«, sagte er. »Wir konnten einen Fingerabdruck darauf identifizieren.«

Wallander sah ihn fragend an. »Das geht doch nicht«, sagte er. »Fingerabdrücke auf einer Zigarettenkippe?«

»Wir haben Glück gehabt«, sagte Nyberg. »Du hast recht, daß

es normalerweise nicht geht. Aber es gibt eine Ausnahme. Wenn sie nämlich selbstgedreht ist. Und das war diese.«

Es wurde still im Raum. Zuerst hatte Hansson ein denkbares, ja sogar wahrscheinliches Verbindungsglied zwischen einer seit vielen Jahren verschwundenen Polin und Holger Eriksson gefunden, und jetzt kam Nyberg und sagte, daß Fingerabdrücke auf Runfelts Koffer und von der Stelle, wo Blomberg in seinem Sack gefunden worden war, identisch waren.

Es war beinahe zuviel auf einmal. Eine Ermittlung, die sich bis dahin mühsam vorangeschleppt und noch kaum Bewegung gezeigt hatte, kam plötzlich eindeutig in Fahrt.

Nachdem er seine Neuigkeit präsentiert hatte, setzte sich Nyberg.

»Ein rauchender Täter«, sagte Martinsson. »Der ist heute leichter zu finden als vor zwanzig Jahren. Wenn man bedenkt, daß immer weniger Menschen rauchen.«

Wallander nickte zerstreut. »Wir müssen diese Morde noch einmal miteinander abgleichen. Bei drei Toten brauchen wir mindestens neun Kombinationen. Fingerabdrücke, Zeitpunkte, alles, was auf einen gemeinsamen Nenner hinweist.«

Er blickte sich im Raum um. »Wir müßten einen ordentlichen Zeitplan aufstellen«, sagte er. »Wir wissen, daß die Person oder die Personen, die hinter dieser Sache stecken, mit erheblicher Brutalität zu Werke gehen. Wir haben in der Art und Weise, wie die drei Menschen getötet wurden, ein demonstratives Element gefunden. Aber es ist uns noch nicht gelungen, die Sprache des Mörders zu entziffern, den Kode, von dem wir früher gesprochen haben. Wir haben eine vage Ahnung, daß er zu uns spricht. Er oder sie. Aber was soll uns gesagt werden? Das wissen wir nicht. Die Frage ist, ob es noch ein weiteres Muster in dem Ganzen gibt, das wir nicht entdeckt haben.«

»Du meinst, ob der Täter bei Vollmond zuschlägt?«

»Genau. Der symbolische Vollmond. Wie sieht er in diesem Fall aus? Ich möchte, daß jemand einen Zeitplan aufstellt. Gibt es darin Anhaltspunkte, nach denen wir weiter vorgehen können?«

Martinsson versprach, die Informationen, die sie besaßen, zusammenzustellen. Wallander wußte, daß er sich aus eigenem

Antrieb ein paar Computerprogramme angeschafft hatte, die im Hauptquartier des FBI in Washington entwickelt worden waren. Er nahm an, daß Martinsson jetzt eine Möglichkeit sah, eins davon auszuprobieren.

Dann sprachen sie darüber, daß es tatsächlich ein Zentrum gab. Ann-Britt Höglund legte einen Ausschnitt einer Generalstabskarte in den Projektor. Wallander stellte sich neben das Bild. »Es fängt an in Lödinge«, sagte er und zeigte auf den Ort. »Von irgendwo kommt ein Mensch und fängt an, Holger Erikssons Hof zu beobachten. Wir können annehmen, daß er mit dem Auto kommt und den Feldweg auf der anderen Seite des Hügels benutzt hat, auf dem Holger Erikssons Vogelturm steht. Ein Jahr zuvor ist vielleicht dieselbe Person bei Holger Eriksson eingebrochen. Ohne etwas zu stehlen. Möglicherweise, um ihn zu warnen, sich anzukündigen. Das wissen wir nicht. Es muß sich auch nicht unbedingt um dieselbe Person handeln.«

Wallander zeigte auf Ystad. »Gösta Runfelt freut sich auf eine Reise nach Nairobi, wo er seltene Orchideen studieren will. Alles ist bereit. Der Koffer ist gepackt, Geld gewechselt, die Tickets sind abgeholt. Er hat sogar für den Morgen seiner Abreise ein Taxi bestellt. Aber aus der Reise wird nichts. Er verschwindet spurlos und taucht erst nach drei Wochen wieder auf.«

Sein Finger wanderte weiter. Jetzt zum Wald von Marsvinsholm, westlich der Stadt. »Ein Orientierungsläufer auf seiner nächtlichen Trainingsrunde findet ihn. Festgebunden an einen Baum, erwürgt. Irgendwie muß er in der Zeit seines Verschwindens gefangengehalten worden sein. Wir haben also zwei Morde an zwei verschiedenen Stellen, und Ystad als eine Art Mittelpunkt.«

Sein Finger ging nach Nordosten. »Wir finden einen Koffer an der Straße nach Sjöbo. Nicht weit entfernt von einer Stelle, wo man zu Holger Erikssons Hof abbiegen kann. Der Koffer liegt sichtbar am Straßenrand. Wir denken sofort, daß er dort hingelegt worden ist, um gefunden zu werden. Man kann sich zu recht fragen: Warum gerade da? Weil diese Straße für den Täter günstig liegt? Wir wissen es nicht. Aber die Frage ist wichtiger, als wir vielleicht bisher gemeint haben.«

Wallanders Hand fuhr nun nach Südwesten, zum Krageholmssjön. »Hier finden wir Eugen Blomberg. Das bedeutet, daß wir ein nicht besonders großes, abgegrenztes Gebiet haben. Dreißig, vierzig Kilometer zwischen den äußersten Punkten. Zwischen den verschiedenen Stellen braucht man mit dem Wagen nicht länger als eine halbe Stunde.«

Er setzte sich. »Laßt uns daraus ein paar vorsichtige und vorläufige Schlußfolgerungen ziehen«, sagte er. »Worauf läßt dieses Bild schließen?«

»Ortskenntnis«, sagte Ann-Britt Höglund. »Die Stelle im Wald bei Marsvinsholm ist gut gewählt. Der Koffer ist an einer Stelle hingelegt worden, wo es kein Haus gibt, von dem aus man einen Autofahrer sehen könnte, der anhält und etwas abstellt.«

»Woher weißt du das?« fragte Martinsson.

»Weil ich es persönlich kontrolliert habe.«

Martinsson sagte nichts mehr.

»Man verschafft sich Ortskenntnis, oder man hat Ortskenntnis«, fuhr Wallander fort. »Was von beidem liegt hier vor?«

Sie waren sich nicht einig. Hansson meinte, ein Fremder könne sehr leicht lernen, sich an den aktuellen Stellen zurechtzufinden. Svedberg meinte das Gegenteil. Nicht zuletzt die Wahl des Platzes, wo sie Gösta Runfelt gefunden hatten, deute auf grundlegende Ortskenntnis des Täters.

Wallander selbst war im Zweifel. Zunächst hatte er sich eine Person vorgestellt, die von außen kam. Jetzt war er nicht mehr so sicher.

Es war noch nicht eindeutig. Beide Möglichkeiten mußten weiter bedacht werden. Auch ein Zentrum ließ sich noch nicht benennen. Mit Lineal und Zirkel würden sie irgendwo in der Nähe des Fundorts von Runfelts Koffer landen. Aber das brachte sie nicht weiter.

Sie kamen an diesem Abend ständig auf den Koffer zurück. Warum er dort an der Straße abgelegt worden war. Und warum ihn eine Person, vermutlich eine Frau, umgepackt hatte. Noch weniger fanden sie eine einleuchtende Erklärung für das Fehlen der Unterwäsche. Hansson hatte vorgeschlagen, daß Runfelt möglicherweise ein Sonderling war, der nie Unterwäsche trug. Natürlich nahm keiner das ernst. Es mußte eine andere Erklärung geben.

Um neun Uhr machten sie eine Pause und öffneten die Fenster. Martinsson verschwand in seinem Büro, um zu Hause anzurufen, Svedberg zog seine Jacke über, um einen kurzen Spaziergang zu machen. Wallander ging auf eine Toilette und wusch sich das Gesicht. Als er sich im Spiegel sah, hatte er plötzlich das Gefühl, daß sein Aussehen sich nach dem Tod seines Vaters verändert hatte. Worin der Unterschied bestand, konnte er jedoch nicht sagen. Er schüttelte vor dem Spiegel den Kopf. Bald mußte er Zeit bekommen, über das, was geschehen war, nachzudenken. Sein Vater war schon mehrere Wochen tot. Das hatte er immer noch nicht ganz verinnerlicht, und es verursachte ihm auf unklare Weise ein schlechtes Gewissen. Er dachte auch an Baiba. Die er so gern hatte, die er aber nie anrief.

Er bezweifelte häufig, daß ein Polizeibeamter seinen Beruf mit etwas anderem kombinieren konnte. Was natürlich nicht stimmte. Martinsson hatte ein ausgezeichnetes Verhältnis zu seiner Familie. Ann-Britt Höglund hatte mehr oder weniger die alleinige Verantwortung für zwei Kinder. Es war die Privatperson Wallander, die an dieser Kombination scheiterte, nicht der Polizeibeamte.

Er gähnte sein Spiegelbild an. Vom Korridor konnte er hören, daß sie sich wieder sammelten. Er nahm sich vor, das Gespräch jetzt auf die Frau zu bringen, die im Hintergrund zu ahnen war. Sie mußten versuchen, sie zu sehen und die Rolle, die sie spielte, einzukreisen.

Das war auch das erste, was er sagte, nachdem er die Tür geschlossen hatte. »Immer wieder fällt uns im Hintergrund eine Frau auf. Für den Rest des Abends, solange wir durchhalten, müssen wir uns mit diesem Hintergrund befassen. Wir sprechen von einem Rachemotiv. Aber wir sehen nicht besonders klar. Heißt das, daß wir falsch denken? Daß wir in die falsche Richtung sehen? Daß es eine ganz andere Erklärung geben kann?«

Sie warteten schweigend auf seine Fortsetzung. Obwohl die Stimmung von Erschöpfung und Müdigkeit geprägt war, spürte er, daß noch Konzentration da war.

Er begann mit einem Rückwärtsschritt. Kehrte zu Katarina

Taxell in Lund zurück. »Sie hat hier in Ystad ihr Kind bekommen«, sagte er. »In zwei Nächten bekam sie Besuch. Obwohl sie das abstreitet, bin ich davon überzeugt, daß diese fremde Frau gerade sie besucht hat. Sie lügt also. Fragt sich, warum. Wer ist diese Frau? Warum will sie ihre Identität nicht preisgeben? Von allen Frauen, die in dieser Ermittlung auftauchen, sind Katarina Taxell und die Frau in Schwesterntracht die beiden wichtigsten. Ich glaube weiter, daß Eugen Blomberg der Vater des Kindes ist, das er nie zu Gesicht bekommen hat. Ich glaube, daß Katarina Taxell in bezug auf die Vaterschaft lügt. Als wir da in Lund waren, hatte ich das Gefühl, daß sie fast kein einziges wahres Wort gesagt hat. Aber warum, weiß ich auch nicht. Daß sie einen wichtigen Schlüssel zu diesem ganzen Wirrwarr in der Hand hat, davon können wir trotzdem ausgehen.«

»Warum holen wir sie nicht einfach?« fragte Hansson beinahe hitzig.

»Mit welcher Begründung sollten wir das tun?« erwiderte Wallander. »Sie ist gerade Mutter geworden. Wir können nicht nach Belieben mit ihr umspringen. Ich glaube außerdem, daß sie nicht mehr oder etwas anderes sagen würde als bisher. Und wenn wir sie auf einen Stuhl ins Präsidium in Lund setzen. Wir müssen versuchen, um sie herumzugehen, in ihrer Nähe suchen, die Wahrheit auf andere Art und Weise herauskitzeln.«

Hansson nickte widerstrebend.

»Die dritte Frau in Eugen Blombergs Umfeld ist seine Witwe«, fuhr Wallander nach dem Wortwechsel mit Hansson fort. »Sie hat ein paar wichtige Dinge gesagt. Aber entscheidend ist die Tatsache, daß sie nicht im geringsten um ihn trauert. Er hat sie mißhandelt. Den Narben nach zu urteilen sogar schwer – und außerdem über einen langen Zeitraum hinweg. Sie bestätigt auch indirekt die Geschichte mit Katarina Taxell, wenn sie sagt, daß er außereheliche Affären hatte.«

Als er die letzten Worte aussprach, dachte er, daß er sich anhörte wie ein altmodischer Freikirchenprediger. Er fragte sich, wie Ann Britt Höglund sich wohl ausgedrückt hätte.

»Halten wir fest, daß die Details um Blomberg eine Art Schablone bilden, auf die wir zurückkommen.«

Er ging zu Gösta Runfelt über, immer noch den frühesten Ereignissen zugewandt. »Gösta Runfelt war ein brutaler Mann. Das bezeugen sowohl der Sohn als auch die Tochter. Hinter dem Orchideenliebhaber verbarg sich ein ganz anderer Mensch. Er war außerdem Privatdetektiv. Wofür wir eigentlich kein verständliches Motiv haben. Suchte er Spannung? Reichten die Orchideen nicht? Wir wissen es nicht. Jedenfalls eine komplizierte und widersprüchliche Natur.«

Dann kam er zu Runfelts Frau. »Ich bin zu einem See bei Älmhult gefahren, ohne eigentlich sicher zu sein, was ich da finden wollte. Beweise habe ich nicht. Aber ich kann mir denken, daß Runfelt tatsächlich seine Frau getötet hat. Was da draußen auf dem Eis geschah, werden wir wohl nie erfahren. Die Hauptpersonen sind tot. Zeugen gibt es nicht. Trotzdem habe ich das Gefühl, daß jemand außerhalb der Familie davon wußte. In Ermangelung eines Besseren müssen wir uns die Möglichkeit denken, daß der Tod seiner Ehefrau irgendwie mit Runfelts Schicksal zu tun hat.«

Wallander referierte noch einmal den Hergang. »Er will nach Afrika reisen. Aber er reist nicht. Etwas kommt dazwischen. Wie er verschwindet, wissen wir nicht. Dagegen können wir den Zeitpunkt ziemlich genau bestimmen. Wir haben jedoch keine Erklärung für den Einbruch in seinen Blumenladen. Auch wo er gefangengehalten wird, wissen wir nicht. Der Koffer kann natürlich eine vage geographische Spur sein. Ich glaube auch, daß wir den vorsichtigen Schluß ziehen können, daß er von einer Frau umgepackt wurde. Von der Frau, die auf dem Steg, von dem der Sack mit Blomberg in den See gestoßen wurde, eine selbstgedrehte Zigarette geraucht hat.«

»Das können zwei Personen sein«, wandte Ann-Britt Höglund ein. »Eine Person, die die Zigarette geraucht hat und den Fingerabdruck auf dem Koffer hinterlassen hat, eine andere Person, die ihn umgepackt hat.«

»Du hast recht«, sagte Wallander. »Ich sage dann also, daß mindestens eine von beiden anwesend war.«

Er sah Nyberg an.

»Wir suchen«, sagte Nyberg. »Und zwar draußen bei Holger

Eriksson. Wir haben massenweise Fingerabdrücke gefunden. Aber bisher paßt noch keiner.«

Wallander dachte plötzlich an ein Detail. »Das Namensschild«, sagte er. »Das wir in Runfelts Koffer gefunden haben. Hatte das Fingerabdrücke?«

Nyberg schüttelte den Kopf.

»Das müßte es aber«, sagte Wallander erstaunt. »Man nimmt doch wohl die Finger, wenn man sich ein Namensschild ansteckt.«

Keiner konnte ihm eine brauchbare Erklärung geben.

Wallander ging weiter. »Bisher haben wir uns einer Anzahl von Frauen genähert, von denen eine wiederkehrt. Außerdem haben wir mißhandelte Frauen und vielleicht eine ermordete. Was wir uns fragen müssen, ist: Wer kann davon gewußt haben? Wer kann Grund gehabt haben, das rächen zu wollen? Wenn das Motiv denn Rache ist.«

»Vielleicht haben wir noch etwas«, sagte Svedberg und kratzte sich im Nacken. »Wir haben zwei alte polizeiliche Ermittlungen, die zu den Akten gelegt worden sind. Ohne daß etwas veranlaßt wurde. Eine in Östersund und eine in Älmhult.«

Wallander nickte. »Bleibt noch Holger Eriksson«, sagte er. »Noch ein brutaler Mann. Mit viel Mühe, genauer gesagt mit viel Glück, finden wir auch bei ihm eine Frau im Hintergrund. Eine seit fast dreißig Jahren verschwundene Polin.«

Er sah sich am Tisch um, bevor er seine Zusammenfassung abschloß. »Es gibt mit anderen Worten ein Muster. Brutale Männer und mißhandelte, verschwundene und vielleicht ermordete Frauen. Und noch einen Schritt dahinter einen Schatten, der in der Spur dieser Ereignisse folgt. Ein Schatten, der vielleicht eine Frau ist. Eine rauchende Frau.«

Hansson ließ seinen Bleistift auf den Tisch fallen und schüttelte den Kopf. »Es wirkt trotz allem nicht wahrscheinlich«, sagte er. »Wenn wir uns nun vorstellen, daß eine Frau beteiligt ist. Die über kolossale Kräfte und eine makabre Phantasie verfügt, was ausgeklügelte Mordmethoden anbelangt. Was für ein Interesse sollte sie daran haben, was diesen Frauen passiert ist? Ist sie ihre Freundin? Wie haben sich die Spuren all dieser Menschen gekreuzt?«

»Die Frage ist nicht nur wichtig«, sagte Wallander, »sie ist vermutlich ausschlaggebend. Wie sind alle diese Menschen miteinander in Kontakt gekommen? Wo sollen wir anfangen zu suchen? Bei den Männern oder bei den Frauen? Ein Autohändler, Heimatdichter und Vogelbeobachter, ein Orchideenliebhaber, Privatdetektiv und Blumenhändler – und zum Schluß ein Allergieforscher. Blomberg scheint auf jeden Fall keine ausgefallenen Interessen gehabt zu haben. Er scheint überhaupt keine Interessen gehabt zu haben. Oder sollen wir von den Frauen ausgehen? Eine junge Mutter, die lügt, was den Vater ihres neugeborenen Kindes angeht? Eine Frau, die vor zehn Jahren im Stångsjön bei Älmhult ertrunken ist? Eine Frau aus Polen, die in Jämtland wohnte und sich für Vögel interessierte? Die seit fast dreißig Jahren verschwunden ist? Und schließlich diese Frau, die nachts in der Entbindungsstation von Ystad umherschleicht und Hebammen niederschlägt? Wo sind die Berührungspunkte?«

Das Schweigen dauerte lange. Alle versuchten, eine Antwort zu finden. Wallander wartete. Der Augenblick war wichtig. Am meisten hoffte er, daß einer von ihnen eine unerwartete Schlußfolgerung zog. Rydberg hatte ihm oft gesagt, daß es die wichtigste Aufgabe des Leiters einer Ermittlung war, seine Mitarbeiter dazu anzuregen, das Unerwartete zu denken. Die Frage war jetzt, ob es ihm gelungen war.

Schließlich brach Ann-Britt Höglund das Schweigen. »Es gibt Arbeitsplätze, wo Frauen dominieren. Wenn wir darüber hinaus nach einer Krankenschwester suchen, entweder einer echten oder einer falschen, dann bietet sich das Krankenhausmilieu an.«

»Außerdem kommen die Patienten von überall her«, fuhr Martinsson fort. »Nehmen wir einmal an, die Frau, die wir suchen, hat in einer Ambulanz gearbeitet, dann dürfte sie mit vielen mißhandelten Frauen in Kontakt gekommen sein. Sie haben sich untereinander nicht gekannt, aber sie hat sie kennengelernt. Ihre Namen, die Krankengeschichten.«

Wallander sah ein, daß beide gemeinsam etwas sagten, was stimmen konnte. »Wir wissen also nicht, ob sie möglicherweise Krankenschwester ist«, sagte er. »Wir wissen nur, daß sie nicht auf der Entbindungsstation in Ystad arbeitet.«

»Warum kann sie nicht in einer anderen Abteilung im Krankenhaus arbeiten?« warf Svedberg ein.

Wallander nickte langsam. Konnte es wirklich so einfach sein? Diese unbekannte Schwester aus dem Krankenhaus in Ystad?

»Das müßte relativ leicht herauszufinden sein«, sagte Hansson. »Auch wenn Krankenakten heilige Objekte sind, die weder berührt noch geöffnet werden dürfen, sollte es möglich sein, herauszufinden, ob Gösta Runfelts Frau wegen Mißhandlung im Krankenhaus war. Und warum nicht auch Krista Haberman?«

Wallander ging in eine andere Richtung. »Sind Runfelt und Eriksson jemals wegen Mißhandlung angezeigt worden? Das kann man doch zurückverfolgen. Das wäre vielleicht ein denkbarer Weg.«

»Gleichzeitig gibt es ja auch andere Möglichkeiten«, sagte Ann-Britt Höglund, als habe sie das Bedürfnis, ihren früheren Vorschlag in Frage zu stellen. »Es gibt ja noch mehr Arbeitsplätze, wo Frauen dominieren. Zum Beispiel Krisengruppen für Frauen. Sogar die weiblichen Polizeiangestellten in Schonen haben ein eigenes Netzwerk.«

»Wir müssen alle Alternativen untersuchen«, sagte Wallander. »Das kostet Zeit. Aber ich glaube, wir müssen einsehen, daß diese Ermittlung sich in viele Richtungen gleichzeitig verliert. Nicht zuletzt in die Vergangenheit. Alte Unterlagen durchzuarbeiten ist immer mühsam. Aber ich sehe keine andere Möglichkeit.«

In den letzten beiden Stunden bis Mitternacht berieten sie verschiedene Strategien, die parallel verfolgt werden sollten. Da Martinsson bei seiner Computersuche bisher keine neuen Verbindungen zwischen den drei Opfern gefunden hatte, mußten sie gleichzeitig auf verschiedenen Wegen weitersuchen.

Kurz vor Mitternacht kamen sie nicht mehr weiter.

Hansson stellte die letzte Frage, auf die alle den ganzen Abend gewartet hatten. »Wird es noch einmal passieren?«

»Niemand weiß es«, sagte Wallander. »Leider befürchte ich, daß es möglich ist. Ein Gefühl sagt mir, daß an dem Ganzen etwas Unvollendetes ist. Fragt mich nicht, warum. Es ist eben so. Etwas so Unpolizeiliches wie ein Gefühl. Intuition vielleicht.«

»Ich habe auch ein Gefühl«, sagte Svedberg.

Er sagte das mit solchem Nachdruck, daß sie alle überrascht waren.

»Kann es nicht so sein, daß einfach eine Mordserie auf uns zukommt, die sich ins Unendliche fortsetzt? Wenn es jemand ist, der mit seinem rächenden Finger auf Männer zeigt, die Frauen schlecht behandelt haben? Dann nimmt es nie ein Ende.«

Wallander wußte, daß Svedberg sehr wohl recht haben konnte. Er selbst hatte die ganze Zeit versucht, sich gegen den Gedanken zu wehren. »Die Gefahr besteht«, sagte er. »Was wiederum bedeutet, daß wir die betreffende Person so schnell wie möglich fassen müssen.«

»Verstärkung«, sagte Nyberg, der sich in den letzten zwei Stunden kaum geäußert hatte. »Sonst geht es nicht.«

»Ja«, sagte Wallander. »Ich sehe ein, daß wir die brauchen. Vor allem nach dem, was wir heute abend besprochen haben. Wir können nicht noch mehr arbeiten.«

Hamrén hob die Hand zum Zeichen, daß er etwas sagen wollte. Er saß zusammen mit den beiden Beamten aus Malmö an der unteren Schmalseite des Tisches. »Das letzte will ich gern unterstreichen«, sagte er. »Ich habe selten oder noch nie eine so effektive Polizeiarbeit mit so wenigen Personen erlebt wie hier. Weil ich im Sommer auch hier war, kann ich feststellen, daß das offenbar keine Ausnahme war. Wenn ihr Verstärkung anfordert, wird kein vernünftiger Mensch das abschlagen.«

Die beiden Polizisten aus Malmö nickten zustimmend.

»Ich werde morgen mit Lisa Holgersson darüber sprechen«, sagte Wallander. »Außerdem will ich mich darum bemühen, daß wir ein paar Frauen dazubekommen. Und sei es nur, um die Stimmung zu heben.«

Die Atmosphäre bleierner Müdigkeit verflog für einen Augenblick. Wallander ergriff die Gelegenheit und erhob sich. Es war wichtig zu wissen, wann man eine Sitzung beenden mußte. Jetzt war es soweit. Sie kamen nicht mehr weiter. Sie mußten schlafen.

Wallander ging in sein Büro, um seine Jacke zu holen. Er blätterte den ständig wachsenden Stapel von Telefonmitteilungen durch. Statt die Jacke anzuziehen, ließ er sich auf den Stuhl sinken. Schritte entfernten sich auf dem Korridor. Kurz danach war es still. Er senkte die Arbeitslampe auf den Tisch, so daß der Raum im Halbdunkel lag.

Es war halb eins. Ohne nachzudenken, griff er zum Telefon und wählte Baibas Nummer in Riga. Sie hatte unregelmäßige Schlafgewohnheiten, wie er. Manchmal ging sie früh ins Bett, aber ebensooft konnte sie halbe Nächte auf sein. Er wußte es nie im voraus. Jetzt meldete sie sich sofort. Sie war wach gewesen. Wie immer versuchte er, ihrem Tonfall zu entnehmen, ob sie sich über seinen Anruf freute. Er war sich nie sicher. Diesmal hatte er das Gefühl, daß sie irgendwie abwartend klang. Das verunsicherte ihn sofort. Er wollte Garantien dafür, daß alles war, wie es sein sollte. Er fragte, wie es ihr ginge, erzählte von der mühsamen Ermittlung. Sie stellte ein paar Fragen. Dann wußte er nicht, was er noch sagen sollte. Schweigen auf beiden Seiten zwischen Ystad und Riga.

»Wann kommst du?« fragte er schließlich.

Ihre Gegenfrage überraschte ihn. Auch wenn sie eigentlich logisch war. »Willst du wirklich, daß ich komme?«

»Warum sollte ich das nicht?«

»Du rufst nie an. Und wenn du anrufst, erklärst du mir, daß du eigentlich keine Zeit hast, mit mir zu sprechen. Wie solltest du da Zeit haben, mich zu treffen, wenn ich komme?«

»So ist es nicht.«

»Wie ist es dann?«

Woher die Reaktion kam, wußte er nicht. Weder als es geschah, noch nachher. Er versuchte, seinen eigenen Impuls zu stoppen. Aber es gelang ihm nicht. Er knallte den Hörer auf. Starrte das Telefon an. Dann stand er auf und ging. Schon bevor er an der Vermittlung vorbeikam, bereute er es. Aber er kannte Baiba gut genug, um zu wissen, daß sie nicht abnehmen würde, wenn er jetzt wieder anriefe.

Er trat in die Nachtluft hinaus. Ein Streifenwagen rollte gerade fort und verschwand unten am Wasserturm.

Es war windstill. Die Nachtluft kühl. Klarer Himmel. Dienstag, der 19. Oktober.

Er begriff seine eigene Reaktion nicht. Was wäre geschehen, wenn sie in seiner Nähe gewesen wäre?

Er dachte an die ermordeten Männer. Es war, als sähe er plötzlich etwas, das er vorher nicht gesehen hatte. Ein Teil von ihm steckte verborgen in all der Brutalität, die ihn umgab. Er war ein Teil dieser Brutalität.

Der Unterschied war graduell. Nichts anderes.

Er schüttelte den Kopf. Er mußte bis zum Tagesanbruch warten, um Baiba wieder anzurufen. Dann würde sie antworten. Es konnte nicht so schlimm sein. Sie verstand. Erschöpfung konnte auch sie irritieren. Und dann wäre es an ihm, Verständnis zu haben.

Es war ein Uhr. Er sollte nach Hause gehen und schlafen. Oder eine der Nachtstreifen bitten, ihn nach Hause zu fahren. Er machte sich auf den Weg. Die Stadt war verlassen. Irgendwo schlitterte ein Auto mit quietschenden Reifen. Dann Stille. Die Straße hinunter zum Krankenhaus.

Sieben Stunden hatte die Gruppe zusammengesessen. Nichts war eigentlich passiert. Dennoch war der Abend ereignisreich gewesen. *In den Zwischenräumen entsteht die Klarheit,* hatte Rydberg einmal gesagt, als er gehörig betrunken war. Aber Wallander, der mindestens ebenso betrunken war, hatte trotzdem verstanden. Außerdem hatte er nicht vergessen. Sie hatten auf Rydbergs Balkon gesessen. Vor fünf, vielleicht sechs Jahren. Rydberg war noch nicht krank. Eines Abends im Juni, kurz vor Mittsommer. Sie hatten gefeiert, Wallander hatte vergessen, was.

In den Zwischenräumen entsteht die Klarheit.

Er war auf der Höhe des Krankenhauses. Blieb stehen. Zögerte, aber nur einen Moment. Dann ging er um die Giebelseite des Gebäudes und kam zur Ambulanz. Er betätigte die Nachtglocke. Als eine Stimme antwortete, nannte er seinen Namen und fragte, ob die Hebamme Ylva Brink Dienst habe. Sie war da. Er bat um Einlaß. Sie kam ihm außerhalb der Glastüren entgegen. Er sah ihrem Gesicht an, daß sie beunruhigt war. Er lächelte. Ihre Unruhe legte sich nicht. Vielleicht war sein Lächeln kein Lächeln? Oder das Licht schlecht?

Sie gingen hinein. Ylva Brink fragte ihn, ob er Kaffee haben wolle. Er schüttelte den Kopf. »Ich bleibe nur einen Augenblick«, sagte er. »Vielleicht haben Sie viel zu tun?«

»Ja«, sagte sie. »Aber einen Moment kann ich erübrigen. Wenn es nicht bis morgen warten kann?«

»Das kann es eigentlich«, sagte er. »Aber ich bin auf dem Nachhauseweg vorbeigekommen.«

Sie gingen in das Bürozimmer. Eine Krankenschwester wollte eben eintreten, blieb aber stehen, als sie Wallander sah.

»Das kann warten«, sagte sie und verschwand.

Wallander lehnte sich an den Schreibtisch. Ylva Brink hatte sich gesetzt.

»Sie müssen nachgedacht haben«, begann er. »Diese Frau, die Sie niedergeschlagen hat. Wer sie war. Warum sie hier war. Warum sie sich so verhalten hat. Sie müssen immer wieder darüber nachgedacht haben. Sie haben eine gute Beschreibung von ihrem Gesicht gegeben. Aber vielleicht ist Ihnen im nachhinein noch ein Detail eingefallen?«

»Sie haben recht, daß ich nachgedacht habe. Aber ich habe alles über ihr Gesicht gesagt, woran ich mich erinnern kann.«

»Aber nicht, welche Augenfarbe sie hatte.«

»Weil ich sie nicht gesehen habe.«

»Man pflegt sich an die Augen von Menschen zu erinnern.«

»Es ging so schnell.«

Er glaubte ihr. »Es muß nicht ihr Gesicht sein. Vielleicht eine bestimmte Art, wie sie sich bewegte. Oder eine Narbe an der Hand. Ein Mensch ist aus so vielen Einzelheiten zusammengesetzt. Wir glauben, daß wir uns im Zeitraffertempo erinnern. Als flöge die Erinnerung. Eigentlich ist es umgekehrt. Stellen Sie sich einen Gegenstand vor, der fast schwimmt. Der durchs Wasser sinkt, ganz langsam. So funktioniert die Erinnerung.«

Sie schüttelte den Kopf. »Es ging so schnell. Ich erinnere mich an nichts anderes als an das, was ich schon erzählt habe. Und ich habe mich wirklich angestrengt.«

Wallander nickte. Er hatte auch nichts anderes erwartet.

»Was hat sie getan?«

»Sie hat Sie niedergeschlagen. Wir suchen nach ihr. Wir glauben, daß sie uns gewisse Informationen geben kann. Mehr kann ich nicht sagen.«

Eine Wanduhr zeigte drei Minuten vor halb zwei. Er streckte die Hand aus, um sich zu verabschieden. Sie verließen das Büro.

Plötzlich hielt sie inne. »Vielleicht ist doch noch etwas«, sagte sie zögernd.

»Was denn?«

»Ich habe nicht gleich daran gedacht. Als ich auf sie zuging und sie mich niederschlug. Erst nachher.«

»Was?«

»Sie hatte ein ausgefallenes Parfüm.«

»In welcher Weise?«

Sie sah ihn fast flehend an. »Ich weiß nicht. Wie beschreibt man einen Duft?«

»Es gehört zum Schwierigsten überhaupt. Aber versuchen Sie es wenigstens.«

Er sah, daß sie sich wirklich anstrengte.

»Nein«, sagte sie. »Ich finde keine Worte. Ich weiß nur, daß es ausgefallen war. Vielleicht kann man sagen: herb?«

»Eher wie Rasierwasser?«

Sie sah ihn erstaunt an.

»Ja«, sagte sie. »Woher wußten Sie das?«

»Das war nur so ein Einfall.«

»Ich hätte es vielleicht nicht sagen sollen. Wenn ich mich schon nicht deutlicher ausdrücken kann.«

»Doch«, sagte er. »Das kann sich als wichtig erweisen. Das weiß man immer erst nachher.«

Sie trennten sich an der Glastür. Wallander nahm den Aufzug nach unten und verließ das Krankenhaus. Er ging schnell. Jetzt mußte er schlafen.

Er dachte an das, was sie gesagt hatte.

Wenn es an dem Namensschild noch eine Spur des Parfüms gab, würden sie Ylva Brink morgen früh daran riechen lassen. Doch er wußte schon jetzt, daß es der gleiche Duft war.

Sie suchten nach einer Frau. Ihr Parfüm war ausgefallen.

Er fragte sich, ob sie sie jemals finden würden.

30

Um 7 Uhr 35 endete ihre Nachtschicht. Sie hatte es eilig, von plötzlicher Unruhe getrieben. Es war ein kalter, feuchter Morgen in Malmö. Sie hastete zum Parkplatz, wo ihr Auto stand. Normalerweise wäre sie sofort nach Hause gefahren, um zu schlafen. Jetzt wußte sie, daß sie auf dem schnellsten Weg nach Lund fahren mußte. Sie warf die Tasche auf die Rückbank und stieg ein. Als sie das Steuer anfaßte, merkte sie, daß ihre Hände schwitzten.

Sie hatte sich nie ganz auf Katarina Taxell verlassen können. Sie war zu schwach. Es bestand ständig die Gefahr, daß sie nachgab. Sie dachte, daß Katarina Taxell ein Mensch war, der allzuleicht blaue Flecken bekam, wenn man sie hart anfaßte.

Die Befürchtung, daß sie nachgeben würde, hatte sie die ganze Zeit gehabt. Trotzdem hatte sie die Situation so eingeschätzt, daß ihre Kontrolle über sie stark genug wäre. Jetzt war sie nicht mehr so überzeugt davon.

Ich muß sie da wegholen, hatte sie während der Nacht gedacht. Zumindest so lange, bis sie Abstand von allem bekommt.

Es würde auch nicht schwer sein, sie aus ihrer Wohnung zu holen. Es war nichts Ungewöhnliches, daß eine Frau im Zusammenhang mit einer Geburt oder kurze Zeit danach psychische Probleme hatte.

Als sie in Lund ankam, begann es zu regnen. Ihre Unruhe wich nicht. Sie parkte in einer Seitenstraße und ging zu dem Platz, an dem Katarina Taxell wohnte. Plötzlich blieb sie stehen. Dann ging sie langsam ein paar Schritte zurück, als sei vor ihr ein Raubtier aufgetaucht. Sie stellte sich an eine Hauswand und beobachtete den Eingang von Katarina Taxells Haus.

Ein Wagen war davor geparkt. Ein Mann saß darin, vielleicht zwei. Sie war sich sofort sicher, daß es Polizisten waren. Katarina Taxell wurde überwacht.

Die Panik kam aus dem Nichts. Ohne daß sie es sehen konnte, wußte sie, daß sie schon rote Flecken im Gesicht hatte. Außerdem Herzklopfen. Die Gedanken rasten durch ihren Kopf wie aufgescheuchte Nachttiere in einem Raum, in dem plötzlich Licht gemacht wird. Was hatte Katarina Taxell gesagt? Warum saßen sie vor ihrer Haustür und bewachten sie?

Oder war es nur Einbildung? Sie stand reglos da und versuchte zu denken. Einer Sache meinte sie sicher sein zu können: daß Katarina Taxell trotz allem nichts gesagt hatte. Sonst hätten sie sie nicht bewacht, sondern sie abgeholt. Also war es noch nicht zu spät. Sie hatte vermutlich nicht viel Zeit. Aber die brauchte sie auch nicht. Sie wußte, was zu tun war.

Sie zündete sich eine Zigarette an, die sie in der Nacht gerollt hatte. Gemessen an ihrem Zeitplan war sie eine Stunde zu früh. Aber jetzt verstieß sie dagegen. Der Tag würde sehr sonderbar werden. Aber es war nicht mehr zu ändern.

Sie blieb noch ein paar Minuten stehen und betrachtete den Wagen, der vor der Haustür stand.

Dann machte sie die Zigarette aus und ging mit schnellen Schritten davon.

Als Wallander an diesem Mittwoch morgen um kurz nach sechs aufwachte, war er immer noch sehr müde. Sein Schlafdefizit war groß. Die Kraftlosigkeit lag wie ein Bleilot tief in seinem Bewußtsein. Er blieb mit offenen Augen unbeweglich im Bett. Der Mensch ist ein Tier, das lebt, um durchzuhalten. Im Augenblick sieht es so aus, als sei ich dazu nicht mehr in der Lage.

Er setzte sich auf die Bettkante. Der Fußboden unter seinen Füßen war kalt. Er sah auf seine Zehennägel. Sie mußten geschnitten werden. Seine ganze Person brauchte eine Totalrenovierung. Vor einem Monat war er in Rom gewesen und hatte Kraft gesammelt. Jetzt war sie verbraucht. In weniger als einem Monat. Er zwang sich in die Senkrechte. Dann ging er ins Badezimmer. Das kalte Wasser war wie eine Ohrfeige. Er dachte, daß er eines Tages auch damit aufhören würde. Mit dem kalten Wasser, das ihn dazu zwang, wieder zu funktionieren. Er trocknete sich ab, zog den Morgenrock an und ging in die Küche. Immer die gleiche Routine. Das Kaffeewasser, danach das Fenster, das Thermometer. Es regnete. Vier Grad plus. Herbst, die Kälte, die sich schon festgesetzt hatte. Jemand im Polizeipräsidium hatte vorhergesagt, daß ein langer Winter bevorstehe. Er fürchtete ihn.

Als der Kaffee fertig war, setzte er sich an den Küchentisch. Inzwischen hatte er die Morgenzeitung geholt. Auf der Titelseite ein Bild aus Lödinge. Er trank ein paar Schluck. Schon jetzt hatte er die erste und höchste Müdigkeitsschwelle überstiegen. Seine Morgen konnten wie komplizierte Hindernisbahnen sein. Er blickte auf die Uhr. Zeit, Baiba anzurufen.

Sie meldete sich beim zweiten Klingeln. Es war, wie er schon in der Nacht gewußt hatte. Jetzt war es anders.

»Ich bin müde«, entschuldigte er sich.

»Ich weiß«, antwortete sie. »Aber meine Frage ist die gleiche.«

»Ob ich will, daß du kommst?«

»Ja.«

»Es gibt nichts, was ich lieber will.«

Sie glaubte ihm. Und sie antwortete, daß sie vielleicht in ein paar Wochen käme. Anfang November. Sie würde die Möglichkeit noch heute untersuchen.

Sie brauchten nicht lange zu reden. Keiner von ihnen hatte viel für das Telefon übrig. Hinterher, als Wallander zu seiner Kaffeetasse zurückgekehrt war, dachte er, daß er diesmal ernsthaft mit ihr reden müßte. Daß sie nach Schweden übersiedeln sollte. Daß er ein Haus kaufen wollte. Vielleicht würde er auch von dem Hund erzählen.

Er blieb müde sitzen. Die Zeitung lag ungeöffnet da. Erst um halb acht zog er sich an. Lange mußte er im Kleiderschrank suchen, bis er ein sauberes Hemd fand, sein letztes. Noch für heute mußte er sich in die Waschliste eintragen. Als er im Begriff war zu gehen, läutete das Telefon. Es war die Autowerkstatt in Älmhult. Wallander erschrak, als er hörte, was die Reparatur kosten sollte. Aber er sagte nichts. Der Mechaniker versprach, den Wagen noch heute bringen zu lassen. Sein Bruder würde ihn nach Ystad fahren und dann den Zug zurücknehmen. Es würde Wallander nur den Zugfahrschein kosten.

Als Wallander auf die Straße kam, war der Regen stärker, als er vom Fenster aus erkannt hatte. Er ging zurück in den Hauseingang und rief im Polizeipräsidium an. Ebba versprach, sofort einen Wagen zu schicken, der ihn holte. Nach nur fünf Minuten bremste der Wagen vor der Haustür. Um acht war er in seinem Büro.

Er hatte eben erst die Jacke ausgezogen, als plötzlich um ihn herum alles auf einmal zu geschehen schien.

Ann-Britt Höglund stand in seiner Tür. Sie war sehr blaß. »Hast du schon gehört?« fragte sie.

Wallander zuckte zusammen. War es wieder passiert? Noch ein getöteter Mann?

»Ich bin gerade gekommen«, sagte er. »Was ist?«

»Martinssons Tochter ist überfallen worden.«

»Terese?«

»Ja.«

»Was ist denn passiert?«

»Sie ist vor der Schule angegriffen worden. Martinsson ist sofort hingefahren. Wenn ich Svedberg richtig verstanden habe, hatte es etwas damit zu tun, daß Martinsson Polizist ist.«

Wallander sah sie verständnislos an. »Ist es schlimm?«

»Sie wurde gestoßen und mit Fäusten ins Gesicht geschlagen. Anscheinend ist sie auch getreten worden. Sie hat keine physischen Schäden. Aber sie hat natürlich einen Schock.«

»Wer hat das getan?«

»Andere Schüler. Die größer sind als sie.«

Wallander setzte sich. »Das ist ja widerlich! Aber warum?«

»Ich weiß nicht alles, was passiert ist. Aber offenbar diskutieren auch die Schüler das mit den Bürgerwehren. Daß die Polizei nichts tut. Daß wir aufgegeben haben.«

»Und da machen sie sich über Martinssons Tochter her?«

»Ja.«

Wallander spürte wieder den Kloß im Hals. Terese war dreizehn, und Martinsson erzählte ständig von ihr.

»Warum fallen sie über ein unschuldiges Kind her?«

»Hast du dir die Zeitungen angesehen?«

»Nein.«

»Solltest du aber. Die Leute haben sich über Eskil Bengtsson und die anderen ausgelassen. Sie betrachten die Verhaftungen als Rechtsbruch. Sie behaupten, Åke Davidsson hätte Widerstand geleistet. Große Reportagen, Bilder und Aufmacher. ›Auf wessen Seite steht die Polizei?‹«

»Ich muß das nicht lesen«, sagte Wallander angewidert. »Was ist mit der Schule?«

»Hansson ist hingefahren. Martinsson ist jetzt wohl zu Hause bei seiner Tochter.«

»Und es sind also Jungen von der Schule, die das gemacht haben?«

»Ja. Soweit wir wissen.«

»Fahr sofort hin«, bestimmte Wallander schnell. »Versuch, alles zu erfahren, was du kannst. Rede mit den Jungen. Ich glaube, es ist besser, daß ich da wegbleibe. Die Gefahr besteht, daß ich wütend werde.«

»Hansson ist schon da. Ich glaube nicht, daß noch jemand gebraucht wird.«

»Doch«, sagte Wallander. »Ich möchte, daß du auch hinfährst, um zu versuchen, auf deine Art herauszufinden, was eigentlich passiert ist, und warum. Wenn mehrere von uns dort sind, zeigen wir, daß wir die Sache ernst nehmen. Ich fahre zu Martinsson nach Hause. Alles andere kann vorläufig warten. Das Schlimmste, was man hierzulande tun kann, ganz genau wie überall sonst, ist, einen Polizisten zu töten. Und das Zweitschlimmste ist, die Kinder eines Polizisten anzugreifen.«

»Es sollen andere Schüler dabeigestanden und gelacht haben«, sagte sie.

Wallander hob abwehrend die Hände. Er wollte nichts mehr hören.

Er stand auf und griff nach seiner Jacke.

»Eskil Bengtsson und die anderen kommen heute raus«, sagte sie, als sie den Korridor entlanggingen. »Aber Per Åkesson will Anklage erheben.«

»Was kriegen sie?«

»Die Leute in der Gegend reden schon davon, Geld zu sammeln, falls es Geldbußen gibt. Aber man kann ja auf Gefängnis hoffen. Zumindest für einige von ihnen.«

»Wie geht es Åke Davidsson?«

»Er ist wieder zu Hause in Malmö. Krank geschrieben.«

Wallander blieb stehen und sah sie an.

»Was wäre, wenn sie ihn aus Versehen totgeschlagen hätten? Gäbe es dann auch Geldbußen?«

Er wartete nicht auf eine Antwort.

Ein Streifenwagen fuhr Wallander zu Martinssons Haus in einem Viertel mit Einfamilienhäusern an der östlichen Ausfahrt der Stadt. Wallander war noch nicht oft dagewesen. Das Haus war unansehnlich. Aber der Garten zeugte von liebevoller Pflege. Er klingelte. Martinssons Frau Maria machte auf. Ihre Augen waren gerötet. Terese war ihr ältestes Kind, neben zwei Jungen die einzige Tochter. Einer der Jungen, Rickard, stand hinter ihr. Wallander lächelte und tätschelte seinen Kopf.

»Wie geht es?« fragte er. »Ich habe es gerade erst erfahren und bin gleich hergekommen.«

»Sie sitzt auf dem Bett und weint. Der einzige, mit dem sie sprechen will, ist ihr Papa.«

Wallander trat ein und zog Schuhe und Jacke aus. Ein Strumpf hatte ein Loch. Sie fragte, ob er Kaffee haben wolle. Er nickte dankbar. Im gleichen Augenblick kam Martinsson die Treppe herunter. Normalerweise war er ein fröhlicher Mann. Jetzt sah Wallander eine Maske grauer Verbitterung. Aber auch Angst.

»Ich habe gehört, was passiert ist«, sagte Wallander. »Ich bin gleich gekommen.«

Sie setzten sich ins Wohnzimmer.

»Wie geht es ihr?« fragte Wallander.

Martinsson schüttelte nur den Kopf Wallander dachte, daß er jeden Augenblick anfangen könnte zu weinen. Das wäre das erstemal, daß er Martinsson weinen sähe.

»Ich höre auf«, sagte Martinsson. »Ich rede noch heute mit Lisa.«

Wallander wußte nicht, was er antworten sollte. Martinsson

war mit Recht außer sich. Wallander konnte sich leicht vorstellen, wie er selbst reagiert hätte, wäre Linda überfallen worden.

Dennoch mußte er der Situation Widerstand entgegensetzen. Es durfte auf keinen Fall geschehen, daß Martinsson aufgab. Wallander ahnte, daß er selbst der einzige war, der Martinsson zum Umdenken überreden konnte.

Aber noch war es dafür zu früh. Er sah, wie geschockt Martinsson war.

Maria kam mit Kaffee. Martinsson schüttelte nur den Kopf. Er wollte keinen.

»Das ist es nicht wert«, sagte er. »Wenn es über die Familie hergeht.«

»Nein«, sagte Wallander. »Das ist es nicht wert.«

Martinsson sagte nichts mehr. Auch Wallander schwieg. Kurz danach stand Martinsson auf und ging wieder die Treppe hinauf. Wallander sah ein, daß er im Augenblick nichts mehr tun konnte. Martinssons Frau brachte ihn an die Tür.

»Grüß Terese von mir«, sagte er.

»Glaubst du, daß sie noch einmal über uns herfallen?«

»Nein«, sagte Wallander. »Ich weiß, daß sich das, was ich jetzt sage, komisch anhört. Als wollte ich dies hier bagatellisieren. Aber ich meine etwas anderes. Es ist nur wichtig, die Proportionen nicht aus den Augen zu verlieren. Falsche Schlüsse zu ziehen. Dies hier waren Jungen, die vielleicht nur ein paar Jahre älter sind als Terese. Die meinen das nicht so böse. Sie wissen nur nicht, was sie da eigentlich tun. Die Ursache ist, daß Leute wie Eskil Bengtsson und andere draußen in Lödinge anfangen, Bürgerwehren zu organisieren und gegen die Polizei zu hetzen.«

»Ich weiß«, sagte sie. »Ich habe gehört, daß die Leute auch hier in der Gegend davon reden.«

»Ich gebe zu, daß es schwerfällt, klar zu denken, wenn die eigenen Kinder betroffen sind. Trotzdem müssen wir versuchen, an einer Art von Vernunft festzuhalten.«

»All diese Gewalt«, sagte sie. »Woher kommt die?«

»Es gibt kaum böse Menschen«, antwortete Wallander. »Jedenfalls glaube ich, daß sie sehr selten sind. Dagegen gibt es böse

Umstände. Die diese ganze Gewalt auslösen. Und genau diese Umstände müssen wir uns vornehmen.«

»Wird es nicht immer nur schlimmer und schlimmer?«

»Vielleicht«, erwiderte Wallander zögernd. »Aber wenn es so ist, dann liegt das daran, daß die Umstände sich verändern. Nicht daran, daß böse Menschen heranwachsen.«

»Dieses Land ist so hart geworden.«

»Ja«, sagte Wallander. »Es ist sehr hart geworden.«

Er gab ihr die Hand und ging zu dem wartenden Streifenwagen.

»Wie geht es Terese?« fragte der Polizist am Steuer.

»Sie ist wohl vor allem geschockt«, antwortete Wallander. »Und das sind ihre Eltern auch.«

»Muß man da nicht die Wut kriegen?«

»Ja«, antwortete Wallander. »Ich hab sie auch.«

Wallander kehrte ins Präsidium zurück. Hansson und Ann-Britt Höglund waren noch in der Schule. Wallander erfuhr, daß Lisa Holgersson in Stockholm war. Einen Moment lang war er irritiert. Aber sie war informiert worden über das, was geschehen war. Sie würde am Nachmittag zurückkommen. Wallander suchte Svedberg und Hamrén.

Nyberg war wegen weiterer Fingerabdrücke draußen auf Holger Erikssons Hof. Die beiden Polizisten aus Malmö waren irgendwo unterwegs. Er ging mit Svedberg und Hamrén ins Sitzungszimmer. Alle waren empört über das, was Martinssons Tochter passiert war. Sie hatten nur eine kurze Unterredung, dann ging jeder an seine Arbeit. Sie hatten am Abend vorher die Aufgaben genau verteilt. Wallander rief Nyberg über sein Mobiltelefon an.

»Wie geht es?« fragte er.

»Es ist schwierig«, sagte Nyberg. »Aber vielleicht haben wir auf seinem Vogelturm einen undeutlichen Abdruck gefunden. An der Unterseite des Geländers. Es kann ja sein, daß es keiner von ihm ist. Wir suchen weiter.«

Wallander überlegte. »Meinst du, daß der, der ihn getötet hat, auf dem Turm gewesen ist?«

»Ganz unwahrscheinlich ist es doch nicht.«

»Du kannst recht haben. In dem Fall gibt es vielleicht auch Zigarettenkippen.«

»Die hätten wir beim erstenmal gefunden. Jetzt ist es definitiv zu spät.«

Wallander erzählte von seinem nächtlichen Gespräch mit Ylva Brink im Krankenhaus.

»Das Namensschild liegt in einer Plastiktüte«, sagte Nyberg. »Wenn sie eine gute Nase hat, riecht sie vielleicht noch etwas.«

»Wir sollten es sofort versuchen. Du kannst sie selbst anrufen. Svedberg hat ihre Telefonnummer.«

Nyberg versprach, das zu erledigen. Wallander entdeckte, daß jemand ein Papier auf seinen Tisch gelegt hatte. Es war ein Schreiben vom Patent- und Meldeamt, daß eine Person namens Harald Berggren diesen Namen nicht offiziell geändert oder angenommen hatte. Wallander legte das Papier zur Seite. Es war zehn Uhr, und es regnete immer noch. Er dachte an ihre Sitzung vom Vorabend. Wieder kehrte die Unruhe zurück. Waren sie wirklich auf der richtigen Spur? Oder folgten sie einem Weg, der ins Nichts führte? Er trat ans Fenster. Der Wasserturm sah ihn an. Katarina Taxell ist unsere wichtigste Zeugin. Sie hat die Frau getroffen. Was wollte die Frau nachts auf der Entbindungsstation?

Er ging zurück zum Schreibtisch und rief Birch in Lund an. Erst nach zehn Minuten hatte er ihn lokalisiert.

»Vor ihrem Haus ist alles ruhig«, sagte Birch. »Keine anderen Besuche als die einer Frau, die wir eindeutig als ihre Mutter identifiziert haben. Katarina war einmal draußen und hat eingekauft, als die Mutter da war und auf das Kind aufgepaßt hat. Es liegt ein Supermarkt in der Nähe. Das einzig Bemerkenswerte war, daß sie viele Zeitungen gekauft hat.«

»Sie will wohl alles über den Mord lesen. Habt ihr den Eindruck, sie weiß, daß wir in der Nähe sind?«

»Das glaube ich nicht. Sie ist angespannt. Aber sie sieht sich nie um. Ich glaube, sie hat noch keinen Verdacht, daß wir sie überwachen.«

»Es ist wichtig, daß sie nichts merkt.«

»Wir wechseln immer wieder die Leute aus.«

Wallander beugte sich über den Schreibtisch und schlug seinen Kollegblock auf. »Wie kommt ihr mit ihren Personalien voran? Wer ist sie?«

»Sie ist dann also dreiunddreißig Jahre alt«, sagte Birch. »Das macht einen Altersunterschied zu Blomberg von immerhin achtzehn Jahren.«

»Es ist ihr erstes Kind«, sagte Wallander. »Sie ist ziemlich spät dran. Frauen, die es eilig haben, nehmen es mit dem Altersunterschied vielleicht nicht so genau? Aber im Grunde weiß ich von so was sehr wenig.«

»Ihr zufolge ist Blomberg ja auch nicht der Vater.«

»Das ist eine Lüge«, sagte Wallander und fragte sich einen Moment lang, woher er eigentlich so sicher war. »Was hast du noch?«

»Katarina Taxell ist in Arlöv geboren«, fuhr Birch fort. »Ihr Vater war Ingenieur bei der Zuckerraffinerie. Er starb, als sie noch klein war. Er wurde in seinem Auto von einem Zug überfahren. In der Nähe von Landskrona. Sie hat keine Geschwister. Wuchs bei ihrer Mutter auf. Nach dem Tod des Vaters sind sie nach Lund gezogen. Die Mutter hatte eine Teilzeitstelle an der Stadtbibliothek. Katarina hatte gute Zeugnisse in der Schule. Hat an der Universität studiert. Geographie und Sprachen. Eine etwas ungewöhnliche Kombination. Lehrerhochschule. Seitdem unterrichtet sie. Gleichzeitig hat sie eine kleine Firma aufgebaut, die mit verschiedenen Produkten für Haarpflege handelt. Sie dürfte also ziemlich tatkräftig sein. In unseren Karteien finden wir sie natürlich nicht. Sie macht einen ziemlich normalen Eindruck.«

»Das ist ja schnell gegangen«, sagte Wallander anerkennend.

»Ich habe getan, was du gesagt hast«, antwortete Birch. »Ich habe eine Menge Leute dafür abgestellt.«

»Offenbar weiß sie also noch nichts davon. Sonst hätte sie sich auf der Straße umgeblickt.«

»Wir werden sehen, wie lange es so bleibt. Die Frage ist, ob wir sie nicht ein wenig unter Druck setzen können.«

»Ich habe das gleiche gedacht«, antwortete Wallander.

»Sollen wir sie herholen?«

»Nein. Aber ich glaube, ich komme nach Lund. Dann können du und ich ja noch einmal mit ihr reden.«

»Worüber denn? Wenn du keine neuen Fragen hast, schöpft sie nur Verdacht.«

»Ich denke mir unterwegs etwas aus«, sagte Wallander. »Sagen wir, daß wir uns um zwölf vor ihrem Haus treffen?«

Wallander ließ sich einen Wagen geben und verließ Ystad. Beim Flugplatz in Sturup hielt er an und aß ein Brot. Wie gewöhnlich war er ärgerlich über den Preis.

Er nahm sich vor, daß Eugen Blomberg der Ausgangspunkt seiner Fragen sein sollte. Schließlich war es ein Mordfall. Sie brauchten jede Information über ihn, die sie bekommen konnten. Katarina Taxell war nur eine von vielen Personen, die sie befragten.

Um Viertel vor zwölf war es Wallander nach vielem Hin und Her gelungen, im Zentrum von Lund einen Parkplatz zu finden. Im Kopf hatte er angefangen, seine Fragen an Katarina Taxell zu formulieren. Er sah Birch schon von weitem.

»Ich habe die Nachrichten gehört«, sagte Birch. »Von Martinsson und seiner Tochter. Unschöne Geschichte.«

»Was ist nicht unschön?« antwortete Wallander.

»Wie geht es dem Mädchen?«

»Wir können nur hoffen, daß sie bald drüber wegkommt. Aber Martinsson hat gesagt, daß er bei der Polizei aufhören will. Und das muß ich nach Möglichkeit verhindern.«

»Wenn er es wirklich ernst meint, kann keiner ihn hindern.«

»Ich glaube nicht, daß er das tut«, sagte Wallander. »Zumindest will ich ganz sicher sein, daß er sich im klaren darüber ist, was er tut.«

»Ich habe einmal einen Stein an den Kopf gekriegt«, sagte Birch. »Ich war so wütend, daß ich hinter dem, der ihn geworfen hatte, hergerannt bin, bis ich ihn eingeholte hatte. Es zeigte sich, daß ich seinen Bruder mal in den Knast gebracht habe. Er war der Meinung, daß es sein gutes Recht wäre, mir einen Stein an den Kopf zu werfen.«

»Ein Polizist ist immer ein Polizist«, sagte Wallander. »Zumindest wenn man auf die hört, die die Steine werfen.«

Birch ließ das Thema fallen. »Wonach willst du sie fragen?«

»Eugen Blomberg. Wie sie sich getroffen haben. Sie soll das Gefühl haben, daß ich die Fragen, die ich ihr stelle, auch einer großen Zahl anderer Menschen stelle. Routinefragen eher.«

»Und was willst du erreichen?«

»Ich weiß nicht. Aber ich glaube trotzdem, daß es nötig ist. Etwas kann in den Zwischenräumen auftauchen.«

Sie gingen ins Haus. Wallander hatte plötzlich eine Vorahnung, daß nicht alles war, wie es sollte. Er blieb auf der Treppe stehen. Birch sah ihn an. »Was ist?«

»Ich weiß nicht. Vermutlich nichts.«

Sie stiegen in den ersten Stock hinauf. Birch klingelte. Sie warteten. Das Klingeln hallte drinnen in der Wohnung. Sie blickten sich an. Wallander bückte sich und öffnete den Briefschlitz. Alles war sehr still.

Birch klingelte noch einmal. Mehrere lange Signale. Niemand kam. »Sie muß zu Hause sein«, sagte er. »Keiner hat gemeldet, daß sie das Haus verlassen hat.«

»Dann ist sie durch den Schornstein verschwunden«, sagte Wallander. »Hier ist sie nicht.«

Sie liefen die Treppe hinunter. Birch riß die Tür des Polizeiwagens auf. Der Mann am Steuer las die Zeitung.

»Ist sie rausgegangen?« fragte Birch.

»Sie ist drinnen.«

»Genau das ist sie nicht.«

»Gibt es einen Hinterausgang?« fragte Wallander.

Birch gab die Frage weiter an den Mann hinter dem Steuer.

»Soweit ich weiß, nicht.«

»Das ist keine Antwort«, gab Birch wütend zurück. »Entweder gibt es einen Hinterausgang, oder es gibt keinen.«

Sie gingen wieder ins Haus. Eine halbe Treppe hinunter. Die Tür zum Kellergeschoß war verschlossen.

»Gibt es einen Hausmeister?« fragte Wallander.

»Dafür haben wir keine Zeit«, sagte Birch.

Er untersuchte die Scharniere. Sie waren rostig.

»Wir können es ja versuchen«, murmelte er vor sich hin.

Er nahm Anlauf und warf sich gegen die Tür, die aus den Scharnieren brach.

»Du weißt ja, was es bedeutet, gegen die Vorschriften zu verstoßen«, sagte er.

Nicht die leiseste Ironie schwang in Birchs Kommentar mit. Sie gingen hinein. Der Gang zwischen verschiedenen mit Gittern abgesperrten Kellerräumen führte zu einer Tür. Birch öffnete. Sie standen am Fuß einer Hintertreppe.

»Sie ist also über die Hintertreppe verschwunden«, sagte er. »Und keiner hat sich auch nur die Mühe gemacht, nachzusehen, ob es eine gibt.«

»Sie kann noch in der Wohnung sein«, sagte Wallander.

Birch verstand. »Selbstmord?«

»Ich weiß nicht. Aber wir müssen rein. Und wir haben kaum die Zeit, auf einen Schlosser zu warten.«

»Ich krieg Schlösser meistens auf«, sagte Birch. »Ich muß nur erst ein paar Werkzeuge holen.«

Fünf Minuten später kam er atemlos zurück. Wallander war inzwischen wieder zu Katarina Taxells Wohnungstür gegangen und hatte weiter geklingelt. Ein älterer Mann hatte die Tür daneben aufgemacht und gefragt, was los sei. Wallander reagierte gereizt. Er holte seinen Polizeiausweis hervor und hielt ihn dem Mann dicht vors Gesicht. »Wir wären dankbar, wenn Sie Ihre Tür geschlossen hielten«, sagte er. »Sofort. Und sie bleibt zu, bis wir etwas anderes sagen.«

Der Mann verschwand. Wallander hörte, wie er eine Sicherheitskette vor die Tür hakte.

Birch hatte das Türschloß nach wenigen Minuten geöffnet.

Sie gingen hinein. Die Wohnung war leer. Katarina Taxell hatte ihr Kind mitgenommen. Der Hintereingang führte auf eine Seitenstraße. Birch schüttelte den Kopf. »Dafür muß sich jemand verantworten«, sagte er.

»Das erinnert mich an Bergling«, sagte Wallander. »War es nicht so, daß er auf der Rückseite hinausspazierte, während die Bewachung sich auf die Vorderseite konzentrierte?«

Sie gingen durch die Wohnung. Der Aufbruch hatte offenbar in großer Eile stattgefunden. Wallander blieb vor einem Kinderwagen und einem Tragesitz in der Küche stehen.

»Sie muß mit dem Wagen abgeholt worden sein«, sagte er.

»Auf der anderen Straßenseite ist eine Tankstelle. Jemand muß gesehen haben, wie eine Frau mit Kind das Haus verlassen hat.«

Birch verschwand. Wallander ging noch einmal durch die Wohnung. Er versuchte, sich vorzustellen, was passiert sein konnte. Warum verläßt eine Frau mit ihrem Neugeborenen die Wohnung? Der Hintereingang gab die Antwort, daß sie heimlich verschwinden wollte. Also mußte sie auch gewußt haben, daß das Haus bewacht wurde.

Sie oder jemand anders.

Jemand kann von außen die Bewachung entdeckt haben. Der sie dann angerufen und die Abholung organisiert hat. Er setzte sich auf einen Küchenstuhl. Noch eine Frage war wichtig. Befanden sich Katarina Taxell und ihr Kind in Gefahr? Oder war die Flucht aus der Wohnung freiwillig? Nachbarn hätten bemerkt, wenn sie Widerstand geleistet hätte. Also ist sie freiwillig gegangen. Dafür gibt es eigentlich nur einen Grund. Sie will die Fragen der Polizei nicht beantworten.

Er stand auf und ging zum Fenster. Er sah Birch unten stehen und mit einem Angestellten von der Tankstelle sprechen. In diesem Augenblick klingelte das Telefon. Wallander zuckte zusammen. Er ging ins Wohnzimmer. Es klingelte wieder. Er nahm den Hörer ab.

»Katarina?« fragte eine Frauenstimme.

»Sie ist nicht hier«, antwortete er. »Wer ist denn da?«

»Wer sind Sie?« fragte die Frau. »Ich bin Katarinas Mutter.«

»Mein Name ist Kurt Wallander. Ich bin Polizeibeamter. Es ist nichts passiert. Nur Katarina ist nicht hier. Weder sie noch ihr Kind.«

»Das ist unmöglich.«

»Das sollte man meinen. Aber sie ist nicht hier. Sie wissen nicht vielleicht, wohin sie gegangen sein kann?«

»Sie sollte nicht weggehen, ohne mir Bescheid zu sagen.«

Wallander entschloß sich schnell. »Es wäre gut, wenn Sie herkommen könnten. Wenn ich richtig verstanden habe, wohnen Sie nicht weit von hier.«

»Es dauert keine zehn Minuten«, antwortete sie. »Was ist denn passiert?«

Er konnte hören, daß sie Angst hatte. »Es gibt sicher eine einfache Erklärung«, sagte er. »Wir können darüber sprechen, wenn Sie herkommen.«

Als er den Hörer auflegte, hörte er Birch eintreten.

»Wir haben Glück«, sagte Birch. »Ich habe mit einem gesprochen, der auf der Tankstelle arbeitet. Ein hellwacher Kerl, der aufgepaßt hat.«

Er hatte ein paar Notizen auf einem ölbefleckten Blatt Papier gemacht.

»Heute morgen hielt hier ein roter Golf. Ungefähr zwischen neun und zehn, eher gegen zehn. Eine Frau kam aus der Hintertür des Hauses. Sie trug ein Kind. Sie setzte sich ins Auto, das daraufhin wegfuhr.«

»Hat er auf den Fahrer geachtet?«

»Der Fahrer ist nicht ausgestiegen.«

»Er weiß also nicht, ob es ein Mann oder eine Frau war?«

»Ich habe ihn gefragt. Er gab eine Antwort, die interessant ist. Er sagte, das Auto wäre weggefahren, als hätte ein Mann am Steuer gesessen.«

Wallander wunderte sich. »Und woraus hat er das geschlossen?«

»Daß der Wagen einen Kavaliersstart gemacht hat. Losschoß. Frauen fahren selten so.«

»Hat er sonst noch etwas bemerkt?«

»Nein. Aber vielleicht erinnert er sich an mehr, wenn man ein bißchen hilft. Er schien, wie gesagt, ein aufmerksamer Mensch zu sein.«

Wallander berichtete, daß Katarina Taxells Mutter auf dem Weg sei.

»Was kann nur passiert sein? Ob sie in Gefahr ist?« fragte Birch.

»Ich glaube nicht. Aber ich kann mich natürlich irren.«

Sie gingen ins Wohnzimmer. Eine Babysocke lag verlassen auf dem Fußboden.

Wallander schaute sich im Zimmer um. Birchs Augen folgten seinem Blick.

»Irgendwo hier muß die Lösung stecken«, sagte Wallander. »In dieser Wohnung existiert etwas, das uns zu der Frau führt, die wir suchen. Wenn wir sie finden, finden wir auch Katarina Taxell. Etwas hier wird uns sagen, in welche Richtung wir uns wenden müssen. Das müssen wir finden, und wenn wir das Parkett rausreißen.«

Birch sagte nichts.

Sie hörten das Schloß schnappen. Sie hatte also einen eigenen Schlüssel. Dann trat Katarina Taxells Mutter ins Wohnzimmer.

31

Den Rest dieses Tages blieb Wallander in Lund. Mit jeder Stunde, die verging, wuchs seine Überzeugung, daß sie über Katarina Taxell die größten Möglichkeiten zur Lösung des Rätsels hatten, wer die drei Männer ermordet hatte. Sie suchten nach einer Frau. Es bestand kein Zweifel mehr, daß sie in der einen oder anderen Weise tief in den Fall verwickelt war. Aber sie wußten nicht, ob sie allein war und welche Motive sie antrieben.

Das Gespräch mit Katarina Taxells Mutter führte zu nichts. Sie begann in der Wohnung umherzulaufen und hysterisch nach ihrer Tochter und ihrem Enkelkind zu suchen. Schließlich war sie so verwirrt, daß sie gezwungen waren, Hilfe anzufordern und dafür zu sorgen, daß sie in ärztliche Behandlung kam. Aber zu diesem Zeitpunkt war Wallander überzeugt, daß sie nicht wußte, wohin ihre Tochter verschwunden war. Die wenigen Freundinnen, von denen die Mutter sich vorstellen konnte, daß sie sie geholt haben könnten, wurden sofort angerufen. Alle wirkten gleich ratlos. Wallander wollte sich jedoch nicht auf das verlassen, was er am Telefon hörte. Auf seine Bitte hin fuhr Birch sogleich zu den Personen nach Hause, mit denen Wallander gesprochen hatte. Katarina Taxell blieb verschwunden. Wallander war sicher, daß die Mutter einen guten Überblick über den Freundeskreis ihrer Tochter hatte. Außerdem war ihre Sorge echt. Hätte sie es gewußt, hätte sie gesagt, wo ihre Tochter sich aufhielt.

Wallander war auch die Treppe hinunter und über die Straße zu der Tankstelle gegangen. Er ließ den Zeugen, der Jonas Hader hieß und vierundzwanzig Jahre alt war, noch einmal von seinen Beobachtungen erzählen. Wallander hatte das Gefühl, den perfekten Zeugen zu treffen. Jonas Hader schien ständig seine Umwelt zu betrachten, als könnten sich seine Beobachtungen jederzeit in eine entscheidende Zeugenaussage verwandeln. Der rote Golf hatte vor dem Haus zur gleichen Zeit angehalten, als ein Lieferwagen mit Zeitungen die Tankstelle verließ. Sie machten den Fahrer ausfindig, der seinerseits sicher war, die Tankstelle um Punkt halb zehn verlassen zu haben. Jonas Hader erinnerte sich an viele Details, unter anderem an einen großen Aufkleber auf der Heckscheibe des Golfs. Der Abstand war aber zu groß gewesen, um das Motiv oder die Schrift darauf zu erkennen. Er wiederholte, daß der Wagen mit quietschenden Reifen gestartet war, daß er auf eine männliche Art und Weise gefahren wurde. Aber den Fahrer hatte er nicht sehen können. Es hatte geregnet, die Scheibenwischer waren gegangen. Dagegen war er sicher, daß Katarina Taxell einen hellgrünen Mantel trug und eine große Adidastasche in der Hand hatte und daß das Kind auf ihrem Arm in eine blaue Wolldecke gewickelt war. Das Ganze war sehr schnell gegangen. Sie war in dem Moment aus der Tür gekommen, als der Wagen anhielt. Jemand hatte von innen die Tür geöffnet. Sie hatte das Kind hineingelegt und dann die Tasche in den Kofferraum gestellt. Dann hatte sie die hintere Tür auf der Straßenseite geöffnet und war ins Auto gestiegen. Der Fahrer war dann mit einem Kavaliersstart davongefahren, noch bevor sie die Tür richtig zugemacht hatte. Das Nummernschild hatte Jonas Hader nicht erkannt. Aber Wallander bekam das Gefühl, daß er es tatsächlich versucht hatte. Jonas Hader war jedoch sicher, daß er den roten Golf hier vor dem Hintereingang zum erstenmal hatte anhalten sehen.

Wallander war mit dem Gefühl zum Haus zurückgekehrt, eine Bestätigung bekommen zu haben, nur wußte er nicht richtig, wofür. Daß es sich um eine überstürzte Flucht gehandelt hatte? Wie lange war sie geplant gewesen? Und warum? In der Zwischenzeit hatte Birch mit den Beamten gesprochen, die sich bei der Bewachung des Hauses abgewechselt hatten. Wallander hatte ihn besonders darum gebeten, sie zu fragen, ob sie eine Frau in der Nähe des Hauses gesehen hatten. Jemand, der kam und ging und sich vielleicht mehrmals gezeigt hatte. Doch im Gegensatz zu Jonas Hader hatten die Polizisten sehr wenig wahrgenommen. Sie hatten sich auf die Haustür konzentriert, wer hinein- und hinausging, und das waren nur Leute, die im Haus wohnten. Wallander hatte darauf bestanden, daß sie jede Person, die sie beobachtet hatten, identifizierten. Da in dem Haus vierzehn Familien wohnten, waren den ganzen Nachmittag Polizisten im Haus auf und ab gelaufen und hatten die Bewohner kontrolliert. Auf diese Weise hatte Birch auch einen Mann gefunden, der vielleicht eine wichtige Beobachtung gemacht hatte. Der Mann wohnte zwei Stockwerke über Katarina Taxell. Er war pensionierter Musiker, der zu Birch gesagt hatte, daß er stundenlang am Fenster stehe, in den Regen hinaussehe und im Kopf die Musik höre, die er nie mehr spielen würde. Er hatte im Sinfonieorchester von Helsingborg Fagott gespielt und machte – immer noch laut Birch – den Eindruck einer melancholischen und düsteren Person, die sehr einsam lebte. Gerade an diesem Morgen meinte er eine Frau auf der anderen Seite des Platzes gesehen zu haben. Eine Frau, die herankam, plötzlich stehenblieb, einige Schritte zurückgegangen war und dann unbeweglich dagestanden und das Haus betrachtet hatte, bevor sie sich umwandte und verschwand. Als Birch mit dieser Auskunft kam, dachte Wallander sofort, daß dies die Frau gewesen sein konnte, die sie suchten. Jemand war in die Nähe der Wohnung gekommen und hatte das Auto gesehen, das natürlich nicht unmittelbar vor der Haustür hätte stehen dürfen. Jemand wollte Katarina Taxell besuchen. Wie sie im Krankenhaus besucht worden war.

Wallander entwickelte an diesem Tag eine große und energische Beharrlichkeit. Er bat Birch, noch einmal mit Katarina Taxells Freundinnen Kontakt aufzunehmen und sie zu fragen, ob eine von ihnen an diesem Morgen sie und ihr neugeborenes Kind hatte besuchen wollen. Die Antwort aller war eindeutig. Keine war auf dem Weg zu ihr gewesen und hatte sich plötzlich eines anderen besonnen. Birch hatte versucht, dem pensionierten Fagottisten eine Beschreibung der Frau zu entlocken. Doch das einzige, was dieser sagen konnte, war, daß es eine Frau gewesen war. Es war ungefähr acht Uhr gewesen. Diese Auskunft war allerdings etwas schwebend, da die drei Uhren, die sich in seiner Wohnung befanden, einschließlich seiner Armbanduhr, alle verschiedene Zeiten anzeigten.

Wallanders Energie ließ nicht nach. Er hatte Birch, der es ihm nicht übelzunehmen schien, daß Wallander ihm Order erteilte wie einem Untergebenen, mit verschiedenen Aufträgen losgeschickt, während er selbst methodisch Katarina Taxells Wohnung durchsuchte. Als erstes hatte er Birch gebeten, daß ein paar von Lunds Kriminaltechnikern Fingerabdrücke in der Wohnung sicherten. Sie sollten dann mit denen, die Nyberg gefunden hatte, verglichen werden. Den ganzen Tag hatte er auch telefonisch Kontakt mit Ystad gehabt. Viermal hatte er mit Nyberg gesprochen. Ylva Brink hatte an dem Namensschild gerochen, das noch immer einen sehr schwachen Rest des früheren Parfümdufts an sich hatte. Sie war sehr unsicher gewesen. Es konnte das Parfüm sein, das sie in jener Nacht auf der Entbindungsstation gerochen hatte. Aber sicher war sie nicht. Das Ganze blieb in der Schwebe.

Zweimal im Verlauf des Tages sprach er auch mit Martinsson, der zu Hause war. Terese war natürlich noch immer geschockt und deprimiert. Martinsson war entschlossen zu kündigen, den Polizeiberuf an den Nagel zu hängen. Es gelang Wallander jedoch, ihm das Versprechen abzunehmen, zumindest bis zum nächsten Tag zu warten, bis er sein Entlassungsgesuch schrieb. Obwohl Martinsson an diesem Tag an nichts anderes denken konnte als an seine Tochter, berichtete Wallander ihm ausführlich über alles, was geschehen war. Er war sicher, daß Martinsson zuhörte, auch wenn seine Kommentare nur spärlich und geistesabwesend waren. Aber Wallander wußte, daß er ihn an die Ermittlung binden mußte. Er wollte nicht riskieren, daß Martinsson einen Entschluß faßte, den er später bereuen würde. Er sprach auch mehrmals mit Lisa Holgersson. Hansson und Ann-Britt Höglund hatten in der Schule, wo Terese niedergeschlagen worden war, mit großer Entschiedenheit gehandelt. Im Rektorzimmer hatten sie mit den drei beteiligten Jungen gesprochen. Mit jedem einzeln, nacheinander. Sie hatten mit deren Eltern und Lehrern Kontakt aufgenommen. Ann-Britt Höglund zufolge, mit der Wallander ebenfalls an diesem Tag telefonierte, hatte Hansson einen ausgezeichneten Eindruck gemacht, als sämtliche Schüler der Schule zusammengerufen und über den Vorfall informiert wurden. Die Schüler waren empört gewesen, die drei Jungen offenbar ganz isoliert, und sie glaubte kaum, daß es wieder passieren würde.

Eskil Bengtsson und die drei anderen Männer waren auf freien

Fuß gesetzt worden, aber Per Åkesson würde Anklage erheben. Möglicherweise konnte der Vorfall mit Martinssons Tochter dazu beitragen, daß ein paar Menschen anfingen umzudenken. Das hoffte Ann-Britt Höglund jedenfalls. Aber Wallander war skeptisch. Er glaubte, daß sie in Zukunft sehr viel Kraft aufwenden müßten, um verschiedene private Bürgerwehren zu bekämpfen.

Die wichtigste Neuigkeit an diesem Tag kam aber von Hamrén, der einen Teil der Aufgaben von Hansson übernommen hatte. Kurz nach drei Uhr am Nachmittag war es ihm gelungen, Göte Tandvall zu lokalisieren. Er rief sogleich Wallander an.

»Er hat einen Antiquitätenladen in Simrishamn«, sagte Hamrén. »Wenn ich es richtig verstanden habe, fährt er viel herum und kauft Antiquitäten auf, die er unter anderem nach Norwegen exportiert.«

»Ist das legal?«

»Ich glaube nicht, daß es direkt illegal ist«, erwiderte Hamrén. »Es hat wohl vor allem damit zu tun, daß die Preise dort höher sind. Dann hängt es natürlich davon ab, was für Antiquitäten es sind.«

»Ich möchte, daß du ihn besuchst«, sagte Wallander. »Wir haben keine Zeit zu verlieren. Außerdem sind wir sowieso zersplittert. Fahr nach Simrishamn. Vor allem brauchen wir eine Bestätigung der Frage, ob wirklich eine Verbindung zwischen Holger Eriksson und Krista Haberman bestand. Aber das heißt nicht, daß Göte Tandvall nicht auch andere Informationen von Interesse für uns haben kann.«

Drei Stunden später rief Hamrén wieder an. Er saß in seinem Wagen und war auf dem Rückweg von Simrishamn. Er hatte Göte Tandvall angetroffen. Wallander wartete mit Spannung.

»Göte Tandvall ist eine äußerst resolute Person«, sagte Hamrén. »Er scheint ein sehr gemischtes Gedächtnis zu haben. An manche Dinge konnte er sich überhaupt nicht erinnern, an andere wieder sehr deutlich.«

»Krista Haberman?«

»Er konnte sich an sie erinnern. Ich bekam den Eindruck, daß sie eine sehr schöne Frau gewesen ist. Und er war sicher, daß Holger Eriksson ihr begegnet war. Mindestens bei zwei verschiedenen

Gelegenheiten. Unter anderem glaubte er sich an einen frühen Morgen auf der Landspitze von Falsterbo zu erinnern, als sie dort standen und zurückkehrende Wildgänse beobachteten. Oder vielleicht Kraniche. Da war er nicht sicher.«

»Ist er auch Vogelbeobachter?«

»Der Vater hat ihn mitgeschleppt.«

»Auf jeden Fall wissen wir das Wichtigste«, sagte Wallander.

»Es sieht tatsächlich so aus, als hinge das zusammen. Krista Haberman, Holger Eriksson.«

Wallander wurde von einem plötzlichen Unbehagen befallen. Er sah mit bedrückender Deutlichkeit, was er nun zu glauben begann.

»Ich möchte, daß du zurückfährst nach Ystad«, sagte er. »Und daß du alle Informationen durchgehst, die direkt mit ihrem Verschwinden zu tun haben. Wer hat sie zuletzt gesehen, und wann? Mach eine Zusammenfassung dieses Teils der Ermittlung.«

»Du denkst an etwas Bestimmtes«, sagte Hamrén.

»Sie verschwand«, sagte Wallander. »Man hat sie nie gefunden. Worauf läßt das schließen?«

»Daß sie tot ist.«

»Mehr als das. Vergiß nicht, daß wir uns im Umfeld einer Ermittlung befinden, bei der es darum geht, daß gegen Männer und Frauen gleichermaßen die denkbar schwerste Gewalt verübt worden ist.«

»Du meinst also, daß sie ermordet worden ist?«

»Hansson hat mir eine Übersicht über die Umstände ihres Verschwindens gegeben, soweit sie aus den Unterlagen hervorgehen. Der Mordgedanke war die ganze Zeit mit im Bild. Aber weil kein Beweis vorlag, durfte er nicht über andere denkbare Erklärungen dominieren. Keine voreiligen Schlüsse, alle Türen offen, bis eine geschlossen werden kann. Vielleicht haben wir uns jetzt dieser Tür genähert.«

»Sollte Holger Eriksson sie getötet haben?«

Wallander war überzeugt, daß Hamrén den Gedanken zum erstenmal dachte.

»Ich weiß es nicht«, sagte Wallander. »Aber von jetzt an dürfen wir nicht von der Möglichkeit absehen.«

Hamrén versprach, die Zusammenstellung zu machen. Er würde sich melden, wenn er fertig war.

Nach dem Gespräch verließ Wallander Katarina Taxells Wohnung. Er mußte etwas essen. In einer Pizzeria in der Nähe aß er viel zu schnell und bekam Bauchschmerzen. Hinterher konnte er sich nicht einmal daran erinnern, wie es geschmeckt hatte.

Er hatte keine Zeit. Das Gefühl, daß bald etwas passieren würde, beunruhigte ihn. Da nichts darauf hindeutete, daß die Mordkette abgerissen war, arbeiteten sie gegen die Zeit. Sie wußten auch nicht, wieviel Zeit sie noch hatten. Ihm fiel ein, daß Martinsson ihm eine chronologische Übersicht über alles, was bisher geschehen war, versprochen hatte. Wäre Terese nicht überfallen worden, hätte er das heute erledigt. Auf dem Rückweg zu Katarina Taxells Wohnung sagte er sich, daß er nicht warten konnte. Er blieb unter dem Regenschutz einer Bushaltestelle stehen und rief in Ystad an. Ann-Britt Höglund war da. Sie hatte bereits mit Hamrén gesprochen und kannte die Bestätigung, daß Krista Haberman und Holger Eriksson sich begegnet waren. Wallander bat sie, den Zeitplan zu machen, den Martinsson für heute zugesagt hatte.

»Ich weiß nicht, ob es wichtig ist«, sagte er. »Aber wir wissen zu wenig darüber, wie diese Frau sich bewegt. Vielleicht klärt sich das Bild eines geographischen Zentrums, wenn wir ein Zeitschema aufstellen.«

»Jetzt sagst du ›diese Frau‹«, meinte Ann-Britt Höglund.

»Ja«, erwiderte Wallander. »Das tue ich. Aber wir wissen nicht, ob sie allein ist. Wir wissen auch nicht, welche Rolle sie spielt.«

»Was ist deiner Meinung nach mit Katarina Taxell passiert?«

»Sie ist abgehauen. Es ist sehr schnell gegangen. Jemand hat entdeckt, daß ihr Haus überwacht wurde. Sie hat sich aus dem Staub gemacht, weil sie etwas zu verbergen hat.«

»Ist es wirklich denkbar, daß sie Eugen Blomberg umgebracht hat?«

»Katarina Taxell ist ein Glied weit drinnen in einer Kette. Wenn es Glieder gibt, die wir miteinander verbinden können. Sie stellt weder einen Anfang noch ein Ende dar. Ich kann mir nur schwer vorstellen, daß sie einen Mord begangen hat. Sie gehört vermutlich zu der Gruppe mißhandelter Frauen.«

Ann-Britt Höglund klang ausgesprochen verwundert. »Ist sie auch mißhandelt worden? Das habe ich nicht gewußt.«

»Sie ist vielleicht nicht geschlagen oder mit dem Messer verletzt worden«, sagte Wallander. »Aber ich habe den Verdacht, daß sie auf andere Weise mißhandelt worden ist.«

»Seelisch?«

»Ungefähr, ja.«

»Von Blomberg?«

»Ja.«

»Und doch kriegt sie sein Kind? Wenn es stimmt, was du über die Vaterschaft glaubst.«

»Danach zu urteilen, wie sie ihr Kind hielt, war sie nicht besonders froh darüber. Aber natürlich gibt es viele Lücken«, räumte Wallander ein. »Unsere Arbeit besteht doch immer darin, provisorische Lösungen zusammenzupuzzeln. Wir müssen versuchen, durch die Ereignisse hindurchzusehen und sie auf den Kopf zu stellen, um sie auf die Füße zu bekommen.«

»So was hat uns auf der Polizeihochschule niemand gesagt. Hattest du nicht eine Einladung, da Vorlesungen zu halten?«

»Niemals«, sagte Wallander. »Ich kann nicht vor Leuten reden.«

»Genau das kannst du«, antwortete sie. »Aber du willst es nicht wahrhaben. Ich glaube außerdem, daß du eigentlich Lust dazu hast.«

»Es ist auf jeden Fall jetzt nicht aktuell«, sagte Wallander und beendete das Gespräch.

Er dachte noch einen Moment darüber nach, was sie gesagt hatte. Stimmte es, daß er im Grunde Lust hatte, vor angehenden Polizisten zu sprechen? Früher war er stets überzeugt gewesen, daß seine Abneigung dagegen echt war. Jetzt begann er plötzlich daran zu zweifeln.

Er verließ den Unterstand und hastete durch den Regen zurück zu Katarina Taxells Wohnung. In einem Karton in der hintersten Ecke eines Kleiderschranks fand er eine große Anzahl Tagebücher, die weit in die Vergangenheit zurückreichten. Das erste hatte sie mit zwölf Jahren begonnen. Wallander sah mit Erstaunen, daß es eine schöne Orchidee auf dem Umschlag hatte. Mit gleichbleibender Energie hatte sie diese Tagebücher durch ihre Jugend bis ins Erwachsenenalter weitergeführt. Das letzte war von 1993. Aber nach September gab es keine Eintragungen mehr. Er suchte weiter, fand aber keine Fortsetzung. Doch er war sicher, daß es eine gab. Er bat Birch um Hilfe, der jetzt damit fertig war, auf der Jagd nach Zeugen durchs Haus zu sausen.

Birch hatte den Schlüssel zu Katarina Taxells Kellerraum. Er brauchte eine Stunde, um ihn zu durchsuchen, fand aber keine Tagebücher. Wallander war jetzt überzeugt, daß sie sie mitgenommen hatte. Sie mußten in der Adidastasche gelegen haben, die Jonas Hader gesehen hatte, als sie sie in den Kofferraum des roten Golfs stellte.

Schließlich war nur noch ihr Schreibtisch übrig. Wallander hatte die Schubladen vorher schon hastig durchsucht. Jetzt wollte er es gründlich tun. Er setzte sich in den alten Stuhl, dessen Armlehnen mit geschnitzten Drachenköpfen verziert waren. Der Schreibtisch war ein Sekretär, dessen Schreibplatte man wie eine Schranktür hochklappen konnte. Auf dem Sekretär standen gerahmte Fotografien. Katarina Taxell als Kind. Sie sitzt im Gras. Weiße Gartenmöbel im Hintergrund. Unscharfe Gestalten. Jemand trägt einen weißen Hut. Katarina Taxell sitzt neben einem großen Hund. Sie blickt direkt in die Kamera. Ein Haarband mit Rosette. Die Sonne fällt schräg von links ein. Daneben ein anderes Bild: Katarina Taxell mit ihrer Mutter und ihrem Vater. Dem Ingenieur bei der Zuckerraffinerie. Er hat einen Schnauzbart und strahlt Selbstbewußtsein aus. Im Aussehen gleicht Katarina Taxell mehr dem Vater als der Mutter. Wallander nahm das Bild herunter und blickte auf die Rückseite. Keine Jahreszahl. Das Bild war in einem Fotoatelier in Lund aufgenommen. Das nächste Bild. Abiturfoto. Weiße Mütze, Blumen um den Hals. Sie ist dünner geworden, blasser. Der Hund und die Stimmung vom Gartenfoto sind weit weg. Katarina Taxell lebt in einer anderen Welt. Das letzte Bild, ganz außen. Eine alte Fotografie, die Konturen sind verblichen. Eine karge Landschaft am Meer. Ein altes Paar starrt steif in die Kamera. Weit draußen im Hintergrund ein Dreimaster, ohne Segel. Wallander dachte, daß das Bild von Öland sein konnte. Irgendwann am Anfang des Jahrhunderts aufgenommen. Katarina Taxells Großeltern? Auch hier stand nichts auf der Rückseite. Er stellte das Bild zurück. Kein Mann, dachte er. Blomberg ist nicht da. Das ist erklärlich. Aber auch kein anderer Mann. Der Vater, den es geben muß. Hatte das etwas zu bedeuten? Alles hatte etwas zu bedeuten. Nacheinander zog er die kleinen Schubfächer im oberen Teil des Sekretärs heraus. Briefe, Dokumente, Rechnungen. In einem Fach alte Schulzeugnisse. In Geographie hatte sie die beste Note. Dagegen war sie schwach in Physik und Mathematik. Das nächste Fach. Fotos aus einem Paßbildautomaten. Drei Mädchengesichter, dicht zusammengedrängt, Grimassen schneidend. Ein anderes Bild. Strøget in Kopenhagen. Sie sitzen auf einer Bank. Lachen. Katarina Taxell ganz rechts, am Ende der Bank. Auch sie lacht. Noch ein Fach mit Briefen. Einige noch von 1972. Eine Briefmarke mit dem Regalschiff »Wasa«. Wenn der Sekretär Katarina Taxells persönlichste Geheimnisse verbirgt, so hat sie kaum welche, dachte Wallander. Ein unpersönliches Leben. Keine Leidenschaften, keine Sommerabenteuer auf griechischen Inseln. Aber eine Eins in Geographie. Er sah die Fächer weiter durch, aber nichts erregte seine Aufmerksamkeit. Dann ging er zu den drei großen unteren Schubladen über. Noch immer keine Tagebücher. Nicht einmal Kalender. Wallander empfand Unbehagen angesichts dieses Suchens in Schichten von unpersönlichen Erinnerungsbildern. Katarina Taxells Leben hatte keine Spuren hinterlassen. Er sah die Frau nicht. Hatte sie sich selbst gesehen?

Er schob den Stuhl zurück und schloß die letzte Schublade. Nichts. Er wußte nicht mehr als vorher. Er runzelte die Stirn. Etwas stimmte da nicht. Wenn ihr Entschluß fortzugehen schnell gefaßt worden war, und davon war er überzeugt, hatte sie nicht viel Zeit gehabt, alles mitzunehmen, was sie eventuell nicht offenbaren wollte. Die Tagebücher hatte sie sicher in Reichweite. Die würde sie retten können, wenn es brannte. Aber es gibt fast immer auch eine ungeordnete Seite im Leben eines Menschen. Hier gab es nichts. Er rückte vorsichtig den Sekretär von der Wand ab. Nichts war an der Rückseite befestigt. Nachdenklich setzte er sich wieder. Da war etwas, was er gesehen hatte, was ihm aber erst jetzt bedeutungsvoll schien. Er saß unbeweglich und versuchte sich zu erinnern. Nicht die Fotos, auch nicht die Briefe. Aber was dann?

Die Zeugnisse? Der Mietvertrag? Die Rechnungen von ihrer Kreditkarte? Nichts von alledem. Was blieb dann noch?

Dann war es das Möbelstück. Der Sekretär. Es war etwas mit den kleinen Schubfächern. Er zog eines davon vor, dann das nächste, verglich sie. Dann nahm er sie heraus und guckte hinein. Auch nichts. Er schob die Fächer wieder zurück. Zog das oberste auf der linken Seite heraus, dann das nächste. Da entdeckte er es. Die Fächer waren verschieden hoch. Er zog das kleinere heraus und drehte es um. Dort war noch eine Öffnung. Das Fach war unterteilt, es hatte auf der Unterseite ein Geheimfach. Er öffnete es. Da lag nur ein kleines Heft. Er nahm es heraus und legte es vor sich auf den Tisch.

Ein Fahrplan der Schwedischen Eisenbahn. Vom Frühjahr 1991. Die Verbindungen zwischen Malmö und Stockholm.

Er nahm die anderen Schubladen heraus und fand noch ein weiteres Geheimfach. Es war leer.

Er lehnte sich in den Stuhl zurück und betrachtete den Fahrplan. Er konnte nicht verstehen, was das zu bedeuten hatte. Aber noch schwerer zu verstehen war, warum er in einem Geheimfach lag. Er konnte nicht durch einen Irrtum dort hingekommen sein.

Birch betrat das Zimmer.

»Sieh dir das einmal an«, sagte Wallander.

Birch stellte sich hinter ihn. Wallander zeigte auf den Fahrplan. »Der hier lag in Katarina Taxells geheimstem Winkel.«

»Ein Fahrplan?«

Wallander schüttelte den Kopf. »Ich verstehe das nicht«, sagte er.

Er blätterte ihn durch, Seite für Seite. Birch hatte einen Stuhl herangezogen und sich neben ihn gesetzt. Wallander blätterte weiter. Nichts Geschriebenes, keine Seite hatte Eselsohren oder fiel von selbst auf. Erst als er zur vorletzten Seite kam, hielt er ein. Birch hatte es auch entdeckt. Eine Abfahrtszeit von Nässjö war unterstrichen. Nässjö nach Malmö. Abfahrt 16 Uhr. Ankunft in Lund 18 Uhr 42. Malmö 18 Uhr 57.

Nässjo 16 Uhr. Jemand hatte sämtliche Zeiten unterstrichen. Wallander sah Birch an. »Sagt dir das was?«

»Nichts.«

Wallander legte den Fahrplan hin.

»Kann Katarina Taxell etwas mit Nässjö zu tun haben?« fragte Birch.

»Soweit ich weiß, nicht«, antwortete Wallander. »Aber es ist natürlich möglich. Unsere größte Schwierigkeit im Augenblick ist, daß alles sowohl denkbar als auch möglich erscheint. Wir können keine Details oder Zusammenhänge unterscheiden, die sofort als unwesentlich abgeschrieben werden können.«

Wallander hatte von dem Kriminaltechniker, der zuvor die Wohnung nach Fingerabdrücken abgesucht hatte, die nicht von Katarina Taxell oder ihrer Mutter stammten, ein paar Plastiktüten bekommen. Er steckte den Fahrplan in eine davon.

»Ich nehm ihn mit«, sagte er. »Wenn du nichts dagegen hast.«

Birch zuckte mit den Schultern. »Du kannst ihn ja nicht einmal mehr benutzen«, sagte er. »Er ist seit dreieinhalb Jahren ungültig.«

»Ich fahre so selten Zug«, sagte Wallander.

»Es kann erholsam sein«, sagte Birch. »Ich reise lieber im Zug als im Flugzeug. Man hat eine Zeit nur für sich allein.«

Wallander dachte an seine letzte Zugreise. Als er in Älmhult gewesen war. Birch hatte recht. Unterwegs hatte er tatsächlich eine Weile geschlafen.

»Das bringt uns hier jetzt nicht weiter«, sagte er. »Ich glaube, es wird Zeit, daß ich nach Ystad zurückkomme.«

»Wir sollen noch nicht nach Katarina Taxell und ihrem Kind fahnden?«

»Noch nicht.«

Sie verließen die Wohnung. Birch schloß ab. Es regnete kaum noch. Der Wind kam in Böen und war eisig. Es war schon Viertel vor neun. Sie trennten sich bei Wallanders Wagen.

»Was machen wir mit der Bewachung des Hauses?« fragte Birch.

Wallander überlegte. »Macht erst einmal weiter«, sagte er. »Aber vergeßt diesmal nicht die Rückseite.«

»Was kann deiner Meinung nach passieren?«

»Ich weiß nicht. Aber Menschen, die verschwinden, können sich ja entschließen zurückzukehren.«

Er fuhr aus der Stadt hinaus. Der Herbst drückte gegen den Wagen. Er machte die Heizung an. Trotzdem fühlte er sich verfroren.

Wie geht es jetzt bloß weiter, fragte er sich. Katarina Taxell ist verschwunden. Nach einem langen Tag in Lund kehre ich mit einem Eisenbahnfahrplan in einer Plastiktüte nach Ystad zurück.

Trotz allem waren sie an diesem Tag einen wichtigen Schritt weitergekommen. Holger Eriksson hatte Krista Haberman gekannt. Er gab unwillkürlich Gas. Er wollte so schnell wie möglich wissen, was Hamrén herausgefunden hatte. Bei der Abzweigung nach Sturup hielt er an einer Bushaltestelle an und rief in Ystad an. Er bekam Svedberg an den Apparat. Seine erste Frage galt Terese.

»Sie erhält viel Unterstützung von der Schule«, sagte Svedberg. »Besonders von den anderen Schülern. Aber es dauert natürlich.«

»Und Martinsson?«

»Er ist deprimiert. Er redet davon, daß er aufhören will.«

»Ich weiß. Aber ich glaube nicht, daß es dazu kommen muß.«

»Wahrscheinlich kannst nur du ihn überreden.«

»Das werde ich auch tun.«

Dann fragte er, ob etwas Wichtiges passiert sei. Svedberg war schlecht informiert. Er war eben erst von einer Besprechung mit Per Åkesson zurückgekommen, der bei der Beschaffung des Untersuchungsmaterials über den Tod von Gösta Runfelts Frau in Älmhult Hilfestellung leisten sollte.

Wallander bat ihn, die Gruppe zu einer Besprechung um zehn Uhr zu sammeln.

»Hast du Hamrén gesehen?« fragte er.

»Der sitzt mit Hansson zusammen und geht das Haberman-Material durch. Du hattest ihm etwas aufgetragen, das eilte.«

»Um zehn«, sagte Wallander. »Es wäre gut, wenn sie bis dahin fertig würden.«

»Sollen sie bis dahin Krista Haberman gefunden haben?« fragte Svedberg.

»Nicht richtig. Aber so ungefähr.«

Wallander legte das Telefon auf den Beifahrersitz. Er blieb im Dunkeln sitzen. Er dachte an das Geheimfach, Katarina Taxells Versteck, das einen alten Fahrplan enthielt.

Er verstand es nicht. Überhaupt nicht.

Um zehn Uhr waren sie versammelt. Als einziger fehlte Martinsson. Sie sprachen zunächst darüber, was am Morgen vorgefallen war. Alle wußten, daß Martinsson vorhatte, bei der Polizei aufzuhören.

»Ich rede mit ihm«, sagte Wallander. »Ich will wissen, ob es ihm wirklich ernst damit ist. Wenn das so ist, wird ihn natürlich niemand hindern.«

Mehr wurde nicht gesagt. Wallander faßte kurz zusammen, was in Lund geschehen war. Sie spielten verschiedene Erklärungen durch, warum Katarina Taxell verschwunden war und was ihr Motiv sein konnte. Sie fragten sich auch, ob es möglich wäre, den roten Golf aufzuspüren. Wie viele rote Golfs gab es eigentlich in Schweden?

»Eine Frau mit einem neugeborenen Kind kann nicht spurlos verschwinden«, sagte Wallander zum Schluß. »Ich glaube, es ist das beste, wir üben uns in Geduld. Wir müssen mit dem arbeiten, was wir in Händen haben.«

Er sah Hansson und Hamrén an. »Krista Habermans Verschwinden«, sagte er. »Vor siebenundzwanzig Jahren.«

Hansson nickte Hamrén zu.

»Du wolltest Details, was ihr eigentliches Verschwinden angeht«, sagte er. »Zum letztenmal sieht sie jemand in Svenstavik, am Dienstag, dem 22. Oktober 1967. Sie macht einen Spaziergang durch den Ort. Weil du dagewesen bist, kannst du das Ganze vor dir sehen. Daß sie spazierenging, war nichts Ungewöhnliches. Der letzte, der sie sieht, ist ein Waldarbeiter, der auf dem Fahrrad vom Bahnhof kommt. Das ist um fünf Uhr am Nachmittag. Es ist schon dunkel. Aber sie geht da, wo der Weg beleuchtet ist. Er ist sicher, daß sie es ist. Danach hat sie niemand mehr gesehen. Es gibt jedoch ein paar Zeugenaussagen, daß an dem Abend ein fremder Wagen durch den Ort gefahren ist. Das ist alles.«

Wallander saß schweigend da.

»Hat sich jemand über die Automarke geäußert?« fragte er dann.

Hamrén suchte in seinen Papieren. Dann schüttelte er den Kopf und verließ den Raum. Als er zurückkam, hatte er einen weiteren Stoß Papiere in der Hand. Niemand sagte etwas. Schließlich fand er, was er suchte. »Einer der Zeugen, ein Landwirt namens Johansson, behauptet, daß es ein Chevrolet war. Ein dunkelblauer Chevrolet. Er war seiner Sache sicher. Es hatte früher in Svenstavik ein Taxi vom gleichen Typ gegeben. Allerdings war das hellblau.«

Wallander nickte. »Svenstavik und Lödinge liegen weit auseinander«, sagte er. »Aber wenn ich mich nicht ganz täusche, hat Holger Eriksson zu der Zeit Chevrolets verkauft.«

Es wurde still im Raum.

»Ich frage mich, ob es so sein kann, daß Holger Eriksson die lange Strecke nach Svenstavik gefahren ist«, fuhr er fort. »Und daß Krista Haberman mit ihm zurückgefahren ist.«

Wallander wandte sich an Svedberg. »Hatte Eriksson damals schon seinen Hof?«

Svedberg nickte bekräftigend.

Wallander sah sich am Tisch um. »Holger Eriksson ist in einer Pfahlgrube aufgespießt worden«, sagte er. »Wenn es stimmt, wie wir glauben, daß der Mörder seine Opfer auf eine Art und Weise umbringt, die früher begangene Untaten widerspiegelt, dann fürchte ich, daß wir an eine sehr unschöne Schlußfolgerung denken müssen.«

Er wünschte, daß er sich irrte. Aber er glaubte es nicht mehr. »Wir müssen anfangen, auf Holger Erikssons Grundstück zu suchen. Ich frage mich, ob Krista Haberman dort nicht irgendwo begraben liegt.«

Es war zehn Minuten vor elf. Mittwoch, der 19. Oktober.

32

Sie fuhren in der frühen Morgendämmerung zum Hof hinaus. Wallander hatte Nyberg, Hamrén und Hansson gebeten mitzukommen. Jeder fuhr für sich, Wallander in seinem eigenen Wagen, der aus Älmhult zurückgekommen war. Sie hielten in der Einfahrt zu dem unbewohnten Haus, das wie ein einsames und abgetakeltes Schiff dort draußen im Nebel lag.

Gerade an diesem Morgen, am Donnerstag, dem 20. Oktober, war der Nebel sehr dicht. Er war spät in der Nacht vom Meer hereingekommen und lag unbewegt über der schonischen Landschaft. Sie hatten sich für halb sieben verabredet. Aber sie waren alle verspätet, weil so gut wie keine Sicht war. Wallander kam als letzter. Als er aus dem Wagen stieg, dachte er, daß sie einer Jagdgesellschaft glichen, die sich sammelte. Das einzige, was ihnen fehlte, waren die Waffen. Es stand ihnen nichts Angenehmes bevor. Er ahnte, daß irgendwo auf Holger Erikssons Grundstück eine ermordete Frau begraben lag. Was sie auch finden würden, wenn sie überhaupt etwas fänden, wären Skeletteile. Nichts anderes. Siebenundzwanzig Jahre waren eine lange Zeit.

Er konnte sich auch sehr wohl irren. Seine Vorstellung von Krista Habermans Ende war vielleicht nicht kühn. Auch nicht absurd. Aber der Schritt zur Gewißheit war noch immer sehr groß.

Sie begrüßten sich fröstelnd. Hansson hatte ein Meßtischblatt vom Hof und dem dazugehörenden Land bei sich. Wallander durchzuckte der Gedanke, was man im Museum in Lund wohl sagen würde, wenn sie wirklich das Skelett einer ermordeten Frau fanden. Er dachte finster, daß das vermutlich die Anzahl der Besucher des Hofs ansteigen lassen würde. Es gab kaum Touristenattraktionen, die sich mit den Tatorten von Verbrechen messen konnten.

Sie breiteten die Karte auf der Motorhaube von Nybergs Wagen aus und sammelten sich darum.

»1967 sah der zum Hof gehörende Besitz anders aus«, sagte Hansson und zeigte auf die Karte. »Erst Mitte der siebziger Jahre hat Eriksson das ganze Land gekauft, das südlich von hier liegt.«

Wallander sah, daß dies zwar die Fläche, die in Frage kam, um ein Drittel reduzierte. Es war aber dennoch unmöglich, sich durch das ganze Gelände zu graben. Sie mußten mit anderen Methoden die Stelle finden. »Der Nebel spielt uns einen Streich«, sagte er. »Ich hatte gehofft, wir könnten uns einen Überblick über das Gelände verschaffen. Es muß möglich sein, gewisse Teile auszuschließen. Ich gehe davon aus, daß man den Platz, wo man jemanden vergräbt, den man getötet hat, nicht dem Zufall überläßt.«

»Man wählt wohl eine Stelle, von der man glaubt, daß da garantiert keiner sucht«, sagte Nyberg. »Es gibt eine Untersuchung darüber. Aus den USA natürlich. Aber es klingt wahrscheinlich.«

»Das Gelände ist groß«, sagte Hamrén.

»Deshalb müssen wir es als erstes kleiner machen«, sagte Wallander. »Es stimmt, was Nyberg sagt. Ich bezweifle, daß Holger Eriksson – wenn er Krista Haberman nun ermordet hat – sie einfach irgendwo vergraben hat. Ich stelle mir zum Beispiel vor, daß man nicht gern eine Leiche direkt vor der Haustür unter der Erde liegen hat. Es sei denn, man ist völlig verrückt. Worauf bei Holger Eriksson nichts hindeutet.«

»Außerdem ist da Kopfsteinpflaster«, sagte Hansson. »Den Hofplatz können wir schon mal ausschließen.«

Sie gingen auf den Hof. Wallander überlegte, ob sie nach Ystad zurückkehren und ein andermal wiederkommen sollten, wenn es nicht neblig war. Da es windstill war, konnte der Nebel den ganzen Tag liegenbleiben. Er beschloß, daß sie trotz allem eine Stunde damit verbringen konnten, sich einen Überblick zu verschaffen.

Sie gingen in den großen Garten auf der Rückseite des Hauses. Der nasse Boden war mit verfaulten Äpfeln übersät. Eine Elster flatterte von einem Baum auf. Sie blieben stehen und blickten sich um. Hier auch nicht, dachte Wallander. Ein Mann in der Stadt, der einen Mord begeht und nur seinen Garten hat, vergräbt vielleicht eine Leiche zwischen Obstbäumen und Beerensträuchern. Aber nicht jemand, der auf dem Land wohnt.

Er sprach den Gedanken aus. Keiner hatte etwas einzuwenden. Sie gingen auf die Felder hinaus. Der Nebel war noch immer sehr dicht. Hasen tauchten schemenhaft auf und flitzten wieder davon. Sie gingen zuerst an die nördliche Grenze des Besitzes.

»Ein Hund würde natürlich nichts finden?« fragte Hamrén.

»Nicht nach siebenundzwanzig Jahren«, antwortete Nyberg.

Der Lehm klumpte unter ihren Stiefeln. Sie versuchten, auf dem schmalen ungepflügten Grasstreifen zu balancieren, der die Grenze von Erikssons Besitz markierte. Eine rostige Egge lag im Feld. Nicht nur der Auftrag drückte auf Wallanders Stimmung, sondern auch der Nebel und die graue, nasse Erde. Er liebte die Landschaft, in der er lebte und geboren war, aber der Herbst war nicht seine Jahreszeit. Zumindest nicht an Tagen wie diesem.

Sie kamen zu einem Teich, der in einer Senke lag. Hansson zeigte auf der Karte, wo sie sich befanden. Sie betrachteten den Teich. Er hatte einen Durchmesser von ungefähr hundert Metern.

»Der hier hat das ganze Jahr Wasser«, sagte Nyberg. »In der Mitte ist er sicher zwei bis drei Meter tief.«

»Das ist natürlich eine Möglichkeit«, sagte Wallander. »Daß man einen Körper mit Gewichten versenkt.«

»Oder einen Sack«, sagte Hansson. »Wie bei Eugen Blomberg.«

Wallander nickte. Da war wieder das Spiegelbild. Dennoch war er unsicher. Das sagte er auch.

»Ein Körper kann hochkommen. Versenkt Holger Eriksson eine Leiche in einem Teich, wenn er Tausende von Quadratmetern hat, um sie zu vergraben? Das kann ich mir schwer vorstellen.«

»Wer hat eigentlich diesen ganzen Boden bewirtschaftet?« fragte Hansson. »Doch bestimmt nicht er selbst. Er hat ihn verpachtet. Aber Land muß bearbeitet werden, sonst wächst es zu. Und dieser Boden hier ist gut gepflegt.«

Hansson war auf einem Bauernhof vor Ystad aufgewachsen und wußte, wovon er redete.

»Das ist eine wichtige Frage«, sagte Wallander. »Das müssen wir rausfinden.«

»Das kann uns auch eine andere Frage beantworten«, sagte Hamrén. »Ob es eine Veränderung des Landes gegeben hat. Ein Hügel, der plötzlich da war. Gräbt man an einer Stelle, wird der Boden an einer anderen aufgeworfen. Ich denke nicht an ein Grab, aber zum Beispiel an einen Graben. Oder etwas anderes.«

»Wir reden von Dingen, die fast dreißig Jahre zurückliegen«, sagte Nyberg. »Wer hat so ein Gedächtnis?«

»Es kommt vor«, sagte Wallander. »Aber wir müssen es natürlich herausfinden. Wer also hat Holger Erikssons Land bewirtschaftet?«

»Dreißig Jahre sind eine lange Zeit«, sagte Hansson. »Es können mehrere Personen sein.«

»Dann müssen wir mit allen reden«, sagte Wallander. »Wenn wir sie zu fassen kriegen. Wenn sie noch leben.«

Sie gingen weiter. Wallander fiel plötzlich ein, daß er im Haus ein paar alte Luftaufnahmen des Hofes gesehen hatte. Er bat Hansson, in Lund anzurufen und jemand mit den Schlüsseln kommen zu lassen.

»Es ist kaum wahrscheinlich, daß jemand morgens um Viertel nach sieben da ist.«

»Dann sprich mit Ann-Britt Höglund«, sagte Wallander.

»Bitte sie, den Anwalt anzurufen, Erikssons Testamentsvollstrecker. Er hat vielleicht noch Schlüssel.«

»Vielleicht sind Anwälte Frühaufsteher«, sagte Hansson zweifelnd und wählte die Nummer.

»Ich muß diese Luftaufnahmen sehen«, sagte Wallander. »Und zwar so schnell wie möglich.«

Sie gingen weiter. Hansson telefonierte mit Ann-Britt Höglund. Das Terrain wurde jetzt abschüssig. Der Nebel war so dicht wie vorher. Von irgendwo kam das Geräusch eines Traktors und verklang wieder. Hanssons Telefon summte. Ann-Britt Höglund hatte mit dem Anwalt gesprochen, aber er hatte die Schlüssel bereits abgegeben. Sie hatte versucht, jemand in Lund zu erreichen, aber bisher ohne Erfolg. Sie versprach, sich wieder zu melden. Wallander fielen die beiden Frauen ein, die er vor einer Woche hier getroffen hatte. Mit einem unguten Gefühl erinnerte er sich an die dünkelhafte Adelsdame.

Sie brauchten fast zwanzig Minuten, um an die nächste Grenzlinie zu gelangen. Hansson zeigte sie auf der Karte. Sie befanden sich jetzt am südwestlichen Ende. Der Besitz erstreckte sich noch einmal fünfhundert Meter nach Süden, aber diesen Teil hatte Holger Eriksson 1976 dazugekauft. Sie gingen nach Osten und näherten sich jetzt dem Graben und dem Hügel mit dem Vogelturm. Wallander spürte, wie sein Unbehagen wuchs. Er glaubte, bei den anderen die gleiche stille Reaktion zu bemerken.

Es wurde zu einem Bild seines Lebens, dachte er. Mein Leben als Polizeibeamter in Schweden in den letzten Jahrzehnten des 20. Jahrhunderts. Ein früher Morgen. Dämmerung. Herbst, Nebel, klamme Kälte. Vier Männer, die durch den Lehm stapfen. Sie nähern sich einer unbegreiflichen Raubtierfalle, wo ein Mann auf exotischen Bambusstangen aufgespießt worden ist. Gleichzeitig suchen sie nach einem denkbaren Ort für ein Grab einer polnischen Frau, die seit siebenundzwanzig Jahren verschwunden ist.

In diesem Lehm werde ich umherstapfen, bis ich falle. An anderen Plätzen im Nebel hocken Menschen an ihren Küchentischen und organisieren Bürgerwehren. Wer sich im Nebel verfährt, riskiert es, totgeschlagen zu werden.

Er merkte, daß er in Gedanken ein Gespräch mit Rydberg führte. Wortlos, aber doch ganz lebendig. Rydberg saß auf seinem Balkon, es war das letzte Krankheitsstadium. Der Balkon schwebte vor ihm wie ein Luftschiff im Nebel. Aber Rydberg antwortete nicht. Er hörte nur mit seinem schiefen Lächeln zu. Sein Gesicht war schwer von der Krankheit gezeichnet.

Plötzlich waren sie da. Wallander ging als letzter. Der Graben lag neben ihnen. Jetzt waren sie an der Pfahlgrube. Ein abgerissener Streifen des Absperrungsbandes der Polizei war unter einer der herabgefallenen Planken eingeklemmt. Ein unaufgeräumter Tatort, dachte Wallander. Die Bambusstäbe waren fort. Er fragte sich, wo sie aufbewahrt wurden. Im Keller des Polizeipräsidiums? Im Kriminaltechnischen Labor in Linköping? Der Vogelturm stand rechts von ihnen. Er war im Nebel kaum zu sehen.

Wallander merkte, wie ein Gedanke in seinem Kopf Form annahm. Er trat ein paar Schritte zur Seite und wäre beinah im

Lehm ausgerutscht und gefallen. Nyberg starrte in den Graben. Hamrén und Hansson diskutierten leise über ein Detail auf der Karte.

Jemand beobachtet Holger Eriksson und seinen Hof, dachte Wallander. Jemand, der weiß, was Krista Haberman zugestoßen ist, einer seit siebenundzwanzig Jahren verschwundenen Frau, die für tot erklärt wurde. Eine Frau, die irgendwo in einem Acker begraben liegt. Holger Erikssons Zeit wird bemessen. Ein anderes Grab wird mit spitzen Pfählen vorbereitet. Noch ein Grab im Lehm.

Er trat zu Hansson und Hamrén. Nyberg war im Nebel verschwunden. Wallander sagte, was er eben gedacht hatte. Er würde es später für Nyberg wiederholen. »Wenn der Täter so gut informiert ist, wie wir glauben, dann weiß er auch, wo Krista Haberman begraben ist. Wir haben bei verschiedenen Gelegenheiten davon gesprochen, daß der Mörder eine Sprache hat. Er oder sie versucht, uns etwas zu erzählen. Wir haben den Kode nur teilweise entschlüsseln können. Holger Eriksson wurde mit demonstrativer Brutalität getötet. Sein Körper sollte garantiert gefunden werden. Aber möglicherweise wurde der Platz auch aus einem anderen Grund gewählt. Eine Aufforderung an uns, weiterzusuchen. Gerade hier. Und wenn wir das tun, finden wir auch Krista Haberman.«

Nyberg tauchte aus dem Nebel auf. Wallander wiederholte, was er gesagt hatte. Alle sahen ein, daß er recht haben konnte. Sie gelangten über den Graben und gingen zum Turm hinauf. Das Waldstück unterhalb war vom Nebel verschluckt.

»Zu viele Wurzeln«, sagte Nyberg. »An das Wäldchen glaube ich nicht.«

Sie gingen in östlicher Richtung zurück, bis sie wieder an ihrem Ausgangspunkt anlangten. Es war inzwischen fast acht. Der Nebel hatte sich nicht gelichtet. Ann-Britt Höglund hatte angerufen und mitgeteilt, daß die Schlüssel unterwegs seien. Alle waren durchgefroren und naß, und Wallander wollte sie nicht unnötig hier festhalten. Hansson hatte vor, in den nächsten Stunden herauszufinden, wer das Land bewirtschaftet hatte.

»Eine plötzliche Veränderung vor siebenundzwanzig Jahren«,

schärfte Wallander ihm ein. »Davon wollen wir etwas wissen. Aber sag ja nicht, daß wir glauben, hier könnte eine Leiche vergraben sein. Dann kriegen wir eine Invasion.«

Hansson nickte. Er verstand.

»Wir müssen das hier wiederholen, wenn kein Nebel ist«, sagte Wallander. »Aber ich glaube, es ist trotzdem gut, daß wir schon jetzt diesen Überblick haben.«

Die anderen fuhren los. Wallander blieb stehen, bis er allein war. Dann setzte er sich in seinen Wagen und stellte die Heizung an. Sie funktionierte nicht. Die Reparatur hatte unbegreiflich viel Geld gekostet, aber die Heizung hatte nicht davon profitiert. Er fragte sich, wann er Zeit und Geld hätte, den Wagen gegen einen anderen einzutauschen. Würde der, den er jetzt wiederhatte, bis dahin erneut kaputt sein?

Er wartete, dachte an die drei Frauen: Krista Haberman, Eva Runfelt, Katarina Taxell. Und an die vierte, die keinen Namen hatte. Was für einen gemeinsamen Berührungspunkt hatten sie? Er hatte das Gefühl, daß dieser Punkt so nahe lag, daß er ihn sehen müßte. Er lag ganz nahe. Er sah ihn, ohne zu sehen.

In Gedanken ging er wieder zurück. Mißhandelte, vielleicht ermordete Frauen. Eine große Zeitspanne wölbte sich über das Ganze.

Und während er da im Wagen saß, sah er ein, daß er noch eine Schlußfolgerung ziehen konnte. Sie hatten nicht alles beachtet. Es war wichtig, daß sie den Zusammenhang zwischen den Frauen fanden. Aber sie mußten gleichzeitig mit der Möglichkeit rechnen, daß der Zusammenhang rein zufällig war. Jemand wählte aus. Aber was gab dabei den Ausschlag? Umstände? Zufälle? Vielleicht die sich bietenden Möglichkeiten? Holger Eriksson lebte allein auf einem Hof. Hatte keinen Umgang, spähte nachts nach Vögeln. Er war ein Mann, an den man leicht herankommen konnte. Gösta Runfelt zog auf Orchideensafari. Er sollte zwei Wochen fort sein. Das gab auch eine Möglichkeit. Auch er lebte allein. Eugen Blomberg machte regelmäßig Abendspaziergänge, allein, ohne Begleitung.

Wallander schüttelte den Kopf über seine Gedanken. Er fand kein Durchkommen.

Es war kalt im Wagen. Er stieg aus, um sich zu bewegen. Die Schlüssel müßten bald gebracht werden. Er trat auf den Hofplatz und erinnerte sich daran, wie er zum erstenmal hiergewesen war. Der Krähenschwarm unten am Graben. Er betrachtete seine Hände. Sie waren nicht mehr gebräunt. Die Erinnerung an die Sonne über der Villa Borghese gehörte der Vergangenheit an. Wie sein Vater.

Er starrte in den Nebel. Ließ den Blick über den Hofplatz wandern. Das Haus war wirklich in gutem Zustand. Hier hatte einmal ein Mann gesessen, der Holger Eriksson hieß und Gedichte über Vögel schrieb. Den einsamen Flug der Sumpfschnepfe. Den Mittelspecht, der immer seltener wird. Eines Tages setzt er sich in einen dunkelblauen Chevrolet und macht die weite Reise nach Jämtland. Hatte ihn eine Leidenschaft getrieben? Oder etwas anderes? Krista Haberman war eine schöne Frau. In dem umfangreichen Untersuchungsmaterial aus Östersund gab es ein Foto von ihr. War sie ihm freiwillig gefolgt? Das war anzunehmen. Sie reisen nach Schonen. Dann verschwindet sie. Holger Eriksson lebt allein. Er gräbt ein Grab. Sie ist unauffindbar. Die Ermittlung dringt nie bis zu ihm vor. Bis jetzt. Als Hansson den Namen Tandvall findet und ein früher nicht beachteter Zusammenhang erkennbar wird.

Wallander merkte, daß er dastand und den leeren Hundezwinger anstarrte. Zunächst war ihm nicht bewußt, was er dachte. Das Bild von Krista Haberman verflüchtigte sich langsam. Er runzelte die Stirn. Warum hatte er keinen Hund gesehen? Niemand hatte bisher danach gefragt. Er selbst am wenigsten. Wann war der Hund weggebracht worden? Hatte das überhaupt eine Bedeutung? Fragen, auf die er eine Antwort haben wollte.

Ein Auto bremste vor dem Haus. Kurz darauf kam ein Junge von kaum zwanzig Jahren auf den Hof. Er ging auf Wallander zu.
»Sind Sie der Polizist, der den Schlüssel haben soll?«

»Der bin ich.«

Der Junge betrachtete ihn zweifelnd. »Und woher soll ich das wissen? Sie können doch irgend jemand sein.«

Wallander war irritiert. Gleichzeitig sah er ein, daß die Skepsis des Jungen berechtigt war. Seine Hosenbeine waren bis hoch hinauf lehmbespritzt. Er holte seinen Ausweis hervor. Der Junge nickte und gab ihm einen Schlüsselbund.

»Ich sorge dafür, daß es nach Lund zurückkommt«, sagte Wallander.

Der Junge nickte, er hatte es eilig. Wallander hörte das Auto mit durchdrehenden Reifen losfahren, während er den Schlüssel für die Haustür suchte. Er dachte unwillkürlich an das, was Jonas Hader über den roten Golf vor Katarina Taxells Haus gesagt hatte. Fuhren Frauen gewöhnlich nicht mit kreischenden Reifen los? Mona fuhr schneller als er. Baiba trat immer hart aufs Gas. Aber vielleicht startete keine der beiden so, daß die Reifen durchdrehten.

Er öffnete die Tür, trat ins Haus und machte das Licht im Flur an. Er setzte sich auf einen Schemel und zog die lehmigen Stiefel aus. Als er in das große Zimmer kam, sah er zu seiner Verwunderung, daß das Gedicht über den Mittelspecht noch immer auf dem Schreibtisch lag. Der Abend des 21. September. Morgen war genau ein Monat vergangen. Waren sie eigentlich einer Lösung näher gekommen? Sie hatten drei Morde aufzuklären. Eine Frau hatte ihre Wohnung verlassen. Eine andere Frau lag vielleicht in Holger Erikssons Acker vergraben.

Der Nebel vor den Fenstern war noch immer sehr dicht. Er fühlte sich beklommen. Die Gegenstände im Raum schienen ihn zu betrachten. Er ging zur Wand, an der die beiden gerahmten Luftaufnahmen hingen. Er suchte in seinen Taschen nach der Brille. Gerade an diesem Morgen hatte er daran gedacht, sie mitzunehmen. Er setzte sie auf und beugte sich vor. Die eine Aufnahme war schwarzweiß, die andere in verblichenen Farben. Das Schwarzweißbild war von 1949, zwei Jahre bevor Holger Eriksson den Hof gekauft hatte. Die Farbaufnahme war von 1965. Wallander zog eine Gardine zurück, um mehr Licht hereinzulassen. Plötzlich entdeckte er ein Reh, das zwischen den Bäumen im Garten äste. Es hob den Kopf und sah ihn an. Dann äste es ruhig weiter. Ein Gefühl sagte Wallander, daß er dieses Reh nie vergessen würde. Wie lange er dort stand und es betrachtete, wußte er nicht. Ein Geräusch, das er selbst nicht wahrnahm, ließ das Tier aufhorchen. Dann sprang es fort und verschwand. Wallander blickte weiter durch das Fenster hinaus. Er wandte sich wieder den beiden Fotografien zu, die von der Firma »Flygfoto« aufgenommen waren. Zwischen ihnen lagen sechzehn Jahre. Das Flugzeug mit der Kamera war direkt von Süden gekommen. Alle Details waren sehr deutlich. 1965 hatte Eriksson seinen Turm noch nicht gebaut, aber der Hügel war da, ebenso der Graben. Wallander kniff die Augen zusammen, konnte aber keinen Steg entdecken. Er folgte den Konturen der Äcker. Das Bild war im Frühjahr entstanden. Die Äcker waren gepflügt, aber es wuchs noch nichts. Der Teich war deutlich zu sehen. Eine Baumgruppe stand neben einem schmalen Feldweg, der zwei der Äcker teilte. Er runzelte die Stirn; er konnte sich nicht an die Bäume erinnern. An diesem Morgen hatte er sie wegen des Nebels nicht gesehen, doch auch von seinen früheren Besuchen her waren sie ihm nicht in Erinnerung. Die Bäume waren sehr hoch, er hätte sie bemerken müssen. Einsam draußen zwischen den Äckern. Er betrachtete nun das Haus, den Mittelpunkt des Bildes. Zwischen 1949 und 1965 hat das Haus sein neues Dach bekommen. Ein Nebengebäude, vielleicht ein Schweinestall, ist abgerissen worden. Die Auffahrt ist breiter. Aber sonst ist alles unverändert. Er nahm die Brille ab und blickte durchs Fenster. Dann setzte er sich in einen Ledersessel und überließ sich seinen Gedanken. Ein Chevrolet fährt nach Svenstavik. Eine Frau kommt mit zurück nach Schonen. Dann verschwindet sie. Siebenundzwanzig Jahre später stirbt der Mann, der vielleicht einst nach Svenstavik fuhr und sie holte.

Er blieb eine halbe Stunde in der Stille sitzen. Er dachte daran, daß sie jetzt nach nicht weniger als drei Frauen suchten. Krista Haberman, Katarina Taxell und einer, die für sie noch keinen Namen hatte, die aber einen roten Golf fuhr und vielleicht manchmal falsche Fingernägel hatte und selbstgedrehte Zigaretten rauchte.

Oder suchten sie vielleicht nur nach zwei Frauen? Wenn zwei von ihnen identisch waren? Wenn Krista Haberman trotz allem noch lebte? Dann könnte sie jetzt fünfundsechzig Jahre alt sein. Die Frau, die Ylva Brink niedergeschlagen hatte, war bedeutend jünger.

Es paßte nicht. Das ebensowenig wie vieles andere.

Er blickte auf die Uhr. Viertel vor neun. Er stand auf und verließ das Haus. Der Nebel war so dicht wie zuvor. Er dachte an den leeren Hundezwinger. Dann schloß er ab und fuhr davon.

Um zehn war es Wallander gelungen, die Ermittlungsgruppe zu einer Besprechung zusammenzutrommeln. Nur Martinsson fehlte. Er hatte versprochen, am Nachmittag zu kommen. Während der Morgenstunden war er in Tereses Schule. Ann-Britt Höglund konnte erzählen, daß er sie spät am Vorabend angerufen hatte. Sie hatte den Eindruck, daß er nicht nüchtern gewesen war, was sie an ihm nicht kannte. Wallander fühlte einen Anflug von Neid. Warum rief Martinsson sie an und nicht ihn? Immerhin waren sie es, die in all den Jahren zusammengearbeitet hatten.

»Er scheint noch immer entschlossen zu sein, aufzuhören«, sagte sie. »Aber ich hatte das Gefühl, daß er wünschte, ich würde ihm widersprechen.«

»Ich werde mit ihm reden«, sagte Wallander.

Sie schlossen die Tür des Sitzungszimmers. Per Åkesson und Lisa Holgersson kamen als letzte. Wallander hatte das unbestimmte Gefühl, daß sie gerade eine eigene Besprechung beendet hatten.

Sobald es ruhig geworden war, ergriff Lisa Holgersson das Wort.

»Das ganze Land diskutiert die Bürgerwehren«, sagte sie. »Von jetzt an ist Lödinge für jedermann hierzulande ein Begriff. Es ist eine Anfrage aus Göteborg gekommen, ob Kurt heute abend im Fernsehen an einer Diskussionsrunde teilnehmen kann.«

»Niemals«, sagte Wallander erschrocken. »Was soll ich denn da?«

»Ich habe schon in deinem Namen abgesagt«, sagte sie schmunzelnd. »Aber ich erwarte dafür zu gegebener Zeit einen Gegendienst.«

Wallander nahm an, daß sie damit auf die Vorlesungen an der Polizeihochschule anspielte.

»Die Diskussion ist vergiftet und hitzig«, fuhr sie fort. »Wir können nur hoffen, daß es wenigstens das eine Gute hat, daß die

Leute sich mit diesem Gefühl von zunehmender Rechtsunsicherheit wirklich auseinandersetzen.«

»Im besten Fall kann es auch die höchste Polizeiführung im Land zu ein bißchen Selbstkritik zwingen«, sagte Hansson. »Die Polizei selbst ist ja nicht schuldlos an der ganzen Entwicklung.«

»Woran denkst du?« fragte Wallander. Da Hansson sich selten an Diskussionen über die Polizei beteiligte, interessierte es ihn besonders.

»Ich denke an all die Skandale, in die Polizeibeamte aktiv verwickelt waren. Das hat es vielleicht immer gegeben, aber nicht so häufig wie jetzt.«

»Das sollte man weder überbewerten noch bagatellisieren«, sagte Per Åkesson. »Das große Problem ist die gradweise Verschiebung dessen, was die Polizei und die Gerichte als Verbrechen bewerten. Was gestern noch zur Verurteilung führte, das kann heute plötzlich als Bagatelle betrachtet werden, um deren Aufklärung sich die Polizei nicht einmal mehr zu kümmern braucht. Und ich glaube, das ist ein Affront gegen das allgemeine Rechtsbewußtsein, das hier bei uns immer stark gewesen ist.«

»Das eine hängt wohl mit dem anderen zusammen«, sagte Wallander. »Und ich bezweifle, daß eine Debatte über die Bürgerwehren die Entwicklung beeinflußt. Auch wenn ich es natürlich für wünschenswert halte.«

»Ich habe jedenfalls vor, Anklage zu erheben, sooft ich kann«, sagte Per Åkesson. »Es war schwere Körperverletzung. Das kann ich nachweisen. Sie waren zu viert. Ich rechne damit, daß mindestens drei von ihnen verurteilt werden können. Beim vierten ist es eher unsicher. Ich sollte vielleicht auch sagen, daß der Generalstaatsanwalt darum gebeten hat, informiert zu werden. Das überrascht mich. Aber es zeigt zumindest, daß jemand da oben diese Sache ernst nimmt.«

»Åke Davidsson hat sich klug und besonnen in einem Interview in *Arbetaren* geäußert«, sagte Svedberg. »Glücklicherweise wird er ohne bleibende Schäden davonkommen.«

»Dann bleiben noch Terese und ihr Vater«, sagte Wallander. »Und die Jungen in der Schule.«

»Denkt Martinsson daran, aufzuhören?« fragte Per Åkesson. »Ich habe so etwas läuten hören.«

»Das war seine erste Reaktion«, sagte Wallander. »Und die ist nur zu verständlich und natürlich. Aber ich bin nicht sicher, ob er es wirklich tut.«

»Er ist ein guter Polizeibeamter«, sagte Hansson. »Weiß er das eigentlich?«

»Ja«, sagte Wallander. »Es fragt sich nur, ob das reicht. Es können andere Dinge hochkommen, wenn so etwas passiert. Zum Beispiel unsere unhaltbare Arbeitsbelastung.«

»Ich weiß«, sagte Lisa Holgersson. »Und die wird außerdem noch schlimmer werden.«

Wallander fiel dabei ein, daß er noch immer nicht mit ihr über Nybergs Situation gesprochen hatte. Er machte sich eine Notiz.

»Die Diskussion müssen wir ein andermal führen«, sagte er.

»Ich wollte euch nur informieren«, sagte Lisa Holgersson. »Mehr war nicht. Und daß euer ehemaliger Chef angerufen hat und euch Glück wünscht. Es tut ihm leid, was mit Martinssons Tochter passiert ist.«

»Der hat es verstanden, rechtzeitig aufzuhören«, sagte Svedberg. »Was haben wir ihm eigentlich zum Abschied geschenkt? Eine Angelrute? Wenn er hier weitergemacht hätte, wäre er nie dazu gekommen, sie zu benutzen.«

»Er hat jetzt sicher auch eine Menge um die Ohren«, wandte Lisa Holgersson ein.

»Björk war gut«, sagte Wallander. »Aber ich glaube, wir sollten jetzt weitermachen.«

Sie fingen mit Ann-Britt Höglunds Zeitplan an. Neben Wallanders Kollegblock lag der Eisenbahnfahrplan aus Katarina Taxells Sekretär.

Ann-Britt Höglund hatte wie üblich gründliche Arbeit geleistet. Alle Zeitpunkte, die auf irgendeine Weise mit den verschiedenen Ereignissen zu tun hatten, waren aufgeführt und zueinander in Beziehung gesetzt. Während Wallander zuhörte, dachte er, daß er diese Aufgabe sicher nicht besonders gut bewältigt hätte. Er hätte ganz bestimmt gepfuscht. Kein Polizist ist wie ein anderer, dachte er. Erst wenn wir uns mit dem beschäftigen können, was unsere starken Seiten herausfordert, sind wir wirklich nützlich.

»Ich sehe eigentlich kein Muster, das sich abzeichnet«, sagte Ann-Britt Höglund, als sie sich dem Schluß ihrer Darstellung näherte. »Die Gerichtsmediziner in Lund haben also festgestellt, daß Holger Erikssons Tod spät am Abend des 21. September eingetreten ist. Wie sie das herausgefunden haben, kann ich nicht genau beantworten, aber sie sind sich ihrer Sache sicher. Gösta Runfelt wird auch in der Nacht getötet. Da stimmt der Zeitpunkt überein, ohne daß man irgendwelche sinnvollen Schlüsse daraus ableiten kann. Es gibt auch keine Übereinstimmungen, was die Wochentage anbelangt. Wenn man die beiden Besuche auf der Entbindungsstation und den Mord an Eugen Blomberg dazunimmt, kann man möglicherweise Fragmente eines Musters ahnen.«

Sie brach ab und blickte in die Runde. Weder Wallander noch einer der anderen schien verstanden zu haben, was sie meinte.

»Das ist beinahe reine Mathematik«, sagte sie. »Aber es hat den Anschein, daß unser Täter einem so unregelmäßigen Muster folgt, daß es wieder interessant wird. Am 21. September stirbt Holger Eriksson. In der Nacht auf den 1. Oktober bekommt Katarina Taxell Besuch auf der Entbindungsstation in Ystad. Am 11. Oktober stirbt Gösta Runfelt. In der Nacht auf den 13. Oktober ist die Frau wieder auf der Entbindungsstation und schlägt Svedbergs Cousine nieder. Am 17. Oktober schließlich stirbt Eugen Blomberg. Wahrscheinlich kann man noch den Tag dazunehmen, an dem Gösta Runfelt vermutlich verschwunden ist. Das Muster, das ich sehe, zeichnet sich dadurch aus, daß es keinerlei Regelmäßigkeit gibt. Was möglicherweise erstaunlich ist. Da alles andere so minutiös geplant und vorbereitet zu sein scheint. Ein Täter, der sich die Zeit nimmt, Gewichte in einen Sack einzunähen und sie genau dem Körpergewicht des Opfers anzupassen? Man kann es also entweder so sehen, daß keine Intervalle existieren, die uns irgend etwas verraten. Oder man betrachtet die Unregelmäßigkeit als die Folge von irgend etwas. Und da fragt es sich, wovon?«

Wallander merkte, daß er ihr nicht folgen konnte.

»Noch einmal«, bat er. »Langsam.«

Sie wiederholte, was sie gesagt hatte. »Es muß nicht unbedingt ein Zufall sein«, schloß sie. »Weiter will ich mich nicht vorwagen. Es kann eine Unregelmäßigkeit sein, die sich wiederholt. Aber es muß nicht so sein.«

»Nehmen wir an, daß es trotz allem ein Muster ist«, sagte Wallander. »Wie interpretierst du das? Was sind das für äußere Faktoren, die den Zeitplan des Täters beeinflussen?«

»Es kann verschiedene Erklärungen geben. Der Täter wohnt nicht in Schonen. Macht aber regelmäßig Besuche hier. Er oder sie hat einen Beruf, der einem bestimmten Rhythmus unterliegt. Oder etwas anderes, was ich mir bisher nicht habe vorstellen können.«

»Du meinst also, daß diese Tage gesammelte arbeitsfreie Tage sein können, die regelmäßig wiederkehren? Wenn wir es einen Monat länger verfolgen könnten, würde es deutlicher werden?«

»Das kann eine Möglichkeit sein. Der Täter hat eine Arbeit, die einem ständig wechselnden Schema folgt. Die arbeitsfreien Tage fallen mit anderen Worten nicht ausschließlich auf Samstag und Sonntag.«

»Das kann wichtig sein«, sagte Wallander nachdenklich. »Aber es fällt mir schwer, das zu glauben.«

»Ansonsten kann ich aus diesen Zeiten nichts herauslesen«, sagte sie. »Die Person ist nicht zu fassen.«

»Was wir nicht klar festmachen können, ist auch eine Art von Erkenntnis«, sagte Wallander und hielt die Plastiktüte hoch. »Und da wir bei Zeitplänen sind: das hier habe ich in einem Geheimfach in Katarina Taxells Sekretär gefunden. Wenn sie ihren wichtigsten Besitz vor der Welt verbergen wollte, dann muß es das hier sein. Ein Fahrplan der Intercityzüge von SJ. Frühjahr 1991. Eine Zugabfahrt ist unterstrichen: Nässjö 16 Uhr. Er geht täglich.«

Er schob die Plastiktüte zu Nyberg hinüber.

»Fingerabdrücke«, sagte er.

Dann ging er zu Krista Haberman über. Er legte seine Gedanken dar. Erzählte von dem morgendlichen Besuch im Nebel. Die ernste Stimmung im Raum war unverkennbar. »Ich bin also der Meinung, wir sollten anfangen zu graben«, schloß er. »Wenn der

Nebel sich gelichtet und Hansson Gelegenheit gehabt hat zu untersuchen, wer das Land bestellt hat und ob dort nach 1967 einschneidende Veränderungen stattgefunden haben.«

Lange war es vollkommen still. Alle dachten nach über das, was Wallander gesagt hatte. Schließlich meldete sich Per Åkesson zu Wort. »Das klingt einerseits unglaublich und andererseits sehr bestechend«, sagte er. »Ich nehme an, wir müssen diese Möglichkeit ernsthaft in Erwägung ziehen.«

»Es wäre gut, wenn nichts davon nach draußen dringt«, sagte Lisa Holgersson. »Es gibt nichts, was die Leute mehr fasziniert, als wenn alte, nicht geklärte Vermißtenfälle wieder an die Oberfläche kommen.«

Sie hatten ihren Beschluß gefaßt.

Wallander wollte jetzt so schnell wie möglich abbrechen, weil auf sie alle viel Arbeit wartete. »Katarina Taxell«, sagte er. »Sie ist also verschwunden. Ist mit einem roten Golf weggefahren. Mit unbekanntem Fahrer. Ihren Aufbruch muß man als überstürzt bezeichnen. Birch in Lund wartet wohl darauf, daß wir uns melden. Ihre Mutter möchte, daß wir sie suchen lassen. Was wir ihr kaum abschlagen können, da sie die nächste Angehörige ist. Aber ich glaube, wir sollten noch warten, wenigstens einen Tag.«

»Warum?« fragte Per Åkesson.

»Ich vermute, daß sie sich meldet«, sagte Wallander. »Natürlich nicht bei uns. Aber bei ihrer Mutter. Katarina Taxell weiß, daß sie sich Sorgen macht. Sie wird sie anrufen, um sie zu beruhigen. Aber sie wird leider nicht sagen, wo sie sich befindet. Oder mit wem sie zusammen ist.«

Wallander wandte sich jetzt direkt an Per Åkesson. »Ich möchte also jemand zu Hause bei Katarina Taxells Mutter haben. Der das Gespräch aufnehmen kann. Früher oder später wird sie anrufen.«

»Wenn das nicht schon geschehen ist«, sagte Hansson und stand auf. »Gib mir mal Birchs Telefonnummer.«

Er bekam sie von Ann-Britt Höglund und verließ eilig den Raum.

»Das war im Augenblick alles«, sagte Wallander. »Sagen wir, daß wir uns um fünf hier wieder treffen, falls bis dahin nichts passiert.«

Als Wallander in sein Zimmer kam, klingelte das Telefon. Es war Martinsson. Er wollte wissen, ob Wallander ihn um zwei Uhr treffen könnte, bei ihm zu Hause. Wallander versprach zu kommen. Dann verließ er das Präsidium. Er aß im Continental zu Mittag. Eigentlich konnte er sich das nicht leisten. Aber er war hungrig und hatte wenig Zeit. Er saß allein an einem Fenstertisch, nickte Menschen zu, die vorübergingen. Wunderte sich und war gekränkt, daß niemand stehenblieb und ihm sein Beileid aussprach, weil sein Vater gestorben war. Es hatte in der Zeitung gestanden. Die Nachricht von Todesfällen verbreitete sich schnell. Er aß Heilbutt und trank ein alkoholarmes Bier. Die Bedienung war jung und wurde jedesmal rot, wenn er sie ansah. Er fragte sich mitleidig, wie sie ihre Arbeit aushielt.

Um zwei läutete er an Martinssons Tür. Der Kollege machte selbst auf. Sie setzten sich in die Küche. Es war still im Haus, Martinsson war allein. Wallander fragte nach Terese. Sie ging wieder zur Schule. Martinsson war blaß und verschlossen. Wallander hatte ihn noch nie so bedrückt und deprimiert gesehen.

»Was soll ich tun?« fragte Martinsson.

»Was sagt deine Frau? Was sagt Terese?«

»Natürlich daß ich weitermachen soll. Sie sind es nicht, die wollen, daß ich aufhöre. Das bin ich selbst.«

Wallander wartete. Aber Martinsson sagte nichts mehr.

»Weißt du noch, vor ein paar Jahren«, begann Wallander. »Als ich draußen im Nebel bei Kåseberga einen Menschen erschossen habe. Und einen anderen auf der Ölandbrücke totgefahren. Ich war fast ein Jahr weg. Ihr habt sogar geglaubt, ich hätte aufgehört. Dann passierte diese Sache mit den Anwälten Torstensson. Und plötzlich hatte sich alles verändert. Ich wollte mein Abschiedsgesuch unterschreiben. Statt dessen bin ich zurückgegangen in den Dienst.«

Martinsson nickte. Er erinnerte sich.

»Jetzt im nachhinein bin ich froh darüber, daß ich mich so entschieden habe. Das einzige, wozu ich dir raten kann, ist, nicht übereilt zu handeln. Warte ab. Arbeite noch eine Zeitlang, und dann entscheide dich. Ich bitte dich nicht darum, zu vergessen. Ich bitte dich darum, Geduld zu haben. Alle vermissen dich. Alle wissen, daß du ein guter Polizist bist. Man merkt, daß du nicht da bist.«

Martinsson machte eine abwehrende Handbewegung.

»So wichtig bin ich nicht. Ich kann dies und das. Aber rede mir nicht ein, daß ich irgendwie unersetzbar bin.«

»Keiner kann gerade dich ersetzen«, sagte Wallander. »Davon rede ich.«

Wallander hatte damit gerechnet, daß das Gespräch sehr lang werden konnte. Martinsson saß eine Weile schweigend da. Dann stand er auf und verließ die Küche. Als er zurückkam, hatte er seine Jacke an. »Gehen wir?« fragte er.

»Ja«, sagte Wallander. »Wir haben viel zu tun.«

Im Wagen auf dem Weg zum Präsidium gab ihm Wallander einen kurzgefaßten Bericht über das, was sich in den letzten Tagen getan hatte. Martinsson hörte zu, ohne etwas zu sagen.

Als sie an die Anmeldung kamen, wurden sie von Ebba aufgehalten. Da sie sich nicht die Zeit nahm, Martinsson zu sagen, daß sie sich freute, ihn wiederzusehen, wußte Wallander sogleich, daß etwas passiert war.

»Ann-Britt Höglund will euch unbedingt sprechen«, sagte sie. »Es ist sehr dringend.«

»Was ist denn passiert?«

»Eine Frau, die Katarina Taxell heißt, hat ihre Mutter angerufen.«

Wallander sah Martinsson an.

Er hatte also recht gehabt.

Aber es war schneller gegangen, als er erwartet hatte.

33

Sie waren nicht zu spät gekommen.

Birch hatte es gerade noch mit einem Aufnahmegerät geschafft. Eine gute Stunde später war das Band in Ystad. Sie sammelten sich in Wallanders Zimmer, wo Svedberg ein Tonbandgerät aufgestellt hatte.

Sie lauschten dem Gespräch zwischen Katarina Taxell und ihrer Mutter unter großer Spannung. Das Gespräch war kurz. Das war auch Wallanders erster Gedanke. Katarina Taxell wollte nicht mehr sprechen als unbedingt nötig.

Sie hörten es einmal an, dann ein zweites Mal. Svedberg reichte Wallander die Kopfhörer, damit er mehr Nuancen wahrnahm.

»*Mama? Ich bin es.*«

»*Um Gottes willen. Wo bist du? Was ist passiert?*«

»*Nichts ist passiert. Uns geht es gut.*«

»*Wo bist du?*«

»*Bei einer guten Freundin.*«

»*Bei wem?*«

»*Bei einer guten Freundin. Ich wollte nur anrufen und sagen, daß alles in Ordnung ist.*«

»*Was ist denn passiert? Warum bist du verschwunden?*«

»*Das erkläre ich dir ein andermal.*«

»*Bei wem bist du?*«

»*Du kennst sie nicht.*«

»*Leg nicht auf. Was hast du für eine Telefonnummer?*«

»*Ich mach jetzt Schluß. Ich wollte nur anrufen, damit du dir keine Sorgen machst.*«

Die Mutter versuchte, noch etwas zu sagen, aber Katarina Taxell hatte aufgelegt. Der Dialog bestand aus fünfzehn Satzfolgen, von denen die letzte abgebrochen wurde.

Sie hörten sich das Band mindestens zwanzigmal an. Svedberg schrieb mit.

»Der elfte Satz interessiert uns«, sagte Wallander. »›Du kennst sie nicht.‹ Was meint sie damit?«

»Das, was sie sagt«, erwiderte Ann-Britt Höglund.

»Ganz so meine ich es nicht«, verdeutlichte Wallander. »›Du kennst sie nicht‹ kann zwei Sachen bedeuten. Daß die Mutter ihr noch nicht begegnet ist. Oder daß die Mutter nicht verstanden hat, was sie für Katarina Taxell bedeutet.«

»Das erste ist wohl das Wahrscheinlichere«, sagte Ann-Britt Höglund.

»Ich hoffe, du irrst dich«, antwortete Wallander. »Das würde es uns in hohem Maß erleichtern, sie zu identifizieren.«

Währenddessen saß Nyberg mit den Kopfhörern da und lauschte. Dem Geräusch, das heraussickerte, konnten sie entnehmen, daß er die Lautstärke voll aufgedreht hatte.

»Man hört was im Hintergrund«, sagte Nyberg. »Da pocht etwas.«

Wallander setzte die Kopfhörer auf. Nyberg hatte recht. Im Hintergrund waren dumpfe Stöße zu hören. Die anderen lauschten der Reihe nach. Keiner konnte mit Sicherheit sagen, was es war.

»Wo ist sie?« fragte Wallander. »Sie ist irgendwo angekommen. Sie ist bei der Frau, die sie abgeholt hat. Und irgendwo im Hintergrund ist ein Pochen.«

»Kann es in der Nähe eines Bauplatzes sein?« schlug Martinsson vor. Es war das erste, was er sagte, nachdem er sich entschlossen hatte, wieder zu arbeiten.

»Das ist eine Möglichkeit«, sagte Wallander.

Sie hörten es noch einmal. Das Pochen war eindeutig. Wallander faßte einen Beschluß.

»Schick das Band nach Linköping hoch«, sagte er. »Bitte sie um eine Analyse. Wenn wir das Geräusch identifizieren können, hilft uns das vielleicht weiter.«

»Wie viele Baustellen gibt es allein in Schonen?« fragte Hansson.

»Es kann etwas anderes sein«, sagte Wallander. »Etwas, was uns eine Idee gibt, wo sie sich befindet.«

Nyberg verschwand mit dem Band. Sie blieben in Wallanders Zimmer zurück, an Schreibtisch und Wände gelehnt.

»Von jetzt an gelten drei Dinge«, sagte Wallander. »Wir müssen Prioritäten setzen. Bestimmte Aspekte müssen wir vorläufig auf sich beruhen lassen. Wir müssen Katarina Taxells Leben noch genauer durchforsten. Wer ist sie? Wer ist sie gewesen? Ihre Freunde? Bewegungen in ihrem Leben. Das ist das erste. Und das zweite hängt damit zusammen: Bei wem ist sie?«

Er machte eine kurze Pause, bevor er fortfuhr. »Wir warten ab, bis Hansson aus Lödinge zurück ist. Aber ich rechne damit, daß unsere dritte Aufgabe sein wird, draußen bei Holger Eriksson zu graben.«

Keiner hatte Einwände, und sie trennten sich. Wallander wollte nach Lund fahren und Ann-Britt Höglund mitnehmen. Es war bereits spät am Nachmittag.

»Paßt jemand auf deine Kinder auf?« fragte er, als sie allein im Zimmer waren.

»Ja«, sagte sie. »Meine Nachbarin braucht im Moment Gott sei Dank Geld.«

»Wie schaffst du das eigentlich?« fragte er. »So hoch ist dein Gehalt doch nicht.«

»Ich könnte mir das nicht leisten«, sagte sie. »Aber mein Mann verdient gut. Das rettet uns. Das macht uns zu einer beneidenswerten Familie heutzutage.«

Wallander rief Birch an und sagte, daß sie sich auf den Weg machten.

Er ließ Ann-Britt Höglund fahren. Er traute seinem eigenen Wagen nicht mehr, trotz der teuren Reparatur.

Die Landschaft versank langsam in der Dämmerung. Ein kalter Wind strich über die Äcker.

»Wir fangen bei Katarina Taxells Mutter an«, sagte er. »Danach gehen wir noch einmal in ihre Wohnung.«

»Was glaubst du denn da noch finden zu können? Du hast die Wohnung doch schon durchsucht. Und du bist meistens sehr genau.«

»Vielleicht nichts Neues. Aber vielleicht einen Zusammenhang zwischen zwei Details, den ich bisher nicht gesehen habe.«

Sie fuhr schnell.

»Startest du manchmal mit quietschenden Reifen?« fragte Wallander unvermittelt.

Sie warf ihm einen Blick zu. »Es kommt schon mal vor«, sagte sie. »Warum fragst du?«

»Weil ich gern wüßte, ob es eine Frau war, die den roten Golf gefahren ist. Der Katarina Taxell abgeholt hat.«

»Wissen wir das nicht sicher?«

»Nein«, sagte Wallander bestimmt. »Wir wissen es nicht sicher. Wir wissen kaum etwas sicher.«

Er sah durch das Seitenfenster hinaus. Sie kamen gerade an Schloß Marsvinsholm vorbei.

»Es gibt noch etwas, was wir nicht sicher wissen«, sagte er. »Aber wovon ich immer mehr überzeugt bin.«

»Was?«

»Daß sie allein ist. Es gibt keinen Mann in ihrer Nähe. Es gibt überhaupt niemand. Wir suchen nicht nach einer Frau, die uns eventuell weiterbringt. Sie hat keinen Hintergrund. Hinter ihr ist nichts. Sie ist es. Kein anderer.«

»Sie hat also die Morde begangen? Das Pfahlgrab gegraben. Runfelt erwürgt, nachdem sie ihn gefangengehalten hat? Blomberg lebend in einem Sack in den See geworfen?«

Wallander antwortete, indem er eine andere Frage stellte. »Weißt du noch, daß wir am Anfang dieser Ermittlung von der Sprache des Täters geredet haben? Daß er oder sie uns etwas erzählen wollte? Über die demonstrative Vorgehensweise?«

Sie erinnerte sich.

»Es kommt mir jetzt so vor, als hätten wir von Anfang an das Richtige gesehen, aber das Falsche gedacht.«

»Daß eine Frau sich verhielt wie ein Mann?«

»Vielleicht nicht das Verhalten an sich. Aber sie hat Dinge getan, die uns an brutale Männer denken ließen.«

»Dann hätten wir also an die Opfer denken müssen. Weil sie brutal waren?«

»Genau. Nicht an den Täter. Wir haben in das, was wir sahen, die falsche Geschichte hineingelesen.«

»Und trotzdem wird es gerade hier schwer«, sagte sie. »Daß

eine Frau all dieser Dinge wirklich fähig ist. Ich meine nicht die physische Kraft. Ich bin zum Beispiel genauso stark wie mein Mann. Er hat große Schwierigkeiten, mich beim Armdrücken unterzukriegen.«

Wallander sah sie verblüfft an. Sie bemerkte es und lachte. »Jeder amüsiert sich auf seine Weise.«

Wallander nickte. »Ich weiß noch, daß ich mit meiner Mutter Fingerhakeln gespielt habe, als ich klein war«, sagte er. »Aber ich glaube, ich habe immer gewonnen.«

»Sie hat dich vielleicht gewinnen lassen.«

Sie bogen nach Sturup ab.

»Ich weiß nicht, wie diese Frau ihre Taten begründet«, sagte Wallander. »Aber wenn wir sie finden, glaube ich, daß wir einem Menschen begegnen, wie wir noch nie einen erlebt haben.«

»Ein weibliches Monstrum?«

»Vielleicht. Aber auch das ist nicht sicher.«

Das Autotelefon unterbrach sie. Wallander nahm das Gespräch an. Es war Birch. Er erklärte ihm, wie sie fahren mußten, um zur Wohnung von Katarina Taxells Mutter zu kommen.

»Wie heißt sie mit Vornamen?«

»Hedwig. Hedwig Taxell.«

Birch versprach, sie anzukündigen. Wallander rechnete damit, daß sie in einer halben Stunde da wären.

Die Abenddämmerung brach an.

Birch stand auf der Treppe und begrüßte sie.

Hedwig Taxell wohnte am Ende einer Reihenhauskette am Stadtrand von Lund. Wallander schätzte, daß die Häuser in den frühen sechziger Jahren gebaut worden waren. Flachdächer, viereckige Schachteln mit kleinen Innenhöfen auf der Rückseite. Er meinte einmal gelesen zu haben, daß die Dächer nach heftigen Schneefällen einstürzen konnten.

»Ich habe gerade noch rechtzeitig das Tonbandgerät anschließen können, bevor das Gespräch kam«, sagte Birch.

»Wir sind ja sonst nicht gerade vom Glück verwöhnt worden«, sagte Wallander. »Wie ist dein Eindruck von Hedwig Taxell?«

»Sie macht sich große Sorgen um ihre Tochter und das Kind. Aber sie wirkt doch gefaßter als beim letztenmal.«

»Wird sie uns helfen? Oder schützt sie ihre Tochter?«

»Ich glaube ganz einfach, sie will wissen, wo sie ist.«

Birch führte sie ins Wohnzimmer. Ohne sagen zu können, warum, hatte Wallander das Gefühl, daß das Zimmer an Katarina Taxells Wohnung erinnerte. Hedwig Taxell begrüßte sie. Birch hielt sich wie gewöhnlich im Hintergrund. Wallander beobachtete sie. Sie war blaß. Ihre Augen flackerten unruhig. Wallander war nicht verwundert. Er hatte es an ihrer Stimme auf dem Tonband gehört. Sie machte sich Sorgen und war extrem angespannt. Deshalb hatte er Ann-Britt Höglund mitgenommen. Sie hatte eine großartige Fähigkeit, Menschen zu beruhigen. Hedwig Taxell schien nicht mißtrauisch oder wachsam zu sein. Er hatte das Gefühl, daß sie in erster Linie froh darüber war, nicht allein zu sein. Sie setzten sich. Wallander hatte seine ersten Fragen vorbereitet.

»Frau Taxell. Wir benötigen Ihre Hilfe, um Antwort auf einige Fragen zu bekommen, die Katarina betreffen.«

»Wie sollte sie etwas über diese schrecklichen Morde wissen? Sie hat gerade erst ein Kind bekommen.«

»Wir glauben nicht, daß sie in irgendeiner Weise darin verwickelt ist«, sagte Wallander freundlich. »Aber wir sind gezwungen, von allen Seiten Informationen zusammenzutragen.«

»Was sollte sie denn wissen?«

»Ich hoffe, daß Sie uns das beantworten können.«

»Können Sie sie nicht lieber suchen? Ich verstehe überhaupt nicht, was los ist.«

»Ich glaube absolut nicht, daß sie in Gefahr ist«, sagte Wallander, vermochte aber seinen Zweifel nicht ganz zu verbergen.

»So etwas hat sie noch nie gemacht.«

»Und Sie haben keine Ahnung, wo sie sich befinden könnte?«

»Nein. Es ist mir unbegreiflich.«

»Katarina hat vielleicht viele Freunde?«

»Hat sie nicht. Aber die, die sie hat, stehen ihr nahe. Ich begreife nicht, wo sie sein kann.«

»Vielleicht gibt es jemand, den sie nicht so häufig trifft? Jemand, den sie erst kürzlich kennengelernt hat?«

»Wer sollte das sein?«

»Oder vielleicht jemand, den sie früher näher gekannt hat und zu dem sie jetzt wieder Kontakt aufgenommen hat?«

»Das wüßte ich. Wir haben ein gutes Verhältnis zueinander. Viel besser, als es zwischen Müttern und Töchtern sonst so ist.«

»Ich glaube auch nicht, daß es Geheimnisse zwischen Ihnen gab«, sagte Wallander geduldig. »Aber es ist sehr selten, daß man von einem anderen Menschen alles weiß. Wissen Sie zum Beispiel, wer der Vater von Katarinas Kind ist?«

Wallander hatte nicht beabsichtigt, sie mit der Frage zu schockieren, aber sie zuckte zusammen.

»Ich habe versucht, mit ihr darüber zu sprechen«, sagte sie. »Aber sie wollte nicht.«

»Sie wissen also nicht, wer es ist? Sie haben auch keine Vermutung?«

»Ich wußte nicht einmal, daß sie mit einem Mann eine Beziehung hatte.«

»Aber Sie wußten, daß sie mit Eugen Blomberg zusammen war?«

»Das wußte ich. Aber ich mochte ihn nicht.«

»Warum nicht? Weil er schon verheiratet war?«

»Das habe ich erst erfahren, als ich die Todesanzeige in der Zeitung las. Es war ein Schock.«

»Warum mochten Sie ihn nicht?«

»Ich weiß nicht. Er war mir unangenehm.«

»Wußten Sie, daß er Katarina mißhandelt hat?«

Ihr Entsetzen war ganz und gar echt. Einen Moment lang tat sie Wallander leid. Für sie brach eine Welt zusammen. Sie mußte jetzt einsehen, daß es vieles gab, was sie über ihre Tochter nicht wußte. Daß die Vertrautheit, an die sie geglaubt hatte, kaum mehr war als eine äußere Hülle, auf jeden Fall aber sehr begrenzt.

»Sollte er sie geschlagen haben?«

»Schlimmer. Er hat sie auf verschiedene Weise mißhandelt.«

Sie sah ihn ungläubig an. Aber sie spürte, daß er die Wahrheit sagte. Sie konnte sich nicht dagegen wehren.

»Ich glaube auch, daß es möglich ist, daß Eugen Blomberg der

Vater ihres Kindes ist. Obwohl sie miteinander gebrochen hatten.«

Sie schüttelte langsam den Kopf. Aber sie sagte nichts. Wallander fürchtete, daß sie wieder zusammenbrechen könnte. Er blickte Ann-Britt Höglund an. Sie nickte. Er deutete das so, daß er weiterfragen konnte. Birch stand unbeweglich im Hintergrund.

»Katarinas Freunde«, sagte Wallander. »Wir müssen sie treffen und mit ihnen sprechen.«

»Ich habe doch schon gesagt, wer sie sind. Und Sie haben schon mit ihnen gesprochen.«

Sie zählte drei Namen auf. Birch nickte im Hintergrund.

»Sonst niemand?«

»Nein.«

»Ist sie Mitglied in einer Vereinigung?«

»Nein.«

»Hat sie Auslandsreisen gemacht?«

»Wir verreisen einmal im Jahr zusammen. Meistens in den Schulferien im Februar. Nach Madeira, Marokko, Tunesien.«

»Hat sie keine Hobbys?«

»Sie liest viel. Hört gern Musik. Aber ihre Firma für Haarpflegemittel beansprucht ihre meiste Zeit. Sie arbeitet viel.«

»Sonst nichts?«

»Sie hat manchmal Badminton gespielt.«

»Mit wem? Mit einer von den drei Freundinnen?«

»Mit einer Lehrerin. Ich glaube, sie hieß Carlman. Aber ich habe sie nie gesehen.«

Wallander wußte nicht, ob es wichtig war. Aber es war immerhin ein neuer Name. »Arbeiten sie an derselben Schule?«

»Jetzt nicht mehr. Aber früher. Vor ein paar Jahren.«

»Sie erinnern sich nicht an ihren Vornamen?«

»Ich bin ihr nie begegnet.«

»Und wo spielten sie?«

»Im Victoriastadion. Das liegt so nah, daß sie von ihrer Wohnung zu Fuß hingehen konnte.«

Birch verließ unauffällig seinen Platz und ging in den Flur. Wallander wußte, daß er jetzt die Frau namens Carlman aufspürte.

Es dauerte weniger als fünf Minuten.

Birch machte Wallander ein Zeichen, in den Flur hinauszukommen. Ann-Britt Höglund versuchte in der Zwischenzeit, sich Klarheit darüber zu verschaffen, was Hedwig Taxell über das Verhältnis ihrer Tochter zu Eugen Blomberg wußte.

»Das war leicht«, sagte Birch. »Annika Carlman. Sie hat den Platz gebucht und bezahlt. Ich habe die Adresse. Es ist nicht weit von hier. Lund ist noch immer eine Kleinstadt.«

»Dann fahren wir hin«, sagte Wallander.

Er ging zurück ins Zimmer. »Annika Carlman«, sagte er. »Sie wohnt hier in der Bankgatan.«

»Ich habe ihren Vornamen nie gehört«, sagte Hedwig Taxell.

»Wir lassen euch beide jetzt eine Weile allein«, fuhr Wallander fort. »Wir müssen am besten gleich mit ihr reden.«

Sie fuhren in Birchs Wagen. Es dauerte keine zehn Minuten. Es war halb sieben. Annika Carlman wohnte in einem Mietshaus vom Anfang des Jahrhunderts. Birch klingelte an der Sprechanlage. Eine Männerstimme antwortete, Birch stellte sich vor, die Haustür wurde geöffnet. Im ersten Stock stand eine Wohnungstür offen. Ein Mann erwartete sie. Er stellte sich vor.

»Ich bin Annikas Mann«, sagte er. »Was ist passiert?«

»Nichts«, sagte Birch. »Wir müssen nur ein paar Fragen stellen.«

Der Mann bat sie herein. Die Wohnung war groß und aufwendig eingerichtet. Aus einem der Zimmer waren Musik und Kinderstimmen zu hören. Kurz darauf erschien Annika Carlman. Sie war groß und trug einen Trainingsanzug.

»Hier sind zwei Polizisten, die mit dir reden wollen. Aber es scheint nichts passiert zu sein.«

»Wir müssen ein paar Fragen stellen, die Katarina Taxell betreffen«, sagte Wallander.

Sie setzten sich in ein Zimmer, dessen Wände von Bücherregalen bedeckt waren. Wallander fragte sich, ob Annika Carlmans Mann auch Lehrer war.

Er kam sofort zur Sache. »Wie gut kennen Sie Katarina Taxell?«

»Wir haben zusammen Badminton gespielt. Sonst hatten wir keinen Kontakt.«

»Sie wissen natürlich, daß sie ein Kind bekommen hat?«

»Wir haben fünf Monate nicht gespielt. Aus genau dem Grund.«

»Wollten Sie jetzt wieder anfangen?«

»Wir hatten verabredet, daß sie sich melden wollte.«

Wallander nannte die Namen ihrer drei Freundinnen.

»Ich kenne sie nicht. Wir haben nur Badminton gespielt.«

»Seit wann?«

»Seit ungefähr fünf Jahren. Wir haben an derselben Schule unterrichtet.«

»Ist es wirklich möglich, mit einer Person regelmäßig über fünf Jahre hinweg Badminton zu spielen, ohne sie näher kennenzulernen?«

»Das ist natürlich möglich.«

Wallander überlegte, wie er weiterkommen konnte. Annika Carlman gab klare und eindeutige Antworten. Dennoch kam es ihm vor, als bewegten sie sich von etwas weg. »Sie haben sie nie mit jemand anderem gesehen?«

»Mann oder Frau?«

»Fangen wir mit Mann an.«

»Nein.«

»Auch nicht, als Sie zusammen gearbeitet haben?«

»Sie war sehr zurückhaltend. Ein Lehrer dort war an ihr interessiert. Sie verhielt sich sehr kühl. Direkt abweisend, muß man schon sagen. Aber mit den Schülern kam sie gut klar. Sie war tüchtig. Eine hartnäckige und tüchtige Lehrerin.«

»Haben Sie sie jemals mit einer Frau zusammen gesehen?«

Wallander hatte die Hoffnung, daß die Frage etwas bringen könnte, schon aufgegeben, bevor er sie stellte. Aber er hatte zu früh resigniert.

»Ja, tatsächlich«, antwortete sie. »Vor ungefähr drei Jahren.«

»Wer war das?«

»Ich weiß nicht, wie sie heißt. Aber ich weiß, was sie tut. Das Ganze war ein sonderbarer Zufall.«

»Und was tut sie?«

»Was sie jetzt tut, weiß ich nicht. Aber damals servierte sie jedenfalls in einem Speisewagen.«

Wallander legte die Stirn in Falten. »Sie haben Katarina Taxell in einem Zug getroffen?«

»Ich sah sie zufällig mit einer anderen Frau in der Stadt. Ich ging auf der anderen Straßenseite. Wir haben uns nicht einmal gegrüßt. Ein paar Tage danach bin ich nach Stockholm gefahren. Irgendwo hinter Alvesta bin ich in den Speisewagen gegangen. Als ich bezahlen wollte, erkannte ich die Frau, die da arbeitete. Es war die Frau, die ich zusammen mit Katarina gesehen hatte.«

»Sie wissen natürlich nicht, wie sie heißt?«

»Nein.«

»Aber Sie haben es Katarina hinterher erzählt?«

»Nein. Ich hatte es wohl schon wieder vergessen. Ist das wichtig?«

Wallander dachte plötzlich an den Zugfahrplan, den er in Katarina Taxells Sekretär gefunden hatte.

»Vielleicht. An welchem Tag war das? Welcher Zug?«

»Wie soll ich denn das noch wissen?« sagte sie erstaunt. »Das ist drei Jahre her.«

»Sie haben vielleicht einen alten Kalender? Wir möchten gern, daß Sie versuchen, sich zu erinnern.«

Ihr Mann, der schweigend zugehört hatte, stand auf.

»Ich hole mal den Kalender«, sagte er. »War es 1991 oder 1992?«

Sie dachte nach. »1991 im Februar oder März.«

Sie warteten schweigend einige Minuten. Die Musik aus einem der Zimmer war vom Geräusch eines Fernsehers abgelöst worden. Der Mann kam zurück und gab ihr einen alten schwarzen Kalender. Sie blätterte ein paar Monate vor. Rasch hatte sie es gefunden.

»Ich bin am 19. Februar 1991 nach Stockholm gefahren. Mit einem Zug, der um 7 Uhr 12 abfuhr. Drei Tage später bin ich zurückgefahren. Ich habe meine Schwester besucht.«

»Sie haben diese Frau auf dem Rückweg nicht gesehen?«

»Ich habe sie nie wiedergesehen.«

»Aber Sie sind sicher, daß sie es war? Die Sie in Lund auf der Straße gesehen haben, zusammen mit Katarina?«

»Ja.«

Wallander betrachtete sie nachdenklich.

»Es gibt nichts anderes, von dem Sie meinen, daß es wichtig für uns sein könnte?«

Sie schüttelte den Kopf. »Ich merke erst jetzt, daß ich wirklich nichts von Katarina weiß. Aber sie spielt gut Badminton.«

»Wie würden Sie sie als Person beschreiben?«

»Das ist schwer. Und das sagt vielleicht schon das meiste. Eine schwer zu beschreibende Person. Sie hat wechselhafte Stimmungen. Sie kann niedergeschlagen sein. Aber damals, als ich sie mit der Kellnerin auf der Straße gesehen habe, lachte sie.«

»Sind Sie sicher?«

»Ja.«

»Und nichts weiter, was Ihrer Meinung nach wichtig sein kann?«

Wallander sah, daß sie sich anstrengte, um hilfreich zu sein.

»Ich glaube, sie vermißt ihren Vater«, sagte sie nach einer Weile.

»Warum glauben Sie das?«

»Das ist schwer zu sagen. Mehr ein Gefühl. Wie sie sich Männern gegenüber verhielt, die so alt waren, daß sie ihre Väter hätten sein können.«

»Wie verhielt sie sich?«

»Sie verlor etwas von ihrer natürlichen Art. Als ob sie unsicher würde.«

Wallander dachte einen Augenblick darüber nach. Er erinnerte sich daran, daß Katarinas Vater umgekommen war, als sie noch ein Kind war. Und er fragte sich, ob das, was Annika Carlman sagte, Katarinas Beziehung zu Eugen Blomberg erklären konnte.

Er sah sie wieder an. »Sonst nichts?«

»Nein.«

Wallander nickte Birch zu und stand auf. »Dann wollen wir nicht weiter stören«, sagte er.

»Ich bin natürlich neugierig«, sagte sie. »Warum stellt die Polizei Fragen, wenn nichts passiert ist?«

»Passiert ist viel«, sagte Wallander. »Aber nicht mit Katarina. Das ist leider die einzige Antwort, die ich Ihnen geben kann.«

Sie verließen die Wohnung. Im Treppenhaus blieben sie stehen.

»Wir müssen diese Kellnerin ausfindig machen«, sagte Wallander. »Abgesehen von einem Foto, als sie jung und auf einem Ausflug in Kopenhagen war, gibt es keinen Hinweis dafür, daß Katarina Taxell ein lachender Mensch sein konnte.«

»Die Bahn hat sicher Listen ihrer Beschäftigten«, sagte Birch.

»Aber es ist fraglich, ob wir das heute abend rauskriegen können. Es liegt immerhin drei Jahre zurück.«

»Wir müssen es versuchen«, sagte Wallander. »Ich kann natürlich nicht verlangen, daß du das machst. Wir können das von Ystad aus in die Hand nehmen.«

»Ihr habt genug zu tun«, erwiderte Birch. »Ich mach das.«

Wallander spürte, daß Birch aufrichtig war. Es war kein Opfer.

Sie fuhren zurück zu Hedwig Taxells Reihenhaus. Birch setzte Wallander ab und fuhr zum Polizeipräsidium, um mit der Suche nach der Speisewagenkellnerin zu beginnen. Wallander fragte sich, ob das Ganze nicht ein Ding der Unmöglichkeit war.

Gerade als er klingeln wollte, summte sein Telefon. Es war Martinsson. Wallander hörte an seiner Stimme, daß er im Begriff war, seine Niedergeschlagenheit zu überwinden. Es ging offensichtlich schneller, als Wallander zu hoffen gewagt hatte.

»Wie geht es?« fragte Martinsson. »Bist du noch in Lund?«

»Wir sind dabei, eine Speisenwagenkellnerin ausfindig zu machen«, antwortete Wallander.

Martinsson war klug genug, keine weiteren Fragen zu stellen. »Hier ist einiges passiert«, sagte er. »Zunächst einmal ist es Svedberg gelungen, den Mann aufzuspüren, der Holger Erikssons Gedichte gedruckt hat. Er ist wohl sehr alt. Aber klar im Kopf. Er hatte nichts dagegen, zu sagen, was er von Holger Eriksson hielt. Offenbar hatte er immer Schwierigkeiten, die Bezahlung für den Druck der Bücher zu bekommen.«

»Hatte er etwas zu sagen, wovon wir noch nichts wußten?«

»Holger Eriksson scheint seit den Nachkriegsjahren regelmäßig Reisen nach Polen unternommen zu haben. Er hat das Elend dort ausgenutzt, um sich Frauen zu kaufen. Und dann, wenn er nach Hause kam, pflegte er mit seinen Eroberungen zu prahlen. Dieser alte Drucker hat wirklich kein Blatt vor den Mund genommen.«

Wallander erinnerte sich daran, was Sven Tyrén bei einem ihrer ersten Gespräche erwähnt hatte. Nun wurde es bestätigt. Krista Haberman war also nicht die einzige polnische Frau in Holger Erikssons Leben.

»Svedberg hat überlegt, ob es sich lohnt, mit der Polizei in Polen Kontakt aufzunehmen«, sagte Martinsson.

»Vielleicht«, sagte Wallander. »Aber vorläufig warten wir erst einmal ab.«

»Es ist noch etwas«, sagte Martinsson. »Ich reiche dich mal an Hansson weiter.«

Es knarrte im Hörer. Dann hörte Wallander Hanssons Stimme. »Ich glaube, ich habe ein ziemlich klares Bild davon, wer Holger Erikssons Boden bestellt hat«, begann er. »Das Ganze zeichnet sich vor allem durch eins aus.«

»Wodurch?«

»Ununterbrochenen Streit. Wenn ich meinen Informanten glauben kann, hatte Holger Eriksson eine enorme Fähigkeit, sich bei den Leuten unbeliebt zu machen. Man könnte meinen, daß das die größte Leidenschaft in seinem Leben war. Sich ständig neue Feinde zu schaffen.«

»Der Boden«, sagte Wallander ungeduldig.

Hanssons Stimme veränderte sich, als er antwortete. Sie war ernster geworden. »Der Graben«, sagte Hansson, »wo wir Holger Eriksson gefunden haben.«

»Was ist damit?«

»Der war ursprünglich nicht da. Er wurde später angelegt. Keiner hat eigentlich verstanden, wofür Holger Eriksson ihn brauchte. Für die Drainage war er nicht nötig. Die Erde wurde auf den Hügel gebracht. Wo der Turm steht.«

»An einen Graben hatte ich nicht gedacht«, sagte Wallander. »Es wirkt nicht wahrscheinlich, daß der etwas mit einem eventuellen Grab zu tun hat.«

»Das war auch mein erster Gedanke«, sagte Hansson. »Aber dann kam etwas dazu, was mich meine Meinung hat ändern lassen.«

Wallander hielt den Atem an.

»Der Graben wurde 1967 ausgehoben. Der Bauer, mit dem ich

gesprochen habe, war seiner Sache sicher. Er entstand im Spätherbst 1967.«

»Das bedeutet also, daß der Graben ungefähr zu der Zeit ausgehoben wurde, als Krista Haberman verschwand«, sagte Wallander.

»Mein Bauer war noch präziser. Er war sicher, daß er Ende Oktober gegraben wurde. Er konnte sich daran erinnern, weil am letzten Oktober 1967 in Lödinge eine Hochzeit gefeiert wurde. Wenn wir von dem Datum ausgehen, an dem Krista Haberman zum letztenmal lebend gesehen wurde, dann passen die Zeiten exakt zusammen. Eine Autofahrt herunter von Svenstavik. Er tötet sie. Vergräbt sie. Ein Graben entsteht. Ein Graben, der eigentlich nicht gebraucht wird.«

»Gut«, sagte Wallander. »Das bedeutet etwas.«

»Wenn sie da ist, dann weiß ich, wo wir anfangen müssen zu suchen«, fuhr Hansson fort. »Der Bauer behauptet, daß sie mit dem Graben unmittelbar südöstlich vom Hügel begonnen haben. Eriksson hatte einen Bagger gemietet. Die ersten Tage hat er selbst gegraben. Den Rest hat er andere machen lassen.«

»Dann fangen wir da an«, sagte Wallander und spürte, wie seine Beklommenheit wuchs. Am liebsten wäre ihm gewesen, wenn er sich irrte. Aber jetzt war er sicher, daß Krista Haberman irgendwo in der Nähe der Stelle lag, die Hansson beschrieben hatte.

»Wir fangen morgen an«, fuhr Wallander fort. »Ich möchte, daß du alles vorbereitest.«

»Es wird unmöglich sein, das geheimzuhalten«, sagte Hansson.

»Wir müssen es auf jeden Fall versuchen«, sagte Wallander. »Bitte sprich mit Lisa Holgersson darüber. Mit Per Åkesson und den anderen.«

»Eins frage ich mich«, sagte Hansson nachdenklich, »wenn wir sie nun finden; was beweist das eigentlich? Daß Holger Eriksson sie getötet hat? Davon können wir ausgehen, auch wenn wir die Schuld eines toten Mannes nie beweisen können. Auch in diesem Fall nicht. Aber was bedeutet es eigentlich für die Mordermittlung, mit der wir es zu tun haben?«

Die Frage war mehr als berechtigt.

»In erster Linie bekommen wir die Bestätigung, daß wir auf dem richtigen Weg sind«, sagte Wallander. »Daß das Motiv, das diese Morde verbindet, Rache oder Haß ist.«

»Und du glaubst noch immer, daß eine Frau hinter dem Ganzen steckt?«

»Ja«, antwortete Wallander. »Jetzt noch mehr als vorher.«

Nach dem Gespräch blieb Wallander draußen in der herbstlichen Abendluft stehen. Der Himmel war klar und ohne Wolken. Ein schwacher Wind streifte sein Gesicht.

Er dachte, daß sie sich langsam dem Zentrum annäherten, nach dem er seit genau einem Monat suchte.

Und doch hatte er keine Vorstellung davon, was sie dort finden würden.

Die Frau, die er verdächtigte, entglitt ihm immer wieder. Zugleich ahnte er, daß er sie vielleicht irgendwo verstehen könnte.

Sie öffnete vorsichtig die Tür zu den Schlafenden. Das Kind lag auf dem Rücken in dem Kinderbett, das sie am selben Tag gekauft hatte, Katarina Taxell in Embryonalstellung im Bett daneben. Sie stand vollkommen still und betrachtete sie. *Es war, als sähe sie sich selbst. Oder vielleicht war es ihre Schwester in dem Kinderbett.*

Plötzlich konnte sie nicht mehr klar sehen. Überall war sie umgeben von Blut. Nicht nur ein Kind wurde in Blut geboren. Das Leben selbst hatte seinen Ursprung in dem Blut, das floß, wenn man in die Haut schnitt. Blut, das seine eigenen Erinnerungen hatte an die Adern, in denen es einmal geflossen war. Sie sah es ganz deutlich. Ihre Mutter, die schrie, und den Mann, der über sie gebeugt stand, wie sie da mit gespreizten Beinen auf einem Tisch lag. Obwohl es mehr als vierzig Jahre her war, brauste die Zeit aus der Vergangenheit auf sie zu. Ihr ganzes Leben hatte sie versucht, dem zu entkommen. Aber es ging nicht. Die Erinnerungen holten sie immer wieder ein.

Aber jetzt mußte sie diese Erinnerungen nicht mehr fürchten. Nicht jetzt, da ihre Mutter tot war und sie tun konnte, was sie wollte. Was sie tun mußte. Um all diese Erinnerungen von sich fernzuhalten.

Das Schwindelgefühl verflog ebenso rasch, wie es gekommen war. Vorsichtig trat sie an das Bett und betrachtete das schlafende Kind. Es war nicht ihre Schwester. Dieses Kind hatte bereits ein Gesicht. Ihre Schwester hatte gar nicht so lange gelebt, daß sich etwas hätte entwickeln können. Dies war das neugeborene Kind von Katarina Taxell. Nicht das ihrer Mutter. Katarina Taxells Kind, das für immer frei sein würde davon, gequält zu werden, von Erinnerungen gejagt zu werden.

Sie war jetzt wieder ganz ruhig. Die Erinnerungsbilder waren verschwunden. Sie kamen nicht mehr aus der Vergangenheit auf sie zugebraust.

Was sie tat, war richtig. Sie verhinderte es, daß Menschen auf die gleiche Weise gequält wurden wie sie selbst. Die Männer, die sich schuldig gemacht hatten und die die Gesellschaft selbst nicht strafte, ließ sie den schwersten aller Wege wandern. Auf jeden Fall stellte sie sich vor, daß es so war. Daß ein Mann, der durch eine Frau des Lebens beraubt wurde, nie verstehen konnte, was ihm eigentlich geschah.

Alles war still. Das war am wichtigsten. Es war richtig gewesen, sie und das Kind zu holen. Ruhig zu sprechen, zuzuhören und zu sagen, daß alles, was geschehen war, zum Besten war. Eugen Blomberg war ertrunken. Was in den Zeitungen von einem Sack stand, waren nichts als Gerüchte und dramatische Übertreibungen. Eugen Blomberg war fort. Wenn er gestolpert oder ausgeglitten und dann ertrunken war, so war das niemandes Fehler. Das Schicksal hatte es so bestimmt. Und das Schicksal war gerecht. Das hatte sie wiederholt, ein ums andere Mal, und das hatte Katarina Taxell jetzt zu verstehen begonnen.

Es war richtig gewesen, sie herzuholen. Auch wenn sie deshalb den Frauen, die kommen sollten, Nachricht hatte geben müssen, daß sie ihre Zusammenkunft in dieser Woche ausfallen lassen mußten. Das schuf Unordnung und ließ sie schlecht schlafen. Aber es war notwendig gewesen. Man konnte nicht alles planen. Auch wenn sie sich das nur ungern eingestehen wollte.

Solange Katarina und ihr Kind bei ihr waren, wohnte auch sie selbst in dem Haus in Vollsjö. Aus der Wohnung in Ystad hatte sie nur das Nötigste mitgenommen. Ihre Uniformen und den kleinen

Kasten, in dem sie die Zettel aufbewahrte, und das Buch mit Namen. Nun, wo Katarina und ihr Kind schliefen, brauchte sie nicht länger zu warten. Sie schüttete die Zettel auf die Oberseite des Backofens, mischte sie und begann dann zu ziehen. Schon der neunte Zettel, den sie auswickelte, hatte das schwarze Kreuz. Sie schlug das Buch auf und folgte langsam der Reihe mit Namen. Hielt bei der Ziffer Neun an und las den Namen: *Tore Grundén*. Sie stand vollkommen still und starrte vor sich hin. Sein Bild tauchte langsam auf. Zuerst nur als vager Schatten, nur kaum wahrnehmbare Konturen. Danach ein Gesicht, eine Identität. Jetzt erinnerte sie sich an ihn. Wer er war. Was er getan hatte.

Es war mehr als zehn Jahre her. Sie hatte damals im Krankenhaus in Malmö gearbeitet. Ein Abend kurz vor Weihnachten. Sie hatte Dienst in der Ambulanz. Die Frau, die eingeliefert wurde, war bei der Ankunft bereits tot. Sie war bei einem Autounfall ums Leben gekommen. Ihr Mann war dabeigewesen. Er war erregt, aber doch gefaßt. Sie hatte sogleich Verdacht geschöpft. Sie hatte das schon so oft gesehen. Da die Frau tot war, hatten sie nichts tun können. Sie hatte einen der anwesenden Polizisten beiseite genommen und gefragt, was passiert sei. Es war ein tragischer Unfall. Ihr Mann war rückwärts aus der Garage gefahren und hatte nicht gesehen, daß sie hinter dem Wagen stand. Er hatte sie überfahren, und ihr Kopf war unter eines der Hinterräder des schwerbeladenen Wagens geraten. Es war ein Unglücksfall, wie er eigentlich nicht passieren durfte. Aber er war doch passiert. In einem unbewachten Augenblick hatte sie das Laken zurückgeschlagen und die tote Frau betrachtet. Auch wenn sie kein Arzt war, meinte sie sehen zu können, daß der Körper mehr als einmal überrollt worden war. Dann hatte sie Nachforschungen angestellt. Die Frau, die jetzt tot auf der Bahre lag, war schon früher mehrmals ins Krankenhaus eingeliefert worden. Einmal war sie von einer Leiter gefallen. Ein anderes Mal hatte sie sich den Kopf schwer an einem Zementfußboden verletzt, als sie im Keller ausgerutscht war. Sie schrieb einen anonymen Brief an die Polizei und sagte, daß es sich um Mord handelte. Sie sprach mit dem Arzt, der den Körper untersucht hatte. Aber nichts geschah. Der Mann erhielt eine Geldstrafe, oder vielleicht ein Urteil auf Bewährung für das, was ihm als grobe Fahrlässigkeit angelastet wurde. Und die Frau war ermordet worden. Danach nichts mehr.

Bis jetzt. Wo alles wieder geradegebogen werden sollte. Alles, außer dem Leben der toten Frau. Das würden sie nicht zurückbekommen.

Sie begann zu planen, wie es vor sich gehen sollte.

Aber etwas störte sie. Die Männer, die Katarina Taxells Haus bewachten. Sie waren gekommen, um sie zu hindern. Über Katarina würden sie versuchen, sich ihr zu nähern. Vielleicht hatten sie bereits den Verdacht, daß eine Frau hinter dem, was geschehen war, steckte? Damit hatte sie gerechnet. Zuerst sollten sie glauben, daß es ein Mann sei. Dann sollten sie anfangen zu zweifeln. Schließlich sollte sich alles einmal um die eigene Achse drehen und zum Gegenteil werden.

Aber natürlich würden sie sie nie finden. Nie, nie.

Sie sah den Backofen. Dachte an Tore Grundén. Daß er in Hässleholm wohnte und in Malmö arbeitete.

Plötzlich war ihr klar, wie es vor sich gehen würde. Es war beinahe peinlich, wie einfach es war.

Was sie zu tun hatte, konnte sie während ihres Dienstes ausführen.

In ihrer Arbeitszeit. Und gegen Bezahlung.

34

Sie begannen früh am Morgen zu graben; es war Freitag, der 21. Oktober. Das Licht war noch sehr schwach. Wallander und Hansson hatten das erste Quadrat mit Absperrungsband eingegrenzt. Die Polizisten in ihren Overalls und Gummistiefeln wußten, wonach sie suchen sollten. Ihre Unlust verstärkte sich in der kalten Morgenluft. Wallander hatte ein Gefühl, als befinde er sich auf einem Friedhof. Irgendwo da unten in der Erde würden sie vielleicht auf die Überreste eines toten Menschen stoßen. Er hatte Hansson die Aufsicht über die Grabung übertragen. Er selbst mußte mit Birch zusammen so schnell wie möglich die Kellnerin aufspüren, die Katarina Taxell einmal in einer Straße in Lund zum Lachen gebracht hatte.

Wallander blieb eine halbe Stunde draußen im Lehm, wo die Polizisten angefangen hatten zu graben. Dann ging er den Pfad zum Hof hinauf, wo sein Wagen wartete. Er rief Birch an und erreichte ihn in seiner Wohnung in Lund. Am Abend vorher hatte Birch nur noch herausgefunden, daß sie möglicherweise in Malmö den Namen der Kellnerin, die sie suchten, in Erfahrung bringen konnten. Birch trank Kaffee, als Wallander anrief. Sie verabredeten, sich vor dem Bahnhof in Malmö zu treffen.

»Ich habe gestern abend mit einem Angestellten der Zugrestaurantgesellschaft gesprochen«, sagte Birch und lachte. »Ich hatte das bestimmte Gefühl, daß ich ihn in einem sehr unpassenden Augenblick gestört habe.«

Wallander verstand nicht gleich, worauf Birch hinauswollte.

»Mitten in einem Liebesakt«, kicherte Birch. »Manchmal ist es richtig unterhaltsam, Polizist zu sein.«

Wallander fuhr nach Malmö. Er fragte sich, woher Birch wissen konnte, daß er mitten in einem Liebesakt gestört hatte. Dann ging er zu der Kellnerin über, die sie suchten. Er dachte, daß es die vierte Frau war, die in ihrer Ermittlung auftauchte, die jetzt seit genau einem Monat andauerte. Krista Haberman, Eva Runfelt, Katarina Taxell; die unbekannte Kellnerin war die vierte Frau. Er fragte sich, ob es wohl noch eine Frau gab, eine fünfte. War es die, nach der sie suchten? Oder waren sie am Ziel, wenn sie die Zugkellnerin aufgespürt hatten? Hatte sie nächtliche Besuche auf der Entbindungsstation in Ystad gemacht? Ohne es genau begründen zu können, zweifelte er jedoch daran, daß die Kellnerin die Frau war, nach der sie eigentlich suchten. Vielleicht konnte sie sie weiterführen? Mehr konnte er kaum hoffen.

Er fuhr in seinem alten Auto durch die graue Herbstlandschaft und fragte sich gedankenverloren, wie der Winter wohl werden würde. Wann hatten sie zuletzt weiße Weihnachten gehabt? Er konnte sich nicht erinnern, so lange war es her.

Er hatte Glück und fand gleich vor dem Haupteingang des Bahnhofs einen Parkplatz. Einen kurzen Moment war er in Versuchung, noch schnell eine Tasse Kaffee zu trinken, bevor Birch kam. Aber er ließ es sein, die Zeit war zu knapp.

Er entdeckte Birch auf der anderen Seite des Kanals. Er kam über die Brücke. Vermutlich hatte er oben am Markt geparkt. Sie begrüßten sich. Birch hatte eine viel zu kleine Zipfelmütze auf dem Kopf. Er war unrasiert und hatte nicht genug Schlaf bekommen.

»Habt ihr angefangen zu graben?« fragte er.

»Um sieben Uhr«, antwortete Wallander.

»Ob ihr sie findet?«

»Schwer zu sagen. Aber es ist nicht undenkbar.«

Birch nickte düster. Dann zeigte er auf den Bahnhof. »Wir sollen einen Mann treffen, der Karl-Henrik Bergstrand heißt«, sagte er. »Normalerweise fängt er nicht so zeitig an zu arbeiten. Er hat aber versprochen, extra früh zu kommen, um uns zu empfangen.«

»War das der, den du im unpassenden Augenblick gestört hast?«

»Da kannst du sicher sein.«

Sie betraten das Verwaltungsgebäude der SJ und wurden von Karl-Henrik Bergstrand in Empfang genommen. Wallander betrachtete ihn verstohlen und versuchte, sich den Augenblick vorzustellen, von dem Birch gesprochen hatte. Dann sah er ein, daß es sein eigenes nichtexistentes Sexualleben war, das ihn störte.

Beschämt verwarf er den Gedanken. Karl-Henrik Bergstrand war ein Mann um die Dreißig. Wallander nahm an, daß er das jugendliche neue Profil von SJ repräsentierte. Sie begrüßten sich und stellten sich vor.

»Ihr Anliegen ist ungewöhnlich«, sagte Bergstrand und lachte. »Aber wir wollen sehen, was wir tun können.«

Er führte sie in sein geräumiges Büro. Wallander empfand seine Selbstsicherheit als auffallend. Als er selbst dreißig war, war er in bezug auf das meiste im Leben noch sehr unsicher gewesen.

Bergstrand hatte sich hinter den großen Schreibtisch gesetzt. Wallander betrachtete die Möbel im Raum. Möglicherweise erklärten sie, warum die Fahrpreise der SJ so hoch waren.

»Wir suchen also eine Angestellte in einem Speisewagen«, begann Birch. »Wir wissen nicht viel mehr, als daß es eine Frau ist.«

»Eine überwältigende Mehrheit derer, die bei ›Service im Zug‹ arbeiten, sind Frauen«, antwortete Bergstrand. »Ein Mann wäre entschieden leichter zu finden.«

Wallander hob die Hand. »Wie heißt es eigentlich? ›Zugrestaurants‹ oder ›Service im Zug‹?«

»Beide Namen gehen.«

Wallander war zufrieden. Er sah Birch an. »Wir wissen nicht, wie sie heißt«, sagte er. »Wir wissen auch nicht, wie sie aussieht.«

Bergstrand sah ihn fragend an. »Muß man wirklich jemanden finden, von dem man so wenig weiß?«

»Manchmal geht es nicht anders«, gab Wallander zurück.

»Wir wissen aber, in welchem Zug sie gearbeitet hat«, sagte Birch.

Sie gaben Bergstrand die Auskünfte, die sie von Annika Carlman bekommen hatten.

»Das ist ja drei Jahre her«, sagte er,

»Das ist uns klar«, sagte Wallander. »Aber wir nehmen an, daß die SJ Karteien ihrer Angestellten hat?«

»Eigentlich kann ich auf so etwas keine Antwort geben«, sagte Bergstrand schulmeisternd. »SJ ist ein Konzern, der in zahlreiche Unternehmen untergliedert ist. ›Zugrestaurants‹ ist eine Tochtergesellschaft. Sie hat ihre eigene Personalabteilung. Die sollten Ihre Fragen beantworten. Nicht wir. Aber wir arbeiten natürlich zusammen, wenn es notwendig ist.«

Wallander merkte, daß er ungeduldig und gereizt wurde. »Wollen wir mal eins klarstellen«, unterbrach er. »Wir suchen nicht zu unserem Vergnügen nach dieser Kellnerin. Wir brauchen sie, weil sie uns in einem komplizierten Mordfall möglicherweise wichtige Auskünfte geben kann. Es ist uns also gleichgültig, wer unsere Fragen beantwortet. Aber uns liegt daran, daß es so schnell wie möglich geschieht.«

Die Worte taten ihre Wirkung. Bergstrand schien verstanden zu haben. Birch warf Wallander einen aufmunternden Blick zu, bevor dieser fortfuhr. »Ich nehme an, Sie können uns die Person kommen lassen, die uns antworten wird. Und wir bleiben hier sitzen und warten.«

»Geht es um die Morde bei Ystad?« fragte Bergstrand neugierig.

»Genau die. Und die Kellnerin kann etwas wissen, was für uns von Bedeutung ist.«

»Steht sie unter Verdacht?«

»Nein«, erwiderte Wallander. »Sie steht nicht unter Verdacht. Kein Schatten wird auf die Züge oder die belegten Brote fallen.«

Bergstrand stand auf und verließ den Raum.

»Er wirkt ein bißchen zugeknöpft«, sagte Birch. »Gut, daß du ihm Bescheid gestoßen hast.«

»Es wäre noch besser, wenn er mit einer Antwort käme, und zwar so schnell wie möglich«, sagte Wallander.

Während sie auf Bergstrand warteten, rief Wallander Hansson in Lödinge an. Die Antwort war negativ. Sie gruben sich gerade zur Mitte des ersten Quadrats vor. Noch hatten sie nichts gefunden.

»Leider hat es sich schon herumgesprochen«, sagte Hansson. »Wir haben bereits eine Reihe von Schaulustigen oben auf dem Hof gehabt.«

»Haltet sie auf Abstand«, sagte Wallander. »Mehr können wir kaum tun.«

»Nyberg wollte mit dir sprechen. Es ging um diese Aufnahme des Telefongesprächs zwischen Katarina Taxell und ihrer Mutter.«

»Haben sie das Pochen im Hintergrund identifiziert?«

»Wenn ich Nyberg richtig verstanden habe, war das Ergebnis negativ. Aber du sprichst am besten mit ihm selbst.«

»Konnten sie wirklich nichts sagen?«

»Sie meinten, es wäre jemand in der Nähe des Telefons gewesen, der auf den Fußboden oder gegen eine Wand schlug. Aber was hilft uns das?«

Wallander sah ein, daß er zu früh gehofft hatte.

»Katarina Taxells Neugeborenes kann es jedenfalls kaum sein«, sagte Hansson.

»Wir haben offenbar einen Spezialisten an der Hand, der Frequenzen oder dergleichen herausfiltern kann. Möglicherweise kann er sagen, ob das Gespräch von weit her kam. Oder ob es in der Nähe von Lund war. Aber es scheint ein sehr komplizierter Prozeß zu sein. Nyberg sagte, es würde mindestens zwei Tage dauern.«

»Wir lassen es dabei bewenden«, sagte Wallander.

Im gleichen Augenblick kehrte Bergstrand zurück ins Zimmer. Wallander beeilte sich, das Gespräch zu beenden.

»Es wird eine Weile dauern«, sagte Bergstrand. »Eine Sache ist, daß es ein drei Jahre alter Dienstplan ist, den Sie haben wollen. Eine andere Sache ist, daß der Konzern seit damals zahlreiche Veränderungen durchlaufen hat. Aber ich habe erklärt, daß es wichtig ist. ›Service im Zug‹ arbeitet auf Hochtouren.«

»Wir warten«, sagte Wallander.

Bergstrand schien nicht gerade erbaut davon zu sein, die beiden Polizeibeamten in seinem Zimmer sitzen zu haben. Aber er sagte nichts.

»Kaffee«, sagte Birch. »Eine von den Spezialitäten der SJ. Gibt es den auch außerhalb der Speisewagen?«

Bergstrand verließ das Zimmer.

»Ich glaube kaum, daß er es gewohnt ist, Kaffee zu holen«, sagte Birch feixend.

Wallander antwortete nicht.

Bergstrand kam mit einem Tablett zurück. Dann entschuldigte er sich damit, daß er eine dringende Besprechung habe. Sie blieben im Zimmer sitzen. Wallander trank Kaffee und fühlte seine Ungeduld wachsen. Er dachte an Hansson. Überlegte, ob er Birch nicht allein darauf warten lassen sollte, daß die Kellnerin identifiziert wurde. Er beschloß jedoch, noch eine halbe Stunde zu warten, nicht länger.

»Ich habe versucht, mich in euren Fall einzulesen«, sagte Birch plötzlich. »Ich muß zugeben, daß ich noch nie etwas Ähnliches erlebt habe. Ist es wirklich möglich, daß eine Frau dahintersteckt?«

»Wir können nicht absehen von dem, was wir wissen«, erwiderte Wallander.

Gleichzeitig überkam ihn wieder das Gefühl, das ihn schon die ganze Zeit quälte. Die Furcht, daß er die gesamte Ermittlung auf ein Gelände gesteuert hatte, das aus nichts als Fallgruben bestand. Jeden Augenblick konnte sich die Klappe unter ihren Füßen öffnen.

Birch saß schweigend da. »Weibliche Massenmörder hat es hierzulande kaum gegeben«, sagte er schließlich.

»Wenn überhaupt«, sagte Wallander. »Außerdem wissen wir nicht, ob sie die Taten ausgeführt hat. Oder jemand anders. Entweder führen die Spuren uns zu ihr allein. Oder zu jemand, der sich im Hintergrund befindet.«

»Und du glaubst, daß sie im Normalfall zwischen Stockholm und Malmö Kaffee serviert?«

Birchs Zweifel waren nicht zu überhören.

»Nein«, sagte Wallander. »Ich glaube nicht, daß sie Kaffee serviert. Die Kellnerin ist wahrscheinlich nur der vierte Schritt auf dem Weg.«

Birch hörte auf zu fragen. Wallander sah auf die Uhr und überlegte, ob er Hansson wieder anrufen sollte. Die halbe Stunde war bald um. Bergstrand war noch immer bei seiner Besprechung. Birch las eine Broschüre über die Vortrefflichkeit der SJ.

Die halbe Stunde war um. Wallanders Geduld war nahezu erschöpft.

Bergstrand kam zurück. »Es sieht so aus, als könnten wir es lösen«, sagte er aufmunternd. »Aber eine Weile dauert es noch.«

»Wie lange?«

Wallander verbarg seine Ungeduld und Irritation nicht. Er sah ein, daß er wahrscheinlich ungerecht war. Aber er konnte es nicht ändern.

»Vielleicht eine halbe Stunde. Sie drucken die Register aus. So etwas braucht seine Zeit.«

Wallander nickte stumm. Sie warteten weiter. Birch legte die Broschüre zur Seite und schloß die Augen. Wallander trat an ein Fenster und blickte über Malmö. Rechts erkannte er den Flugbootterminal. Er dachte daran, wie er dort gestanden und auf Baiba gewartet hatte. Wie oft bisher? Zweimal. Es kam ihm vor, als sei es öfter gewesen. Er setzte sich wieder und rief Hansson an. Noch immer hatten sie nichts gefunden. Das Graben brauchte seine Zeit. Hansson sagte auch, daß es angefangen habe zu regnen. Wallander stellte sich düster das Ausmaß der deprimierenden Arbeit vor.

Die Geschichte ist total verfahren, dachte er plötzlich. Ich habe diese ganze Ermittlung in den Sand gesetzt.

Birch fing an zu schnarchen. Wallander sah unentwegt auf die Uhr.

Bergstrand kam zurück. Birch fuhr mit einem Ruck hoch.

Bergstrand hatte ein Papier in der Hand. »Margareta Nystedt«, sagte er. »Das dürfte die Person sein, die Sie suchen. Sie hatte bei der Abfahrt an dem fraglichen Tag die Bedienung allein.«

Wallander sprang auf. »Wo ist sie jetzt?«

»Das weiß ich nicht. Sie hat vor ungefähr einem Jahr bei uns aufgehört.«

»Mist«, sagte Wallander.

»Aber ihre Adresse haben wir«, fuhr Bergstrand fort. »Sie braucht ja nicht umgezogen zu sein, nur weil sie aufgehört hat, bei ›Zugrestaurants‹ zu arbeiten.«

Wallander riß ihm das Blatt aus der Hand. Es war eine Adresse in Malmö.

»Carl Gustafs väg«, sagte Wallander. »Wo liegt das?«

»Beim Pildammsparken«, antwortete Bergstrand.

Wallander sah, daß sie Telefon hatte. Aber er entschied sich, nicht anzurufen. Er wollte direkt hinfahren.

»Vielen Dank für die Hilfe«, sagte er zu Bergstrand. »Ich setze voraus, daß dies wirklich stimmt? Daß sie es war, die an dem fraglichen Tag serviert hat.«

»Die SJ ist bekannt für ihre Sicherheit«, sagte Bergstrand. »Das bedeutet selbstverständlich auch, daß wir die Unterlagen über unsere Angestellten ordentlich führen. Sowohl im Geschäftsbereich als auch bei den Tochtergesellschaften.«

Wallander begriff den Zusammenhang nicht, aber er hatte keine Zeit zu fragen. »Dann laß uns fahren«, sagte er zu Birch.

Sie verließen den Bahnhof und stiegen in Wallanders Auto. Sie brauchten weniger als zehn Minuten, um die Adresse zu finden. Es war ein vierstöckiges Mietshaus. Sie nahmen den Aufzug. Wallander klingelte an der Tür, noch bevor Birch den Aufzug verlassen hatte. Wartete. Klingelte noch einmal. Niemand öffnete. Er fluchte innerlich. Dann klingelte er an der Tür daneben. Sie wurde fast im gleichen Augenblick geöffnet. Ein älterer Mann sah Wallander streng an. Sein Hemd war über dem Bauch aufgeknöpft. In der Hand hielt er einen zur Hälfte ausgefüllten Spielkupon. Wallander glaubte, daß es um Trabrennen ging. Er zeigte seinen Ausweis. »Wir suchen Margareta Nystedt«, sagte er.

»Was hat sie getan?« fragte der Mann. »Sie ist eine sehr freundliche junge Dame. Und ihr Mann ist auch sehr freundlich.«

»Wir benötigen nur ein paar Auskünfte«, sagte Wallander. »Sie ist nicht zu Hause. Es macht keiner auf. Sie wissen nicht zufällig, wo wir sie finden können?«

»Sie arbeitet auf den Flugbooten«, antwortete der Mann. »Sie kellnert.«

Wallander blickte Birch an.

»Vielen Dank für die Hilfe«, sagte er. »Viel Glück mit den Pferden.«

Zehn Minuten später bremsten sie vor dem Flugbootterminal.

»Hier können wir nicht parken«, sagte Birch.

»Da scheißen wir drauf«, sagte Wallander.

Er hatte das Gefühl, daß er lief. Wenn er stehenblieb, würde alles zusammenfallen.

Schon nach ein paar Minuten wußten sie, daß Margareta Nystedt an diesem Vormittag auf der »Springaren« arbeitete. Das Boot hatte gerade Kopenhagen verlassen und sollte in einer guten halben Stunde am Kai anlegen. Wallander nutzte die Zeit, um seinen Wagen wegzufahren. Birch saß auf einer Bank in der Abfertigungshalle und las in einer zerrissenen Zeitung. Der Leiter des Terminals kam und sagte, sie könnten im Personalaufenthaltsraum warten. Er fragte, ob er mit dem Boot Kontakt aufnehmen solle.

»Wieviel Zeit hat sie?« fragte Wallander.

»Eigentlich soll sie mit der nächsten Tour wieder zurück nach Kopenhagen.«

»Das geht nicht.«

Der Mann war hilfreich. Er versprach, dafür zu sorgen, daß Margareta Nystedt an Land bleiben konnte. Wallander hatte ihm versichert, daß sie in keiner Weise unter dem Verdacht einer kriminellen Handlung stand.

Wallander war in den stürmischen Wind hinausgegangen, als das Boot am Kai anlegte. Die Passagiere kämpften gegen den Wind an. Wallander wunderte sich darüber, daß an einem normalen Werktag so viele Menschen über den Sund fuhren. Er wartete ungeduldig. Der letzte Passagier war ein Mann mit Krücken. Kurz danach kam eine Frau in Kellneruniform an Deck. Der Mann, der zuvor Wallander empfangen hatte, stand an ihrer Seite und zeigte auf ihn. Die Frau, die Margareta Nystedt war, kam den Landungssteg herunter. Sie war blond, hatte sehr kurz geschnittene Haare und war jünger, als Wallander erwartet hatte. Sie blieb vor ihm stehen und verschränkte die Arme vor der Brust. Sie fror.

»Sie wollen mit mir sprechen?« fragte sie.

»Margareta Nystedt?«

»Das bin ich.«

»Dann gehen wir rein. Wir brauchen nicht hier zu stehen und zu frieren.«

»Ich habe nicht viel Zeit.«

»Mehr, als Sie glauben. Sie fahren nicht mit auf der nächsten Tour.«

Sie hielt erstaunt inne. »Warum nicht? Wer hat das bestimmt?«

»Ich muß mit Ihnen reden. Aber Sie brauchen sich keine Sorgen zu machen.«

Plötzlich überkam ihn das Gefühl, daß sie Angst hatte. Einen kurzen Augenblick glaubte er fast, daß er sich geirrt hatte. Daß sie es war, auf die sie gewartet hatten. Daß die Frau neben ihm schon die fünfte Frau war und daß er die vierte nicht treffen müßte.

Doch ebenso plötzlich kam die Einsicht, daß er sich täuschte. Margareta Nystedt war eine junge und zarte Frau. Sie hätte rein physisch nicht durchführen können, was erforderlich gewesen wäre. Und etwas in ihrer gesamten Erscheinung sagte ihm, daß sie nicht die Frau war, die sie suchten.

Sie kamen ins Terminalgebäude, wo Birch wartete. Sie nahmen im Aufenthaltsraum des Personals auf einer durchgesessenen Sitzgarnitur aus Plastik Platz. Der Raum war leer. Birch stellte sich vor. Sie gab ihm die Hand. Ihre Hand war spröde. Wie ein Vogelfuß, dachte Wallander flüchtig.

Er betrachtete ihr Gesicht. Sie mußte siebenundzwanzig oder achtundzwanzig Jahre alt sein. Sie trug einen schwarzen Rock und hatte schöne Beine. Ihr Gesicht war stark geschminkt. Er hatte den Eindruck, daß sie etwas, was ihr nicht gefiel, übermalt hatte. Sie war unruhig.

»Es tut mir leid, daß ich in dieser Form mit Ihnen Kontakt aufnehmen muß«, sagte Wallander. »Aber manchmal gibt es Dinge, die nicht warten können.«

»Wie zum Beispiel mein Boot«, sagte sie. Ihre Stimme hatte einen eigentümlich harten Klang, den Wallander nicht erwartet hatte. Er wußte aber andererseits nicht, was er erwartet hatte.

»Das ist kein Problem. Ich habe mit einem Ihrer Vorgesetzten gesprochen.«

»Was habe ich denn getan?«

Wallander betrachtete sie nachdenklich. Er wußte überhaupt nicht, warum er mit Birch zusammen hier war. Daran jedenfalls bestand kein Zweifel.

Die Falltür knarrte unter seinen Füßen.

Sie wiederholte ihre Frage. Was hatte sie getan?

Wallander warf einen Blick auf Birch, der heimlich ihre Beine betrachtete.

»Katarina Taxell«, sagte Wallander. »Sie kennen sie?«

»Ich weiß, wer sie ist. Wie gut ich sie kenne, ist eine andere Frage.«

»Wie haben Sie sie kennengelernt? Wie ist Ihr Kontakt zustande gekommen?«

Sie fuhr plötzlich auf dem schwarzen Plastiksofa zusammen. »Ist ihr etwas passiert?«

»Nein. Beantworten Sie meine Frage.«

»Antworten Sie auf meine! Ich habe nur die eine. Warum fragen Sie mich nach ihr?«

Wallander erkannte, daß er zu ungeduldig gewesen war. Er war zu schnell vorgegangen. Ihre Aggressivität war eigentlich erklärlich.

»Katarina ist nichts passiert. Sie steht auch nicht im Verdacht, ein Verbrechen begangen zu haben. Genausowenig wie Sie. Aber wir brauchen verschiedene Informationen über sie. Das ist alles, was ich sagen kann. Wenn Sie auf meine Fragen geantwortet haben, verschwinde ich von hier, und Sie können wieder an Ihre Arbeit gehen.«

Sie betrachtete forschend sein Gesicht. Er spürte, daß sie jetzt angefangen hatte, ihm zu glauben.

»Vor ungefähr drei Jahren waren Sie viel mit ihr zusammen. Damals haben Sie als Speisewagenkellnerin bei ›Zugrestaurants‹ gearbeitet.«

Sie wirkte erstaunt darüber, daß er diese Dinge aus ihrer Vergangenheit kannte. Wallander bekam den Eindruck, daß sie jetzt wachsam wurde, was wiederum dazu führte, daß er seine Aufmerksamkeit schärfte.

»Stimmt das?« fuhr er fort.

»Natürlich stimmt das. Warum sollte ich das abstreiten?«

»Und Sie kannten Katarina Taxell?«

»Ja.«

»Wie haben Sie sie kennengelernt?«

»Wir haben zusammen gearbeitet.«

Wallander sah sie fragend an, bevor er fortfuhr. »Aber sie ist doch Lehrerin?«

»Sie hat eine Weile ausgesetzt. Und in der Zeit hat sie in Zügen gearbeitet.«

Wallander blickte Birch an, der den Kopf schüttelte. Auch er hatte davon nichts gehört.

»Wann war das?«

»Im Frühjahr 1991. Genauer kann ich es nicht sagen.«

»Und Sie haben zusammen gearbeitet?«

»Nicht immer. Aber häufig.«

»Außerdem haben Sie sich auch in der Freizeit getroffen?«

»Manchmal. Aber wir waren nicht eng befreundet. Wir hatten Spaß zusammen. Mehr war es nicht.«

»Wann haben Sie sie das letztemal getroffen?«

»Wir haben uns aus den Augen verloren, als sie aufhörte, als Kellnerin zu arbeiten. Tiefer ging die Freundschaft nicht.«

Wallander spürte, daß sie die Wahrheit sagte. Ihre Wachsamkeit hatte auch nachgelassen.

»Hatte Katarina Taxell während dieser Zeit einen Verlobten?«

»Da bin ich überfragt«, antwortete sie.

»Wenn Sie zusammen gearbeitet und sich außerdem auch sonst getroffen haben, müßten Sie doch davon gewußt haben?«

»Sie hat nie einen erwähnt.«

»Sie haben auch nie einen Mann in ihrer Gesellschaft gesehen?«

»Nie.«

»Hatte sie andere Freundinnen, mit denen sie zusammen war?«

Margareta Nystedt überlegte. Dann nannte sie Wallander drei Namen. Dieselben Namen, die er schon kannte.

»Sonst niemand?«

»Nicht soweit ich weiß.«

»Haben Sie den Namen Eugen Blomberg einmal gehört?«

»War das nicht der, der ermordet wurde?«

»Genau der. Können Sie sich erinnern, daß Katarina Taxell jemals von ihm gesprochen hat?«

Sie sah ihn plötzlich ernst an. »Hat sie das getan?«

Wallander hakte sofort ein. »Glauben Sie, daß sie jemand hätte töten können?«

»Nein. Katarina war ziemlich friedlich.«

Wallander wußte nicht recht, wie er weiterkommen sollte.

»Sie sind zwischen Malmö und Stockholm hin- und hergefahren«, sagte er. »Sicher hatten Sie viel zu tun. Aber Sie müssen sich doch auch miteinander unterhalten haben. Sind Sie sicher, daß sie nie eine andere Freundin erwähnte? Das ist sehr wichtig.«

Er sah, daß sie sich anstrengte.

»Nein«, sagte sie. »Daran kann ich mich nicht erinnern.«

In diesem Moment nahm Wallander ein sekundenschnelles Zögern an ihr wahr. Sie spürte, daß er es gesehen hatte.

»Vielleicht«, sagte sie. »Aber ich kann mich so schwer erinnern.«

»Woran?«

»Es muß gewesen sein, kurz bevor sie aufhörte. Ich war eine Woche mit Grippe krank geschrieben.«

»Was war da?«

»Als ich zurückkam, war sie verändert.«

Wallander stand unter Hochspannung. Auch Birch spürte, daß sich etwas anbahnte.

»Wieso verändert?«

»Ich weiß nicht, wie ich es erklären soll. Sie wechselte zwischen Düsterkeit und Ausgelassenheit. Es war, als hätte sie sich verändert.«

»Versuchen Sie, die Veränderung zu beschreiben. Das kann sehr wichtig sein.«

»Normalerweise, wenn wir nichts zu tun hatten, saßen wir in der kleinen Küche im Speisewagen. Wir quatschten und blätterten in Zeitungen. Aber als ich zurückkam, taten wir das nicht mehr.«

»Sondern?«

»Sie ging weg.«

Wallander wartete auf eine Fortsetzung. Aber es kam keine.

»Sie verließ den Speisewagen? Sie kann ja kaum den Zug verlassen haben. Was sagte sie, was sie tun wolle?«

»Sie sagte nichts.«

»Aber Sie müssen sie doch gefragt haben. Sie war verändert. Sie saßen nicht mehr zusammen und haben sich unterhalten?«

»Vielleicht habe ich gefragt. Das weiß ich nicht mehr. Aber sie hat nichts geantwortet. Sie ging einfach weg.«

»Passierte das ständig?«

»Nein. Die letzte Zeit, bevor sie aufhörte, wurde sie anders. Als ob sie sich verschlösse.«

»Glauben Sie, daß sie jemand getroffen hat? Einen Passagier, der jedesmal mitfuhr? Das klingt sehr merkwürdig.«

»Ich weiß nicht, ob sie jemand getroffen hat.«

Wallander hatte keine Fragen mehr. Er blickte Birch an. Der auch nichts hinzuzufügen hatte.

Das Flugboot verließ gerade den Hafen.

»Sie haben jetzt eine Pause«, sagte Wallander. »Ich möchte, daß Sie von sich hören lassen, falls Ihnen noch etwas einfällt.«

Er schrieb seinen Namen und die Telefonnummer auf einen Zettel und reichte ihn ihr.

»Mehr weiß ich nicht«, sagte sie.

Sie stand auf und ging.

»Wen trifft Katarina in einem Zug?« fragte Birch. »Einen Passagier, der ununterbrochen zwischen Malmö und Stockholm hin- und herpendelt? Außerdem bedienen sie doch sicher nicht die ganze Zeit in dem gleichen Zug? Das klingt sehr unwahrscheinlich.«

Wallander bekam nur nebenbei mit, was Birch sagte. Er hatte sich in einen Gedanken verbissen, den er nicht loslassen wollte. Es konnte kein Passagier sein. Also mußte es jemand sein, der sich aus dem gleichen Grund im Zug befand wie sie selbst. Jemand, der dort arbeitete.

Wallander sah Birch an. »Wer arbeitet in einem Zug?« fragte er.

»Ich nehme an, es gibt einen Lokführer.«

»Und weiter.«

»Schaffner, einer oder mehrere. Zugbegleiter heißt das heute.«

Wallander nickte. Er dachte an das Ergebnis, zu dem Ann-Britt Höglund gelangt war. Der schwache Abglanz eines Musters. Ein Mensch mit unregelmäßigen, aber wiederkehrenden arbeitsfreien Zeiten. Wie Menschen, die in einem Zug arbeiten.

Er stand auf.

Außerdem der Zugfahrplan im Geheimfach.

»Ich glaube, wir müssen noch einmal zu Karl-Henrik Bergstrand«, sagte Wallander.

»Suchst du noch mehr Kellnerinnen?«

Wallander antwortete nicht. Er war schon auf dem Weg aus dem Terminal.

Karl-Henrik Bergstrand wirkte keineswegs erbaut, als er Wallander und Birch wiedersah. Wallander steuerte direkt auf ihn zu, trieb ihn beinah durch die Tür seines Büros vor sich her und drückte ihn auf den Stuhl.

»Die gleiche Periode. Frühjahr 1991«, sagte er. »Da war eine Person namens Katarina Taxell bei Ihnen angestellt. Oder der Firma, die den Kaffee verkauft. Und jetzt möchte ich, daß Sie mir alle Schaffner oder Zugbegleiter und Lokführer raussuchen, die auf den Fahrten dabei waren, die Katarina Taxell gemacht hat. Vor allem eine Woche im Frühjahr 1991 interessiert mich, als Margareta Nystedt krank geschrieben war. Haben Sie gehört, was ich gesagt habe?«

»Das kann nicht Ihr Ernst sein«, sagte Karl-Henrik Bergstrand. »Es ist vollkommen unmöglich, alle diese Informationen zusammenzupuzzeln. Das dauert Monate.«

»Sagen wir, daß Sie ein paar Stunden haben«, erwiderte Wallander freundlich. »Wenn es nötig wird, bitte ich den Reichspolizeichef, bei seinem Kollegen, dem Generaldirektor von SJ, anzurufen. Und ich werde ihn auffordern, sich über die Langsamkeit eines Beamten namens Bergstrand in Malmö zu beschweren.«

Der Mann hinter dem Schreibtisch begriff. Es hatte den Anschein, als nähme er die Herausforderung an.

»Versuchen wir also das Unmögliche«, sagte er. »Aber es wird mehrere Stunden dauern.«

»Wenn Sie so schnell wie möglich arbeiten, darf es dauern, so lange es will«, erwiderte Wallander.

»Sie können in einem der Schlafräume von SJ bei der Lokstation übernachten«, sagte Bergstrand. »Oder im Hotel Prize, mit dem wir einen Vertrag haben.«

»Nein«, sagte Wallander. »Wenn Sie die Auskünfte haben, dann schicken Sie sie per Fax an das Polizeipräsidium in Ystad.«

»Ich möchte nur noch darauf hinweisen, daß es nicht Schaffner *oder* Zugbegleiter heißt«, sagte Bergstrand. »Es heißt Zugbegleiter. Sonst nichts. Und einer ist der Zugchef. Die Grundlage unseres Systems sind faktisch militärische Grade.«

Wallander nickte, aber er sagte nichts.

Als sie aus dem Bahnhof traten, war es fast halb elf geworden.

»Du glaubst also, es ist jemand anders, der damals bei der Bahn gearbeitet hat?«

»So muß es sein. Eine andere plausible Erklärung gibt es nicht.«

Birch setzte seine Zipfelmütze auf. »Das heißt also, daß wir warten.«

»Du in Lund und ich in Ystad. Laß das Tonbandgerät bei Hedwig Taxell. Katarina kann noch mal anrufen.«

Sie trennten sich vor dem Bahnhofsgebäude. Wallander setzte sich in seinen Wagen und fuhr aus der Stadt hinaus. Er fragte sich, ob er jetzt bei der innersten der chinesischen Schachteln angelangt war. Was würde er finden? Einen Leerraum? Er wußte es nicht. Seine Unruhe war groß.

Kurz vor dem letzten Kreisverkehr vor der Abzweigung nach Ystad fuhr er in eine Tankstelle. Er tankte voll und ging hinein und bezahlte. Als er zurückkam, hörte er das Telefon summen, das er auf den Sitz gelegt hatte. Er riß die Tür auf und ergriff den Apparat.

Es war Hansson. »Wo bist du?« fragte er.

»Auf dem Weg nach Ystad.«

»Ich glaube, es ist das beste, wenn du herkommst.«

Wallander fuhr zusammen. Beinah wäre ihm das Telefon aus der Hand gefallen. »Habt ihr sie gefunden?«

»Ich glaube, ja.«

Wallander sagte nichts. Er fuhr auf direktem Weg nach Lödinge.

Der Wind hatte aufgefrischt und gedreht, er kam jetzt direkt aus Norden.

35

Sie hatten einen Schenkelknochen gefunden. Mehr nicht. Erst nach mehreren Stunden fanden sie weitere Skeletteile. Der kalte und böige Wind drang durch ihre Kleidung und verstärkte das Trostlose und Widerwärtige der Situation.

Der Schenkelknochen lag auf einem Stück Plastikfolie. Wallander dachte, daß es trotz allem schnell gegangen war. Sie hatten eine Fläche von noch nicht einmal zwanzig Quadratmetern aufgegraben und befanden sich noch erstaunlich dicht unter der Oberfläche, als ein Spaten auf den Knochen gestoßen war.

Ein Arzt kam und betrachtete fröstelnd den Schenkelknochen. Natürlich konnte er nicht mehr sagen, als daß er von einem Menschen stammte. Doch Wallander brauchte keine weitere Bestätigung. Für ihn bestand kein Zweifel, daß es sich um einen Teil des Skeletts von Krista Haberman handelte. Sie würden weitergraben und vielleicht alte Knochen finden und danach möglicherweise feststellen können, wie sie getötet worden war. Hatte Holger Eriksson sie erwürgt? Hatte er sie erschossen? Was war damals eigentlich geschehen?

Wallander fühlte sich an diesem langen Nachmittag müde und traurig. Es half ihm nicht, daß er recht gehabt hatte. Ihm war, als blicke er geradewegs in eine entsetzliche Geschichte hinein, mit der er sich am liebsten überhaupt nicht befaßt hätte. Aber die ganze Zeit wartete er auch mit Spannung auf das, was Karl-Henrik Bergstrand herausfinden würde. Nachdem er ein paar Stunden mit Hansson und den grabenden Polizisten draußen im Lehm verbracht hatte, war er ins Präsidium nach Ystad zurückgekehrt. Er hatte Hansson bei dieser Gelegenheit auch darüber informiert, was sie in Lund erlebt hatten, die Begegnung mit Margareta Nystedt und die Entdeckung, daß Katarina Taxell während einer kurzen Periode als Kellnerin in den Zügen zwischen Malmö und

Stockholm gearbeitet hatte. Irgendwann hatte sie dort auf einer Reise einen unbekannten Menschen getroffen, der sie stark beeinflußt hatte. Was geschehen war, wußten sie nicht. Doch die unbekannte Person, der sie begegnet war, hatte auf irgendeine Weise entscheidende Bedeutung für sie gewonnen. Wallander wußte nicht einmal, ob es ein Mann oder eine Frau war. Sicher war nur, daß sie sich dem Zentrum der Ermittlung, das nur allzuoft ihrem Zugriff entglitten war, um einen großen Schritt nähern würden, wenn sie die richtige Person fänden.

Als er ins Präsidium kam, sammelte er seine Mitarbeiter, soweit er sie zu fassen bekam, und wiederholte noch einmal, was er vor einer halben Stunde zu Hansson gesagt hatte. Sie konnten jetzt nur noch darauf warten, daß aus dem Faxgerät Papier zu kriechen begann.

Als sie im Besprechungszimmer zusammensaßen, rief Hansson an und berichtete, daß sie nun auch ein Schienbein gefunden hätten. Die Bedrücktheit am Tisch war greifbar. Wallander dachte, daß alle jetzt dasaßen und darauf warteten, daß der Schädel aus dem Lehm auftauchte.

Es wurde ein langer Nachmittag. Ein weiterer Herbststurm braute sich über Schonen zusammen. Das Laub wirbelte über den Parkplatz vor dem Polizeigebäude. Sie waren im Besprechungszimmer geblieben, obwohl nichts mehr gemeinsam zu diskutieren war. Alle hatten außerdem die Schreibtische voll mit Arbeit. Wallander dachte, daß sie jetzt vor allem Kräfte sammeln mußten. Wenn ihnen mit Hilfe der Auskünfte aus Malmö der Durchbruch gelänge und die Ermittlung in Bewegung käme, war damit zu rechnen, daß sehr viele Dinge in sehr kurzer Zeit erledigt werden mußten. Deshalb saßen oder hingen sie in ihren Stühlen um den großen Tisch und ruhten sich aus. Irgendwann am Nachmittag rief Birch an und sagte, daß Hedwig Taxell noch nie von Margareta Nystedt gehört hatte. Sie hatte selbst keine Erklärung, warum sie vollständig vergessen hatte, daß ihre Tochter eine Zeitlang als Zugkellnerin gearbeitet hatte. Birch betonte, daß er ihr glaube. Martinsson verließ mehrfach den Raum und rief zu Hause an. Wallander unterhielt sich dann leise mit Ann-Britt Höglund, die glaubte, daß es Terese schon viel besser ginge. Martinsson hatte auch nicht mehr davon gesprochen, aufhören zu wollen. Auch was das betraf, mußten sie vorläufig warten, dachte Wallander. Ein schweres Verbrechen aufzuklären bedeutete immer, daß man alles andere in seinem Leben zurückstellte.

Um vier Uhr rief Hansson an und sagte, daß sie auf einen Mittelfinger gestoßen waren, und kurz darauf rief er erneut an und teilte mit, daß der Schädel bloßgelegt worden sei.

Wallander fragte ihn, ob er abgelöst werden wolle, doch Hansson meinte, er könne ebensogut bleiben. Es reichte, wenn einer sich eine Erkältung holte.

Ein kalter Hauch strich durch den Raum, als Wallander erzählte, er gehe davon aus, daß es Krista Habermans Schädel sei, den sie gefunden hatten. Svedberg legte abrupt das halbgegessene belegte Brot weg.

Wallander hatte dies schon früher erlebt. Ein Skelett bedeutete nichts, bevor nicht der Schädel auftauchte. Erst dann war es möglich, sich vorzustellen, daß dies einmal ein Mensch war.

In der Stimmung müden Wartens, als die Mitglieder der Gruppe wie kleine isolierte Inseln um den Tisch verstreut waren, entstanden zwischendurch kurze Gespräche. Verschiedene Details wurden erörtert. Jemand fragte etwas. Ein anderer antwortete, etwas wurde geklärt, dann war es wieder still.

Svedberg fing auf einmal an, von Svenstavik zu sprechen. »Holger Eriksson muß ein sehr seltsamer Mann gewesen sein. Zuerst lockt er eine polnische Frau hier herunter nach Schonen. Gott weiß, was er ihr versprochen hat. Die Ehe? Reichtum? Daß sie eine Autohändlerbaronin wird? Und dann bringt er sie mir nichts, dir nichts um. Es ist fast dreißig Jahre her. Aber als er selbst den Tod näher kommen fühlt, kauft er sich einen Ablaßbrief, indem er der Kirche da oben in Jämtland Geld vermacht.«

»Ich habe seine Gedichte gelesen«, sagte Martinsson. »Zumindest einen Teil davon. Es läßt sich nicht leugnen, daß er zwischendurch eine gewisse Empfindsamkeit an den Tag legt.«

»Gegenüber Tieren«, sagte Ann-Britt Höglund. »Gegenüber Vögeln. Nicht gegenüber Menschen.«

Wallander fiel der verlassene Hundezwinger ein. Er wollte wissen, wie lange er leer gestanden hatte. Hamrén griff nach einem

Telefon und erreichte Sven Tyrén in seinem Tanklaster. Da erhielten sie die Antwort. Holger Erikssons letzter Hund hatte plötzlich eines Morgens tot im Zwinger gelegen. Es war ein paar Wochen, bevor Holger Eriksson selbst in das Pfahlgrab gestürzt war. Tyrén hatte es von seiner Frau gehört, die es ihrerseits von der Landbriefträgerin wußte. Woran der Hund gestorben war, konnte er nicht sagen, aber er war schon sehr alt gewesen. Wallander dachte insgeheim, daß jemand den Hund getötet haben mußte, damit er nicht bellte. Und das konnte nur die Person sein, nach der sie jetzt suchten.

So hatten sie sich selbst wieder eine Erklärung gegeben, doch die übergreifenden Zusammenhänge lagen noch im dunkeln. Noch nichts war ernstlich durchleuchtet.

Um halb fünf rief Wallander in Malmö an. Karl-Henrik Bergstrand kam ans Telefon. Sie seien bei der Arbeit, antwortete er. Binnen kurzem würden sie alle Namen und übrigen Auskünfte herüberfaxen, die Wallander verlangt habe.

Sie warteten weiter. Ein Journalist rief an und fragte, wonach sie auf Holger Erikssons Land suchten. Wallander antwortete, daß sie aus ermittlungstechnischen Gründen nichts darüber sagen konnten. Aber er war nicht abweisend, sondern so freundlich, wie er nur konnte. Lisa Holgersson saß während eines großen Teils der langen Wartezeit bei ihnen. Sie fuhr auch zusammen mit Per Åkesson nach Lödinge hinaus. Doch im Gegensatz zu ihrem früheren Chef sagte sie nicht viel. Wallander dachte darüber nach, wie verschieden die beiden waren. Björk hätte die Gelegenheit benutzt, sich über das letzte Rundschreiben der Reichspolizeibehörde zu beklagen. Irgendwie wäre es ihm gelungen, es mit ihrer gegenwärtigen Ermittlung zu verknüpfen. Lisa Holgersson war anders. Wallander ließ es – zerstreut, wie er war – dabei bewenden, daß jeder von beiden auf seine Weise gut war.

Hamrén spielte Schiffeversenken mit sich selbst, Svedberg suchte nach den letzten verbliebenen Haaren auf seiner Glatze, und Ann-Britt Höglund saß mit geschlossenen Augen da. Von Zeit zu Zeit ging Wallander auf den Korridor hinaus und vertrat sich die Beine. Er war entsetzlich müde und fragte sich, ob es etwas zu bedeuten hatte, daß Katarina Taxell nichts mehr von sich hatte hören lassen. Sollten sie trotz allem eine Suchaktion veranlassen? Er konnte sich nicht entscheiden, weil er fürchtete, daß sie die Frau, die sie abgeholt hatte, aufschrecken würden. Er hörte im Besprechungszimmer das Telefon klingeln, lief hin und blieb in der Tür stehen. Svedberg hatte abgenommen. Wallander formte lautlos das Wort »Malmö« mit den Lippen, aber Svedberg schüttelte den Kopf. Es war schon wieder Hansson.

»Eine Rippe diesmal«, sagte Svedberg hinterher. »Muß er wirklich jedesmal anrufen, wenn sie auf einen neuen Knochen stoßen?«

Wallander setzte sich an den Tisch. Wieder ging das Telefon. Wieder griff Svedberg nach dem Hörer. Er hörte kurz hinein, dann reichte er ihn Wallander.

»Jetzt kommt es gleich über Fax«, sagte Karl-Henrik Bergstrand. »Ich glaube, wir haben alles erfaßt, was Sie haben wollten.«

»Dann haben Sie gut gearbeitet«, erwiderte Wallander. »Wenn wir noch eine Erklärung oder Ergänzung brauchen, melde ich mich.«

»Davon bin ich überzeugt«, sagte Karl-Henrik Bergstrand. »Ich habe den Eindruck, daß Sie nicht so schnell locker lassen.«

Sie sammelten sich draußen um das Faxgerät. Nach ein paar Minuten kamen die Papiere. Wallander sah sogleich, daß es viel mehr Namen waren, als er sich vorgestellt hatte. Als die Übermittlung zu Ende war, rissen sie die Bögen ab und machten Kopien. Wieder im Sitzungszimmer, studierten sie die Mitteilung unter Schweigen. Wallander zählte zweiunddreißig Namen. Siebzehn der Zugbegleiter waren Frauen. Er kannte keinen der Namen. Die Liste der Arbeitszeiten und die verschiedenen Kombinationen schienen unendlich zu sein. Er mußte lange suchen, bis er die Woche fand, in der Margareta Nystedts Name nicht dabei war. Nicht weniger als elf Zugbegleiterinnen waren in den Tagen bei den Abfahrten im Dienst gewesen, als Katarina Taxell im Speisewagen arbeitete. Er war auch nicht sicher, ob er alle Abkürzungen und Kodes für die verschiedenen Personen und ihre Arbeitszeiten wirklich verstand.

Einen kurzen Augenblick lang fühlte Wallander die Kraftlosigkeit zurückkehren, aber er bezwang sie und klopfte mit einem Bleistift auf den Tisch. »Wir haben hier eine große Anzahl von Personen«, sagte er. »Wenn ich mich nicht ganz irre, so müssen wir uns in erster Linie auf die elf Zugbegleiterinnen und weiblichen Zugchefs konzentrieren. Außerdem haben wir vierzehn Männer. Aber ich möchte, daß wir mit den Frauen anfangen. Kennt einer von euch irgendeinen Namen?«

Sie beugten die Köpfe über die Papiere, aber keiner konnte sich von anderen Teilen der Ermittlung an einen der Namen erinnern. Wallander vermißte Hansson, der das beste Namengedächtnis hatte. Er bat einen der Polizisten aus Malmö, noch eine Kopie zu machen und dafür zu sorgen, daß sie zu Hansson hinausgebracht wurde.

»Dann fangen wir an«, sagte er, als der Kollege aus Malmö den Raum verlassen hatte. »Elf Frauen. Wir müssen sie einzeln durchgehen. Irgendwo finden wir hoffentlich einen Punkt, an dem wir einen Zusammenhang mit unserer Ermittlung erkennen. Wir teilen sie auf. Und wir fangen jetzt an. Das wird ein langer Abend.«

Sie verteilten die Namen und gingen auseinander. Der kurze Augenblick von Kraftlosigkeit, den Wallander gespürt hatte, war vergangen. Er fühlte, daß die Jagd begonnen hatte. Die Zeit des Wartens war endlich vorbei.

Viele Stunden später, als es schon fast elf Uhr war, begann Wallander wieder mutlos zu werden. Sie waren nicht weiter gekommen, als daß sie zwei der Namen abschreiben konnten. Eine der Frauen war bei einem Autounfall umgekommen, lange bevor sie Holger Erikssons Leiche in dem Graben gefunden hatten. Die andere war durch einen Irrtum auf der Liste gelandet, obwohl sie damals bereits in die Verwaltung in Malmö übergewechselt war. Karl-Henrik Bergstrand hatte den Fehler selbst entdeckt und Wallander sofort angerufen.

Sie suchten nach Berührungspunkten, ohne welche zu finden. Ann-Britt Höglund kam in Wallanders Zimmer. »Was machen wir mit der hier?« fragte sie und wedelte mit einem Papier.

»Was ist mit ihr?«

»Anneli Olsson, neununddreißig Jahre alt, verheiratet, vier

Kinder. Lebt in Ängelholm. Der Mann Pastor in einer freikirchlichen Gemeinde. Sie hat vorher als Kaltmamsell in einem Hotel in Ängelholm gearbeitet. Dann läßt sie sich umschulen, ohne daß ich sagen kann, warum. Wenn ich es recht verstehe, ist sie tief religiös. Sie arbeitet im Zug, kümmert sich daneben um ihre Familie und benutzt die wenige Freizeit, die sie hat, für Handarbeiten und für verschiedene Tätigkeiten für die Mission. Was mache ich mit ihr? Lade sie vor zum Verhör und frage sie, ob sie im vergangenen Monat drei Männer getötet hat? Ob sie weiß, wo Katarina Taxell und ihr Neugeborenes sich aufhalten?«

»Leg sie zur Seite«, sagte Wallander. »Auch das ist ein Schritt in die richtige Richtung.«

Hansson war gegen acht Uhr aus Lödinge gekommen, als der Wind und der Regen die Fortsetzung der Arbeit unmöglich gemacht hatten. Er teilte auch mit, daß er von jetzt an mehr Helfer zum Graben brauchte. Danach hatte er sich sofort in die Arbeit mit der Durchleuchtung der verbliebenen neun Frauen gestürzt. Wallander hatte vergebens versucht, ihn nach Hause zu schicken, damit er wenigstens seine nassen Sachen wechselte. Doch Hansson wollte nicht. Wallander ahnte, daß er so schnell wie möglich das bedrückende Erlebnis des Grabens im Regen nach den Überresten von Krista Haberman von sich abschütteln wollte.

Um kurz nach elf saß Wallander am Telefon und versuchte, eine Angehörige einer Zugbegleiterin namens Wedin ausfindig zu machen. Sie hatte im Laufe des vergangenen Jahres nicht weniger als fünfmal die Adresse gewechselt. Sie hatte eine schwierige Ehescheidung hinter sich und war die meiste Zeit krank geschrieben gewesen. Er wollte gerade wieder die Auskunft anrufen, als Martinsson in der Tür erschien. Wallander legte schnell wieder auf. Er konnte an Martinssons Gesicht sehen, daß etwas geschehen war. »Ich glaube, ich habe sie gefunden«, sagte er langsam. »Yvonne Ander. Siebenundvierzig Jahre.«

»Warum glaubst du, daß sie es ist?«

»Erstens wohnt sie hier in Ystad. Sie hat eine Anschrift in der Liregatan.«

»Was hast du noch?«

»Sie wirkt in vieler Hinsicht eigenartig. Ungreifbar. Genau wie die ganze Ermittlung. Aber sie hat einen Hintergrund, der uns interessieren sollte. Sie war einmal Hilfsschwester, außerdem hat sie in einer Unfallambulanz gearbeitet.«

Wallander sah ihn einen Augenblick schweigend an. Dann sprang er auf. »Hol die anderen«, sagte er. »Sofort.«

Nach ein paar Minuten waren sie im Besprechungszimmer versammelt.

»Martinsson hat sie vielleicht gefunden«, sagte Wallander. »Und sie wohnt hier in Ystad.«

Martinsson ging alles durch, was er über Yvonne Ander herausgefunden hatte. »Sie ist also siebenundvierzig Jahre«, begann er. »Geboren in Stockholm. Sie scheint schon seit fünfzehn Jahren in Schonen zu leben. Die ersten Jahre hat sie in Malmö gewohnt. Dann ist sie nach Ystad gezogen. Die letzten zehn Jahre hat sie bei der Bahn gearbeitet. Aber vorher, vermutlich schon, als sie noch jung war, hat sie eine Ausbildung als Hilfsschwester gemacht und viele Jahre im Krankenhaus gearbeitet. Warum sie plötzlich etwas anderes anfängt, kann ich natürlich nicht beantworten. Sie war auch Helferin in einer Unfallambulanz. Dann hat es den Anschein, als hätte sie jahrelang gar nicht gearbeitet.«

»Was hat sie in der Zeit gemacht?« fragte Wallander.

»Da sind große Lücken.«

»Ist sie verheiratet?«

»Sie ist alleinstehend.«

»Geschieden?«

»Ich weiß nicht. Es tauchen keine Kinder auf. Ich glaube nicht, daß sie verheiratet war. Aber ihre Arbeitszeiten passen zu denen von Katarina Taxell.«

Martinsson hatte von seinem Block abgelesen. Jetzt ließ er ihn auf den Tisch fallen. »Noch etwas«, sagte er, »worauf ich als erstes reagiert habe. Sie ist aktives Mitglied im Eisenbahner-Sportverein in Malmö. Das sind sicher viele. Aber was mich überrascht hat, ist, daß sie Krafttraining betreibt.«

Es wurde ganz still im Raum.

»Sie ist also mit anderen Worten vermutlich stark«, fuhr Martinsson fort. »Und wir suchen doch nach einer Frau mit großen Körperkräften.«

Wallander überschlug rasch die Situation. Konnte sie es sein? Dann entschied er. »Wir lassen alle anderen Namen bis auf weiteres liegen«, sagte er. »Jetzt konzentrieren wir uns auf Yvonne Ander. Wiederhole alles noch einmal, bitte langsam.«

Martinsson wiederholte das, was er gesagt hatte. Sie kamen mit neuen Fragen. Auf viele hatten sie keine Antwort. Wallander sah auf seine Uhr. Viertel vor zwölf.

»Ich glaube, wir reden noch heute abend mit ihr.«

»Wenn sie nicht arbeitet«, sagte Ann-Britt Höglund. »Wenn man die Listen anguckt, sieht man, daß sie dann und wann Nachtzüge hat. Was komisch wirkt. Ansonsten arbeiten die Zugbegleiter und Zugchefs entweder tagsüber oder in der Nacht, nicht beides. Aber vielleicht irre ich mich?«

»Entweder ist sie zu Hause, oder sie ist es nicht«, sagte Wallander.

»Worüber wollen wir eigentlich mit ihr reden?«

Die Frage kam von Hamrén, und sie war berechtigt.

»Ich halte es nicht für unwahrscheinlich, daß Katarina Taxell bei ihr ist«, sagte Wallander. »Notfalls können wir das als Vorwand nehmen. Daß ihre Mutter sich Sorgen macht. Damit müssen wir anfangen. Wir haben keine Beweise gegen sie. Wir haben nichts. Aber ich will auch an Fingerabdrücke kommen.«

»Wir rücken also nicht mit voller Besetzung aus«, sagte Svedberg.

Wallander nickte Ann-Britt Höglund zu. »Ich dachte, daß wir zwei sie besuchen. Wir können ja zur Sicherheit einen Wagen im Hintergrund haben. Falls etwas passiert.«

»Was sollte das sein?« fragte Martinsson.

»Das weiß ich nicht.«

»Ist das nicht ein bißchen unverantwortlich?« meinte Svedberg. »Immerhin verdächtigen wir sie der Beteiligung an schweren Gewaltverbrechen.«

»Wir nehmen natürlich Waffen mit«, erwiderte Wallander.

Sie wurden von einem Mann aus der Einsatzzentrale unterbrochen, der an die einen Spaltbreit geöffnete Tür klopfte. »Es ist eine Mitteilung von einem Arzt in Lund gekommen«, sagte er. »Er hat eine vorläufige Untersuchung der Skelettreste vorgenommen, die ihr gefunden habt. Er glaubte, daß sie von einer Frau stammen. Und daß sie lange in der Erde gelegen haben.«

»Dann wissen wir das«, sagte Wallander. »Wenn sonst nichts ist, lösen wir einen siebenundzwanzig Jahre alten Vermißtenfall.«

Der Beamte verließ den Raum. Wallander knüpfte wieder an das Vorherige an. »Ich glaube nicht, daß etwas passiert«, wiederholte er.

»Und was sagen wir, wenn Katarina Taxell nicht da ist? Wir klingeln sie immerhin mitten in der Nacht raus.«

»Wir fragen nach Katarina«, sagte Wallander. »Wir suchen sie. Sonst nichts.«

»Und was, wenn sie nicht zu Hause ist?«

Wallander brauchte keine Bedenkzeit. »Dann gehen wir rein«, sagte er. »Und die im Wagen passen auf, falls sie nach Hause kommt. Wir haben unsere Telefone eingeschaltet. In der Zwischenzeit wartet ihr anderen hier. Ich weiß, daß es spät ist. Aber das ist nicht zu ändern.«

Keiner hatte etwas einzuwenden.

Kurz nach Mitternacht verließen sie das Polizeigebäude. Der Wind hatte inzwischen Sturmstärke erreicht. Wallander und Ann-Britt Höglund fuhren in ihrem Wagen. Martinsson und Svedberg bildeten die Nachhut. Die Liregatan lag mitten im Stadtzentrum. Sie parkten einen Block weiter. Die Stadt war wie ausgestorben, sie begegneten nur einem Auto, einer Nachtstreife der Polizei. Wallander fuhr es plötzlich durch den Kopf, ob die neuen Fahrradstreifen, die ihnen ins Haus standen, in einem Sturm wie diesem ausrücken konnten.

Yvonne Ander wohnte in einem restaurierten Fachwerkhaus. Ihre Tür führte direkt auf die Straße. Von den drei Wohnungen hatte sie die in der Mitte. Wallander und Ann-Britt Höglund gingen auf die gegenüberliegende Straßenseite und betrachteten die Fassade. Abgesehen von einem erleuchteten Fenster ganz links lag das Haus im Dunkeln.

»Entweder sie schläft«, sagte Wallander, »oder sie ist nicht zu Hause. Aber wir müssen davon ausgehen, daß sie da drinnen ist.«

Es war zwanzig Minuten nach zwölf.

»Ist sie die Mörderin?« fragte Ann-Britt Höglund.

Wallander merkte, daß sie fror und sich unwohl fühlte.

War es, weil sie jetzt eine Frau jagten?

»Ja«, antwortete er. »Klar ist sie es.«

Sie überquerten die Straße. Links stand, ohne Licht, der Wagen, in dem Martinsson und Svedberg saßen. Ann-Britt Höglund läutete an der Tür.

Wallander preßte das Ohr an die Tür und hörte es drinnen klingeln. Sie warteten angespannt. Er nickte ihr zu, noch einmal zu läuten. Immer noch nichts. Auch beim drittenmal das gleiche Ergebnis.

»Ob sie schläft?« fragte Ann-Britt Höglund.

»Nein«, sagte Wallander. »Ich glaube, sie ist nicht zu Hause.« Die Tür war verschlossen. Er trat einen Schritt auf die Straße und winkte zum Wagen. Martinsson kam. Er war der Beste, wenn es darum ging, verschlossene Türen zu öffnen, ohne Gewalt anzuwenden. Er hatte eine Taschenlampe und ein Bund mit Dietrichen bei sich. Wallander hielt die Lampe, während Martinsson arbeitete. Es dauerte mehr als zehn Minuten, bis er das Schloß aufbekam. Er nahm die Taschenlampe und ging zum Wagen zurück, während Wallander sich umblickte. Die Straße war leer. Ann-Britt Höglund und er traten ein, blieben in der Stille stehen und lauschten. Der Flur schien kein Fenster zu haben. Wallander machte Licht. Links lag ein Wohnzimmer mit niedriger Decke, rechts eine Küche. Vor ihnen führte eine schmale Treppe zum Obergeschoß. Sie knarrte unter ihren Fußen. Hier oben waren drei Schlafzimmer, alle waren leer; in der ganzen Wohnung war niemand.

Er versuchte, die Situation einzuschätzen. Es war bald ein Uhr. Konnten sie damit rechnen, daß die Frau, die hier wohnte, in der Nacht zurückkam? Vieles sprach dagegen und eigentlich nichts dafür. Nicht zuletzt der Umstand, daß sie mit Katarina Taxell und ihrem Baby zusammen war. Würde sie nachts mit ihnen herumziehen?

Wallander trat an eine Glastür in einem der Schlafzimmer und sah, daß der Balkon davor dicht an dicht mit Blumentöpfen vollgestellt war. Doch in den Töpfen war nur Erde – keine einzige Pflanze.

Das Bild des Balkons und der leeren Blumentöpfe steigerte seine gedrückte Stimmung. Er verließ schnell den Raum.

Sie kehrten in den Flur zurück.

»Hol Martinsson her«, sagte er. »Und bitte Svedberg, ins Präsidium zurückzufahren. Sie müssen weiter suchen. Ich glaube, daß Yvonne Ander noch eine andere Wohnung hat. Vermutlich ein Haus.«

»Und was ist mit der Wache auf der Straße?«

»Sie kommt heute nacht nicht. Aber natürlich brauchen wir draußen einen Wagen. Sag Svedberg, daß er das regelt.«

Als sie gehen wollte, hielt er sie zurück. Dann blickte er sich um, trat in die Küche und machte die Lampe über der Spüle an. Da standen zwei benutzte Kaffeetassen. Er wickelte sie in ein Handtuch und gab sie ihr.

»Fingerabdrücke«, sagte er. »Gib sie Svedberg mit. Und der soll sie Nyberg geben. Das kann entscheidend sein.«

Er ging wieder die Treppe hinauf, hörte, wie sie die Tür öffnete. Er stand still im Dunkeln. Dann tat er etwas, was ihn selbst überraschte. Er ging ins Badezimmer, nahm ein Handtuch und roch daran. Er nahm den schwachen Duft eines sehr speziellen Parfüms wahr.

Doch der Duft erinnerte ihn plötzlich auch an etwas anderes.

Er versuchte, das Erinnerungsbild einzufangen, die Erinnerung an einen Duft. Er roch noch einmal. Aber er fand es nicht. Obwohl er das Gefühl hatte, ganz nahe daran zu sein.

Er hatte diesen Duft auch irgendwo anders gerochen, bei einer anderen Gelegenheit. Aber er kam nicht darauf, wann oder wo. Aber es war noch nicht lange her.

Er zuckte zusammen, als er hörte, wie die Tür im Untergeschoß geöffnet wurde. Kurz danach tauchten Martinsson und Ann-Britt Höglund auf.

»Jetzt fangen wir an zu suchen«, sagte Wallander. »Wir suchen nicht nur etwas, was den Mordverdacht erhärtet. Wir suchen auch etwas, was darauf hindeutet, daß sie tatsächlich eine zweite Wohnung hat. Ich will wissen, wo.«

»Warum sollte sie eine haben?« fragte Martinsson.

Sie sprachen die ganze Zeit leise, als befinde sich die Person, nach der sie suchten, trotz aller Anzeichen in ihrer Nähe und könne sie hören.

»Katarina Taxell«, sagte Wallander. »Ihr Kind. Außerdem sind wir davon ausgegangen, daß Gösta Runfelt drei Wochen gefangengehalten wurde. Ich vermute stark, daß das nicht hier gewesen ist, mitten in Ystad.«

Martinsson und Ann-Britt Höglund blieben oben. Wallander ging die Treppe hinunter. Er zog die Gardinen im Wohnzimmer zu und machte Licht. Dann stellte er sich in die Mitte des Zimmers und drehte sich langsam im Kreis, während er den Raum betrachtete. Er dachte, daß die Frau, die hier wohnte, schöne Möbel hatte. Und sie rauchte. In einem Aschenbecher auf dem Beistelltisch neben einem Ledersofa waren keine Kippen, aber schwache Spuren von Asche. An den Wänden hingen Gemälde und Fotos. Er trat näher und sah sich einige der Bilder an, Stilleben, Blumenvasen. Nicht besonders gut gelungen. Ganz unten in der rechten Ecke eine Signatur: *Anna Ander -58*. Also eine Verwandte. Ander war ein ungewöhnlicher Name, dachte er. Er kam auch in der schwedischen Kriminalgeschichte vor, ohne daß er sich an den Zusammenhang erinnern konnte. Er betrachtete eine der gerahmten Fotografien. Ein Hof in Schonen. Das Bild war von schräg oben aufgenommen. Wallander vermutete, daß der Fotograf auf einem Dach oder einer hohen Leiter gestanden hatte. Er ging im Zimmer umher. Versuchte, ihre Gegenwart zu spüren. Er fragte sich, warum das so schwer war. Alles macht den Eindruck von Verlassenheit, dachte er. Eine pedantische Verlassenheit. Sie ist nicht oft hier. Sie verbringt ihre Zeit woanders.

Er trat an ihren kleinen Schreibtisch an der Wand. Durch den Spalt neben der Gardine erkannte er einen kleinen Hinterhof. Das Fenster war nicht gut abgedichtet, der kalte Wind drang ins Zimmer. Er zog den Stuhl zurück und setzte sich. Versuchte die erste Schublade. Sie war unverschlossen. Auf der Straße fuhr ein Auto vorbei. Wallander sah das Licht der Scheinwerfer gegen ein Fenster fallen und verschwinden. Dann war es wieder nur der Wind. In der Schublade lagen Stapel zusammengebundener Briefe. Er suchte seine Brille und nahm den obersten heraus. Absender war A. Ander, mit einer Adresse in Spanien. Er nahm den Brief aus dem Umschlag und überflog ihn. Anna Ander war ihre Mutter. Das war eindeutig. Sie schilderte eine Reise. Auf der letzten Seite schrieb sie, daß sie auf dem Weg nach Algerien sei. Der Brief war vom April 1993. Er legte ihn zurück auf den Stapel. Über ihm im ersten Stock knarrten die Fußbodendielen. Er fühlte mit der Hand ganz hinten in der Schublade. Nichts. Danach sah er die anderen Schubläden durch. Sogar Papiere können den Eindruck vermitteln, verlassen zu sein, dachte er. Er fand nichts, was ihn aufmerken ließ. *Es war zu leer, um natürlich zu sein.* Jetzt war er endgültig überzeugt, daß sie woanders wohnte. Er ging die Schubläden weiter durch.

Der Fußboden über ihm knarrte.

Es war halb zwei.

Sie fuhr durch die Nacht und war sehr müde. Katarina war unruhig gewesen. Sie hatte ihr stundenlang zuhören müssen. Oft wunderte sie sich über die Schwäche dieser Frauen. Sie ließen sich quälen, mißhandeln, töten. Wenn sie einen Mordanschlag überlebten, saßen sie nachher Nächte hindurch und klagten. Sie verstand sie nicht. Jetzt, während sie durch die Nacht fuhr, dachte sie, daß sie die Frauen eigentlich verachtete. Weil sie keinen Widerstand leisteten.

Es war ein Uhr. Normalerweise würde sie jetzt schlafen, sie hatte früh am nächsten Tag Dienst. Außerdem hatte sie geplant, in Vollsjö zu schlafen. Doch sie wagte es jetzt, Katarina mit ihrem Kind allein zu lassen. Sie hatte sie davon überzeugt, daß sie bleiben mußte, wo sie war. Noch ein paar Tage, vielleicht eine Woche. Morgen abend würden sie ihre Mutter wieder anrufen. Katarina würde anrufen. Sie selbst würde neben ihr sitzen. Sie glaubte nicht, daß Katarina etwas sagen würde, was sie nicht sagen sollte. Aber sie wollte doch dabeisein.

Um zehn nach eins kam sie nach Ystad.

Instinktiv ahnte sie die Gefahr, als sie in die Liregatan einbog. Das Auto, das mit ausgeschalteten Scheinwerfern parkte. Sie konnte nicht umkehren, sie mußte weiterfahren. Sie warf im Vorüberfahren schnell einen Blick in das Auto. Zwei Männer saßen darin. Sie ahnte auch, daß in ihrer Wohnung Licht war. In ihrer Wut trat sie so hart aufs Gaspedal, daß das Auto einen Satz machte. Sie bremste ebenso heftig, als sie um die Ecke gebogen war. Sie hatten sie also gefunden. Die Männer, die Katarina Taxells Haus bewacht hatten. Jetzt waren sie in ihrer Wohnung. Sie merkte, wie ihr schwindelig wurde. Aber es war keine Angst. Sie hatte dort nichts, was sie nach Vollsjö führen konnte. Nichts, was ihnen verriet, wer sie war. Nichts außer ihrem Namen.

Sie saß unruhig da. Der Wind rüttelte an ihrem Wagen. Sie hatte den Motor abgestellt und die Scheinwerfer ausgeschaltet. Jetzt war sie gezwungen, nach Vollsjö zurückzukehren. Sie wußte jetzt, warum sie von dort weggefahren war; um nachzusehen, ob die Männer, die sie verfolgten, in ihr Haus eingedrungen waren. Immer noch hatte sie einen großen Vorsprung. Sie würden sie nie einholen. Sie würde ihre Zettel auseinanderfalten, solange noch ein einziger Name in dem Buch stand.

Sie ließ den Motor wieder an. Beschloß, noch einmal an ihrem Haus vorbeizufahren.

Der Wagen stand noch dort. Sie bremste zwanzig Meter dahinter, ohne den Motor abzustellen. Trotz des großen Abstands und des ungünstigen Winkels konnte sie erkennen, daß die Gardinen in ihrer Wohnung vorgezogen waren. Die Männer, die drinnen waren, hatten Licht gemacht. Jetzt suchten sie. Aber sie würden nichts finden.

Sie fuhr davon. Zwang sich, es achtsam zu tun, ohne daß die Räder durchdrehten wie sonst bei ihr.

Wallander war zu dem Briefbündel zurückgekehrt, als er eilige Schritte auf der Treppe hörte. Er stand auf. Es war Martinsson. Kurz hinter ihm kam Ann-Britt Höglund.

»Ich glaube, du siehst dir das hier einmal an«, sagte Martinsson. Er war bleich, seine Stimme zitterte. Er legte ein abgegriffenes Notizbuch mit schwarzem Umschlag auf den Tisch. Es war aufgeschlagen. Wallander beugte sich darüber und setzte seine

Brille auf. Da stand eine Reihe von Namen. Am Rand hatten alle eine Nummer. Er runzelte die Stirn.

»Blättre mal ein paar Seiten weiter«, sagte Martinsson.

Wallander blätterte. Die Namenreihe kam wieder. Da es Pfeile, Streichungen und Änderungen gab, hatte er das Gefühl, eine Kladde vor sich zu haben.

»Noch ein paar Seiten«, sagte Martinsson.

Wallander hörte, daß er aufgewühlt war.

Die Reihe der Namen kam noch einmal. Diesmal mit weniger Änderungen und Umstellungen.

Da sah er es.

Den ersten Namen kannte er. Gösta Runfelt. Dann fand er auch die anderen, Holger Eriksson und Eugen Blomberg. Am äußersten Rand neben den Namen waren Daten eingetragen.

Ihre Todestage.

Wallander blickte Martinsson und Ann-Britt Höglund an. Beide waren bleich.

Es gab keinen Zweifel mehr. Sie waren am Ziel ihrer Suche.

»In diesem Buch stehen über vierzig Namen«, sagte Wallander. »Hat sie vor, die alle umzubringen?«

»Wir wissen auf jeden Fall, wer als nächster an der Reihe ist«, sagte Ann-Britt Höglund und wies auf einen Namen.

Tore Grundén. Vor seinem Namen stand ein rotes Ausrufezeichen. Aber auf der rechten Seite war kein Todesdatum eingetragen.

»Ganz hinten liegt ein loses Blatt«, sagte Ann-Britt Höglund.

Wallander nahm es vorsichtig heraus. Es waren pedantisch geschriebene Aufzeichnungen. Wallander fühlte sich unwillkürlich an die Handschrift seiner Exfrau Mona erinnert. Die Buchstaben waren gerundet, die Zeilen gerade und regelmäßig. Ohne Streichungen und Änderungen. Doch was da stand, war schwer zu deuten. Was bedeuteten die Notizen? Ziffern, der Ortsname Hässleholm, ein Datum. Etwas, was eine Uhrzeit aus einem Fahrplan sein konnte, 7 Uhr 50. Das Datum von morgen. Samstag, der 22. Oktober.

»Was zum Teufel bedeutet das?« sagte Wallander. »Steigt Tore Grundén um 7 Uhr 50 in Hässleholm aus?«

»Vielleicht steigt er ein«, sagte Ann-Britt Höglund.

»Ruf Birch in Lund an. Er hat die Telefonnummer eines Mannes in Malmö, der Karl-Henrik Bergstrand heißt. Er soll ihn wecken und ihm eine Frage stellen: Arbeitet Yvonne Ander in dem Zug, der morgen früh um 7 Uhr 50 in Hässleholm hält oder abfährt?«

Martinsson holte sein Telefon heraus. Wallander starrte das aufgeschlagene Notizbuch an.

»Wo ist sie?« fragte Ann-Britt Höglund. »Ich meine, jetzt? Wir wissen, wo sie sich vermutlich morgen früh befindet.«

Wallander sah sie an. Hinter ihr hatte er die Bilder und Fotografien im Blickfeld. Plötzlich war es ihm klar. Er hätte sofort darauf kommen müssen. Er ging zur Wand und nahm die gerahmte Fotografie des Hofes herunter. Drehte sie um. *Hansgården in Vollsjö. 1965,* hatte jemand mit Tinte darauf geschrieben.

»Hier wohnt sie«, sagte er. »Und da befindet sie sich vermutlich im Augenblick.«

»Was tun wir?« fragte sie.

»Wir fahren hin und nehmen sie fest«, erwiderte Wallander.

Martinsson hatte Birch erreicht. Sie warteten. Das Gespräch war kurz.

»Er schmeißt Bergstrand aus dem Bett«, sagte Martinsson.

Wallander hielt noch das Notizbuch in der Hand. »Dann gehen wir«, sagte er. »Die anderen nehmen wir auf dem Weg mit.«

»Wissen wir, wo der Hansgården liegt?« fragte sie.

»Den finden wir in unseren Grundstücksregistern«, sagte Martinsson. »Dafür brauche ich keine zehn Minuten.«

Sie hatten es jetzt sehr eilig. Um fünf nach zwei waren sie zurück im Präsidium. Sie sammelten ihre müden Kollegen zusammen. Martinsson suchte auf seinem Computer nach dem Hansgården. Er brauchte länger, als er geglaubt hatte. Erst kurz vor drei hatte er ihn gefunden. Sie suchten ihn auf der Karte. Er lag am Rande von Vollsjö.

»Sollen wir bewaffnet sein?« fragte Svedberg.

»Ja«, antwortete Wallander. »Aber denkt daran, daß Katarina Taxell da ist. Und ihr Baby.«

Nyberg kam ins Sitzungszimmer. Mit struppigen Haaren und

blutunterlaufenen Augen. »Auf der einen Tasse haben wir gefunden, was wir suchten«, sagte er. »Der Fingerabdruck paßt. Zu dem auf dem Koffer und auf der Zigarettenkippe. Weil es kein Daumen ist, kann ich nicht sagen, ob er auch zu dem Abdruck vom Vogelturm paßt. Das komische ist übrigens, daß der später dorthin gekommen zu sein scheint. Als wäre sie noch einmal dagewesen. Wenn sie es nun ist. Aber das dürfte sie wohl sein. Wer ist sie?«

»Yvonne Ander«, sagte Wallander. »Und jetzt holen wir sie. Wenn nur Bergstrand von sich hören läßt.«

»Müssen wir darauf eigentlich warten?« fragte Martinsson.

»Eine halbe Stunde«, sagte Wallander. »Länger nicht.«

Sie warteten. Martinsson verließ das Zimmer, um zu kontrollieren, ob die Wohnung in der Liregatan weiter bewacht wurde.

Nach zweiundzwanzig Minuten kam Bergstrands Anruf. »Yvonne Ander arbeitet morgen früh auf einem Zug von Malmö nach Norden«, sagte er.

»Dann wissen wir das«, sagte Wallander einfach.

Um Viertel vor vier verließen sie Ystad. Der Sturm hatte jetzt seinen Höhepunkt erreicht.

Wallander führte noch zwei Telefongespräche. Eins mit Lisa Holgersson, das andere mit Per Åkesson.

Keiner erhob Einwände.

Sie mußten sie so schnell wie irgend möglich festnehmen.

36

Um kurz nach fünf hatten sie sich um den Hof, der Hansgården hieß, verteilt. Der Wind war stark und böig, sie waren alle durchgefroren und hatten jetzt das Haus umstellt, Schatten gleich. Nach kurzer Diskussion hatten sie entschieden, daß Wallander und Ann-Britt Höglund hineingehen sollten. Die anderen hatten so Position bezogen, daß sie zumindest mit einem der anderen engen Kontakt hatten.

Die Wagen hatten sie außer Sichtweite des Hofes abgestellt und waren das letzte Stück zu Fuß herangekommen. Wallander bemerkte sofort den roten Golf vor dem Haus. Während der Autofahrt nach Vollsjö hatte er befürchtet, sie könne schon aufgebrochen sein. Aber ihr Wagen stand da, also war sie noch nicht fort. Das Haus war dunkel und still, nichts bewegte sich. Wallander hatte auch keine Wachhunde entdeckt.

Alles ging sehr schnell. Sie nahmen ihre Positionen ein. Dann bat Wallander Ann-Britt Höglund, über das Walkie-Talkie den anderen mitzuteilen, daß sie noch ein paar Minuten warten wollten, bis sie hineingingen.

Warten worauf? Sie hatte nicht verstanden, warum. Wallander hatte auch keine Erklärung gegeben. Vielleicht mußte er sich selbst vorbereiten? Eine innere Verlagerung abschließen, mit der er noch nicht fertig war? Oder hatte er das Bedürfnis, sich selbst einen Freiraum zu schaffen und während einiger Minuten alles, was geschehen war, noch einmal zu überdenken? Er stand da und fror, und alles kam ihm unwirklich vor. Einen Monat lang hatten sie einen ungreifbaren und sonderbaren Schatten gejagt. Jetzt standen sie am Ziel, an einem Punkt, an dem das Treiben die Jagd abschließen sollte. Es war, als müsse er sich vom Gefühl der Unwirklichkeit befreien, das ihn angesichts alles dessen, was geschehen war, befallen hatte. Nicht zuletzt im Verhältnis zu der

Frau, die sich im Haus befand und die sie jetzt festnehmen würden. Für all dies brauchte er eine Atempause. Deshalb sagte er, daß sie warten wollten.

Er stand mit Ann-Britt Höglund im Windschutz einer verfallenen Scheune. Die Haustür war ungefähr fünfundzwanzig Meter entfernt. Die Zeit verging; bald Morgendämmerung. Sie konnten nicht länger warten.

Wallander hatte gesagt, daß sie sich bewaffnen sollten. Aber er wollte, daß alles ruhig verlief. Vor allem, weil Katarina Taxell und ihr Baby im Haus waren.

Nichts durfte schiefgehen. Am wichtigsten war, daß sie die Ruhe behielten.

»Jetzt los«, sagte er. »Gib Bescheid.«

Sie sprach leise ins Walkie-Talkie. Bekam eine Reihe Bestätigungen, daß sie sie verstanden hatten. Sie zog ihre Pistole. Wallander schüttelte den Kopf.

»Steck sie in die Tasche«, sagte er. »Aber denk dran, in welche.«

Das Haus war noch immer still. Keine Bewegungen. Sie gingen, Wallander als erster, Ann-Britt Höglund schräg hinter ihm. Der Wind die ganze Zeit in schweren Böen. Wallander warf noch einmal einen Blick auf die Uhr. Neunzehn Minuten nach fünf. Yvonne Ander müßte jetzt aufgestanden sein, wenn sie noch rechtzeitig zur Arbeit in ihrem frühen Morgenzug kommen wollte. Sie blieben vor der Tür stehen. Wallander holte tief Luft. Klopfte und trat einen Schritt zurück. Die Hand lag auf der Pistole in der rechten Jackentasche. Nichts passierte. Er trat einen Schritt vor und klopfte noch einmal. Fühlte gleichzeitig am Schloß. Die Tür war verriegelt. Er klopfte noch einmal. Plötzlich packte ihn Unruhe. Er schlug mit der Faust. Noch immer keine Reaktion. Irgend etwas stimmte nicht.

»Wir brechen die Tür auf«, sagte er. »Sag Bescheid. Wer hat das Stemmeisen mitgenommen? Warum haben wir es nicht?«

Ann-Britt Höglund sprach mit fester Stimme ins Walkie-Talkie. Stellte sich mit dem Rücken gegen den Wind. Wallander behielt die Fenster auf beiden Seiten der Haustür im Auge.

Svedberg kam mit dem Stemmeisen gelaufen. Wallander bat ihn, sofort in seine Position zurückzugehen. Dann steckte er das

Stemmeisen in den Spalt zwischen Tür und Rahmen. Er legte seine ganze Kraft in den Zug. Die Tür brach aus dem Schloß. Im Flur war Licht. Ohne es geplant zu haben, zog er seine Waffe. Ann-Britt Höglund folgte dicht hinter ihm. Wallander duckte sich und ging hinein. Sie stand schräg hinter ihm und gab ihm mit ihrer Pistole Deckung. Alles war still.

»Polizei!« rief Wallander. »Wir suchen Yvonne Ander.«

Nichts geschah. Er rief noch einmal. Vorsichtig bewegte er sich auf das Zimmer zu, das ihnen gegenüber lag. Sie folgte schräg hinter ihm. Das Gefühl von Unwirklichkeit stellte sich wieder ein. Er trat schnell in einen großen, offenen Raum, schwenkte mit der Pistole darüberhin. Alles war leer. Er ließ den Arm sinken. Ann-Britt Höglund stand auf der anderen Seite der Tür. Der Raum war riesig. Lampen brannten. Ein eigentümlich geformter Backofen war an der einen Längsseite.

Plötzlich wurde auf der anderen Seite des Raums eine Tür geöffnet. Wallander fuhr herum und hob wieder die Waffe, Ann-Britt Höglund ging auf ein Knie nieder. Katarina Taxell kam aus der Tür. Sie trug ein Nachthemd und sah aus, als hätte sie Angst.

Wallander senkte die Waffe, Ann-Britt Höglund tat das gleiche.

In diesem Augenblick wußte Wallander, daß Yvonne Ander nicht im Haus war.

»Was ist denn los?« fragte Katarina Taxell.

Wallander war mit wenigen Schritten bei ihr. »Wo ist Yvonne Ander?«

»Sie ist nicht hier.«

»Wo ist sie?«

»Ich nehme an, sie ist auf dem Weg zu ihrer Arbeit.«

Wallander hatte es jetzt sehr eilig. »Wer hat sie abgeholt?«

»Sie ist allein gefahren.«

»Ihr Auto steht aber vor der Tür.«

»Sie hat zwei Autos.«

So einfach, dachte Wallander. Es war nicht nur der rote Golf. »Geht es Ihnen gut?« fragte er dann. »Und Ihrem Kind?«

»Warum sollte es uns nicht gutgehen?«

Wallander sah sich hastig im Raum um, dann bat er Ann-Britt

Höglund, die anderen hereinzurufen. Sie hatten wenig Zeit und mußten weiter.

»Hol Nyberg her«, sagte er. »Dieses Haus muß vom Keller bis zum Dachfirst untersucht werden.«

Die verfrorenen Polizisten sammelten sich in dem großen weißen Raum.

»Sie ist weg«, sagte Wallander. »Sie ist unterwegs nach Hässleholm. Zumindest gibt es keinen Grund, etwas anderes anzunehmen. Dort fängt sie an zu arbeiten. Da steigt auch ein Fahrgast namens Tore Grundén zu, der als nächster Mann auf ihrer Todesliste steht.«

»Will sie ihn wirklich im Zug töten?« fragte Martinsson ungläubig.

»Wir wissen es nicht«, sagte Wallander. »Aber wir wollen keine weiteren Morde. Wir müssen sie fassen.«

»Wir sollten die Kollegen in Hässleholm vorwarnen«, sagte Hansson.

»Das machen wir unterwegs«, sagte Wallander. »Ich dachte, daß Martinsson und Hansson mit mir kommen. Ihr anderen fangt mit dem Haus an, und ihr redet mit Katarina Taxell.«

Er nickte zu ihr hinüber. Sie stand dicht an einer Wand. Das Licht war grau. Sie ging fast in der Wand auf, löste sich auf, wurde undeutlich. Konnte ein Mensch wirklich so farblos werden, daß er nicht mehr sichtbar war?

Sie fuhren los. Hansson saß am Steuer. Martinsson wollte gerade in Hässleholm anrufen, als Wallander ihn bat zu warten.

»Ich glaube, es ist am besten, wenn wir es selbst machen«, sagte er. »Wenn es ein Chaos gibt, kann weiß Gott was geschehen. Sie kann gefährlich sein. Das ist mir jetzt klargeworden. Gefährlich auch für uns.«

»Was denn sonst?« fragte Hansson erstaunt. »Wo sie drei Menschen umgebracht hat? Aufgespießt, erwürgt, ertränkt hat? Wenn so eine Person nicht gefährlich ist, dann weiß ich auch nicht.«

»Wir wissen nicht einmal, wie Grundén aussieht«, sagte Martinsson. »Sollen wir ihn über den Lautsprecher auf dem Bahnhof ausrufen lassen? *Sie* hat ja wohl auf jeden Fall eine Uniform an?«

»Vielleicht«, sagte Wallander. »Laß uns abwarten, bis wir hinkommen. Schalte mal Blaulicht ein, wir haben es eilig.«

Hansson fuhr schnell. Dennoch war die Zeit knapp. Als sie noch ungefähr zwanzig Minuten bis Hässleholm hatten, wußte Wallander, daß sie es schaffen würden.

Dann hatten sie eine Reifenpanne. Hansson fluchte und hielt an. Als ihnen klar war, daß sie den linken Hinterreifen wechseln mußten, wollte Martinsson wieder die Kollegen in Hässleholm anrufen. Auf jeden Fall konnten sie einen Wagen schicken. Aber Wallander sagte nein. Er hatte sich entschieden. Sie würden trotzdem rechtzeitig hinkommen. Sie wechselten das Rad in rasender Geschwindigkeit, während der stürmische Wind an ihren Kleidern zerrte. Dann waren sie wieder auf der Straße. Hansson fuhr jetzt wirklich noch schneller, die Zeit verrann, und Wallander versuchte, sich darüber klarzuwerden, wie sie vorgehen sollten. Es fiel ihm schwer, sich vorzustellen, daß Yvonne Ander vor den Augen von Passagieren, die in einen Zug stiegen oder ihn verließen, Tore Grundén umbringen würde. Das paßte nicht zu ihrer bisherigen Vorgehensweise. Er kam zu dem Schluß, daß sie Tore Grundén bis auf weiteres vergessen konnten. Sie würden nach ihr Ausschau halten, einer Frau in Uniform, und sie würden sie so unauffällig wie möglich festnehmen.

Sie kamen nach Hässleholm, und Hansson begann, nervös zu werden und falsch zu fahren, obwohl er behauptete, den Weg zu kennen. Jetzt war auch Wallander nervös, und als sie am Bahnhof ankamen, waren sie kurz davor, sich anzuschreien. Sie sprangen aus dem Wagen, dessen Blaulicht noch eingeschaltet war. Drei Männer, dachte Wallander, in ihren besten Jahren, die aussahen, als wollten sie die Kasse des Fahrkartenschalters rauben oder zumindest einen Zug erreichen, der in wenigen Augenblicken abfahren sollte. Die Uhr zeigte, daß sie noch genau drei Minuten Zeit hatten: 7 Uhr 47. Durch den Lautsprecher wurde der Zug angesagt. Aber Wallander hatte nicht gehört, ob die Einfahrt oder die Abfahrt angekündigt wurde. Sie mußten jetzt ruhig bleiben. Sie würden auf den Bahnsteig gehen, etwas getrennt voneinander, aber doch die ganze Zeit den Kontakt halten. Wenn sie sie gefunden hatten, würden sie schnell von drei Seiten um sie aufschließen und sie bitten mitzukommen. Wallander ahnte, daß dies der kritische Moment war. Sie konnten nicht sicher sein, wie sie reagieren würde. Sie mußten vorbereitet sein, nicht mit Waffen, sondern mit ihrer Körperkraft. Er unterstrich dies mehrmals. Yvonne Ander benutzte keine Waffen. Sie mußten bereit sein, aber sie sollten sie festnehmen können, ohne zu schießen.

Dann gingen sie. Draußen wehte immer noch ein harter, böiger Wind. Der Zug war noch nicht eingefahren. Die Passagiere suchten Schutz vor dem Wind, wo sie ihn finden konnten. Es waren auffallend viele, die an diesem Samstag morgen nach Norden reisen wollten. Sie gingen auf den Bahnsteig, Wallander als erster, Hansson dicht hinter ihm, Martinsson ganz außen an der Bahnsteigkante. Wallander entdeckte sogleich einen männlichen Zugbegleiter, der rauchend wartete. Er merkte, daß ihm vor Anspannung der Schweiß ausbrach. Yvonne Ander konnte er nicht sehen. Keine Frau in Uniform. Hastig suchte er mit den Blicken nach einem Mann, der Tore Grundén sein konnte. Aber das war natürlich sinnlos. Der Mann hatte für sie kein Gesicht. Er war nur ein angestrichener Name in einem makabren Notizbuch. Er wechselte ein paar Blicke mit Hansson und Martinsson. Dann sah er zum Bahnhofsgebäude hinüber, ob sie vielleicht von dort kam. Gleichzeitig fuhr der Zug ein. Wallander ahnte, daß irgend etwas total falsch lief. Noch immer wollte er nicht glauben, daß sie vorhatte, Tore Grundén auf dem Bahnsteig zu töten, aber er konnte nicht sicher sein. Allzu häufig hatte er erlebt, daß berechnende Personen plötzlich die Kontrolle verloren und begannen, impulsiv und gegen ihre bisherigen Gewohnheiten zu handeln. Die Wartenden nahmen ihre Koffer auf, der Zug rollte ein. Der Zugbegleiter hatte die Zigarette fortgeworfen.

Wallander sah ein, daß er keine Wahl hatte, er mußte mit ihm reden. Ihn fragen, ob Yvonne Ander sich bereits im Zug befand. Oder ob ihr Dienstplan sich geändert hatte. Der Zug bremste. Wallander mußte sich durch die Reisenden drängen, die es eilig hatten, aus dem kalten Wind in den Zug zu kommen. Plötzlich entdeckte Wallander einen Mann, der allein ein Stück weiter entfernt auf dem Bahnsteig stand und gerade nach seiner Tasche griff. Unmittelbar neben ihm stand eine Frau in einem langen Mantel, an dem der Wind zerrte. Ein anderer Zug fuhr von der entgegengesetzten Seite ein. Wallander wurde sich nie darüber klar, ob er eigentlich den Zusammenhang verstanden hatte. Aber er reagierte, als sei alles vollkommen klar gewesen. Er stieß die Menschen zur Seite, die im Weg standen. Irgendwo hinter ihm kamen Hansson und Martinsson nach, ohne zu wissen, wohin sie eigentlich liefen. Wallander sah, daß die Frau plötzlich den Mann von hinten gepackt hatte. Sie schien gewaltige Kräfte zu haben. Sie hob ihn fast vom Boden. Wallander ahnte mehr, als daß er verstand, daß sie den Mann vor den Zug auf dem anderen Gleis werfen wollte. Weil er sie nicht rechtzeitig erreichen würde, rief er. Trotz des donnernden Lärms der Lokomotive mußte sie ihn gehört haben. Ein kurzer Augenblick des Zögerns war genug, sie blickte zu Wallander hin, an dessen Seite in diesem Augenblick Martinsson und Hansson auftauchten. Sie stürmten auf die Frau zu, die jetzt den Mann losgelassen hatte. Ihr langer Mantel hatte sich im Wind geöffnet, und Wallander erkannte darunter ihre Uniform. Plötzlich hob sie die Hand und tat etwas, was sowohl Martinsson als auch Hansson stoppen ließ. Sie riß sich das Haar ab. Es wurde sofort vom Wind erfaßt und wirbelte den Bahnsteig entlang. Unter der Perücke war ihr Haar kurz geschnitten. Sie begannen wieder zu laufen. Tore Grundén schien immer noch nicht begriffen zu haben, was ihm beinahe geschehen wäre.

»Yvonne Ander«, rief Wallander. »Polizei.«

Martinsson war jetzt unmittelbar hinter ihr. Wallander sah, wie er den Arm ausstreckte, um sie zu fassen. Dann ging alles sehr schnell. Sie schlug mit ihrer rechten Faust hart und entschlossen zu. Der Schlag traf Martinsson an der rechten Wange. Er fiel ohne einen Laut auf den Bahnsteig. Hinter Wallander rief jemand, ein Reisender hatte entdeckt, was los war. Hansson war wie angewurzelt stehengeblieben, als er sah, was mit Martinsson geschah. Er machte eine Bewegung, um seine Pistole aus der Tasche zu ziehen. Aber es war schon zu spät. Sie hatte Hanssons Jacke gepackt und stieß ihm mit aller Kraft das Knie in den Schritt. Für einen kurzen Augenblick beugte sie sich über ihn, dann lief sie den Bahnsteig entlang. Sie zerrte sich den Mantel vom Körper und warf ihn fort. Er flatterte auf und wurde von einer Windbö davongetragen.

Wallander blieb bei Martinsson und Hansson stehen. Martinsson war bewußtlos. Hansson stöhnte und war weiß im Gesicht. Als Wallander aufblickte, war sie fort. Er begann den Bahnsteig entlangzulaufen und sah sie ein Stück entfernt über die Gleise verschwinden. Er konnte sie nicht einholen. Außerdem wußte er nicht, was wirklich mit Martinsson war. Er rannte zurück und bemerkte, daß Tore Grundén fort war. Mehrere Eisenbahnbedienstete kamen gelaufen. Keiner begriff natürlich in dem Wirrwarr, was eigentlich passiert war.

Später sollte Wallander an die nächste Stunde als an ein nicht enden wollendes Chaos zurückdenken. Er hatte versucht, viele verschiedene Dinge gleichzeitig zu tun. Aber keiner hatte verstanden, was er sagte. Außerdem irrten Zugreisende um ihn herum. Mitten in diesem Durcheinander begann Hansson, sich wieder zu erholen. Aber Martinsson war immer noch bewußtlos, Wallander verfluchte den Krankenwagen, der nicht kam, und erst als ein paar verwirrte Hässleholm-Polizisten auf dem Bahnsteig erschienen, gelang es ihm, die Situation einigermaßen zu überblicken. Martinsson hatte sich einen klassischen K. o. eingefangen. Aber sein Atem ging ruhig. Als die Sanitäter ihn forttrugen, war Hansson mit Mühe wieder auf die Beine gekommen und fuhr mit ins Krankenhaus. Wallander erklärte den Polizisten, daß sie im Begriff gewesen waren, eine Zugbegleiterin festzunehmen, die jedoch entkommen war. In diesem Augenblick registrierte Wallander, daß der Zug abgefahren war. Er fragte sich, ob Tore Grundén eingestiegen war. Ahnte der Mann überhaupt, wie nah er dem Tod gewesen war? Wallander sah ein, daß eigentlich keiner begriff, wovon er redete. Nur sein Polizeiausweis und seine Autorität bewirkten, daß man ihn trotz allem als Kriminalbeamten akzeptierte und nicht für einen Verrückten hielt.

Das einzige, was ihn außer Martinssons Gesundheitszustand interessierte, war, wohin Yvonne Ander geflohen war. Er hatte in den erregten Minuten auf dem Bahnsteig Ann-Britt Höglund angerufen und berichtet, was geschehen war. Sie versprach, dafür zu sorgen, daß in Vollsjö eine Gruppe für den Fall in Bereitschaft gehalten wurde, daß sie dorthin zurückkehrte. Auch die Wohnung in Ystad würde bewacht werden. Aber Wallander hatte seine Zweifel. Er glaubte nicht, daß sie dort auftauchen würde. Sie wußte jetzt, daß sie nicht nur überwacht wurde, sondern daß man ihr dicht auf den Fersen war und nicht nachlassen würde, bis sie gefaßt war Wohin konnte sie sich wenden? Eine planlose Flucht? Die Möglichkeit mußte er in Betracht ziehen. Doch gleichzeitig sprach etwas dagegen. Sie plante die ganze Zeit. Sie war ein Mensch, der durchdachte Auswege suchte. Wallander rief Ann-Britt Höglund wieder an und bat sie, mit Katarina Taxell zu sprechen. Sie sollte nur eine einzige Frage stellen: Hatte Yvonne Ander noch ein weiteres Versteck? Alle anderen Fragen konnten vorläufig warten.

»Ich glaube, sie hat immer einen Reserveausgang«, sagte Wallander. »Sie kann eine Adresse, einen Ort genannt haben, ohne daß Katarina Taxell daran gedacht hat, daß es ein Versteck war.«

»Vielleicht entscheidet sie sich für Katarina Taxells Wohnung in Lund?«

Auch Wallander hielt das für denkbar. »Ruf Birch an«, sagte er. »Er soll sich der Sache annehmen.«

»Sie hat Schlüssel für die Wohnung, das hat Katarina erzählt«, sagte Ann-Britt Höglund.

Wallander wurde von einem Polizeiwagen zum Krankenhaus gelotst. Hansson ging es schlecht, er lag auf einer Bahre.

Sein Hodensack war geschwollen, und er sollte zur Beobachtung dabehalten werden. Martinsson war noch immer bewußtlos. Ein Arzt sprach von einer schweren Gehirnerschütterung. »Der Mann, der solch einen Schlag hat, muß stark gewesen sein«, sagte er.

»Ja«, antwortete Wallander. »Abgesehen davon, daß der Mann eine Frau war.«

Er verließ das Krankenhaus. Wohin sollte er gehen? Etwas nagte in seinem Unterbewußtsein. Etwas, was die Antwort auf die Frage enthalten konnte, wo sie sich befand oder wohin sie eventuell unterwegs war.

Dann kam er darauf. Er stand völlig reglos vor dem Krankenhaus. Nyberg war sehr deutlich gewesen. *Die Fingerabdrücke auf dem Turm mußten zu einem späteren Zeitpunkt dorthin gekom-*

men sein. Das war eine Möglichkeit, auch wenn sie nicht groß war. Yvonne Ander konnte ein Mensch sein wie er selbst. In bedrängten Situationen suchte sie Abgeschiedenheit. Einen Punkt, wo sie Überblick gewinnen, einen Entschluß fassen konnte. Alle ihre Handlungen erweckten den Eindruck detaillierter Vorbereitung und exakter Zeitplanung. Jetzt war alles um sie her zusammengestürzt.

Er sagte sich, daß es auf jeden Fall einen Versuch wert war.

Der Ort war natürlich abgesperrt. Aber Hansson hatte gesagt, daß sie die Arbeit dort erst wieder aufnehmen würden, wenn sie die angeforderte Hilfe bekommen hätten. Wallander nahm auch an, daß die Überwachung lediglich durch Streifenwagen erfolgte. Außerdem konnte sie den Weg benutzen, den sie auch früher genommen hatte.

Wallander verabschiedete sich von den Polizisten, die ihm geholfen hatten. Sie hatten noch immer nicht richtig verstanden, was auf dem Bahnhof passiert war. Aber er versprach ihnen, daß sie im Laufe des Tages informiert würden. Es habe sich lediglich um eine routinemäßige Festnahme gehandelt, die ihnen aus den Händen geglitten sei. Aber eigentlich war kein großer Schaden entstanden. Die Polizisten, die im Krankenhaus bleiben mußten, würden bald wieder auf den Beinen sein.

Wallander setzte sich ins Auto und rief zum drittenmal Ann-Britt Höglund an. Er sagte nicht, worum es ging. Nur daß er sie bei der Abzweigung zu Holger Erikssons Hof treffen wolle.

Es war nach zehn Uhr, als Wallander Lödinge erreichte. Ann-Britt Höglund stand neben ihrem Wagen und wartete. Sie fuhren das letzte Stück zu Erikssons Hof in Wallanders Wagen. Hundert Meter vom Haus entfernt hielt er an. Bisher hatte er noch nichts gesagt. Jetzt sah sie ihn fragend an.

»Ich kann mich sehr wohl irren«, sagte er. »Aber die Möglichkeit besteht, daß sie hierher zurückkommt. Zum Vogelturm. Sie ist schon einmal hiergewesen.« Er erinnerte sie an das, was Nyberg über die Fingerabdrücke gesagt hatte.

»Was kann sie hier wollen?« fragte sie.

»Ich weiß nicht. Aber sie wird gejagt. Sie muß zu irgendeinem Entschluß kommen.«

Sie stiegen aus dem Wagen. Der Wind fiel sie an.

»Wir haben Schwesterntracht gefunden«, sagte sie. »Außerdem eine Plastiktüte mit Unterhosen. Wir können wohl davon ausgehen, daß Gösta Runfelt in Vollsjö gefangengehalten worden ist.«

Sie waren beim Haus angekommen.

»Was tun wir, wenn sie auf dem Turm steht?«

»Dann greifen wir sie. Ich gehe um den Hügel herum auf die andere Seite. Wenn sie kommt, stellt sie da ihr Auto ab. Dann gehst du den Pfad hinunter. Diesmal haben wir aber die Waffen gezogen.«

»Ich glaube kaum, daß sie kommt«, sagte Ann-Britt Höglund.

Wallander antwortete nicht. Er wußte, daß sie sehr gut recht haben konnte.

Sie stellten sich auf dem Hofplatz in den Windschatten. Die Absperrbänder unten am Graben, wo sie nach Krista Habermans Skelett gruben, waren von dem starken Wind abgerissen worden. Der Turm lag verlassen. Er zeichnete sich scharf gegen den klaren Herbsthimmel ab.

»Wir warten auf jeden Fall eine Weile«, sagte Wallander. »Wenn sie kommt, dann sicher bald.«

»Im Distrikt ist Alarm ausgelöst worden«, sagte sie. »Wenn wir sie nicht finden, wird sie bald im ganzen Land gesucht.«

Einen Augenblick standen sie schweigend.

»Was treibt sie an?« fragte Ann-Britt Höglund.

»Darauf kann wohl nur sie allein antworten«, sagte Wallander. »Aber sollte man nicht davon ausgehen, daß auch sie mißhandelt worden ist?«

Ann-Britt Höglund antwortete nicht.

»Ich glaube, sie ist ein sehr einsamer Mensch«, sagte Wallander. »Und sie fühlt sich dazu berufen, im Namen anderer zu töten. Das sieht sie wohl als den Sinn ihres Lebens.«

»Vor kurzem haben wir noch geglaubt, einen Söldner zu suchen«, sagte sie. »Und jetzt warten wir darauf, daß eine Zugbegleiterin auf einem verlassenen Vogelturm auftaucht.«

»Das mit dem Söldner war vielleicht trotz allem nicht so ganz falsch«, sagte Wallander nachdenklich. »Abgesehen davon, daß sie eine Frau ist und kein Geld bekommt, soweit wir wissen. Trotzdem ist da etwas, was an unseren falschen Ausgangspunkt von damals erinnert.«

»Katarina Taxell sagte, sie habe sie durch eine Gruppe von Frauen kennengelernt, die sich regelmäßig in Vollsjö trafen. Ihre erste Begegnung fand allerdings in einem Zug statt. Da hattest du recht. Anscheinend hat sie nach einem blauen Fleck gefragt, den Katarina Taxell an der Stirn hatte. Sie durchschaute ihre Ausflüchte. Es war Eugen Blomberg, der sie mißhandelt hatte. Ich habe nicht richtig rausbekommen, wie das Ganze passiert ist. Aber sie hat bekräftigt, daß Yvonne Ander früher im Krankenhaus und außerdem als Hilfe in einer Notfallambulanz gearbeitet hat. Da hat sie viele mißhandelte Frauen gesehen. Später hat sie Kontakt mit ihnen aufgenommen und sie nach Vollsjö eingeladen. Man kann vielleicht sagen, daß es sich um eine äußerst formlose Krisengruppe gehandelt hat. Sie hat herausgefunden, welche Männer diese Frauen mißhandelt hatten. Und dann ist etwas passiert. Katarina hat auch zugegeben, daß es natürlich Yvonne Ander war, die sie im Krankenhaus besucht hat. Beim zweitenmal hat sie Yvonne Ander den Namen des Vaters genannt. Eugen Blomberg.«

»Und damit war sein Todesurteil unterschrieben«, sagte Wallander. »Außerdem glaube ich, daß sie sich lange auf das hier vorbereitet hat. Irgend etwas ist passiert und hat alles ausgelöst. Was das ist, wissen weder du noch ich.«

»Weiß sie es selbst?«

»Davon müssen wir ausgehen, falls sie nicht vollkommen wahnsinnig ist.«

Sie warteten. Der Wind kam und ging in harten Stößen. Ein Streifenwagen kam zur Hofeinfahrt. Wallander bat die Beamten, vorläufig nicht wiederzukommen. Er gab keine Erklärung, war aber sehr bestimmt.

Sie warteten weiter. Keiner hatte etwas zu sagen.

Um Viertel vor elf legte Wallander vorsichtig die Hand auf ihre Schulter. »Da ist sie«, sagte er leise.

Ein Mensch war auf dem Hügel aufgetaucht. Es konnte niemand anders sein als Yvonne Ander. Sie stand da und sah sich um. Dann begann sie, auf den Turm hinaufzusteigen.

»Ich brauche zwanzig Minuten hintenherum«, sagte Wallander. »Dann gehst du los. Ich bin auf der Rückseite, falls sie versucht abzuhauen.«

»Was ist, wenn sie mich angreift? Dann muß ich schießen.«

»Ich werde verhindern, daß das geschieht. Ich bin da.«

Er lief zum Wagen und fuhr so schnell wie möglich zum Feldweg, der zur Rückseite des Hügels führte. Er wagte jedoch nicht, bis ganz ans Ende zu fahren. Er kam aus der Puste vom schnellen Laufen. Es dauerte länger, als er geglaubt hatte. Auf dem Feldweg stand ein Wagen. Auch ein Golf, aber schwarz. Das Telefon in Wallanders Jackentasche piepte. Er hielt im Laufen inne. Es konnte Ann-Britt Höglund sein. Er meldete sich und lief weiter den Feldweg entlang.

Es war Svedberg. »Wo bist du denn? Was zum Teufel ist eigentlich los?«

»Ich kann dir das jetzt nicht erklaren. Aber wir sind auf Holger Erikssons Hof. Es wäre gut, wenn du kämst und noch jemand. Hamrén zum Beispiel. Ich kann jetzt nicht mehr reden.«

»Ich rufe an, weil ich dich was fragen soll«, sagte Svedberg. »Hansson hat sich aus Hässleholm gemeldet. Ihm und Martinsson geht es besser. Martinsson ist jedenfalls wieder zu sich gekommen. Aber Hansson wollte wissen, ob du seine Pistole mitgenommen hast.«

Wallander blieb wie vom Schlag gerührt stehen. »Seine Pistole?«

»Er sagte, sie wäre weg.«

»Ich hab sie nicht.«

»Sie kann ja wohl kaum auf dem Bahnsteig liegengeblieben sein.«

Im selben Augenblick wußte Wallander Bescheid. Er sah die Szene ganz klar vor sich: *Sie hatte Hansson an der Jacke gepackt und ihm mit aller Kraft das Knie in den Schritt gestoßen. Dann hatte sie sich hastig über ihn gebeugt. Da hatte sie die Pistole genommen.*

»Scheiße!« rief Wallander.

Bevor Svedberg antworten konnte, hatte er das Gespräch abgebrochen und das Telefon in die Tasche gesteckt. Er hatte Ann-Britt

Höglund in Lebensgefahr gebracht. Wallander lief. Das Herz hämmerte in seiner Brust. Zwanzig Minuten waren vergangen – sie mußte auf dem Pfad sein. Er blieb stehen und wählte die Nummer ihres Mobiltelefons. Er bekam keinen Kontakt, sie hatte das Telefon im Wagen gelassen.

Er lief weiter. Seine einzige Chance war, daß er als erster ankam. Ann-Britt Höglund wußte nicht, daß Yvonne Ander bewaffnet war.

Die Angst zwang ihn, noch schneller zu laufen. Er war auf der Rückseite des Hügels. Sie mußte jetzt beim Graben sein. *Geh langsam,* dachte er. *Fall hin, rutsch aus, was auch immer. Aber beeil dich nicht. Geh langsam.* Er hatte die Pistole gezogen und stolperte und krabbelte an der Rückseite des Turms den Hügel hinauf. Als er oben ankam, sah er, daß sie schon am Graben war. Sie hatte ihre Pistole in der Hand. Die Frau auf dem Turm hatte ihn noch nicht bemerkt. Er rief geradewegs in die Luft hinaus, daß sie bewaffnet war, daß Ann-Britt Höglund weglaufen solle.

Gleichzeitig richtete er seine Pistole auf die Frau auf dem Turm, die ihm den Rücken zugewandt hatte.

Im selben Augenblick knallte ein Schuß. Wallander sah, wie Ann-Britt Höglund zusammenzuckte und rückwärts in den Lehm fiel. Es war, als habe jemand ein Schwert durch seinen eigenen Körper gestoßen. Er starrte auf den reglosen Körper im Lehm und ahnte nur, daß die Frau auf dem Turm sich blitzschnell umgedreht hatte. Er warf sich zur Seite und begann, auf den Turm zu schießen. Der dritte Schuß traf. Sie zuckte zusammen und ließ Hanssons Pistole fallen. Wallander rannte am Turm vorbei in den Lehm. Er rutschte in den Graben und kletterte auf der anderen Seite hoch. Als er Ann-Britt Höglund da sah, auf dem Rücken im Lehm liegend, dachte er, daß sie tot sei. Sie war mit Hanssons Pistole getötet worden, und alles war sein Fehler.

Für einen kurzen Augenblick sah er keinen anderen Ausweg, als sich selbst zu erschießen. Genau da, wo er stand, ein paar Meter neben ihr.

Dann merkte er, daß sie sich schwach bewegte. Er fiel neben ihr auf die Knie. Die ganze Vorderseite ihrer Jacke war blutig. Sie war sehr blaß und starrte ihn mit angstvollen Augen an.

»Es wird gut«, sagte er. »Es wird gut.«

»Sie war bewaffnet«, murmelte sie. »Warum haben wir das nicht gewußt?«

Wallander merkte, wie ihm die Tränen übers Gesicht liefen. Dann telefonierte er nach einem Krankenwagen.

Später erinnerte er sich, daß er, während er wartete, ein ununterbrochenes und wirres Gebet an einen Gott gerichtet hatte, an den er eigentlich nicht glaubte. Wie durch einen Nebelschleier nahm er wahr, daß Svedberg und Hamrén kamen. Kurz danach wurde Ann-Britt Höglund auf einer Trage fortgebracht. Wallander saß im Lehm. Es gelang ihnen nicht, ihn aufzurichten. Ein Fotograf, der sich an den Krankenwagen angehängt hatte, als dieser aus Ystad losgefahren war, hatte ein Bild von Wallander gemacht, wie er da saß. Schmutzig, verloren, verzweifelt. Es gelang dem Fotografen, dieses eine Bild zu machen, bevor Svedberg ihn rasend vor Wut fortjagte. Auf Intervention Lisa Holgerssons wurde es nie veröffentlicht.

In der Zwischenzeit hatten Svedberg und Hamrén Yvonne Ander vom Turm heruntergeschafft. Wallander hatte sie am Oberschenkel getroffen. Sie blutete stark, aber es bestand wohl keine Lebensgefahr. Auch sie wurde mit einem Krankenwagen fortgebracht. Svedberg und Hamrén gelang es schließlich, Wallander aus dem Lehm hochzuziehen und ihn mit hinauf zum Hof zu schleppen.

Da kam auch die erste Nachricht aus dem Krankenhaus in Ystad. Ann-Britt Höglund hatte einen Bauchschuß. Die Verletzung war schwer. Ihr Zustand war kritisch.

Wallander war mit Svedberg gefahren, um seinen eigenen Wagen zu holen. Svedberg war bis zum Schluß nicht sicher, ob er Wallander allein nach Ystad fahren lassen durfte. Aber Wallander hatte gesagt, daß keine Gefahr bestünde. Er war auf direktem Weg ins Krankenhaus gefahren und hatte im Korridor gesessen und auf einen Bescheid über Ann-Britt Höglunds Zustand gewartet. Er hatte sich noch nicht gewaschen, und erst als die Ärzte nach vielen Stunden zusicherten, daß ihr Zustand sich stabilisiert habe, verließ er das Krankenhaus.

Plötzlich war er einfach verschwunden. Keiner hatte bemerkt, daß er nicht mehr da war. Svedberg begann, sich Sorgen zu machen. Aber er glaubte doch, Wallander so gut zu kennen, daß er begriff, daß dieser jetzt nur in Ruhe gelassen werden wollte.

Wallander hatte das Krankenhaus kurz vor Mitternacht verlassen. Der Wind war noch immer schneidend, und es würde eine kalte Nacht werden. Er setzte sich in den Wagen und fuhr zum Friedhof hinaus, auf dem sein Vater begraben lag. Er suchte im Dunkeln das Grab und stand da und war vollkommen leer, und noch immer hatte er sich den Lehm nicht abgewaschen. Gegen ein Uhr kam er nach Hause und rief Baiba in Riga an. Erst danach zog er seine Sachen aus und legte sich in die Badewanne.

Nachdem er sich wieder angezogen hatte, fuhr er zurück ins Krankenhaus. Dort ging er um kurz nach drei in der Nacht auch in das Zimmer, in dem Yvonne Ander unter strenger Bewachung lag. Sie schlief, als er vorsichtig den Raum betrat. Er stand lange da und betrachtete ihr Gesicht. Dann ging er fort, ohne ein Wort zu sagen.

Aber schon nach einer Stunde war er wieder zurück. Früh im Morgengrauen kam Lisa Holgersson ins Krankenhaus und sagte, daß sie Ann-Britts Mann erreicht hätten, der sich in Dubai befand. Er würde im Laufe des Tages nach Kastrup kommen.

Keiner wußte, ob Wallander aufnahm, was sie zu ihm sagten. Er saß reglos auf einem Stuhl oder stand an einem Fenster und starrte hinaus in den stürmischen Wind. Als eine Krankenschwester ihm eine Tasse Kaffee bringen wollte, brach er plötzlich in Tränen aus und schloß sich in einer Toilette ein. Aber die meiste Zeit saß er unbeweglich auf seinem Stuhl und starrte seine Hände an.

Ungefähr zur gleichen Zeit, als Ann-Britt Höglunds Mann in Kastrup landete, konnte ein Arzt die Nachricht bringen, auf die sie alle warteten. Sie würde durchkommen. Wahrscheinlich würde sie auch keine ernsthaften Folgeschäden davontragen. Sie hatte Glück gehabt. Aber die Genesung würde Zeit brauchen, es würde lange dauern, bis sie wieder voll hergestellt war.

Wallander hatte den Arzt stehend angehört, als ob er ein Urteil entgegennähme. Danach hatte er einfach das Krankenhaus verlassen und war irgendwo im Sturm verschwunden.

Am Montag, dem 24. Oktober, wurde gegen Yvonne Ander Anklage wegen Mordes erhoben. Sie war zu diesem Zeitpunkt noch im Krankenhaus. Sie hatte noch kein einziges Wort gesprochen, nicht einmal zu dem Verteidiger, der ihr zugeteilt wurde. Wallander hatte am Nachmittag versucht, ein Verhör mit ihr zu führen. Sie hatte ihn nur angesehen, ohne auf seine Fragen zu antworten. Als Wallander gehen wollte, hatte er sich in der Tür noch einmal umgewandt und zu ihr gesagt, daß Ann-Britt Höglund mit dem Leben davonkommen werde. Er glaubte da, eine Reaktion bei ihr zu erkennen, wie Erleichterung, vielleicht sogar Freude.

Martinsson wurde wegen einer Gehirnerschütterung krank geschrieben. Hansson kam weiter in den Dienst, auch wenn er mehrere Wochen lang Schwierigkeiten hatte, zu gehen und zu sitzen.

Aber vor allem machten sie sich in dieser Zeit an die mühsame Arbeit des Verstehens: Was war eigentlich geschehen? Das einzige, wofür sie keinen Beweis erbringen konnten, war, ob das Skelett, das sie – mit der rätselhaften Ausnahme eines nie gefundenen Schienbeins – aus Holger Erikssons Lehmacker ausgruben, wirklich als das Skelett von Krista Haberman angesehen werden konnte. Es sprach nichts dagegen, aber zu beweisen war es nicht.

Ein Bruch der Schädeldecke gab auch die erwünschte Auskunft, wie Holger Eriksson sie vor mehr als fünfundzwanzig Jahren getötet hatte. Aber alles andere klärte sich, wenn auch langsam und mit Fragezeichen, die sie nicht vollständig auszulöschen vermochten. Hatte Gösta Runfelt seine Frau getötet? Oder war es ein Unglück gewesen? Die einzige, die ihnen die Antwort geben konnte, war Yvonne Ander, und die sagte noch immer nichts. Sie begaben sich auf eine Wanderung durch ihre Vergangenheit, und sie kehrten mit einer Geschichte zurück, die teilweise erzählte, wer sie war, und vielleicht auch, warum sie so gehandelt hatte, wie es geschehen war.

Eines Nachmittags, zum Abschluß einer langen Sitzung, sagte Wallander plötzlich etwas, was er schon lange mit sich herumgetragen zu haben schien. »Yvonne Ander ist der erste Mensch, dem ich begegnet bin, der sowohl klug als auch wahnsinnig ist, beides zugleich.«

Er erklärte nicht, was er meinte. Aber keiner zweifelte daran, daß er damit wirklich seine ganz entschiedene Meinung zum Ausdruck brachte.

Während dieser Zeit besuchte Wallander Ann-Britt Höglund jeden Tag im Krankenhaus. Die Schuld, die er fühlte, wurde er nicht los. Es half nichts, was andere sagten. Er fand, daß er die Verantwortung trug für das, was geschehen war, Punkt und basta. Damit mußte er fortan leben.

Yvonne Ander schwieg weiter. Eines späten Abends saß Wallander allein in seinem Zimmer und las noch einmal die große Sammlung von Briefen, die sie von ihrer Mutter bekommen hatte.

Am Tag danach besuchte er sie in ihrer Zelle.

An diesem Tag begann sie auch zu sprechen.

Es war der 3. November 1994.

An diesem Morgen lag Frost über der Landschaft um Ystad.

Schonen

4.–5. Dezember 1994

Epilog

Am Nachmittag des 4. Dezember sprach Kurt Wallander zum letztenmal mit Yvonne Ander. Daß es das letztemal war, konnte er jedoch nicht wissen, auch wenn sie keinen neuen Termin vereinbart hatten.

Am 4. Dezember hatten sie einen vorläufigen Schlußpunkt gesetzt. Es gab plötzlich nichts mehr hinzuzufügen. Nichts zu fragen, nichts zu beantworten. Und erst da begann die lange und komplizierte Ermittlung aus seinem Bewußtsein zu schwinden. Obwohl mehr als ein Monat vergangen war, seit Yvonne Ander gefaßt wurde, hatte die Ermittlung weiterhin sein Leben beherrscht. Nie zuvor in den vielen Jahren als Verbrechensermittler hatte er ein so intensives Bedürfnis empfunden, wirklich zu verstehen. Verbrecherische Handlungen stellten immer eine Oberfläche dar. Oft war diese Oberfläche mit der Vegetation darunter verwachsen; doch manchmal, wenn es einem gelungen war, die Oberfläche des Verbrechens zu durchstoßen, öffneten sich Abgründe, von denen man vorher nicht einmal etwas ahnen konnte. So geschah es im Fall von Yvonne Ander. Wallander schlug ein Loch in die Oberfläche und wußte sofort, daß er in einen Abgrund blickte. Er entschied sich daraufhin, sich symbolisch ein Seil um den Leib zu binden und sich an einen Abstieg zu machen, von dem er nicht wußte, wohin er führen würde, weder für ihn noch für sie.

Der erste Schritt war es, sie überhaupt dazu zu bringen, ihr Schweigen zu brechen, sie zum Reden zu bewegen. Es war ihm gelungen, nachdem er zum zweitenmal die Briefe gelesen hatte, die sie während ihres Erwachsenenlebens mit ihrer Mutter gewechselt und sorgfältig aufbewahrt hatte. Wallander hatte geahnt, daß hier der Punkt war, wo er ansetzen konnte, um ihre Unzugänglichkeit aufzubrechen. Und er hatte recht gehabt. Das war am 3. November, vor über einem Monat. Wallander war immer noch deprimiert wegen Ann-Britt Höglunds Schußverletzung. Er wußte zwar, daß sie durchkommen würde, daß sie sogar wieder gesund werden und keine weiteren Schäden davontragen würde als eine Narbe an der linken Bauchseite, aber die Schuld lastete so schwer auf ihm, daß sie ihn zu ersticken drohte. Seine größte Stütze in dieser Zeit war Linda, die nach Ystad gekommen war, obwohl sie eigentlich keine Zeit hatte, und die sich um ihn gekümmert hatte. Aber sie hatte ihn auch bedrängt, hatte ihn dazu gezwungen, einzusehen, daß die Schuld in Wirklichkeit nicht seine, sondern die der Umstände war. Mit Lindas Hilfe war es ihm gelungen, sich durch die ersten schrecklichen Novemberwochen zu schleppen. Neben der Anstrengung, sich überhaupt aufrecht zu halten, hatte er seine ganze Kraft Yvonne Ander gewidmet. Sie hatte geschossen, sie hätte Ann-Britt Höglund töten können, wenn der Zufall es so gewollt hätte. Aber nur im Anfang hatte er Anfälle von Aggressivität gehabt und Lust verspürt, sie zu schlagen. Danach wurde es wichtiger für ihn zu verstehen, wer sie eigentlich war. Er war auch derjenige, dem es schließlich gelang, ihr Schweigen zu durchdringen und sie zum Sprechen zu bringen. Er band sich das Seil um und machte sich an den Abstieg.

Was fand er dort unten? Lange war er im Zweifel, ob sie nicht trotz allem wahnsinnig war, ob all das, was sie über sich selbst sagte, nicht verworrene Träume und krankhaft deformierte Einbildungen waren. Er verließ sich in dieser Zeit auch nicht auf sein eigenes Urteilsvermögen, und es gelang ihm nur schlecht, sein Mißtrauen gegen sie zu verbergen. Aber irgendwo ahnte er die ganze Zeit, daß sie tatsächlich nichts anderes tat, als zu sagen, was war. Sie sagte die Wahrheit. Irgendwann Mitte November drehten sich Wallanders Vorstellungen einmal um ihre eigene Achse. Als er zum Ausgangspunkt zurückkam, war es ihm, als sähe er alles mit neuen Augen. Er zweifelte nicht länger daran, daß sie die Wahrheit sagte. Er erkannte außerdem, daß Yvonne Ander einer der überaus seltenen Menschen war, die praktisch niemals logen.

Er hatte die Briefe von ihrer Mutter gelesen. Im letzten Bündel, das er öffnete, hatte ein eigenartiger Brief einer algerischen

Polizeibeamtin namens Françoise Bertrand gelegen. Zuerst hatte er den Inhalt des Briefes nicht begriffen. Das Schriftstück hatte mit mehreren unbeendeten Briefen der Mutter zusammengelegen, die nie abgeschickt worden waren, und alle waren im Jahr zuvor in Algerien geschrieben worden. Françoise Bertrand hatte ihren Brief an Yvonne Ander im August 1993 geschickt. Es hatte ihn einige Stunden nächtlichen Grübelns gekostet, die Antwort zu finden. Dann verstand er. Yvonne Anders Mutter, Anna Ander, war aufgrund eines Irrtums, eines sinnlosen Zufalls, ermordet worden, und die algerische Polizei hatte das Ganze vertuscht. Es gab offenbar einen politischen Hintergrund, einen Terrorakt, wenngleich Wallander sich nicht in der Lage sah, ganz zu verstehen, worum es dabei ging. Aber Françoise Bertrand hatte in größtem Vertrauen geschrieben und erzählt, was wirklich geschehen war. Ohne daß er zu diesem Zeitpunkt schon irgendeine Hilfe von Yvonne Ander bekommen hatte, sprach er mit Lisa Holgersson darüber, was der Mutter zugestoßen war. Lisa Holgersson hatte zugehört und danach Kontakt mit der Reichskriminalbehörde aufgenommen. Da verschwand die Angelegenheit zunächst aus Wallanders Blickfeld. Dann hatte er alle Briefe noch einmal gelesen.

Wallander hatte Yvonne Ander in der Haft aufgesucht. Sie hatte langsam eingesehen, daß er ein Mann war, der sie nicht jagte. Er war anders als die anderen, die Männer, die die Welt bevölkerten, er war in sich selbst versunken, schien sehr wenig zu schlafen, und außerdem wirkte er, als werde er von Unruhe gequält. Zum erstenmal in ihrem Leben entdeckte Yvonne Ander, daß sie zu einem Mann tatsächlich Vertrauen haben konnte. Das sagte sie ihm auch bei einer ihrer letzten Begegnungen.

Sie fragte ihn nie geradeheraus, aber sie glaubte trotzdem, die Antwort zu wissen. Er hatte bestimmt nie eine Frau geschlagen. Und wenn, dann nur ein einziges Mal. Nicht öfter, nie wieder.

Der Abstieg hatte am 3. November begonnen. Am gleichen Tag wurde Ann-Britt Höglund zum drittenmal operiert. Alles verlief gut, und ihre endgültige Genesung konnte beginnen. Wallander entwickelte in diesem November eine Routine. Nach seinen Gesprächen mit Yvonne Ander fuhr er stets direkt ins Krankenhaus. Ann-Britt Höglund war der Gesprächspartner, den er brauchte, um zu verstehen, wie er tiefer eindringen konnte in den Abgrund, in den er bereits geblickt hatte.

Seine erste Frage an Yvonne Ander betraf das, was sich in Algerien abgespielt hatte. Wer war Françoise Bertrand? Was war eigentlich geschehen?

Ein blasses Licht fiel durch das Fenster des Raums, in dem sie einander gegenüber an einem Tisch saßen. Von irgendwo hörte man ein Radio und jemand, der an eine Wand pochte. Die ersten Sätze, die sie sagte, verstand er gar nicht. Es war wie ein gewaltiges Dröhnen, als das Schweigen endlich gebrochen wurde. Er hatte nur ihre Stimme wahrgenommen, die er bis dahin nicht gehört, sondern sich nur vorzustellen versucht hatte.

Dann begann er zuzuhören. Er machte sehr selten Notizen während ihrer Gespräche und hatte auch kein Tonbandgerät eingeschaltet.

»Irgendwo gibt es einen Mann, der meine Mutter getötet hat. Wer sucht ihn?«

»Ich nicht«, hatte er geantwortet. »Aber wenn Sie erzählen, was passiert ist, und wenn eine schwedische Bürgerin im Ausland getötet worden ist, müssen wir natürlich reagieren.«

Er hatte ihr nichts von dem Gespräch erzählt, das er einige Tage zuvor mit Lisa Holgersson geführt hatte. Daß der Tod ihrer Mutter bereits untersucht wurde.

»Niemand weiß, wer meine Mutter getötet hat«, fuhr sie fort. »Ein sinnloser Zufall hat sie als Opfer ausersehen. Die sie getötet haben, kannten sie nicht. Sie rechtfertigten sich selbst. Sie meinten, daß sie töten konnten, wen sie wollten. Auch eine unschuldige Frau, die auf ihre alten Tage alle die Reisen machte, für die sie vorher keine Zeit oder kein Geld hatte.«

Er spürte ihre Verbitterung und ihren Zorn. Sie machte keinen Versuch, sie zu verbergen.

»Warum hielt sie sich bei den Nonnen auf?« fragte er.

Plötzlich sah sie vom Tisch auf und ihm direkt ins Gesicht.

»Wer hat Ihnen eigentlich das Recht gegeben, meine Briefe zu lesen?«

»Niemand. Aber sie gehören Ihnen. Einem Menschen, der mehrere schwere Morde begangen hat. Sonst hätte ich sie natürlich nicht gelesen.«

Sie wandte den Blick ab.

»Die Nonnen«, wiederholte Wallander. »Warum wohnte sie bei ihnen?«

»Sie hatte nicht viel Geld. Sie wohnte da, wo es billig war. Sie konnte ja nicht ahnen, daß das ihren Tod bedeutete.«

»Dies ist vor über einem Jahr passiert. Wie haben Sie reagiert, als der Brief kam?«

»Es gab für mich keinen Grund mehr zu warten. Wie sollte ich rechtfertigen, daß ich nichts tat? Wenn sich sonst niemand darum kümmerte?«

»Um was kümmerte?«

Sie antwortete nicht. Er wartete.

Dann änderte er seine Frage. »Womit zu warten?«

Sie antwortete, ohne ihn anzusehen. »Sie zu töten.«

»Wen?«

»Die Männer, die frei herumliefen, trotz allem, was sie getan hatten.«

Da sah er, daß er richtig gedacht hatte. Als sie den Brief von Françoise Bertrand erhielt, war eine bis dahin gebundene Kraft in ihr freigesetzt worden. Sie hatte sich mit Rachegedanken getragen, sich aber immer noch kontrollieren können. Dann waren alle Dämme gebrochen, und sie hatte begonnen, das Gesetz selbst in die Hand zu nehmen.

Wallander dachte später, daß eigentlich kein großer Unterschied bestand zu dem, was in Lödinge passiert war. Sie war ihre eigene Bürgerwehr gewesen. Sie hatte außerhalb des Ganzen Stellung bezogen und ihr eigenes Recht gesprochen.

»War es so?« fragte er. »Daß Sie Recht sprechen wollten? Sie wollten die bestrafen, die nie vor Gericht kamen?«

»Wer sucht den Mann, der meine Mutter getötet hat?« antwortete sie. »Wer?«

Dann versank sie wieder in Schweigen. Wallander dachte noch einmal darüber nach, wie alles angefangen hatte. Einige Monate nachdem der Brief aus Algerien gekommen war, war sie bei Holger Eriksson eingebrochen. Das war der erste Schritt. Als Wallander sie ohne Umschweife fragte, ob es sich so verhielte, war sie nicht einmal überrascht. Sie ging davon aus, daß er es wußte.

»Ich hatte von Krista Haberman gehört«, sagte sie. »Daß es dieser Autohändler war, der sie getötet hat.«

»Von wem haben Sie das gehört?«

»Von einer Polin, die im Krankenhaus in Malmö lag. Das ist jetzt viele Jahre her.«

»Sie haben damals im Krankenhaus gearbeitet?«

»Ich habe mehrmals dort gearbeitet. Ich habe oft mit Frauen gesprochen, die mißhandelt worden waren. Sie hatte eine Freundin, die Krista Haberman kannte.«

»Warum waren Sie in Holger Erikssons Haus?«

»Ich wollte mir beweisen, daß es möglich war. Außerdem suchte ich nach Hinweisen, daß Krista Haberman dort gewesen war.«

»Warum haben Sie die Grube gegraben? Warum die Stäbe? Warum der angesägte Steg? Hatte die Frau, die Krista Haberman kannte, den Verdacht, daß der Körper dort vergraben lag?«

Darauf gab sie nie eine Antwort. Wallander verstand auch so. Obwohl die Ermittlung die ganze Zeit schwer greifbar war, hatten Wallander und seine Kollegen sich auf einer richtigen Spur befunden, ohne dies ganz klar zu erkennen. Yvonne Ander hatte tatsächlich die Brutalität der Männer in der Art, wie sie sie ums Leben brachte, nachgestaltet.

Während der ersten fünf oder sechs Gespräche mit Yvonne Ander ging Wallander systematisch die drei Morde durch, klärte Einzelheiten und montierte die Bilder und Zusammenhänge, die vorher vage gewesen waren, zu einem Gesamtbild. Er näherte sich ihr auch weiterhin ohne Tonbandgerät. Nach den Gesprächen saß er im Auto und machte sich Notizen. Diese wurden dann ins reine geschrieben. Eine Kopie ging an Per Åkesson, der die Anklage vorbereitete, die nie zu etwas anderem als zu einem dreifachen Schuldspruch führen würde. Doch Wallander wußte die ganze Zeit, daß er noch immer nur an einer Oberfläche kratzte. Der eigentliche Abstieg hatte noch kaum begonnen. Die oberen Ablagerungen, die Beweislast, würden sie ins Gefängnis bringen. Aber die eigentliche Wahrheit, auf die er aus war, würde er erst später zutage fördern können, nachdem er ganz unten angekommen war. Wenn überhaupt.

Sie würde sich natürlich einer gerichtspsychologischen Untersuchung unterziehen müssen. Wallander wußte, daß dies unausweichlich war. Aber er bestand darauf, diese Untersuchung aufzuschieben. Jetzt war es das wichtigste, daß er in Ruhe mit ihr sprechen konnte. Es hatte auch niemand etwas einzuwenden. Wallander hatte ein Argument, das niemand entkräften konnte. Alle sahen ein, daß sie wahrscheinlich wieder in ihr Schweigen zurückfallen würde, falls sie gestört wurde.

Mit ihm, und mit niemand sonst, war sie bereit zu sprechen.

Sie tasteten sich weiter voran, langsam, Schritt für Schritt, Tag für Tag. Außerhalb der Haftanstalt ging der Herbst auf den Winter zu. Warum Holger Eriksson Krista Haberman aus Svenstavik geholt und fast unmittelbar danach erschlagen hatte, bekam Wallander nie heraus. Vermutlich hatte sie ihm etwas verweigert, was er gewohnt war zu bekommen. Vielleicht hatte ein Streit auf gewaltsame Art ein Ende gefunden.

Dann gingen sie zu Gösta Runfelt über. Sie war davon überzeugt, daß Gösta Runfelt seine Frau ermordet hatte. Im Stångsjön ertränkt. Und selbst wenn das nicht zutraf, hatte er doch sein Schicksal verdient. Er hatte sie so schwer mißhandelt, daß sie eigentlich nichts anderes wünschte, als zu sterben. Ann-Britt Höglund hatte richtig vermutet, daß er im Laden überfallen worden war. Yvonne Ander hatte herausgefunden, daß er nach Nairobi reisen wollte, und ihn mit der Erklärung in den Laden gelockt, daß sie zu einem Empfang früh am nächsten Morgen Blumen brauche. Sie hatte ihn niedergeschlagen, das Blut auf dem Fußboden war tatsächlich seins gewesen. Das zerschlagene Fenster war ein Scheinmanöver, um die Polizei an einen Einbruch glauben zu lassen.

Danach folgte eine Beschreibung dessen, was für Wallander das entsetzlichste Detail war. Bis hierher hatte er versucht, sie zu verstehen, ohne seine gefühlsmäßigen Reaktionen überhandnehmen zu lassen. Aber da ging es nicht mehr. Sie erzählte vollkommen ruhig, wie sie Gösta Runfelt ausgezogen, gefesselt und in den alten Backofen gezwungen hatte. Als er seine Bedürfnisse nicht mehr kontrollieren konnte, hatte sie ihm die Unterwäsche ausgezogen und ihn auf eine Plastikfolie gelegt.

Dann hatte sie ihn in den Wald gebracht. Er war vollkommen entkräftet, sie hatte ihn an den Baum gebunden und anschließend erwürgt. Erst da, in diesem Augenblick, hatte sie sich in Wallanders Augen in eine Bestie verwandelt. Ob sie ein Mann oder eine Frau war, spielte keine Rolle. Sie war zu einem Ungeheuer geworden, das sie glücklicherweise zur Strecke gebracht hatten, bevor sie Tore Grundén oder einen anderen Mann von ihrer makabren Liste hatte töten können.

Das war auch der einzige Fehler, der ihr unterlaufen war. Daß sie das Notizbuch nicht verbrannt hatte, das sie als Kladde benutzt hatte für die Eintragungen in ihr Hauptbuch, das Journal, das sie nicht in Ystad hatte, sondern in Vollsjö. Wallander fragte sie nicht, aber trotzdem gestand sie diesen Fehler ein. Das war die einzige ihrer Handlungen, die sie nicht verstehen konnte.

Wallander dachte später darüber nach, ob dies bedeutete, daß sie eigentlich eine Spur hinterlassen wollte. Daß sie im Innersten den Wunsch hatte, entdeckt und am Weitermachen gehindert zu werden.

Aber er schwankte. Manchmal glaubte er, daß es sich so verhielt, dann wieder nicht. Er kam in diesem Punkt zu keiner Klarheit.

Über Eugen Blomberg hatte sie nicht viel zu sagen. Sie schilderte, wie sie die Zettel gemischt hatte, von denen ein einziger ein Kreuz hatte. Dann hatte der Zufall entschieden, wann er oben lag. Genau so, wie der Zufall ihre Mutter getötet hatte.

Dies war einer der Punkte, wo er ihre Darstellung unterbrach. Im allgemeinen ließ er sie frei sprechen, half ihr nur hier und da mit Fragen weiter, wenn sie selbst nicht weiterwußte. Aber hier unterbrach er sie.

»Sie haben also das gleiche getan wie die, die Ihre Mutter töteten«, sagte er. »Sie haben es dem Zufall überlassen, Ihnen die Opfer auszusuchen. Der Zufall herrschte.«

»Das kann man nicht vergleichen«, erwiderte sie. »Alle die Männer, deren Namen ich hatte, verdienten ihr Schicksal. Ich gab ihnen Zeit mit meinen Zetteln. Ich verlangerte ihr Leben.«

Er fragte nicht weiter, weil er einsah, daß sie auf eine dunkle Art und Weise recht hatte. Widerwillig dachte er, daß sie ihre ganz eigene und schwer bezwingbare Wahrheit hatte.

Er dachte auch, als er die Abschrift seiner Gesprächsaufzeichnungen durchlas, daß dies sicherlich ein Geständnis war. Aber es war zugleich eine noch äußerst unvollständige Erzählung, eine Erzählung, die die wahre Bedeutung des Geständnisses erklären konnte.

Gelang ihm, was er sich vorgenommen hatte? Wallander war später immer sehr wortkarg, wenn er über Yvonne Ander sprach. Er wies stets auf die Abschrift der Gesprächsaufzeichnungen hin. Aber da stand natürlich nicht alles. Die Sekretärin, die sie abtippte, beklagte sich häufig bei ihren Kolleginnen darüber, daß sie kaum lesbar waren.

Was dennoch daraus hervorging, sozusagen Yvonne Anders Vermächtnis, war die Geschichte eines Menschenschicksals mit entsetzlichen Kindheitserlebnissen. Wallander dachte immer wieder, daß die Zeit, in der er lebte – und die Zahl seiner Lebensjahre deckte sich fast mit der von Yvonne Ander –, eine einzige und entscheidende Frage aufwarf: Was tun wir eigentlich mit unseren Kindern? Sie hatte erzählt, wie ihre Mutter ständig vom Stiefvater mißhandelt worden war, der ihrem leiblichen Vater nachfolgte, der seinerseits einfach verschwunden und in ihrer Erinnerung verblaßt war wie eine unscharfe und seelenlose Fotografie. Aber das Schlimmste war gewesen, daß ihr Stiefvater ihre Mutter zu einer Abtreibung gezwungen hatte. Sie hatte nie die Schwester erleben dürfen, die ihre Mutter in sich getragen hatte. Sie hatte nicht wissen können, ob es wirklich eine Schwester war, vielleicht war es ein Bruder, doch für sie war es eine Schwester, die eines Nachts in den frühen fünfziger Jahren in ihrer Wohnung gegen den Willen der Mutter gewaltsam abgetrieben worden war. In ihrer Erinnerung war diese Nacht eine blutige Hölle. Und als sie Wallander davon erzählte, hob sie den Blick vom Tisch und sah ihm direkt in die Augen. Ihre Mutter hatte auf einem Laken auf dem ausgezogenen Küchentisch gelegen, der Abtreibungsarzt war betrunken, der Stiefvater im Keller eingeschlossen, vermutlich ebenfalls betrunken, und da war sie ihrer Schwester beraubt worden, und von dem Augenblick an hatte sie die Zukunft immer als eine Finsternis betrachtet, bedrohliche Männer warteten hinter jeder Straßenecke, Gewalt lauerte hinter jedem freundlichen Lächeln, jedem Atemzug.

Danach hatte sie ihre Erinnerungen in einem geheimen Winkel ihrer Seele verbarrikadiert. Sie hatte eine Ausbildung gemacht, war Krankenschwester geworden, und sie hatte stets die unklare Vorstellung, daß es ihre Pflicht sei, einmal die Schwester, die sie nie bekommen hatte, und die Mutter, die diese Schwester nicht hatte zur Welt bringen dürfen, zu rächen. Sie hatte Erzählungen von mißhandelten Frauen gesammelt, sie hatte die toten Frauen in lehmigen Äckern und småländischen Seen aufgespürt, sie hatte ihre Schemata gezeichnet, Namen in ein Journal eingetragen, mit ihren Zetteln gespielt.

Und dann war ihre Mutter ermordet worden.

Sie beschrieb es Wallander beinahe poetisch. *Wie eine stille Flutwelle*, sagte sie. *Mehr war es nicht. Ich erkannte, daß die Zeit gekommen war. Dann verging ein Jahr. Ich habe geplant, den Zeitplan vollendet, der mir in all diesen Jahren geholfen hatte zu überleben. Dann grub ich in den Nächten einen Graben.*

Dann grub sie in den Nächten einen Graben.

Genau diese Worte. *Dann grub ich in den Nächten einen Graben.* Vielleicht faßten diese Worte am besten zusammen, wie Wallander in diesem Herbst die vielen Gespräche mit Yvonne Ander in der Haftanstalt erlebte.

Er dachte, daß dies ein Bild der Zeit war, in der er lebte.

Was für einen Graben grub er selbst?

Eine einzige Frage wurde nie beantwortet. Warum sie sich plötzlich, irgendwann Mitte der achtziger Jahre, zur Zugbegleiterin hatte umschulen lassen. Wallander hatte erkannt, daß Zeitpläne, Fahrpläne die Liturgie darstellten, nach der sie lebte; das Handbuch der Regelmäßigkeit. Aber er sah eigentlich keinen Grund, an diesem Punkt weiterzubohren. Die Züge blieben ihre eigene Welt. Vielleicht die einzige, vielleicht die letzte.

Fühlte sie sich schuldig? Per Åkesson fragte ihn danach. Viele Male. Lisa Holgersson weniger oft, seine Kollegen fast nie. Die einzige außer Åkesson, die wirklich darauf bestand, es zu erfahren, war Ann-Britt Höglund. Wallander antwortete wahrheitsgemäß, daß er es nicht wisse.

»Yvonne Ander ist ein Mensch«, antwortete er ihr, »der an eine gespannte Feder erinnert. Ich kann es nicht besser ausdrücken. Ob die Schuld darin enthalten ist. Oder ob sie weg ist.«

Am 4. Dezember endete es. Wallander hatte nichts mehr zu fragen, Yvonne Ander nichts mehr zu sagen. Das schriftliche Geständnis war fertig. Wallander hatte das Ende des langen Abstiegs erreicht. Jetzt konnte er an dem unsichtbaren Seil ziehen, das er um den Leib gebunden hatte, und wieder nach oben zurückkehren. Die gerichtspsychiatrische Untersuchung würde ihren Anfang nehmen, der Verteidiger, der öffentliches Aufsehen um den Prozeß gegen Yvonne Ander witterte, begann, seine Bleistifte zu spitzen, und nur Wallander ahnte, wie es kommen würde.

Yvonne Ander würde wieder schweigen. Mit dem entschiedenen Willen eines Menschen, der weiß, daß er nichts mehr zu sagen hat.

Bevor er ging, fragte er sie nach zwei Dingen, auf die er noch keine Antwort bekommen hatte. Das eine war ein Detail, das nichts mehr bedeutete. Er fragte eher aus Neugier.

»Als Katarina Taxell ihre Mutter aus Vollsjö anrief, war da ein Schlagen oder Pochen. Wir haben nie herausgefunden, woher das Geräusch kam.«

Sie sah ihn verständnislos an. Dann hellte sich ihr ernstes Gesicht zu dem einzigen Lächeln auf, das Wallander während aller Gespräche mit ihr erlebte.

»Auf dem Acker neben dem Haus war ein Traktor kaputtgegangen. Der Bauer stand da und schlug mit einem großen Hammer, um irgend etwas am Untergestell loszubekommen. Konnte man das wirklich im Telefon hören?«

Wallander nickte. Er dachte schon an seine letzte Frage.

»Ich glaube, wir sind uns schon einmal begegnet«, sagte er. »In einem Zug.«

Sie nickte.

»Südlich von Älmhult? Ich habe Sie gefragt, wann wir in Malmö ankämen.«

»Ich habe Sie erkannt, aus Zeitungen. Vom letzten Sommer.«

»War Ihnen da schon klar, daß wir Sie fassen würden?«

»Warum hätte es das sein sollen?«

»Ein Kriminalbeamter aus Ystad, der in Älmhult in einen Zug steigt. Was macht er da? Wenn er nicht den Spuren dessen folgt, was einst Gösta Runfelts Frau passiert ist?«

Sie schüttelte den Kopf. »Daran habe ich nie gedacht«, antwortete sie. »Aber ich hätte es natürlich tun sollen.«

Wallander hatte nichts mehr zu fragen. Er hatte erfahren, was er wollte. Er stand auf, murmelte etwas zum Abschied und ging.

Am Nachmittag suchte er wie gewöhnlich das Krankenhaus auf. Ann-Britt Höglund lag nach ihrer letzten Operation in einem Aufwachzimmer und schlief noch. Aber Wallander erhielt von einem freundlichen Arzt die Bekräftigung, die er erhoffte. Alles war gut verlaufen. In einem halben Jahr würde sie wieder Dienst tun können.

Wallander verließ das Krankenhaus kurz nach fünf Uhr. Es war schon dunkel, zwei oder drei Grad minus, windstill. Er fuhr zum Friedhof und ging zum Grab seines Vaters. Verwelkte Blumen waren am Boden festgefroren. Noch waren keine drei Monate vergangen, seit sie Rom verlassen hatten. Die Reise wurde ihm dort am Grab wieder gegenwärtig. Er fragte sich, was sein Vater wohl gedacht hatte auf seinem einsamen nächtlichen Spaziergang zur Spanischen Treppe und zu den Brunnen, als seine Augen glänzten.

Es war, als könnten Yvonne Ander und sein Vater auf den gegenüberliegenden Ufern eines Flusses stehen und einander zuwinken. Obwohl sie nichts gemeinsam hatten. Oder doch? Wallander fragte sich, was er selbst mit Yvonne Ander gemeinsam hatte. Die Antwort darauf wußte er natürlich nicht.

An diesem Abend, dort draußen am Grab auf dem dunklen Friedhof, endete auch die Ermittlung. Noch würde es Papiere zum Durchlesen und Unterschreiben geben. Aber es mußten keine Nachforschungen mehr angestellt werden. Der Fall war geklärt und abgeschlossen. Die gerichtspsychiatrische Untersuchung würde zu dem Ergebnis führen, daß man sie für voll zurechnungsfähig erklärte. Falls sie etwas aus ihr herausbekamen. Dann würde sie verurteilt werden und in Hinseberg hinter Gittern verschwinden. Die Ermittlung dessen, was ihrer Mutter geschehen war, würde weitergehen. Doch das berührte seine Arbeit nicht.

In der Nacht zum 5. Dezember schlief er sehr schlecht. Am nächsten Tag wollte er ein Haus etwas nördlich der Stadt besichtigen. Außerdem wollte er einen Hundezüchter in Sjöbo besuchen, der schwarze Labradorwelpen verkaufte. Am 7. Dezember würde er dann nach Stockholm reisen, um am folgenden Tag an der Polizeihochschule Vorträge über seine Sicht der Polizeiarbeit zu halten. Warum er plötzlich nachgegeben hatte, als Lisa Holgersson ihn erneut deswegen ansprach, wußte er nicht. Und als er jetzt wach lag und sich fragte, worüber er um Himmels willen reden sollte, begriff er nicht, wie es ihr gelungen war, ihn zu überreden.

Aber vor allem dachte er in dieser unruhigen Nacht zum 5. Dezember an Baiba. Mehrmals erhob er sich und stand am Küchenfenster und starrte auf die schwankende Straßenlaterne.

Unmittelbar nachdem er aus Rom zurückgekehrt war, Ende September, hatten sie beschlossen, daß sie kommen werde, möglichst bald, nicht später als November. Jetzt mußten sie ernsthaft dazu Stellung nehmen, ob sie aus Riga nach Schweden umsiedeln sollte. Aber plötzlich konnte sie nicht kommen, die Reise wurde verschoben, zuerst einmal, dann noch einmal. Es gab Gründe, sogar ausgezeichnete Gründe dafür, daß sie nicht kommen konnte, noch nicht, im Moment gerade nicht. Wallander glaubte ihr natürlich. Aber irgendwo entstand auch eine Unsicherheit. War er schon da, unsichtbar zwischen ihnen? Ein Riß, den er nicht gesehen hatte? Und warum hatte er ihn nicht gesehen? Weil er nicht wollte?

Jetzt würde sie auf jeden Fall kommen. Sie würden sich am 8. Dezember in Stockholm treffen. Er würde gleich von der Polizeihochschule nach Arlanda fahren, um sie abzuholen. Den Abend würden sie mit Linda verbringen und am nächsten Morgen nach Schonen fahren. Wie lange sie bleiben konnte, wußte er nicht. Aber diesmal würden sie ernstlich über die Zukunft sprechen, nicht nur darüber, wann sie sich das nächstemal treffen konnten.

Die Nacht zum 5. Dezember wurde zu einer langen, schlaflosen Nacht. Es war wieder milder geworden. Doch die Meteorologen hatten Schnee angesagt. Wallander wanderte wie ein ruheloser Geist zwischen dem Bett und dem Küchenfenster hin und her. Dann und wann setzte er sich an den Küchentisch und machte sich in einem vergeblichen Versuch, einen Einstieg zu finden, Notizen für das, worüber er in Stockholm sprechen sollte. Gleichzeitig dachte er unablässig an Yvonne Ander und ihre Erzählung. Sie war unmittelbar gegenwärtig in seinem Bewußtsein und schob sich sogar vor seine Gedanken an Baiba.

Dagegen dachte er sehr wenig an seinen Vater. Er war bereits weit weg. Wallander fiel es zuweilen schwer, sich alle Details seines zerfurchten Gesichts in Erinnerung zu rufen. Dann mußte er zu einer Fotografie greifen und sie betrachten, damit ihm das Erinnerungsbild nicht völlig entglitt. Im November war er abends einige Male zu Gertrud hinausgefahren. Das Haus in Löderup war sehr leer, das Atelier kalt und abweisend. Gertrud machte stets den Eindruck, sehr gefaßt zu sein. Aber einsam. Es kam ihm vor, als habe sie sich damit getröstet, daß der Verstorbene ein alter Mann war; und daß er darüber hinaus einen Tod bekommen hatte, der dem langsamen Dahinsiechen an einer Krankheit, die nach und nach sein Bewußtsein auslöschte, vorzuziehen war.

Vielleicht hatte Wallander in der Morgendämmerung kurz geschlafen. Vielleicht war er die ganze Zeit wach. Um sieben war er jedenfalls schon angezogen.

Um halb acht fuhr er in seinem Wagen, dessen Motor verdächtig stotterte, zum Polizeipräsidium. Gerade an diesem Morgen war es sehr still. Martinsson war erkältet, Svedberg war widerwillig mit einem dienstlichen Auftrag nach Malmö gefahren. Der Korridor war verlassen. Er setzte sich in sein Zimmer und las die Abschrift der Aufzeichnungen von seinem letzten Gespräch mit Yvonne Ander durch. Auf seinem Tisch lag auch die Abschrift einer Vernehmung, die Hansson mit Tore Grundén durchgeführt hatte, dem Mann, den Yvonne Ander in Hässleholm vor den Zug hatte stoßen wollen. Im Hintergrund fanden sich die gleichen

Ingredienzien wie bei all den anderen Namen in ihrem makabren Todesjournal. Der Bankbeamte Tore Grundén hatte sogar einmal eine Strafe wegen Mißhandlung einer Frau abgesessen. Als Wallander Hanssons Vernehmungsprotokoll durchlas, fiel ihm auf, daß Hansson Grundén mit großem Nachdruck klargemacht hatte, wie nahe er daran gewesen war, von dem heranbrausenden Zug in Stücke gerissen zu werden.

Wallander hatte bemerkt, daß es unter seinen Kollegen eine Andeutung von Verständnis gab für das, was Yvonne Ander getan hatte. Das erstaunte ihn. Daß dieses Verständnis überhaupt da war. Obwohl sie Ann-Britt Höglund schwer verletzt hatte, und obwohl sie Männer angegriffen und getötet hatte. Es fiel ihm schwer, zu verstehen, woran das lag. Normalerweise war eine Sammlung von Polizeibeamten nicht gerade prädestiniert dafür, eine Anhängerschar für eine Frau wie Yvonne Ander zu sein. Man konnte sich sogar fragen, ob das Polizeikorps überhaupt Frauen gegenüber freundlich gesinnt war, wenn sie nicht über die spezielle Widerstandskraft verfügten, wie Ann-Britt Höglund und Lisa Holgersson sie besaßen.

Er kritzelte seine Unterschrift hin und schob die Papiere von sich. Es war Viertel vor neun geworden.

Das Haus, das er besichtigen wollte, lag unmittelbar nördlich der Stadt. Am Tag zuvor hatte er sich beim Makler den Schlüssel geholt. Es war ein eingeschossiges Steinhaus, das inmitten eines großen alten Gartens thronte. Es hatte viele Winkel und Ausbauten, und vom Obergeschoß aus hatte man einen Blick aufs Meer. Er schloß auf und ging hinein. Der frühere Besitzer hatte die Möbel mitgenommen, die Räume waren leer. Er ging in der Stille umher, öffnete die Erkertür, die zum Garten hinausführte, und versuchte sich vorzustellen, daß er hier wohnte.

Zu seiner Verwunderung ging dies leichter, als er geglaubt hatte. Offenbar war er nicht so stark mit der Mariagatan verwachsen, wie er befürchtet hatte. Er fragte sich auch, ob Baiba sich hier wohl fühlen könnte. Sie hatte von ihrer eigenen Sehnsucht gesprochen, hinaus aufs Land zu ziehen, weg von Riga, aber nicht zu entlegen, nicht zu isoliert.

Er brauchte nicht lange an diesem Morgen, um sich zu entscheiden. Er würde das Haus kaufen, wenn Baiba nicht dagegen war. Der Preis war auch nicht so hoch, daß er die notwendigen Kredite nicht bewältigen konnte.

Kurz nach zehn verließ er das Haus. Er fuhr direkt zum Makler und versprach, ihm binnen einer Woche seine Entscheidung mitzuteilen.

Nachdem er ein Haus besichtigt hatte, fuhr er weiter, um einen Hund anzusehen. Die Zucht lag an der Straße nach Höör, kurz vor Sjöbo. Hunde bellten aus verschiedenen Zwingern, als er auf den Hof fuhr. Die Besitzerin war eine junge Frau, die zu seiner Verwunderung einen ausgeprägten Göteborger Dialekt sprach.

»Ich möchte mir einen schwarzen Labrador ansehen«, sagte Wallander.

Sie zeigte ihm die Welpen. Sie waren noch klein und noch mit ihrer Mutter zusammen.

»Haben Sie Kinder?« fragte sie.

»Leider keins, das noch zu Hause wohnt«, antwortete er. »Muß man die haben, um einen Welpen zu kaufen?«

»Natürlich nicht. Aber es gibt kaum Hunde, die besser zu Kindern passen.«

Wallander sagte, wie es war. Er würde vielleicht ein Haus außerhalb von Ystad kaufen. Und wenn er sich dazu entschloß, würde er auch einen Hund haben können. Das eine hing mit dem anderen zusammen. Aber es fing mit dem Haus an.

»Nehmen Sie sich Zeit«, sagte sie. »Ich halte einen der Welpen für Sie zurück. Nehmen Sie sich Zeit. Aber nicht zu lange. Für die Labradors habe ich ständig Käufer. Es kommt immer ein Tag, an dem ich sie verkaufen muß.«

Wallander versprach wie bei dem Makler, binnen einer Woche Bescheid zu sagen. Er schluckte, als er den Preis hörte. Konnte ein Welpe wirklich so viel kosten?

Aber er sagte nichts. Er wußte schon jetzt, daß er den Hund kaufen würde, wenn aus dem Hauskauf etwas würde.

Als er die Zucht verließ, war es zwölf. Als er auf die Hauptstraße hinauskam, wußte er auf einmal nicht mehr, wohin er unterwegs war. War er überhaupt irgendwohin unterwegs? Er sollte Yvonne Ander nicht treffen. Im Moment hatten sie einander nichts mehr zu sagen. Sie würden sich wieder treffen, aber nicht jetzt. Der provisorische Schlußpunkt galt bis auf weiteres. Vielleicht würde Per Åkesson ihn um weitere Details bitten. Aber er bezweifelte das. Die Anklage war schon jetzt mehr als gut untermauert.

Die Wahrheit war, daß er nichts hatte, wohin er fahren konnte. Gerade an diesem Tag, dem 5. Dezember, gab es niemand, der ihn wirklich im Ernst brauchte.

Ohne sich eigentlich darüber im klaren zu sein, fuhr er nach Vollsjö. Hielt vor dem Hansgården. Was mit dem Haus geschehen würde, war unklar. Yvonne Ander war die Besitzerin und würde es vermutlich während all der Jahre, die sie im Gefängnis zubringen würde, bleiben. Sie hatte keine näheren Verwandten, nur ihre tote Schwester und ihre tote Mutter. Es war fraglich, ob sie überhaupt Freunde hatte. Katarina Taxell war von ihr abhängig gewesen, hatte ihre Unterstützung gehabt, wie die anderen Frauen. Aber Freunde? Wallander schauderte es bei dem Gedanken. Yvonne Ander hatte nicht einen einzigen Menschen, der ihr wirklich nahestand. Sie tauchte aus einem Vakuum auf, und sie tötete Menschen.

Wallander stieg aus dem Wagen. Das Haus strahlte Einsamkeit aus. Als er darum herumging, sah er, daß ein Fenster nur angelehnt war. Das hätte nicht sein dürfen. Es konnte leicht eingebrochen werden. Yvonne Anders Haus konnte zum Objekt für Trophäenjäger werden. Wallander holte eine Holzbank und stellte sie unter das Fenster. Dann stieg er ein. Sah sich um. Noch deutete nichts auf einen Einbruch hin. Das Fenster war nur aus Nachlässigkeit nicht geschlossen worden. Er ging durch die Zimmer. Betrachtete mit einem Gefühl von Beklommenheit den Backofen. Da verlief eine unsichtbare Grenze. Darüber hinaus würde er sie nie verstehen.

Er dachte noch einmal, daß die Ermittlung jetzt abgeschlossen war. Sie hatten einen Schlußstrich unter die makabre Liste gezogen, die Sprache der Mörderin gedeutet und sie selbst am Ende auch gefunden.

Deshalb fühlte er sich überflüssig. Er wurde nicht mehr gebraucht. Wenn er aus Stockholm zurückkäme, würde er wieder an die Ermittlung um die Autos gehen, die in die ehemaligen Ostblockstaaten geschmuggelt wurden.

Erst dann würde er eigentlich für sich selbst wieder wirklich werden.

Das Telefon piepte in der Stille. Erst beim zweiten Signal wurde ihm klar, daß es aus seiner Jackentasche piepte. Er holte das Telefon hervor. Es war Per Åkesson.

»Störe ich?« fragte er. »Wo bist du?«

Wallander wollte nicht sagen, wo er war. »Ich sitze im Auto«, sagte er. »Aber ich parke.«

»Ich nehme an, du weißt von nichts«, sagte Per Åkesson. »Aber es wird keinen Prozeß geben.«

Wallander verstand nicht. Der Gedanke war ihm ganz einfach nicht gekommen, obwohl er so naheliegend war. Er hätte vorbereitet sein sollen.

»Yvonne Ander hat Selbstmord begangen«, sagte Per Åkesson. »Irgendwann letzte Nacht. Heute früh hat man sie tot aufgefunden.«

Wallander hielt den Atem an. Noch sträubte sich etwas in ihm, weigerte sich zu zerspringen.

»Sie scheint Zugang zu Schlaftabletten gehabt zu haben. Was nicht hätte sein dürfen. Jedenfalls nicht zu einer solchen Menge, daß sie sich das Leben nehmen konnte. Richtig bösartige Personen werden sich natürlich fragen, ob du sie ihr gegeben hast.«

Wallander hörte, daß dies keine verdeckte Frage war. Aber er antwortete trotzdem. »Ich habe ihr nicht geholfen.«

»Das Ganze scheint einen friedlichen Eindruck gemacht zu haben. Alles war in bester Ordnung. Sie scheint sich entschlossen und es getan zu haben. Eingeschlafen. Man kann sie natürlich verstehen.«

»Kann man?« fragte Wallander.

»Sie hat einen Brief hinterlassen. Mit deinem Namen drauf. Er liegt hier vor mir auf dem Tisch.«

Wallander nickte ins Telefon. »Ich komme«, sagte er. »Ich bin in einer halben Stunde da.«

Er blieb mit dem Telefon in der Hand stehen. Versuchte zu entscheiden, was er eigentlich fühlte. Leere, vielleicht eine vage Empfindung von Ungerechtigkeit. Etwas anderes? Er kam zu keiner Klarheit.

Er kontrollierte, daß das Fenster ordentlich geschlossen war, und verließ das Haus durch die Vordertür, die ein Schnappschloß hatte.

Der Dezembertag war sehr klar. Irgendwo ganz in der Nähe lauerte schon der Winter.

Er fuhr nach Ystad, um seinen Brief zu holen.

Per Åkesson war nicht da, aber die Sekretärin war informiert. Wallander ging in Åkessons Zimmer. Der Brief lag mitten auf dem Tisch.

Er nahm ihn mit und fuhr hinunter zum Hafen, ging hinaus zum roten Gebäude der Seenotrettung und setzte sich auf die Bank.

Der Brief war sehr kurz. *Irgendwo in Algerien ist ein unbekannter Mann, der meine Mutter getötet hat. Wer sucht ihn?*

Das war alles. Sie hatte eine schöne Handschrift.

Wer sucht ihn?

Sie hatte den Brief mit ihrem vollen Namen unterschrieben. In die rechte obere Ecke hatte sie Datum und Uhrzeit gesetzt.

5. Dezember 1994, 2 Uhr 44.

Die vorletzte Angabe in ihrem Fahrplan, dachte er.

Die letzte schreibt sie nicht selbst.

Das tut der Arzt, wenn er angibt, zu welchem Zeitpunkt seines Erachtens der Tod eingetreten ist.

Danach ist nichts mehr.

Der Fahrplan beendet, das Leben abgeschlossen.

Der Abschied formuliert als Frage oder Anklage? Oder beides?

Wer sucht ihn?

Da es kalt war, blieb er nicht lange auf der Bank sitzen. Den Brief riß er langsam in Streifen, die er übers Wasser streute. Er erinnerte sich, daß er vor vielen Jahren einen mißlungenen Brief an

Baiba auch an dieser Stelle zerrissen hatte. Auch den hatte er übers Wasser gestreut.

Aber es war doch ein großer Unterschied. Sie würde er wiedertreffen. Und sogar sehr bald.

Er sah den Papierstreifen nach, die langsam verschwanden. Dann verließ er den Hafen und fuhr zum Krankenhaus, um Ann-Britt Höglund zu besuchen.

Etwas war jetzt endlich vorüber.

Der schonische Herbst ging auf den Winter zu.

Nachschrift

Viele haben beigetragen, vielen gebührt Dank. Zum Beispiel *Bo Johansson* in Alafors, der die Welt der Vögel kennt und mich von seinem Wissen profitieren ließ. *Dan Israel*, der als erster und letzter liest, die Hohlräume entdeckt, die Auswege vorschlägt und stets hart, doch mit unbändigem Enthusiasmus kritisiert. Und nicht zuletzt *Eva Stenberg* gebührt Dank für die Entschiedenheit, mit der sie das Kommando über alle Korrekturarbeiten übernommen hat. *Malin Svärd* bildete die Nachhut und hielt ein Auge darauf, daß alle Fahrpläne, die wirklichen und die symbolischen, stimmten; *Maja Hagerman* berichtete über die gewandelte Bedeutung der Nachbarinnen seit den fünfziger Jahren.

Noch vielen anderen ist zu danken. Sie sind hier eingeschlossen.

In der Welt des Romans existiert eine Freiheit. Was hier geschildert wird, könnte sich genauso zugetragen haben. Aber vielleicht hat es sich sogar auf eine etwas andere Art und Weise zugetragen.

Die Freiheit des Romans beinhaltet auch, daß man einen See verlegen, eine Straßenkreuzung verändern und eine Entbindungsstation umbauen kann. Oder daß man eine Kirche hinzufügt, die es vielleicht nicht gibt. Oder einen Friedhof.

Das habe ich getan.

Maputo im April 1996 *Henning Mankell*

Henning Mankell im dtv

»Mankell gehört ohne Zweifel auch international zur Elite der Krimiautoren.«
Svenska Dagbladet

Mörder ohne Gesicht
Roman · dtv 20232

Die letzten Worte der sterbenden Frau waren »Ausländer, Ausländer!« – Kommissar Wallander weiß, dass diese Information unter gar keinen Umständen an die Presse gelangen darf. Denn die Möglichkeit, dass Ausländer an der Tat beteiligt waren, reicht möglicherweise aus, um eine Welle ausländerfeindlicher Gewalt auszulösen.

Hunde von Riga
Roman · dtv 20294

Die Ermittlungen führen Kommissar Wallander diesmal nach Osteuropa. Immer tiefer gerät er hinein in ein gefährliches Netz unsichtbarer Mächte, in dem er nicht nur seinen Glauben an die Gerechtigkeit verliert, sondern fast noch sein Leben lässt.

Die weiße Löwin
Roman · dtv 20150

Kommissar Wallander steht vor dem kompliziertesten Fall seiner Karriere. Alles beginnt mit dem spurlosen Verschwinden einer Immobilienmaklerin – doch schon bald ist klar: hier geht es um ein teuflisches Komplott von internationalen Dimensionen.

Die fünfte Frau
Roman · dtv 20366

Die Opfer dieser besonders grausamen Mordserie waren allesamt harmlose Bürger. Warum verfolgt der Mörder seine Opfer mit so brutaler Gewalt? Kommissar Wallander muss sich beeilen, bevor das nächste Verbrechen geschieht.

Jostein Gaarder im dtv

»Geboren zu werden bedeutet, dass wir die ganze Welt geschenkt bekommen.«
Jostein Gaarder

Das Kartengeheimnis
dtv 12500

Anita hatte sich vor Jahren nach Athen abgesetzt, »um sich selbst zu finden«. Jetzt machen sich Vater und Sohn auf den Weg, um sie zu suchen. Kaum aber erreichen sie die Alpen, gelangen sie in den Besitz dieses winzigen Büchleins mit der irrwitzigen Geschichte von einer magischen Insel…

Sofies Welt
Roman über die Geschichte der Philosophie
dtv 12555

Mysteriöse Briefe landen im Briefkasten der 15-jährigen Sofie. Was sollen diese Fragen: »Wer bist du?« oder: »Woher kommt die Welt?« Die Briefe werden ausführlicher, und schon bald entführen sie sie in die abenteuerliche und geheimnisvolle Gedankenwelt der großen Philosophen.

Das Leben ist kurz
Vita brevis · dtv 12711

Jahrelang währte die Liebe zwischen Floria und dem berühmten Kirchenvater Augustinus, eine Liebe, der immerhin ein gemeinsamer Sohn entsprang. Wie muss Floria sich fühlen, als Augustinus sich für seine Liebe zu Gott – und damit gegen die Liebe zu ihr entscheidet?

Der seltene Vogel
Erzählungen · dtv 24111

Zehn Erzählungen und Kurztexte, in denen Grenzen überschritten werden: zwischen Realität und Traum, Zeit und Unendlichkeit, Leben und Tod. Einfühlsam und poetisch, humor- und phantasievoll, zeigt Gaarder sich hier als wunder- und wandelbarer Geschichtenerzähler.

Michael Ondaatje im dtv

»Das kann Ondaatje wie nur wenige andere:
den Dingen ihre Melodie entlocken.«
Michael Althen in der ›Süddeutschen Zeitung‹

In der Haut eines Löwen
Roman
dtv 11742
Kanada in den zwanziger und dreißiger Jahren. Ein Land im Aufbruch, wo mutige Männer und Frauen gefragt sind, die zupacken können und ihre Seele in die Haut eines Löwen gehüllt haben. »Ebenso spannend wie kompliziert, wunderbar leicht und höchst erotisch.« (Wolfgang Höbel in der ›Süddeutschen Zeitung‹)

Der englische Patient
Roman · dtv 12131
1945, in den letzten Tagen des Krieges. Vier Menschen finden in einer toskanischen Villa Zuflucht. Im Zentrum steht der geheimnisvolle »englische Patient«, ein Flieger, der in Nordafrika abgeschossen wurde ... »Ein exotischer, unerhört inspirierter Roman der Leidenschaft. Ich kenne kein Buch von ähnlicher Eleganz.« (Richard Ford)

Buddy Boldens Blues
Roman
dtv 12333
Er war der beste, lauteste und meistgeliebte Jazzmusiker seiner Zeit: der Kornettist Buddy Bolden, der Mann, von dem es heißt, er habe den Jazz erfunden.

Es liegt in der Familie
dtv 12425
Die Roaring Twenties auf Ceylon. Erinnerungen an das exzentrische Leben, dem sich die Mitglieder der Großfamilie Ondaatje hingaben, eine trinkfreudige, lebenslustige Gesellschaft ...

Die gesammelten Werke von Billy the Kid
dtv 12662
Die größte Legende des Wilden Westens – Liebhaber und Killer, ein halbes Kind noch und stets dem Tode nah: in ihm vereinigten sich die Romantik und die Gewalttätigkeit dieser Zeit.

Javier Marías im dtv

»...ich glaube, das ist einer der größten im Augenblick lebenden Schriftsteller der Welt.«
Marcel Reich-Ranicki

Mein Herz so weiß
Roman · dtv 12507

»Ich liebe dich, ich würde alles für dich tun. Ich würde sogar für dich töten.« Soeben von der Hochzeitsreise zurückgekehrt, geht eine junge Frau ins Bad, knöpft sich die Bluse auf und schießt sich ins Herz ... Die meisterhaft gewebte Auflösung eines unerklärlichen Selbstmords: ein raffiniert inszenierter Roman über Liebe, Ehe, Treue und Verrat.

Alle Seelen
Roman · dtv 12575

Als Gastdozent in Oxford beginnt ein junger Spanier eine Affäre mit der verheirateten Clare. Erst in der letzten gemeinsamen Nacht enthüllt sie ihr Geheimnis ... Immer enger verknüpft Marías die Erzählfäden, immer rascher treibt er seine suggestive Sprache einem dramatischen Finale zu.

Morgen in der Schlacht denk an mich
Roman · dtv 12637

»Niemand denkt je daran, dass er jemals eine Tote in den Armen halten könnte.« Doch Marta stirbt. In Victors Armen. Den Armen eines Fremden. Der Ehemann auf Reisen, der kleine Sohn schlafend nebenan. Victor ist überfordert und flüchtet, doch bald muss er erkennen, dass nicht nur er vom Tod einer Frau verfolgt wird ...

Als ich sterblich war
Erzählungen · dtv 12779

Subtil inszenierte Geschichten über die Untiefen und Abgründe menschlicher Existenz, ganz große Kunst eines an Hitchcock geschulten Erzählers.

Marcel Reich-Ranicki im dtv

»Man hat mir früher vorgeworfen, ich sei ein Schulmeister. Man wirft mir heute vor, ich sei ein Entertainer. Beides zusammen ist genau das, was ich sein will.«
Marcel Reich-Ranicki

Entgegnung
Zur deutschen Literatur der siebziger Jahre
dtv 10018

Deutsche Literatur in West und Ost
dtv 10414

Nachprüfung
Aufsätze über deutsche Schriftsteller von gestern
dtv 11211

Literatur der kleinen Schritte
Deutsche Schriftsteller in den sechziger Jahren
dtv 11464

Lauter Verrisse
dtv 11578
Mit jeder seiner Rezensionen – und seien sie noch so scharf – beweist Marcel Reich-Ranicki seine Liebe zur Literatur.

Lauter Lobreden
dtv 11618
Anhand von zwanzig deutschen Autoren zeigt Reich-Ranicki hier, wie gut er (auch) zu loben versteht.

Über Ruhestörer
Juden in der deutschen Literatur
dtv 11677

Ohne Rabatt
Über Literatur aus der DDR · dtv 11744

Mehr als ein Dichter
Über Heinrich Böll
dtv 11907

Die Anwälte der Literatur
dtv 12185
»Von allen meinen literaturkritischen Büchern ist mir dieses das liebste.«
Marcel Reich-Ranicki

Meine Schulzeit im Dritten Reich
Erinnerungen deutscher Schriftsteller
dtv 12365

Über Hilde Spiel
Reden und Aufsätze
dtv 12530
Eine ehrfürchtige Verneigung vor der »Grande Dame der deutschsprachigen Literatur«.

Marcel Reich-Ranicki im dtv

Der Fall Heine
dtv 12774
Eine leidenschaftliche Annäherung an den Fall Heine – ein »Bekenntnis« in fünf Essays.

Mein Leben
dtv 12830
»Dieses Buch gehört zu den großen Geschichtserzählungen unseres Jahrhunderts.«
Peter von Becker im ›Tagesspiegel‹
»Es ergreift durch die tonlose Stille des Entsetzens, durch subtile Andeutungen, polemisches Verschweigen, durch Lakonik und Zärtlichkeit ... Nur herzlose Leser werden sich diesem Drama in Prosa entziehen können.«
Mathias Schreiber und Rainer Traub im ›Spiegel‹
»Reich-Ranicki hat eine der schönsten Liebesgeschichten dieses Jahrhunderts geschrieben.«
Frank Schirrmacher in der ›Frankfurter Allgemeinen Zeitung‹

Über Marcel Reich-Ranicki

Jens Jessen (Hrsg.)
Über Marcel Reich-Ranicki
Aufsätze und Kommentare
dtv 10415

Peter Wapnewski (Hrsg.)
Betrifft Literatur
Über Marcel Reich-Ranicki
dtv 12016

Volker Hage, Mathias Schreiber
Marcel Reich-Ranicki
Ein biographisches Porträt
dtv 12426

Hubert Spiegel (Hrsg.)
Was für ein Leben
Marcel Reich-Ranickis Erinnerungen
Kritiken, Stimmen, Dokumente
dtv 30807